L'APPRENTISSAGE

UNE APPROCHE
PSYCHO-ÉTHOLOGIQUE

L'APPRENTISSAGE

UNE APPROCHE
PSYCHO-ÉTHOLOGIQUE

FRANÇOIS DORÉ, Ph. D.
Professeur agrégé
École de psychologie
Université Laval
Québec

Préfacé par Marc Blancheteau
Université de Montpellier

Chenelière
et Stanké

1637, avenue Selkirk
Montréal   H3H 1C7
Québec

Maloine
Éditeur

27, rue de l'École de Médecine
75006 — Paris
France

La publication de cet ouvrage a été encouragée par deux subventions accordées:

- par le fonds F.C.A.C. pour l'aide et le soutien à la recherche
- au titre de la Coopération franco-québécoise.

Conception et réalisation de la couverture:
BRIGITTE ROLLAND

Coordination de l'édition:
BRIGITTE SIBÉLAS

Distribution et diffusion
en Europe et en Afrique par:

MALOINE S.A. ÉDITEUR
27, rue de l'École de Médecine
75006 — PARIS

Copyright© 1983 by Chenelière et Stanké, Ltée
Éditions universitaires internationales, Montréal

Dépôt légal: 2e trimestre 1983
Bibliothèque nationale du Québec
ISBN 2-89206-011-7

Imprimé au Canada

TABLE DES MATIÈRES

PRÉFACE

La parution d'un livre en langue française traitant exclusivement de l'apprentissage animal n'est pas chose fréquente; celle de l'ouvrage de François DORÉ est donc particulièrement bienvenue. Elle constitue un évènement d'autant plus remarquable qu'il ne s'agit pas d'une traduction ni d'une adaptation d'un livre de Psychologie expérimentale ou d'Éthologie, mais d'une synthèse de données recueillies par des chercheurs qui travaillent dans l'une ou l'autre de ces disciplines. François DORÉ, lui, peut prétendre relever des deux à la fois, et à juste titre: par exemple, il a passé deux ans dans les forêts du Canada à observer le comportement du Raton laveur et du Junco ardoisé, mais il a également réalisé au laboratoire de l'université Laval une longue série d'expériences sur l'évitement bidirectionnel chez le Rat blanc, pour ne citer qu'une partie de ses travaux. Ce jeune professeur fait donc partie des rares spécialistes du comportement animal qui tentent d'en construire une connaissance complète, acquise sur le terrain comme au laboratoire. C'est pourquoi il était bien placé pour tenter la synthèse des faits et des résultats psychologiques et éthologiques qu'on va lire. Son souci d'établir une cohérence entre ces données parfois disparates se ressent à la lecture des interprétations du conditionnement et de l'apprentissage, où l'auteur s'interroge sur leur valeur fonctionnelle, adaptative, par rapport aux conditions de vie de l'animal en milieu naturel.

L'ouvrage de François DORÉ est également remarquable par divers points qui y sont abordés. Le préambule historique a le mérite de présenter un survol de l'évolution des idées, faisant le point sur les théories classiques mais anciennes, les «sources» comme les nomme l'auteur, qui a ainsi tout loisir pour présenter ensuite au lecteur des conceptions modernes, à l'occasion des diverses formes d'apprentissage successivement passées en revue. Parmi celles-ci figurent des modes d'acquisition soit élémentaires comme l'habituation, soit complexes comme l'apprentissage vicariant, dont il n'est généralement pas fait mention dans la plupart des traités sur l'apprentissage en langue anglaise.

Je souhaite que ce livre serve au rapprochement de deux communautés scientifiques, celle des Naturalistes et celle des Psychologues, concernées par un objet commun qui est le comportement animal. Ce rapprochement ne saurait mieux s'effectuer que chez les futurs chercheurs qui vont lire maintenant, étant encore étudiants, un livre de synthèse tel que celui-ci.

Marc Blancheteau
Professeur
à l'université de Montpellier

AVANT-PROPOS

L'apprentissage a toujours été et demeure encore aujourd'hui l'un des domaines privilégiés d'investigation des sciences du comportement. Les recherches, les publications et les théories sur ce sujet sont innombrables et touchent des aspects extrêmement variés. Elles ont inspiré, surtout dans les trente dernières années, des applications pratiques dans plusieurs secteurs, spécialement ceux de la thérapie behaviorale (Ladouceur, Bouchard et Granger, 1977) et de l'intervention en milieu scolaire (Côté et Plante, 1976). Ce foisonnement de recherches et d'applications est compréhensible dans la mesure où l'apprentissage est l'un des processus fondamentaux par lesquels les comportements apparaissent et se transforment.

Face à l'ampleur de ce domaine de recherches, la plupart des auteurs sélectionnent les thèmes à discuter. Certains abordent plusieurs thèmes différents (Flaherty, Hamilton, Gandelman et Spear, 1977; Fraisse et Piaget, 1964; Houston, 1976; LeNy, 1967, 1972; Tarpy et Maier, 1978; Wickelgren, 1977), alors que d'autres en approfondissent seulement quelques-uns (Hall, 1976; Richard, 1966; Richelle, 1966; Schwartz, 1978). L'accent est mis tantôt sur les théories (Bolles, 1979; Hergenhahn, 1976; Hilgard et Bower, 1975; Hill, 1977), tantôt sur les applications pratiques (Martin et Pear, 1977; Marx et Bunch, 1977). Certains auteurs discutent surtout de l'apprentissage animal (Mackintosh, 1974), tandis que d'autres se limitent à l'apprentissage humain (Gagné, 1977; Staats, 1975).

Pour sélectionner leurs thèmes, la grande majorité des auteurs des livres d'apprentissage s'appuient sur la tradition de la psychologie expérimentale et très peu d'entre eux s'inspirent d'une autre science du comportement, l'*éthologie*. Ce n'est que récemment que sont apparus des manuels d'introduction à l'apprentissage qui tiennent vraiment compte de l'approche éthologique (Donahoe et Wessels, 1980; Fantino et Logan, 1979). Cette situation tient à des raisons historiques, mais aussi au fait que l'éthologie s'est elle-même beaucoup moins intéressée à l'apprentissage que la psychologie. Certes les éthologistes ont produit quelques ouvrages remarquables sur ce sujet (Lorenz, 1969, 1970; Thorpe, 1963), et ils ont plus que tout autre insisté sur le caractère adaptatif de ce processus. Ils ont aussi contribué de façon significative à mettre en évidence et à étudier certaines situations particulières d'apprentissage telles que l'habituation (Peeke et Herz, 1973a, 1973b), l'empreinte (Hess, 1959, 1964; Lorenz, 1935, 1937; Sluckin, 1972), le chant des oiseaux (Konishi, 1965; Marler, 1970; Marler et Tamura, 1964; Nottebohm, 1970; Thorpe, 1958) et le jeu chez les animaux (Bruner, Jolly et Sylva, 1976; Fagen, 1981). Cependant l'éthologie s'est relativement peu engagée dans l'analyse systématique de l'apprentissage et s'est souvent montrée réticente à l'idée d'une théorie générale (Burghardt, 1973). Elle offre pourtant, comme nous le verrons, une perspective très différente de celle de la psychologie, et qui la complète sans être contradictoire.

Notre livre se propose donc de puiser à même les données et les théories de ces deux sciences du comportement, la psychologie et l'éthologie. Il abordera plusieurs des thèmes généralement discutés dans les autres manuels d'introduction, mais à cause de son inspiration partiellement éthologique, il se distinguera par certaines caractéristiques: sa position zoocentriste; sa définition biologique du comportement et de l'apprentissage; son intérêt pour les aspects fonctionnels et évolutifs; enfin son analyse de certaines situations habituellement ignorées dans les livres d'apprentissage.

En plus de s'inspirer de la psychologie et de l'éthologie, ce traité se distingue aussi par le fait qu'il s'inscrit dans une interprétation cognitive de l'apprentissage. Nous aurons à plusieurs reprises l'occasion d'expliquer ce que cette expression signifie. Pour le moment, mentionnons simplement que les théories cognitives admettent comme postulat de base que le déterminisme de l'environnement sur le comportement s'exerce, non pas par les stimulations physiques comme telles, mais plutôt par leur intégration à des structures internes déjà en place.

Cette perspective particulière qui oriente notre livre, entraîne, comme pour tous les autres manuels d'introduction, une sélection des thèmes qui seront discutés. À cause de sa position zoocentriste, il met l'accent surtout sur l'apprentissage des animaux non humains. Cela ne veut pas dire que les faits et théories exposés ne sont pas pertinents pour l'humain ou encore qu'il n'est jamais question de l'apprentissage humain. Cela signifie simplement que les particularités de l'apprentissage humain ne constituent pas notre foyer d'intérêt. Une deuxième caractéristique de ce livre est qu'il n'aborde pas du tout le problème de la «mécanique» neurophysiologique de l'apprentissage. Cet aspect très important de la causalité immédiate du comportement est étudié par la psychologie et l'éthologie. Toutefois il constitue en soi un domaine de recherches très vaste qu'il serait illusoire de vouloir traiter ici de façon convenable. Enfin notre manuel se limite à la recherche fondamentale et laisse de côté tout le secteur concernant les applications pratiques dérivées de cette recherche fondamentale.

Ce livre est divisé en quatre grandes parties.

La première partie, intitulée *La notion d'apprentissage*, comprend quatre chapitres et vise essentiellement deux objectifs. D'abord, définir en quoi consiste le processus d'apprentissage, en le situant dans le contexte général de l'adaptation biologique et en précisant sa nature ainsi que son rôle dans l'élaboration des comportements (chapitre 1). Ensuite, décrire, à partir d'une analyse historique et épistémologique, la manière dont s'est posé et se pose encore aujourd'hui le problème de l'apprentissage. Les chapitres 2, 3 et 4 tentent de fournir une image aussi juste que possible de l'évolution des idées sur ce sujet, sans être toutefois une étude exhaustive des origines de ce concept et des théories passées ou actuelles.

Les deuxième et les troisième parties du livre abordent les aspects plus empiriques de ce domaine de recherche. On y examine les différentes formes d'apprentissage généralement étudiées par la psychologie expérimentale et l'éthologie (habituation, conditionnement classique, apprentissage instrumental, empreinte, etc.), tout en présentant les méthodes de recherche, les phénomènes, les concepts et les hypothèses qui leur sont rattachés.

La quatrième et dernière partie du livre se penche sur quelques problèmes théoriques propres à l'étude de l'apprentissage et esquisse une approche conceptuelle qui essaie de jeter des ponts entre la psychologie expérimentale, l'éthologie et la théorie piagétienne de la connaissance.

Ce livre s'adresse d'abord aux étudiants de niveau universitaire qui suivent un premier cours dans ce domaine. Selon leurs acquis antérieurs, ils percevront chaque chapitre de façon différente. Par exemple, certaines parties du chapitre 1 pourront sembler très arides pour des étudiants en psychologie alors que leur contenu ira de soi pour des étudiants en biologie. Par contre, d'autres parties de ce même chapitre produiront l'effet inverse. Ces différences de perception des difficultés ne devraient pas, du moins nous l'espérons, affecter sérieusement la compréhension réelle de l'étudiant. Ce livre s'adresse aussi aux professeurs du niveau collégial qui pourront utiliser les principaux concepts de base et les exemples pour initier leurs étudiants à certaines notions générales. Enfin il s'adresse à tous les spécialistes du comportement qui peuvent s'intéresser à une perspective originale et différente d'un problème ancien.

Ce livre essaie de combler un vide important dans le répertoire des ouvrages scientifiques et éducatifs de langue française. Il existe en effet très peu de manuels d'introduction générale au domaine de l'apprentissage comparables aux nombreux textes qui existent en anglais. Je tiens à remercier les étudiants des universités de Montréal, Ottawa et Laval qui, inscrits à mes cours, ont souvent manifesté leur insatisfaction face à cette situation et m'ont ainsi incité à entreprendre la rédaction de cet ouvrage. Par leurs questions parfois embarrassantes, ils m'ont forcé à clarifier et à mieux expliquer certaines notions qui, avec les années, étaient devenues pour moi trop évidentes.

Je remercie tous ceux qui, à des degrés divers, ont contribué à la lecture et à l'amélioration des versions préliminaires de ce manuscrit: le Dr Marc-André Bouchard de l'Université de Montréal, le Dr Gilles Kirouac et le Dr Robert Ladouceur de l'Université Laval qui tous trois m'ont soutenu dans cette entreprise, non seulement par la justesse de leurs commentaires, mais aussi par leurs encouragements répétés et leur solide amitié. La dactylographie du manuscrit a été réalisée avec efficacité et célérité par mesdames Nicole Lalancette et Sylvie Gagnon qui ont manifesté pour ce travail un intérêt bien supérieur à celui que leur tâche exigeait. Enfin, ce livre a été rédigé grâce à une subvention accordée par le gouvernement du Québec provenant du volet d'aide à la rédaction d'ouvrages scientifiques du Fonds F.C.A.C.

PREMIÈRE PARTIE

LA NOTION D'APPRENTISSAGE

CHAPITRE 1

DESCRIPTION ET DÉFINITION DE L'APPRENTISSAGE

Dans le langage quotidien, la signification des mots «apprendre» et «apprentissage» présente peu de difficultés; elle est intuitivement comprise par tous. Comme l'indique tout bon dictionnaire, elle regroupe essentiellement deux grandes catégories sémantiques. Dans son sens subjectif, le verbe «apprendre» désigne l'acquisition d'informations, de connaissances ou d'habiletés motrices, par l'intermédiaire de la communication verbale, du travail intellectuel ou de l'expérience. Dans son sens objectif, il désigne la transmission de ces informations, connaissances et habiletés motrices, notamment par le biais de l'enseignement. Ainsi nous dirons du jeune enfant qu'*il a appris* à parler ou à marcher et nous dirons de ses parents qu'*ils lui ont appris* ces comportements.

Cependant, les chercheurs et théoriciens des sciences du comportement ne sauraient se satisfaire d'une telle définition. Ils ne sauraient s'en satisfaire, non par tendance morbide et compulsive à compliquer ce qui semble simple et évident au commun des mortels, mais parce que l'apprentissage, comme beaucoup d'autres phénomènes, devient plus difficile à décrire et à saisir dès que les questions à son sujet dépassent le niveau de la compréhension intuitive.

La définition que nous fournit le dictionnaire accorde par exemple un rôle très important à la communication écrite ou verbale dans l'acquisition des connaissances et tend, par le fait même, à limiter l'apprentissage à l'humain. Pourtant, tous ceux qui ont tenté de dresser un chien ou quelque autre animal familier accepteront assez facilement ce fait, maintenant bien établi, que la capacité d'apprendre existe chez la plupart des espèces animales, des protozoaires aux singes anthropoïdes. Cette seule donnée modifie considérablement la façon d'aborder et de définir l'apprentissage et illustre la complexité du processus.

Si non seulement l'humain mais aussi les animaux peuvent apprendre, il faut élargir la définition pour qu'elle puisse inclure l'apprentissage animal. Il faut aussi la préciser, car des termes comme «informations» ou «connaissances» sont plus difficiles à circonscrire dans le cas des animaux que dans le cas de l'humain. Il faut enfin utiliser des méthodes de recherche qui, sans faire appel au langage verbal, permettent de démontrer qu'il y a eu acquisition d'un nouveau savoir. Plus précisément il faut s'appuyer sur un indice observable, c'est-à-dire le comportement.

L'existence d'une capacité d'apprendre chez les animaux ne fait pas que modifier la définition de l'apprentissage, elle suscite aussi des interrogations. Par exemple, qu'y a-t-il de commun et qu'y a-t-il de différent entre l'apprentissage animal et l'apprentissage humain? S'il y a des éléments communs, est-ce que cela veut dire que le processus sous-jacent est le même? Quelle est la nature de ce processus? Quelle est sa fonction dans l'adaptation des organismes? Est-ce que la présence du langage chez l'humain introduit une modification significative du processus d'apprentissage? Etc.

Les raisons pour lesquelles les chercheurs et théoriciens des sciences du comportement ne peuvent se satisfaire d'une définition courante sont probablement plus claires maintenant. Dans les pages qui suivent, nous tenterons d'identifier encore mieux ce qu'ils entendent par «apprentissage», et de cerner davantage la problématique qui est la leur.

L'APPRENTISSAGE: UN PROCESSUS BIOLOGIQUE

Puisque le comportement des animaux nous permet de reconnaître la présence ou l'intervention d'un processus d'apprentissage, il convient d'abord de bien situer ce processus par rapport à sa principale manifestation observable.

Le comportement: une forme d'adaptation

Définition du comportement. Le monde vivant est construit de manière à s'autoperpétuer. C'est là une de ses caractéristiques fondamentales, comme l'ont rappelé récemment plusieurs auteurs (Alcock, 1979; Barash, 1977; Dawkins, 1976; Wilson, 1975). L'expression bien connue «la survie du plus apte», qui sert souvent à résumer la conception darwinienne de l'évolution, signifie en effet que les organismes biologiquement adaptés assurent leur pérennité, non seulement en veillant à leur propre survie mais aussi en produisant une descendance et en lui transmettant une partie des caractères biologiques qui ont fait leur succès.

Pour survivre et se reproduire, tout organisme doit d'abord être en mesure de s'ajuster aux conditions qui prévalent dans son habitat. Chaque espèce animale est donc dotée d'un ensemble d'organes et de systèmes spécialisés qui lui permettent d'assumer les fonctions vitales de base: thermorégulation, respiration, digestion, etc. Cependant le maintien de l'intégrité somatique de l'organisme n'est pas suffisant en soi. L'animal doit aussi pouvoir maintenir un contact continu avec son environnement physique et social. Il doit capter les stimulations pertinentes, les analyser, organiser et coordonner l'activité des divers systèmes spécialisés en fonction de ces informations. Ainsi la plupart des espèces animales sont-elles dotées d'un système nerveux et d'un système endocrinien, qui remplissent ces tâches essentielles de détection, d'analyse et de coordination. Ces systèmes nerveux et endocrinien, en contrôlant et en coordonnant les autres systèmes spécialisés, donnent naissance à un autre élément fondamental dans l'adaptation des animaux: le comportement. Ce dernier permet plus qu'un simple contact avec l'environnement; il permet d'agir sur celui-ci. Il est donc «*l'ensemble des actions que les organismes exercent sur leur milieu extérieur pour en modifier des états ou pour changer leur propre situation par rapport à lui*» (Piaget, 1976, p.7). En somme, le comportement des animaux constitue, au même titre que leur anatomie, leur physiologie ou leur biochimie, une forme d'adaptation biologique.

Diversité et spécificité des comportements. Si les organismes vivants s'adaptent, les moyens par lesquels ils atteignent ce résultat diffèrent beaucoup d'une espèce à l'autre. Par exemple, la respiration, qui pour tous les animaux consiste en un échange gazeux entre les milieux interne et externe, peut s'effectuer par l'intermédiaire de diverses structures: branchies, poumons, bouche, peau, intestin, anus, etc. Cette diversité des structures et des systèmes n'est ni gratuite ni aléatoire. Chaque groupe animal possède des caractères anatomophysiologiques qui lui sont propres, qui le distinguent des autres groupes et sont adaptés à son écosystème et à son mode de vie particuliers. Par exemple, l'appareil respiratoire des oiseaux composé de poumons et de sacs aériens produit une ventilation intense tout à fait appropriée à leur mode de vie actif et à leur locomotion aérienne. Par contre, les grenouilles, dont l'habitat est à la fois aquatique et terrestre, peuvent respirer aussi bien par la peau, la cavité orale et les poumons que par une combinaison de ces organes. Les adaptations morphologiques se caractérisent donc par leur diversité mais aussi par leur spécificité, c'est-à-dire qu'elles sont propres à chaque espèce.

La même diversité et la même spécificité existent au niveau du comportement et répondent aussi à une nécessité d'adaptation. En fait, chaque espèce animale possède un monde perçu et agi qui lui est propre, ce que von Ucxküll (1934) appelait un *umwelt*. Chez l'humain, la source prédominante d'informations est sans aucun doute la vision et beaucoup de ses conduites sont déterminées par le traitement d'informations visuelles. Mais il n'en est pas ainsi pour tous les animaux. Dans le cas bien connu de la chauve-souris, les informations auditives jouent souvent un rôle plus important que les informations visuelles. La chauve-souris dispose en effet d'un système d'écholocation similaire au sonar des navires. Pour éviter les obstacles qu'elle rencontre sur son parcours ou pour détecter les proies dont elle se nourrit, elle émet des sons de très haute fréquence, inaudibles pour nous, qui se réfléchissent sur les objets et qu'elle capte ensuite par ses oreilles. Selon l'intensité et la forme de l'écho reçu, elle peut identifier la nature, la position et la distance de l'objet. Le monde que la chauve-souris perçoit et sur lequel elle agit, est donc bien différent de l'*umwelt* humain (Alcock, 1979).

La diversité et la spécificité des comportements ne sont pas évidentes uniquement lorsqu'on compare des espèces aussi éloignées que l'humain et la chauve-souris. Elles sont également manifestes quand la comparaison concerne des espèces très apparentées du point de vue de leur classification.

Ainsi les mouettes et les goélands forment du point de vue morphologique et comportemental, un groupe très homogène, la famille des Laridés. La plupart de ces espèces vivent sur les plages et construisent leurs nids au sol. Pour signaler leur présence sur le territoire qu'elles occupent et qu'elles défendent contre leurs congénères, elles exécutent un comportement appelé «position oblique dressée», qui s'accompagne du «long cri». Par contre, ces mouettes et ces goélands ont une conduite distincte, l'«inclinaison», pour indiquer l'emplacement de leur nid à une femelle qui deviendra éventuellement leur partenaire. Il y a toutefois une espèce qui fait exception à cette règle, la mouette tridactyle (*Rissa tridactyla*). Bien que très proche des autres Laridés et très semblable à ceux-ci sur plusieurs aspects, cette mouette ne dispose que du comportement «inclinaison» pour signaler sa présence sur le territoire et pour indiquer l'emplacement de son nid. Comme l'ont montré Tinbergen et ses collaborateurs (1959, 1960), cette différence comportementale entre la mouette tridactyle et les autres Laridés n'est pas étrangère à la différence d'habitat. En effet *Rissa tridactyla* ne vit pas sur les plages, mais sur des rochers escarpés. Elle ne construit pas son nid au sol, mais plutôt sur des surplombs étroits, de sorte que son territoire et son nid occupent à peu près la même surface. Contrairement à celui de ses cousins de la même famille, le même comportement peut donc remplir deux fonctions.

Homogénéité intraspécifique et stéréotypie. Une autre particularité, que le comportement partage avec les caractères morphologiques et étroitement reliée à la spécificité, est la *relative homogénéité intraspécifique*. Tout comme les systèmes respiratoire, digestif, etc., les comportements sont très semblables d'un individu à l'autre, à l'intérieur d'une même espèce ou d'un même groupe taxinomique. Par exemple, quand un rat mâle adulte sauvage (*Rattus norvegicus*) menace et attaque un congénère mâle adulte, il exécute une séquence d'actions typique, qui apparaît chez la plupart des rats de cette espèce, placés dans la même situation (Barnett, 1975). Après avoir détecté la présence de l'intrus, il demeure immobile et commence à claquer des dents. Tout en continuant à émet-

Figure 1.1   Composantes de l'attaque d'un congénère par un rat mâle *Rattus norvegicus*. A: menace. B: bond. C: boxe (Dessins de Gabriel Donald publiés dans S.A. Barnett (1981). *Modern Ethology. The Science of Animal Behavior*. Reproduction autorisée par Oxford University Press).

tre ce bruit, il approche lentement de son adversaire, les poils hérissés, en urinant et déféquant. À la phase suivante, l'agresseur, et parfois l'agressé, adoptent la posture de menace (figure 1.1.a): le dos est arqué à son maximum, les quatre pattes sont tendues et le flanc est tourné vers l'adversaire. Flanc contre flanc, les deux rats trépignent alors quelques secondes, après quoi ils s'éloignent temporairement l'un de l'autre. Vient ensuite une phase au cours de laquelle l'agresseur bondit dans les airs, retombe sur son opposant, le frappe de ses pattes antérieures et le mord brièvement à l'oreille, à une patte ou à la queue (figure 1.1b.). Ces attaques sont répétées et se transforment bientôt en violentes bouscula-des. Ces dernières sont suivies d'un combat de boxe, au cours duquel les adversaires, se dressant sur leurs pattes postérieures, s'échangent des coups à l'aide de leurs pattes antérieures (figure 1.1c.). Une telle rencon-tre agonistique se termine habituellement par une poursuite.

Stéréotypie et variations individuelles. Cette relative homogénéité intraspécifique et cette stéréotypie des comportements permettent aux animaux d'être adaptés aux conditions générales de leur environnement physique et social normal. Mais les comportements doivent aussi être adaptés aux conditions particulières et changeantes de cet environne-ment. *Il existe donc des différences intra-individuelles et interindividuelles mar-quées.* Ainsi, la séquence d'actions agonistiques de *Rattus norvegicus* que nous venons de décrire représente en fait une séquence idéale. Bien que la structure générale du comportement soit toujours la même, certains éléments peuvent varier (Barnett, 1981). La posture de menace peut en effet apparaître aussi bien avant qu'après le bondissement et les morsu-res. Certaines composantes, comme le claquement des dents, sont par-fois absentes et chaque composante ou phase peut même être isolée de toutes les autres.

Autrement dit, il existe réellement, à l'intérieur de chaque espèce animale, des patrons stéréotypés de mouvements et de sons qui se retrouvent chez tous les individus. Cependant, cette homogénéité intraspécifique est relative et l'adjectif «stéréotypé» n'exclut pas la possi-bilité de variations individuelles. La forme générale du système respira-toire d'une espèce avienne, par exemple, est la même pour tous les indi-vidus de cette espèce, mais cela ne signifie pas pour autant que la forme exacte, les dimensions et les autres propriétés des organes qui le compo-sent sont rigoureusement identiques chez tous. De la même façon le comportement, bien que relativement homogène et spécifique à l'es-pèce, implique des différences individuelles importantes.

Jusqu'ici nous avons vu que le comportement, tout comme les autres caractères biologiques, est une forme d'adaptation aux conditions générales et singulières de l'environnement physique et social de chaque espèce animale. Il partage avec ces caractères les mêmes propriétés fon-damentales de diversité, de spécificité, d'homogénéité relative et de variabilité individuelle. Mais comment expliquer cette similitude entre le comportement et les autres caractères biologiques? C'est que les uns et les autres obéissent à des lois similaires, des lois que nous ont révélées la théorie néodarwinienne de l'évolution et la génétique moderne. Ce sont ces lois que nous allons maintenant résumer très brièvement.

L'interaction hérédité-environnement

L'ensemble des caractères biologiques observables d'un organisme, que ces caractères soient de nature chimique, anatomique, physiologique, comportementale ou autre, constitue le *phénotype* de cet organisme. Le phénotype est le résultat de *l'interaction de l'hérédité et de l'environnement, au cours du développement ontogénétique*[1].

L'hérédité biologique: le génotype. L'hérédité biologique de tout animal est déterminée par son *génotype*, c'est-à-dire par la totalité des gènes qu'il reçoit de ses parents. Le génotype varie d'une espèce à l'autre et est *en partie* responsable de la diversité des formes d'adaptation qui existent dans le règne animal. Les membres d'une même espèce partagent le même système de gènes et ont, par conséquent, des attributs biologiques communs, permettant ainsi une spécificité et une homogénéité relative des comportements et des autres caractères biologiques. Selon la théorie néodarwinienne, ce système commun de gènes est apparu à la suite d'une lente et longue évolution, dont le processus fondamental est la sélection naturelle. Le génotype varie aussi d'un individu à l'autre; il est donc également *en partie* responsable des différences interindividuelles. En effet, les individus d'une même espèce sont tous différents les uns des autres en ce qui concerne leur génotype, à l'exception bien sûr du cas bien connu des jumeaux monozygotiques.

Les gènes sont des instructions codées sous la forme d'acide désoxyribonucléique (ADN), qui servent à construire des molécules protéiniques spécifiques, des enzymes, lesquelles à leur tour jouent le rôle de catalyseurs pour les réactions biochimiques des cellules. Autrement dit, les enzymes, sur la base des instructions génétiques, contrôlent et déterminent les réactions chimiques qui auront lieu et *contribuent ainsi au développement* des cheveux, d'un oeil, d'une aile, d'un mode de nidification, d'un comportement agonistique ou de tout autre caractère biologique. À moins de mutations, le génotype d'un organisme ne change pas au cours de sa vie. Cependant, de sa naissance à sa mort, ses gènes produisent des copies d'eux-mêmes: entre la fin d'une division cellulaire et le début de la suivante, la quantité d'acide désoxyribonucléique se dédouble. Ainsi les gènes se renouvellent bien que le génotype, lui, demeure identique pendant toute la vie de l'organisme.

---

1 Dans son sens biologique et psychologique, l'ontogénèse désigne le développement d'un organisme durant toute sa vie, c'est-à-dire de son embryogénèse jusqu'à sa mort.

Si le génotype est donné dès la naissance, et même dès la fertilisation de l'ovule, et s'il ne peut se transformer au cours de la vie de l'individu, comment se fait-il que le phénotype change de la naissance à la mort, c'est-à-dire que l'apparence externe des animaux se transforme? Comment des génotypes identiques (jumeaux monozygotiques) peuvent-ils produire des phénotypes différents? Comment un animal peut-il avoir des comportements adaptés aux conditions précises et particulières de son environnement? C'est que seul le génotype est héréditaire, fixe et inaltérable. Le phénotype, lui, peut se transformer puisque, comme nous l'avons souligné dès le début, il s'inscrit dans un processus de développement ontogénétique où entrent en interaction certaines influences de l'hérédité et de l'environnement.

Dans les paragraphes précédents, nous avons souligné plusieurs mots de façon à insister sur l'idée que le génotype (ou l'hérédité) n'est qu'en partie responsable de la variabilité phénotypique et qu'il contribue, sans le déterminer entièrement, au développement des caractères structuraux et comportementaux. Une autre source importante de variabilité phénotypique est l'environnement, c'est-à-dire les conditions dans lesquelles les animaux vivent ou ont vécu. Cette insistance sur les limites du déterminisme héréditaire n'était pas superflue, car même aujourd'hui il subsiste beaucoup de confusion quant à la nature et au rôle véritables de l'hérédité.

Le phénotype. Contrairement à ce qu'on entend très souvent et à ce qu'on lit parfois, les caractères biologiques, qu'il s'agisse de structures morphologiques ou de comportements, ne sont pas exclusivement déterminés par le génotype, pas plus qu'ils ne sont exclusivement déterminés par l'environnement. *Seules les différences* entre les individus ou entre les groupes peuvent être déterminées génétiquement, c'est-à-dire que certaines différences phénotypiques correspondent à des différences génotypiques. De la même façon, certaines différences phénotypiques sont déterminées par l'environnement, c'est-à-dire qu'elles correspondent à des différences de conditions de vie. Les expressions «déterminisme génétique» et «déterminisme de l'environnement» ne s'appliquent donc que pour décrire l'écart ou la différence entre un phénotype donné et le phénotype moyen. Les caractères phénotypiques, eux, sont le résultat de l'*interaction* de l'hérédité et de l'environnement dans un *processus de développement*, appelé ontogénèse. Quelques exemples serviront à mieux expliquer ce point.

La phénylcétonurie est une maladie humaine assez rare, souvent considérée comme une «caractéristique héréditaire». Cette maladie retarde le développement du cerveau, entraîne une déficience intellectuelle et peut provoquer la mort. Elle est due à une défectuosité du fonctionnement biochimique de l'organisme: un acide aminé, la phénylalanine, qui devrait normalement être transformé en tyrosine, s'accumule dans le sang et le liquide céphalo-rachidien, et produit de l'acide phénylpyruvique, agent de détérioration. La phénylcétonurie n'apparaît que chez les enfants ayant reçu de leurs parents une double dose d'un gène récessif désigné par la lettre p, c'est-à-dire les enfants homozygotes pp (Hsia, 1967; Jacquard, 1978).

Il semble donc évident que ce caractère soit purement héréditaire. Pourtant il n'en est rien, car il ne se manifeste pas dans tous les environnements. En effet, si la maladie est dépistée dès les premières semaines de la vie, l'enfant peut être soumis à une diète ne contenant presque pas de phénylalanine, ce qui élimine toute action toxique et permet un développement normal. On ne peut donc pas dire que la phénylcétonurie est héréditaire puisqu'une modification de l'environnement, dans ce cas-ci la composition de la diète, suffit à en prévenir l'apparition. Pour qu'elle se manifeste dans le phénotype, il faut qu'il y ait interaction entre l'hérédité (présence du gène pp) et l'environnement (présence de phénylalanine dans la diète). Par contre, la différence entre un enfant phénylcétonurique et un enfant normal qui n'a pas besoin d'une diète spéciale correspond à une différence génétique.

L'exemple que nous venons de décrire concerne un caractère biochimique mais la démonstration peut être faite aussi avec un caractère comportemental.

Deux espèces de babouins très apparentées vivent en Afrique: *Papio hamadryas* à l'est et *Papio anubis* au sud. Ces deux espèces présentent plusieurs différences, notamment au niveau de l'organisation sociale et des rapports mâle-femelle (Kummer, 1971). Chez les *hamadryas*, le mâle possède un harem et contrôle très strictement les activités des femelles qui en font partie. Quand l'une d'elles s'écarte du groupe, il la ramène en la battant ou en la mordant. Les babouins *anubis* ont un comportement très différent. Ils forment une grande troupe dans laquelle il n'y a pas de harems. Les femelles s'accouplent avec plusieurs mâles et maintiennent entre elles des rapports sociaux plus soutenus que chez leurs cousines *hamadryas*.

Certains pourraient être portés à affirmer de façon erronée que le comportement social de chacune de ces deux espèces est génétiquement déterminé. Kummer a fait une expérience qui confirme que le phénotype est le résultat d'une interaction entre le génotype et l'environnement. Dans des troupes de babouins *hamadryas*, il a introduit des femelles des deux espèces. Toutes les femelles se sont adaptées au type d'organisation sociale propre à l'espèce *hamadryas* et se sont intégrées à un harem. Inversement, quand des femelles des deux espèces ont été introduites dans une troupe de babouins *anubis*, elles se sont toutes conformées aux règles sociales propres à cette espèce.

Un faux problème. Comme nous l'avons déjà fait remarquer, les caractères phénotypiques ne sont pas déterminés exclusivement par l'hérédité ou par l'environnement mais par une interaction de ces deux facteurs. Par contre, les différences individuelles, elles, sont d'origine génétique ou environnementale. Certains seraient alors portés à demander, face aux différences phénotypiques, quelle proportion de cette variabilité est due à l'hérédité et quelle proportion est due à l'environnement. Cette question ne peut que demeurer sans réponse.

Pour pouvoir y répondre, il faudrait être en mesure soit d'éliminer les variations génétiques tout en variant les conditions de l'environnement, soit de maintenir l'environnement constant et de manipuler les génotypes. Ces deux solutions sont irréalisables. Il est impossible d'uniformiser réellement les conditions de l'environnement car il comprend une multitude de facteurs dont plusieurs seraient difficiles à identifier et à contrôler. Dans une expérience, les chercheurs peuvent, au mieux, rendre ces conditions semblables. Même dans le cas de jumeaux monozygotiques où les génotypes sont identiques, les phénotypes diffèrent parce que l'environnement n'est jamais parfaitement identique. Il est tout aussi impossible d'éliminer la variabilité génétique, puisque les génotypes, dans une population, sont tous différents les uns des autres et qu'un couple de jumeaux ou même des quintuplés ne sauraient constituer un échantillon statistiquement acceptable. En supposant que de telles manipulations soient possibles, la question n'aurait pas plus de sens et les manipulations ne permettraient pas davantage de déterminer la part respective de l'hérédité et de l'environnement dans l'élaboration du phénotype. Voyons à quelle conclusion mèneraient ces manipulations.

Si tous les individus de la population étaient génétiquement identiques, toute la variabilité phénotypique serait d'origine environnementale et le rôle de l'hérédité serait nul. Inversement, si tous les individus se développaient dans des environnements rigoureusement identiques, le phénotype observé serait à 100 % dû à l'hérédité. Autrement dit, le rôle de l'hérédité serait nul ou total, *selon que* les environnements auraient été différents ou identiques. On arrive donc, même dans l'hypothèse de manipulations de ce genre, à l'idée que la proportion de variabilité phénotypique, génétiquement déterminée, *dépend* des conditions de l'environnement.

En fait, il est possible de calculer un indice représentant le rôle de l'hérédité dans les différences phénotypiques. On l'appelle «coefficient d'héritabilité H» et de nombreuses recherches en génétique sont consacrées au calcul de cet indice. Toutefois un tel coefficient, calculé au sujet d'une structure morphologique ou d'un comportement, n'est valable que pour une population donnée et dans un environnement *spécifique*. Il ne peut, par conséquent, nous révéler quelle proportion de la variabilité phénotypique d'un caractère est due à chacun des facteurs de l'interaction hérédité-environnement. Cette interaction est indissociable et quand certains auteurs écrivent, à tort, que des caractères morphologiques ou comportementaux sont génétiques, ils veulent dire en fait que leur développement est stable et homogène chez tous les membres de l'espèce considérée. Cette erreur a été et est encore malheureusement très présente dans la distinction entre comportements innés et comportements acquis, entre l'instinct et l'apprentissage ainsi que dans les controverses concernant l'hérédité de l'intelligence et les différences raciales de quotient intellectuel. L'indissociabilité de l'interaction hérédité-environnement est de fait une notion difficile à comprendre, mais cela n'excuse pas les interprétations erronées dans lesquelles certains auteurs se complaisent.

Instinct et apprentissage

La notion traditionnelle d'instinct. L'instinct est probablement l'un des concepts les plus anciens qui aient été utilisés pour décrire certains comportements. Pendant plusieurs siècles, ce concept a servi à établir une dichotomie très nette entre l'animal et l'humain (voir chapitre 2). D'une part, il y avait les animaux, fonctionnant selon des principes mécaniques et mus par l'instinct. D'autre part, il y avait l'humain, doué d'intelligence, dont les conduites étaient guidées par la raison. Avec la naissance des sciences du comportement, le concept d'instinct se transforma. Il devint parfois, comme dans l'usage profane du mot, synonyme d'intuition ou d'aptitude inconsciente. Mais il servait plus souvent à décrire un état interne de l'animal ou de l'humain, c'est-à-dire une tendance ou une motivation. Cette dernière conception est notamment celle de McDougall (1908) qui identifiait, chez l'humain, la présence de treize instincts fondamentaux. C'est aussi la conception sous-jacente à la théorie de Freud qui distinguait deux instincts: *Eros* (instinct de vie) et *Thanatos* (instinct de mort).

Cette notion de l'instinct, qu'ont véhiculée les premières théories modernes du comportement, suscita de très vives critiques, notamment de la part de certains auteurs appartenant à l'école behavioriste américaine (Dunlap, 1919; Kuo, 1921, 1924; Watson, 1913). Ils reprochaient à ce concept d'être trop vague et d'être utilisé comme un principe explicatif universel, chaque fois que les causes d'un comportement étaient inconnues. De plus, ces auteurs mettaient un très fort accent sur l'influence de l'environnement ainsi que sur l'apprentissage, et niaient l'existence de conduites innées, même chez les animaux. Durant une certaine période et pour certains courants de pensée à l'intérieur des sciences du comportement, la notion d'instinct fut donc rejetée et devint presque un sujet tabou. Elle n'était pas morte pour autant et ressurgit avec l'apparition de l'éthologie, au début des années 30, en Europe.

La première définition éthologique de l'instinct. Issue d'une longue tradition naturaliste et profondément enracinée dans la biologie postdarwinienne, l'éthologie proposait, pour l'étude du comportement des animaux, une méthodologie et une analyse théoriques très différentes de celles de la psychologie de l'époque (voir chapitre 4). Elle accordait une place privilégiée aux *comportements instinctifs*, mais définissait ce concept

d'une toute autre façon que ses prédécesseurs. Pour les premiers éthologistes comme Lorenz (1935, 1937) et plus tard pour d'autres comme
Eibl-Eibesfeldt (1972) et Thorpe (1963), les conduites instinctives ont
essentiellement quatre propriétés: 1) elles sont innées ce qui, dans le langage de ces auteurs, veut dire «non apprises»; 2) elles sont «héréditaires»
ou «génétiquement déterminées»; 3) elles sont stéréotypées et spécifiques
à l'espèce, c'est-à-dire que leur forme est rigidement constante et rigoureusement identique d'un congénère à l'autre[1]; 4) elles sont programmées et motivées de façon purement interne, c'est-à-dire qu'une fois
déclenchées par une configuration stimulante précise et idoine (le stimulus déclencheur), elles se poursuivent sans que l'environnement ne les
influence. Empruntant à Craig (1918) ses concepts de comportement
d'appétence et d'acte consommatoire, ces premiers éthologistes considèrent de plus la conduite instinctive comme l'étape finale (acte de consommation) d'une séquence débutant par une phase d'activité et d'exploration sans objet précis (comportement d'appétence). Enfin, ils distinguent dans le comportement instinctif deux composantes différentes: 1)
le *patron moteur fixe* ou FAP (de l'anglais, *Fixed Action Pattern*), qui est l'élément dit «héréditaire», stéréotypé, spécifique à l'espèce et programmé
de façon interne; 2) la composante taxique qui, bien qu'innée elle aussi,
est plus perméable aux influences de l'environnement et représente un
élément d'orientation dans le comportement.

Un exemple classique de la conception lorenzienne de l'instinct est
celui de l'oie cendrée (*Anser anser*) et du roulage de l'oeuf (Lorenz, 1938).
Quand un oeuf est tombé à l'extérieur de son nid, cette oie va le chercher
en exécutant les actions suivantes. Elle étend son cou au-dessus de l'oeuf
et le fait rouler à reculons jusqu'au nid, en s'aidant de son bec. Faire rouler un oeuf n'est pas aussi simple que de faire rouler une sphère ou un
cylindre, car il faut constamment l'équilibrer pour le maintenir dans le
parcours. L'oie fait donc rouler l'oeuf sous sa poitrine par un mouvement sagittal et elle corrige la trajectoire par des mouvements latéraux
de balancement, qui sont basés sur la rétroaction immédiate fournie par
les stimuli. Le mouvement sagittal constitue le *patron moteur fixe* et les
mouvements latéraux, qui orientent l'oeuf, forment la composante taxique. Selon Lorenz, ce FAP est programmé de façon interne car si on
enlève l'oeuf, une fois le roulage commencé, l'oie continue à bouger la
tête, le cou et le bec comme si l'oeuf était encore là et seule la composante
taxique est éliminée.

Critique de la première définition éthologique de l'instinct. Cette
conception de l'instinct, formulée par les premiers éthologistes et maintenue par un nombre de plus en plus restreint de successeurs, a été souvent critiquée (Barnett, 1981; Beach, 1955; Hebb, 1953; Hinde, 1975;

---

1 Il faut noter que les éléments 2) et 3) de cette définition ne sont pas conformes à la conception
   contemporaine exposée dans les paragraphes sur la stéréotypie des comportements et l'interaction hérédité-environnement.

Kennedy, 1954; Lehrman, 1953, Schneirla, 1956; Tinbergen, 1969). À la lumière des précisions apportées dans les pages précédentes, certaines de ces critiques sont d'ailleurs faciles à comprendre.

Bien sûr, il existe des comportements innés, dans le sens où certaines actions sont généralement présentes ou potentiellement présentes dès la naissance. Les arcs-réflexes et certains *patrons moteurs fixes* en sont des exemples. Bien sûr, comme nous l'avons vu à plusieurs reprises, les comportements sont souvent stéréotypés et spécifiques à l'espèce ou à un groupe taxinomique. Toutefois, la conception de l'instinct précédemment décrite est dépassée, pour plusieurs raisons. Qu'un comportement soit inné ne signifie pas que les facteurs de l'environnement n'ont aucune prise sur lui ou que l'apprentissage ne joue aucun rôle dans son élaboration. Cela ne signifie surtout pas qu'il est «héréditaire» ou «génétiquement déterminé» puisque, comme nous l'avons vu page 9, les comportements, tout comme les autres caractères phénotypiques, se développent au cours de l'ontogénèse par une interaction de l'hérédité et de l'environnement. Quant à la stéréotypie et à l'homogénéité intraspécifique de l'acte instinctif, l'exemple des conduites agonistiques chez le rat montre bien qu'elles sont relatives et qu'elles n'ont pas nécessairement la rigidité qu'on a souvent fait ressortir. De plus, un *patron moteur fixe* (FAP) peut avoir une forme relativement constante, sans pour autant être inné et spécifique à l'espèce. Selon des définitions plus récentes (Barlow, 1968, 1977; Hinde, 1975), la caractéristique fondamentale du FAP — celle qui le définit — est qu'une fois déclenché, son exécution est indépendante des stimuli de l'environnement. Il peut donc à la fois être acquis par apprentissage et être spécifique à l'individu. D'autres raisons appuient le rejet du concept éthologique original de l'instinct. Elles ont été bien formulées par Hinde (1975) et sont centrées sur le rejet de la dichotomie instinct-apprentissage ou inné-acquis.

Une première objection à cette dichotomie est qu'elle assimile toute influence de l'environnement à un processus d'apprentissage. Or il n'en est rien. Plusieurs facteurs de l'environnement, qui ne peuvent être rattachés au processus d'apprentissage, exercent une influence sur l'ontogénèse des comportements. Prenons pour exemple la drosophile ou mouche à fruits (*Drosophila melanogaster*): la température du milieu où elle se développe a un effet sur sa capacité de voler. De même, la photopériode a un effet important sur divers comportements de plusieurs espèces animales. Dans ces cas, il ne s'agit pas d'apprentissage et pourtant, il y a une influence de l'environnement.

La seconde objection de Hinde est que la distinction inné-acquis amène à définir les conduites instinctives uniquement en termes négatifs. Une conduite est dite innée ou instinctive dans la mesure où aucun processus d'apprentissage (ou toute autre influence de l'environnement) n'est intervenu au cours de l'ontogénèse. Pour démontrer cela, les premiers éthologistes avaient recours à des expériences de privation (Eibl-

Eibesfeldt, 1972), au cours desquelles on retirait l'animal de l'environnement où il se serait normalement développé. Si en dépit de cette privation l'animal manifestait le comportement approprié, on concluait qu'il s'agissait d'un comportement instinctif et génétiquement déterminé. Cependant, aucune expérience de privation ne peut exclure toute influence de l'environnement. De plus, ces manipulations expérimentales ne montrent pas que le comportement instinctif est génétiquement déterminé. Elles montrent plutôt que les instructions génétiques sont parfois très résistantes aux perturbations qu'un environnement appauvri pourrait induire dans l'ontogénèse du comportement.

La dernière objection de Hinde est que la dichotomie instinct-apprentissage implique que les unités de comportement doivent nécessairement être assignées à l'une ou l'autre catégorie. Ces catégories orientent l'analyse vers la classification plutôt que vers l'étude systématique des facteurs et processus qui interviennent dans l'ontogénèse des conduites, étude plus heuristique et plus profitable.

La distinction contemporaine. Comme le montrent clairement les arguments de Hinde (1975), la distinction entre instinct-apprentissage ou inné-acquis, telle que la formulaient certains éthologistes, n'a plus beaucoup de valeur aujourd'hui. Cela ne veut pas dire qu'il est désormais impossible de parler de comportements instinctifs ou de comportements appris. Cela veut simplement dire que la différence entre ces deux catégories de conduites ne réside pas dans la contribution distincte de l'hérédité et de l'environnement, mais plutôt dans les processus sous-jacents. En effet, il est utile de faire la distinction entre d'une part, le processus d'apprentissage qui permet l'apparition ou la modification de comportements déjà existants et d'autre part, le mécanisme instinctif (IRM pour *Innate Releasing Mechanism*) qui contrôle des réponses spécifiques à certains stimuli (les stimuli déclencheurs). Certains comportements (les conduites instinctives) sont le produit d'un génotype qui, *en interaction avec l'environnement*, conduit au *développement* d'un mécanisme inné de déclenchement (IRM). Par contre, d'autres comportements (les conduites apprises) sont le produit d'un génotype qui *en interaction avec l'environnement*, contribue au *développement* d'un processus d'apprentissage.

Apprentissage et adaptation individuelle

Le concept biologique d'adaptation. Dans la théorie néodarwinienne de l'évolution, et par conséquent en termes purement biologiques, un caractère est adapté quand il accroît l'«aptitude» (*fitness*) de l'organisme. L'aptitude, quant à elle, se mesure par le succès reproductif. Plus précisément, elle est représentée par un nombre qui, multiplié par la fréquence d'un gène ou d'un génotype dans une génération, donne la fréquence de ce gène dans la génération suivante. Par exemple, si une population est composée de 50 individus X et de 50 individus Y et que la génération suivante comprend 75X et 25Y, l'aptitude de X est de 1,5 (75/50) et celle de Y est de 25/50 ou 0,5 (Barash, 1977; Jacquard, 1978; Williams, 1966). Un caractère biologique est donc adapté quand il assure la survie du plus apte, c'est-à-dire quand les gènes de ce dernier sont transmis aux générations suivantes.

Conformément à cette définition du concept d'adaptation, il faudrait, avant d'affirmer que le comportement et l'apprentissage contribuent à l'adaptation des animaux, démontrer qu'ils accroissent l'aptitude de ces animaux à se reproduire et à survivre dans une descendance. Le courant sociobiologique (Wilson, 1975) s'efforce en effet actuellement d'articuler cette démonstration en ce qui concerne les comportements sociaux des animaux et de l'humain. On n'a encore rien tenté concernant le processus d'apprentissage. Cela ne veut pas dire qu'il est impossible de démontrer que l'apprentissage contribue au succès reproductif d'une population et il est assez probable qu'il y contribue dans certains cas au moins. Cependant, indépendamment du fait que cette définition est fondée sur une tautologie[1] qui en limite le pouvoir prédicteur, fait souligné récemment par plusieurs auteurs (Gould, 1977; Lewontin, 1979; Piaget, 1976; Thompson, 1981), les chercheurs qui étudient le processus d'apprentissage se réfèrent implicitement et parfois explicitement à une autre définition de l'adaptation. Leur définition, qui n'est pas incompatible avec la première et qui même la complète (Thompson, 1981), se rapproche davantage de l'idée d'ajustement individuel aux particularités de l'environnement, idée que nous avons utilisée à plusieurs reprises jusqu'ici.

Le concept psychologique d'adaptation. L'un de ceux qui ont le mieux formulé cette idée est Piaget (1967a) pour qui l'adaptation est «un équilibre entre l'assimilation et l'accommodation», ce qui revient à dire «un équilibre des échanges entre le sujet et les objets» (p.14). Par assimilation, il entend «l'action de l'organisme sur les objets qui l'entourent, en tant que cette action dépend des conduites antérieures portant sur les mêmes objets ou d'autres analogues» (p.14). Quant à l'accommodation, c'est l'inverse de l'assimilation, à savoir l'action du milieu sur l'organisme, «étant entendu que l'être vivant ne subit jamais telle quelle la réaction des corps qui l'environnent, mais qu'elle modifie simplement le cycle assimilateur en l'accommodant à eux» (p.14).

Si cette définition piagétienne de l'adaptation, qui complète et enrichit le concept biologique fondamental, est acceptée, on peut dire que l'apprentissage est l'*un des processus* d'adaptation par lesquels l'environnement peut contribuer, *en interaction* avec l'hérédité, au *développement ontogénétique* du phénotype comportemental.

---

1 L'individu le plus apte a une progéniture plus abondante et le plus apte se définit comme celui qui a la plus grande descendance.

Avec d'autres processus comme la perception, l'attention ou la mémoire, l'apprentissage est responsable de l'adaptation individuelle des comportements aux particularités de l'environnement. Comme nous le verrons, il constitue un instrument puissant par lequel l'animal peut acquérir et modifier, de façon continue, la «connaissance» de son milieu. Il lui permet donc de tenir compte des conditions particulières qui prévalent dans son environnement et d'ajuster ses conduites en fonction des événements qu'il vit ou qu'il a vécus, au cours de son ontogénèse. L'apprentissage représente une force de changement et une source importante de variabilité pour le phénotype comportemental. Le génotype est aussi une source fondamentale de variabilité et il est en partie responsable des différences individuelles. Cependant, le système de gènes ou le plan de développement contenu dans les instructions génétiques qui caractérise une espèce ou un groupe animal, n'a pas la souplesse du processus d'apprentissage. Ce système de gènes nécessite, pour se transformer, soit des mutations — qui se manifestent rarement dans le phénotype —, soit un processus de sélection naturelle qui implique de longues périodes de temps et plusieurs générations. L'apprentissage, bien qu'il soit aussi le résultat de l'interaction hérédité-environnement, se caractérise par une très grande flexibilité et rend des modifications possibles dans un délai très bref, de l'ordre parfois de quelques minutes ou quelques heures.

L'APPRENTISSAGE: UN PROCESSUS COGNITIF

Jusqu'ici nous avons surtout insisté sur l'aspect biologique du processus d'apprentissage. Nous l'avons situé par rapport au comportement à travers lequel il se manifeste et nous avons esquissé sa fonction dans l'adaptation des animaux. Mais il faut préciser davantage sa nature, dire en quoi il consiste. Pour ce faire, nous examinerons d'abord quatre exemples qui, sans illustrer toute la variété des situations où intervient ce processus, nous permettront de dégager un certain nombre de caractéristiques communes à ces situations et ainsi d'amorcer l'analyse.

Quelques exemples

L'orientation spatiale d'un insecte. Comme la plupart des espèces animales, la guêpe chasseresse (*Philanthus triangulum*) vit dans un lieu spécifique et doit donc acquérir une connaissance adéquate de son domaine vital. Tinbergen et ses collaborateurs (1932, 1938, 1971), en étudiant l'orientation spatiale de cet Hyménoptère, ont expérimentalement démontré qu'il est particulièrement habile à utiliser certains repères pour apprendre l'emplacement de ses nids. L'une de leurs expériences consistait à disposer des pommes de pin en cercle autour de l'orifice du nid pendant que la guêpe était à l'intérieur puis, une fois qu'elle avait quitté le nid, à déplacer plus loin cet arrangement. À son retour, les auteurs observaient comment la guêpe choisissait entre le nid réel et les repères déplacés. Ils constatèrent, chaque fois qu'ils répétèrent l'expérience, qu'elle choisissait les repères et qu'elle ne trouvait le nid que si on avait rétabli la situation de départ. La capacité de *Philanthus triangulum* à regagner ses nids implique donc un processus d'apprentissage spatial utilisant des repères topographiques.

Le chant du pinson. Le pinson à couronne blanche (*Zonotrichia leucophrys*) est un oiseau de la famille des Fringillidés, qui vit en Amérique du Nord. Les mâles de cette espèce émettent un chant très caractéristique qu'ils font entendre durant la saison de reproduction et qu'ils utilisent pour avertir les autres mâles adultes de ne pas pénétrer dans le territoire qu'ils occupent, ou pour inviter les femelles adultes à s'approcher et à s'accoupler avec eux. Chez plusieurs espèces d'oiseaux le chant territorial et reproducteur est un comportement inné qui, pour se développer, fait davantage appel à un processus de maturation qu'à un processus d'apprentissage. Les nombreuses recherches sur le pinson à couronne blanche (Konishi, 1965; Marler, 1970; Marler et Tamura, 1964) indiquent que tel n'est pas le cas pour cet oiseau et que l'apprentissage est l'une des conditions nécessaires au développement de son chant. En effet, il est incapable d'émettre un chant cohérent, complet et adéquat si, au cours de sa jeunesse, il n'a pas eu l'occasion d'entendre les vocalisations typiques des mâles de son espèce. Par contre, s'il peut les entendre au cours d'une période de 10 à 50 jours suivant son éclosion, il disposera de ce chant dans son répertoire de comportements et pourra, huit à neuf mois plus tard, s'en servir pour éloigner les autres mâles et attirer les femelles.

La résistance du rat à l'empoisonnement. L'un des problèmes que doivent affronter ceux qui luttent contre la faim dans le monde est celui de l'extermination des rats. Un article récent de la revue *National Geographic* (*The Rat: Lapdog of the Devil*, juillet 1977) mentionnait que les rats détruisent une proportion importante des récoltes mondiales, privant ainsi plusieurs pays de ressources alimentaires précieuses. On a employé divers moyens pour tenter d'exterminer ces animaux dans les champs et dans les entrepôts à grains: pièges, ultra-sons, agents de stérilisation, etc. On a utilisé également des poisons de toutes natures, mais sans grand succès. Le rat s'avère particulièrement résistant à l'empoisonnement. Cette résistance exceptionnelle tient à plusieurs facteurs d'ordre physiologique et reproducteur, mais aussi à un facteur d'ordre comportemental. Plusieurs observations et recherches (Garcia et Koelling, 1966; Garcia, Ervin et Koelling, 1966) ont en effet démontré que le rat apprend très vite à reconnaître et à éviter une substance qui l'a rendu malade. Cette faculté d'apprendre à établir une relation spécifique entre un aliment et ses conséquences est très adaptée au régime omnivore du rat et contribue de façon significative à sa survie. Cependant, elle complique singulièrement la tâche de ceux qui travaillent à l'élimination d'une cause importante de destruction des récoltes mondiales.

L'observation et l'imitation chez le chimpanzé. Dans une volumineuse monographie, et plus tard dans un ouvrage de vulgarisation qui a connu une grande popularité, Jane van Lawick-Goodall (1968, 1971) a rapporté le fruit de nombreuses années d'observation des chimpanzés (*Pan troglodytes*) en milieu naturel. Cette recherche unique en son genre touchait divers aspects, et l'un des résultats les plus saisissants est sans aucun doute la démonstration de l'utilisation d'outils par ce primate. En effet, les chimpanzés adultes arrachent et émondent de petites branches, ou des tiges, qu'ils utilisent ensuite comme des sondes et qu'ils insèrent dans les trous des termitières pour en retirer les insectes et les manger. Lors de ces expéditions aux termitières, les petits accompagnent leur mère et les autres adultes de la troupe. Souvent, ils les regardent travailler et, à mesure qu'ils vieillissent, ils essaient eux-mêmes de capturer des termites. Au début, leurs mouvements sont maladroits et leur technique n'est pas bien coordonnée mais, au fil des années, ils finissent par acquérir la maîtrise et l'habileté nécessaires à cette méthode particulière de prédation. Cette acquisition graduelle par les jeunes chimpanzés de l'usage d'un outil fait appel à un processus d'apprentissage par observation et par imitation.

Les exemples que nous venons de décrire, même s'ils ne constituent qu'un échantillon très restreint, permettent déjà de constater la diversité des conditions dans lesquelles intervient le processus d'apprentissage. Les animaux mentionnés appartiennent à des espèces et même à des groupes taxinomiques très différents: insecte, oiseau, mammifère et primate anthropoïde. Certains des apprentissages se fondent sur une expérience individuelle avec l'environnement physique (guêpe chasseresse et rat), alors que d'autres nécessitent une relation sociale avec des congénères (pinson et chimpanzé). Les comportements appris répondent à un besoin individuel (rat et chimpanzé), remplissent une fonction sociale (pinson) ou satisfont simultanément ces deux types de priorité (guêpe: en retrouvant le site de son nid, la guêpe peut nourrir sa progéniture). Enfin la complexité de l'apprentissage et la modalité spécifique d'acquisition du comportement diffèrent beaucoup d'un cas à l'autre.

En dépit de cette diversité — et nous n'avons donné aucun exemple d'apprentissage humain qui prend lui-même des formes multiples et variées — les situations où intervient l'apprentissage ont certaines caractéristiques communes. Quelles sont donc les caractéristiques communes qu'on peut tirer des exemples précédents?

Caractéristiques de base

À la lecture de ces quatre cas d'apprentissage, une première constatation s'impose. *Le phénotype comportemental de l'animal subit dans chaque cas une transformation*. Ainsi, le pinson à couronne blanche ne connaît pas à sa naissance le chant typique des mâles de son espèce et l'acquiert au cours d'une période critique de son développement. La guêpe chasseresse, qui possède une connaissance générale de son domaine vital, modifie ses comportements d'orientation au moment de la construction des nids de façon à retrouver leur emplacement. Le rat, qui a réussi à survivre à une expérience d'empoisonnement, évitera à l'avenir un certain type d'aliments et s'abstiendra d'exécuter les comportements qui s'y rattachent. En somme, la transformation du phénotype se manifeste soit par l'acquisition de nouveaux comportements, soit par la modification ou l'élimination de comportements déjà présents.

La deuxième constatation qui se dégage des exemples cités est que *les comportements faisant l'objet d'un processus d'apprentissage sont transformés de façon relativement durable ou permanente*. Une fois qu'un rat a appris à éviter un aliment empoisonné, il devient très difficile de l'amener à ingurgiter de nouveau cet aliment. De même, l'usage d'un outil par le jeune chimpanzé s'acquiert lentement, mais une fois fixé, ce comportement persiste toute la vie adulte de l'animal. Les comportements appris ne sont pas irréversibles, mais ils sont durables ou permanents, c'est-à-dire qu'ils ne se modifieront pas tant qu'ils seront appropriés aux conditions de l'environnement, donc tant que celles-ci ne changeront pas de façon significative.

La troisième et dernière constatation est que l'*apprentissage s'inscrit dans un déroulement historique propre à chaque individu*. Toutes les guêpes chasseresses utilisent le même genre de repères topographiques, mais chacune d'elles, à cause de contacts antérieurs et répétés avec un endroit précis, retrouve ses nids en se référant à des indices particuliers. Les guêpes observées par Tinbergen et ses collaborateurs se fiaient à un arrangement de pommes de pin pour s'orienter, mais leurs voisines, qui n'avaient pas été soumises à cette expérience, se référaient probablement à d'autres éléments. *Les modifications auxquelles l'apprentissage donne lieu sont donc le fruit de l'expérience passée de l'animal.*

Les trois caractéristiques de base que nous venons d'identifier — modifications, relativement durables, qui sont le résultat de l'expérience passée — décrivent des comportements issus d'un processus d'apprentissage. Toutefois, elles ne définissent pas la nature de l'apprentissage. C'est cette définition que nous tenterons maintenant d'élaborer.

ÉNONCÉ D'UNE DÉFINITION

Définir la nature de l'apprentissage n'est pas une tâche facile car pour ce faire, le chercheur ne peut pas prendre pour références uniques les modifications du comportement qu'il observe. En d'autres termes, la présence d'une modification dans le comportement d'un animal ne constitue pas en soi un critère suffisant pour affirmer qu'un processus d'apprentissage est intervenu. Le comportement peut aussi être modifié par d'autres processus (perception, attention, mémoire, motivation, émotion, fatigue, stress, maladie, etc.). Il est possible que, dans le passé, un apprentissage se soit déjà manifesté dans le comportement et qu'il n'apparaisse pas chaque fois que les circonstances appropriées sont présentes. Cela ne veut pas dire nécessairement que l'animal a désappris. Il peut tout simplement avoir mal perçu la situation, ne pas avoir prêté attention, avoir oublié, être fatigué, ne pas être assez motivé, etc.

Une définition fondée uniquement sur la présence de modifications dans le comportement pour identifier l'intervention d'un processus d'apprentissage, présenterait une autre difficulté. En effet, les exemples que nous avons décrits démontraient que l'apprentissage se traduit généralement dans des modifications du comportement, mais celles-ci ne sont pas toujours immédiates. Par exemple, dans le cas du pinson à couronne blanche (page 19), l'oiseau apprend le chant dans la période des 10 à 50 jours après l'éclosion mais il ne l'utilise de façon fonctionnelle que huit à neuf mois plus tard. L'apprentissage est intervenu bien avant qu'il ne se reflète dans le comportement. Une définition doit tenir compte de cette distinction entre le processus et sa manifestation dans des actions concrètes.

En fait, l'apprentissage est ce qu'on appelle une variable intermédiaire (Tolman, 1932), c'est-à-dire quelque chose qu'on ne peut pas observer directement, mais dont il faut supposer l'existence pour rendre compte adéquatement de la relation qui apparaît entre certains éléments de l'environnement (variables indépendantes) et les comportements de l'animal (variables dépendantes)[1].

À cause de son caractère de variable intermédiaire, l'apprentissage a donné et donne encore lieu à diverses interprétations théoriques et par conséquent, à des définitions différentes. Bien sûr, les chercheurs et les théoriciens fondent tous leurs interprétations sur des observations du comportement et sur des expériences rigoureusement contrôlées. Cependant, les modifications du comportement étant la résultante de divers facteurs de l'environnement et de plusieurs processus, les chercheurs et les théoriciens n'ont pas tous évalué de la même façon la nature de l'apprentissage et de son rôle dans ces modifications. Chaque définition dépend également, comme nous le verrons au chapitre 3, des postulats théoriques et épistémologiques sur lesquels ils s'appuient.

Pour notre part, rejoignant en cela plusieurs auteurs contemporains, nous définissons l'apprentissage comme un mode de connaissance

---

1   Les variables intermédiaires ne sont pas une invention des chercheurs en apprentissage. Elles existent dans toutes les sciences. Le concept de force en physique en est un exemple. Une force n'est pas observable en tant que telle, seuls ses effets le sont. Pourtant il faut supposer son existence et l'exprimer sous la forme d'une relation de multiplication entre la masse d'un corps en mouvement et son accélération.

ou plus exactement comme un *processus cognitif*, c'est-à-dire comme un système de traitement d'informations et d'assimilation. Nous adoptons également le point de vue de Piaget (1976b) selon lequel la connaissance suppose l'action. «Connaître ne consiste pas, en effet, à copier le réel mais à agir sur lui et à le transformer (en apparence ou en réalité)» (p.22). Autrement dit, l'apprentissage, combiné aux autres processus cognitifs (perception, attention et mémoire), contribue à structurer, à partir de l'environnement physique et social, un environnement psychologique qui détermine et contrôle le comportement de l'animal. Plus spécifiquement, l'apprentissage permet à l'animal, à partir de son expérience passée, d'assimiler l'organisation de son environnement et les conséquences de ses propres actions, d'accomplir l'autorégulation de son comportement en fonction de cette assimilation. Nous donnons ici au terme «assimilation» la signification déjà mentionnée au sujet du concept d'adaptation (page 17) et que Piaget (1967b) et Waddington (1975) ont formulé de la façon suivante: «(...) l'intégration à des structures préalables, qui peuvent demeurer inchangées ou sont plus ou moins modifiées par cette intégration même, mais sans discontinuité avec l'état précédent, c'est-à-dire sans être détruites et en s'accommodant simplement à la nouvelle situation» (Piaget, p.20).

Ayant situé l'apprentissage dans son contexte biologique et ayant précisé sa nature de processus cognitif, il nous reste maintenant à résumer le tout dans un énoncé.

L'apprentissage est l'un des processus d'adaptation par lesquels l'environnement, en interaction avec l'hérédité, peut contribuer au développement ontogénétique du phénotype comportemental. Plus précisément, l'apprentissage est un processus cognitif qui permet à un animal, à partir de son expérience passée, d'assimiler l'organisation de son environnement et les conséquences de ses propres actions, et d'accomplir l'autorégulation de ses comportements en fonction de cette assimilation. Ce processus se manifeste généralement par des modifications relativement durables du comportement.

CHAPITRE 2

DU PROBLÈME PHILOSOPHIQUE À LA NOTION SCIENTIFIQUE

La définition élaborée au chapitre précédent s'inscrit dans le cadre d'une analyse scientifique de l'apprentissage animal. Une telle analyse du comportement est relativement récente puisqu'elle n'est apparue qu'à la fin du siècle dernier. Cela ne veut pas dire cependant que le problème de l'apprentissage, lui, soit nouveau. Même s'il ne s'est pas toujours posé dans les mêmes termes qu'aujourd'hui et si sa formulation a beaucoup évolué, il était néanmoins présent sous une autre forme dès l'Antiquité. En fait, ce problème est issu d'une longue tradition épistémologique qui, en s'interrogeant sur l'origine de la connaissance humaine, a contribué à jeter les bases d'une analyse scientifique de l'apprentissage. En effet, la psychologie philosophique a formulé la question de façon de plus en plus précise, jusqu'à ce que la physiologie sensorielle et la biologie évolutive permettent l'émergence de recherches expérimentales visant à y répondre.

C'est ce lent cheminement historique et épistémologique que nous tenterons maintenant de décrire sommairement.

LES ORIGINES LOINTAINES

L'Antiquité: formulation du problème

Comme nous l'avons vu précédemment, les théories scientifiques actuelles considèrent l'apprentissage comme faisant partie d'un ensemble de processus qui permettent aux animaux d'acquérir de l'information sur leur environnement, et de produire des comportements adaptés. Dans une telle conception, la tâche du chercheur consiste à identifier et à expliquer la nature, le fonctionnement et le rôle de l'apprentissage dans la structuration des comportements.

Dans l'Antiquité, on posait le problème fort différemment. Il s'agissait moins de savoir comment un animal réussit à connaître son environnement, que de se demander ce qu'est la connaissance humaine et quelles en sont les origines et les limites. La méthode d'analyse était également très différente. Alors qu'aujourd'hui les chercheurs doivent fonder leurs hypothèses sur des observations et des expériences bien contrôlées, les penseurs de cette époque appuyaient leurs théories sur des données anecdotiques et sur des énoncés spéculatifs.

Malgré le caractère peu scientifique de leurs théories, les philosophes de l'Antiquité ont considérablement influencé les sciences du comportement. Ils ont non seulement soulevé les questions fondamentales auxquelles nous tentons encore de répondre, mais ils ont délimité un cadre de référence auquel se rattachent, dans une certaine mesure, la plupart des controverses scientifiques modernes sur le comportement. Deux philosophes grecs ont joué un rôle de premier plan dans l'élaboration de ce cadre de référence: Platon (427-347 av. J.-C.) et Aristote (384-322 av. J.-C.).

Dans la philosophie platonicienne le problème de la connaissance et de ses origines est étroitement relié à une vision dualiste du monde et de l'homme. D'une part, il y a l'univers des idées ou des formes abstraites qui constitue l'essence véritable des choses. D'autre part, il y a l'univers des objets matériels qui ne sont que des reflets imparfaits, déformés et trompeurs de ces essences pures. La connaissance consiste à atteindre les idées pures, et seul l'esprit nous y donne accès, car le corps, ouvert seulement à l'univers des objets matériels par la sensation et l'imagination, ne peut que nous induire en erreur. Cette connaissance *ne s'acquiert pas*, elle est innée. En effet, l'esprit étant immortel, il existe avant la naissance et transcende la mort en se réincarnant. L'humain doit donc se libérer des contraintes corporelles et, par la réflexion dialectique, *retrouver* la connaissance des idées abstraites qu'il possédait dans ses vies antérieures. Platon est donc très méfiant à l'égard de l'expérience sensorielle et voit dans la raison la source de toute connnaissance. En ce sens, il est rationaliste et, à cause du caractère d'innéité qu'il attribue à la connaissance, son rationalisme épouse une forme particulière, le nativisme.

D'abord fortement influencée par Platon, la philosophie d'Aristote s'en dissocie graduellement et évolue vers une métaphysique tout à fait différente. À travers des formulations successives, elle en arrive à rejeter définitivement le dualisme platonicien. Il n'y a plus un univers de formes abstraites indépendant de la réalité matérielle, mais uniquement une nature qui a des formes concrètes et qui obéit à des lois. De la même manière, l'esprit n'est plus séparé du corps. Il devient une entité (le *pneuma*) qui est à la fois âme, souffle et vapeur véhiculés par le flux sanguin dans toutes les parties du corps[1]. Dans un contexte aussi matéria-

---

1   Chez Aristote, l'esprit est anatomiquement localisé dans le coeur et non dans le cerveau. Celui-ci ne sert que de système de refroidissement pour le sang.

liste, il ne saurait être question d'une connaissance innée, héritée de vies antérieures. Selon la philosophie aristotélicienne, l'esprit est vide à la naissance, c'est une *tabula rasa*. Tout ce que l'humain connaît, il doit l'apprendre, et cet apprentissage est possible grâce à la sensation et à la raison. Les impressions sensorielles constituent les éléments de base à partir desquels l'esprit peut découvrir les lois qui gouvernent la nature. Contrairement à Platon, Aristote est donc un réaliste. Loin de se méfier de l'information sensorielle, il la considère comme le début de la connaissance.

Avec Platon et Aristote se profilent donc deux conceptions très différentes de l'univers et de la connaissance de cet univers. Le premier nie la validité de l'expérience vécue et définit la connaissance comme une forme de révélation transcendantale et spirituelle, rendant ainsi futile tout effort pour en comprendre l'origine et la nature. Le second affirme que le donné sensoriel, loin d'être une source de confusion pour la raison, constitue un véritable mode de connaissance. En attribuant ainsi à la sensation le rôle de support matériel de la connaissance, Aristote énonce un principe fondamental pouvant servir de point de départ à l'étude du fonctionnement cognitif. Il a d'ailleurs lui-même amassé une quantité impressionnante de données et formulé, par exemple au sujet de la mémoire, des lois d'association (similarité, contraste, contiguïté) qui seront plus tard redécouvertes par les premiers chercheurs en apprentissage. Bien sûr, ces observations et ces lois ne satisfont pas nos exigences modernes de rigueur et de parcimonie. Elles reposent généralement sur des données anecdotiques et sont souvent teintées d'animisme et de subjectivité. Cependant, compte tenu de l'époque et du contexte dans lesquels elles se situent, elles représentent un effort remarquable.

Malheureusement, cette première étape vers l'émergence d'une science empirique meurt avec Aristote. Dans les siècles qui suivent et jusqu'au Moyen-Âge, les intellectuels seront convaincus que les philosophes de l'Antiquité ont tout dit sur la nature et que la science se résume à une exégèse des oeuvres de ces grands penseurs. Paradoxalement, les lois aristotéliciennes font autorité alors que le rationalisme nativiste de Platon domine la pensée occidentale. Rapidement incorporé dans la tradition judéo-chrétienne, il éclipse le matérialisme d'Aristote et décourage toute tentative de recueillir de nouvelles observations. Il faudra attendre la révolte de Descartes et des empiristes anglais du XVIIᵉ siècle pour que le problème de la connaissance fasse l'objet de nouvelles interrogations.

Le cartésianisme

Dans sa conception de l'origine et des limites de la connaissance, Descartes (1596-1650) cristallise la pensée de plusieurs de ses contemporains. Il emprunte beaucoup à la pensée platonicienne et sa philosophie est profondément marquée par le dualisme âme-corps. L'homme cartésien est en effet composé de deux substances. L'âme, qui est un esprit actif, autonome et incorporel et dont l'essence est la pensée. Le corps, qui obéit aux mêmes lois que les autres objets matériels et dont l'essence est le mouvement. Descartes distingue aussi la connaissance sensorielle de la connaissance véritable. La première se rattache aux «mouvements des esprits animaux» dans le corps, et ne fournit que des indices confus et trompeurs. La seconde est le propre de l'esprit et permet d'atteindre les idées pures et innées. Ces idées innées (idées de Dieu et de soi-même; axiomes géométriques; notions de temps, d'espace, de mouvement et d'infini, etc.) sont indépendantes de l'expérience sensorielle et s'imposent de façon inéluctable à l'esprit qui réfléchit sur lui-même.

Même si elle est très influencée par Platon, la pensée cartésienne essaie de rompre avec le dogmatisme de l'Antiquité qui a prévalu jusqu'à la fin du Moyen-Âge. Le dualisme de Descartes, contrairement à celui de Platon, est fondé sur l'interaction. En effet l'esprit et le corps, tout en étant deux substances bien distinctes, s'unissent et entrent en interaction dans un lieu anatomique précis, la glande pinéale. De plus, Descartes accentue le dualisme en le portant à un autre niveau. Par sa théorie des animaux-machines, il propose une dichotomie nette entre l'animal et l'humain (Thinès, 1966). Selon cette théorie, l'humain (*res cogitans*), par son corps, partage avec l'animal certaines caractéristiques, mais il est le seul être doué de raison et possédant une âme spirituelle. Les animaux (*res extensa*), eux, ne sont que des automates doués de mouvements qui s'expliquent entièrement par des principes mécaniques. Dans la cinquième partie du *Discours de la méthode*, il écrit: «(…) s'il y avait de telles machines, qui eussent les organes et la figure d'un singe, ou de quelque autre animal sans raison, nous n'aurions aucun moyen pour reconnaître qu'elles ne seraient pas en tout, de même nature que ces animaux».

Le dualisme et le mécanisme cartésiens vont jouer un rôle fondamental dans l'émergence progressive des sciences du comportement. Ils permettent une prise de conscience plus aiguë des problèmes psychologiques et débouchent sur deux méthodes différentes: d'une part, la saisie directe de l'esprit par la pensée et, d'autre part, les méthodes empiriques ou quasi expérimentales pour l'étude de la mécanique des corps (Fraisse, 1967). En situant l'esprit dans le cerveau, Descartes ouvre la voie à la physiologie et, par sa théorie des animaux-machines, il formule les principes de base du mécanisme qui influencera plus tard les premières théories scientifiques de l'apprentissage, dont la réflexologie de Pavlov et le behaviorisme connexionniste. En somme, Descartes contribue à ranimer un débat qui, prenant sa source dans les oeuvres de Platon et d'Aristote, s'était figé depuis des siècles. Ses premiers interlocuteurs seront les empiristes britanniques.

L'empirisme britannique

Fondé par Thomas Hobbes (1588-1679), l'empirisme britannique devient une école de pensée vraiment influente avec la publication par John Locke (1632-1704), d'un ouvrage intitulé *Essay Concerning Human Understanding*. Au cours des XVIIᵉ, XVIIIᵉ et XIXᵉ siècles, cette école de pensée inspirera de nombreux philosophes tels que George Berkeley (1685-1753), David Hume (1711-1776), David Hartley (1705-1757), James Mill (1773-1836) et son fils John Stuart Mill (1806-1873). Son influence ne se limitera pas à la Grande-Bretagne et atteindra notamment certains auteurs français comme Condillac (1715-1780), La Mettrie (1709-1751) et Ribot (1839-1916).

Tout comme Descartes, les empiristes consacrent la rupture avec la tradition médiévale qui enfermait la science dans une exégèse des auteurs de l'Antiquité. Bien sûr, leur pensée est marquée par l'opposition entre le rationalisme platonicien et l'empirisme aristotélicien, mais elle n'est plus contrainte par ce cadre rigide. Elle explore de nouvelles directions et débouche sur de nouvelles formulations.

Bien qu'ils diffèrent beaucoup les uns des autres, les philosophes empiristes partagent plusieurs idées communes. L'empirisme se distingue d'abord par son sensationnalisme. Il retient du cartésianisme l'intuition directe des idées, mais rejette l'existence d'idées innées. Tout comme chez Aristote, l'esprit à la naissance est conçu comme une *tabula rasa*, et la connaissance s'acquiert graduellement grâce à la sensation qui met la raison en contact avec le monde matériel. L'empirisme se caractérise deuxièmement par son réductionnisme. La connaissance est formée d'idées complexes, construites à partir d'idées simples, qui, elles-mêmes, sont à leur tour des collections d'impressions sensorielles. L'empirisme se fonde troisièmement sur l'associationnisme. Déjà présente chez Locke, l'association devient avec Hume et Hartley le grand principe de l'activité mentale. La condition nécessaire et suffisante pour que des sensations ou des idées s'associent est que ces événements soient contigus dans le temps et dans l'espace. Une fois cette condition remplie, le degré d'association variera en fonction de la vivacité, de la fréquence, de la durée ou de la récence de l'expérience sensorielle. Enfin, tout comme Descartes, les empiristes proposent une théorie mécaniste. L'esprit ou la raison est une «machine» qui fonctionne selon des principes simples qu'il suffit d'identifier.

Ces quatre caractéristiques — sensationnalisme, réductionnisme, associationnisme et mécanisme — réapparaîtront, à des degrés divers, dans plusieurs théories, tout au long de l'histoire de la recherche scientifique en apprentissage. Cependant, la principale contribution des empiristes britanniques se situe ailleurs. En formulant le problème de la connaissance et de l'acquisition de la connaissance à un niveau analytique, ils ont précisé les interrogations de la psychologie philosophique et orienté la réflexion, non plus sur l'existence d'une activité mentale, mais sur les composantes et les mécanismes de cette activité. Sans procéder eux-mêmes à des travaux expérimentaux, ils ont rendu l'expérimentation nécessaire.

LES ORIGINES IMMÉDIATES

La réflexion à laquelle les philosophes se livrent pendant des siècles, sur la nature et l'origine de la connaissance peut sembler, à certains, plus ou moins pertinente au problème de l'apprentissage. Pourtant, cette réflexion est cruciale pour les sciences du comportement en général. D'abord, elle rend possible l'investigation scientifique. Tant qu'il n'y a pas consensus sur la validité de l'expérience sensorielle comme source de connaissances, toute science empirique est controversée car celle-ci repose essentiellement sur l'observation. L'adhésion au postulat sensationnaliste des empiristes constitue donc une condition préalable, nécessaire à l'émergence d'une approche scientifique. De plus, les débats philosophiques débouchent sur la formulation d'hypothèses et de théories (par exemple, l'association) qui constitueront le point de départ de l'analyse systématique de l'apprentissage.

Cependant, la méthode de la psychologie philosophique, la réflexion spéculative, devient rapidement insatisfaisante pour ceux qui s'interrogent sur l'activité mentale. Elle conduit à des discussions laborieuses dont on ne peut estimer la valeur des arguments que de façon subjective. Plusieurs se tournent alors vers la physiologie sensorielle pour appuyer leur argumentation.

La physiologie sensorielle

Après une lente évolution, la psychologie philosophique a réussi à poser le problème de la connaissance, d'une manière accessible à l'investigation scientifique. La physiologie, qui au début du XIXe siècle devient une discipline autonome, va fournir le complément nécessaire à l'émergence des sciences du comportement (Boring, 1957). Elle va préciser les questions, proposer des techniques de recherche et donner au mécanisme cartésien la base anatomique qui lui manquait.

S'inspirant de la physique et de la chimie, la physiologie fait des progrès rapides, surtout à partir de 1801 où Bichat publie son *Anatomie générale appliquée à la physiologie et à la médecine*. Charles Bell (1774-1842), à Londres, et François Magendie (1783-1855), à Paris, découvrent presque simultanément la différence entre nerfs sensoriels et nerfs moteurs, permettant ainsi d'établir la nature involontaire des mouvements réflexes dont parlait déjà Descartes. Pendant ce temps, à Berlin, Johannes Müller (1801-1858) formule sa théorie de l'énergie spécifique des nerfs, selon laquelle l'activation d'un nerf donné produit une sensation particulière: sensation lumineuse pour le nerf optique, sensation acoustique pour le nerf auditif. En 1848-1849, Du Bois Reymond démontre la nature électrique de l'influx nerveux alors qu'en 1850, Helmholtz en mesure la vitesse de conduction chez la grenouille. Un peu plus tard, Flourens (1794-1867) identifie les rôles respectifs de la moelle épinière, du cerveau, du cervelet et des tubercules quadrijumeaux, pendant que Broca (1824-1880) découvre le centre cortical du langage.

Toutes ces recherches et ces découvertes, surtout orientées vers l'étude de la correspondance entre substrat physiologique et structure physique des stimuli, mettent graduellement en évidence l'existence de problèmes psychologiques spécifiques. Il devient en effet de plus en plus clair qu'on ne peut réduire des phénomènes comme celui de la perception à l'action d'un stimulus sur un récepteur sensoriel, et que la connaissance présuppose l'existence de structures et de fonctions psychologiques. Des pionniers comme Ernst Weber (1795-1878), Gustav Fechner (1801-1887), Herman von Helmholtz (1821-1894) et Hermann Ebbinghaus (1850-1909) vont contribuer à mieux définir ces problèmes psychologiques. En empruntant les méthodes expérimentales de la physiologie sensorielle, ils vont développer les premiers outils de recherche qui permettront d'échapper aux dogmes philosophiques et de faire de la psychologie une science empirique.

En ce qui concerne l'apprentissage, Ebbinghaus occupe parmi ces pionniers une place particulièrement importante. Il a été le premier à étudier expérimentalement le processus d'association que les empiristes britanniques avaient énoncé. En utilisant comme matériel des syllabes sans signification (par exemple tib, gaw, dah, etc.), il mit au point une technique efficace et rigoureuse pour analyser les lois qui régissent l'apprentissage et la mémoire. Ces recherches eurent un grand impact, car elles démontraient qu'il est possible de dépasser la spéculation philosophique et de mettre à l'épreuve des hypothèses vraisemblables, mais dont il faut vérifier empiriquement la validité.

Le darwinisme

Si la physiologie sensorielle fournit des techniques de recherche et contribue à mieux définir les problèmes, la biologie évolutive, elle, va ébranler les bases scientifiques, philosophiques et théologiques de la pensée occidentale sur la nature.

La publication en 1859 de *L'origine des espèces* par Charles Darwin constitue en effet une véritable révolution. À part quelques précurseurs comme Erasmus Darwin (grand-père de Charles Darwin) et Jean-Baptiste Lamarck, la plupart des biologistes et des philosophes avaient jusque-là défendu une conception fixiste, fortement inspirée des dogmes religieux. Selon cette conception, toutes les espèces animales et végétales étaient des créations de Dieu, parfaites et inaltérables, apparues indépendamment les unes des autres. L'humain, étant le seul être doué de raison, occupait au sein de cette création une place privilégiée et se distinguait de tous les autres animaux. Charles Darwin propose une théorie tout à fait différente. Les organismes n'ont pas été créés indépendamment et une fois pour toutes, mais ils ont une origine commune, se sont transformés et diversifiés au cours d'une évolution s'échelonnant sur des millions d'années. Par un processus de sélection naturelle, chaque espèce s'est adaptée à des conditions particulières et la diversification des espèces est le résultat de cette exigence adaptative. Selon Darwin, l'humain n'échappe pas à cette règle et il obéit aux mêmes lois biologiques que les autres animaux. Contrairement à ce que ses détracteurs prétendirent, il n'affirme pas que l'humain descend du singe mais plutôt qu'il partage avec lui un ancêtre commun, à partir duquel il a évolué de façon divergente.

À cause de son caractère révolutionnaire, la théorie darwinienne eut à affronter de nombreuses oppositions. Cependant, la force des données sur lesquelles elle s'appuyait et la cohérence interne de sa construction brisèrent petit à petit les résistances, surtout fondées sur des arguments théologiques. Cette théorie marque les sciences du comportement de plusieurs façons. En insistant sur l'existence d'une continuité entre l'animal et l'humain, elle met sérieusement en doute le dualisme inhérent à plusieurs systèmes philosophiques et oriente la recherche vers une interprétation plus matérialiste de la nature. Elle délimite également, de façon plus adéquate, le champ des sciences du comportement. En effet, si l'humain partage avec les autres animaux un certain lien de parenté, la question de la nature et des origines de la connaissance se présente fort différemment. Il ne suffit plus de s'interroger sur la raison humaine. Il faut aussi s'interroger sur l'activité mentale des animaux en général et avoir recours à une méthode comparative. Enfin, la théorie de Darwin pose le problème du caractère adaptatif du comportement, problème qui sera plus ou moins abordé par la psychologie expérimentale, mais qui constituera un élément fondamental de la théorie éthologique.

La naissance de la psychologie expérimentale

Les influences multiples et convergentes de la psychologie philosophique, de la physiologie sensorielle et du darwinisme avaient graduellement créé ce que Boring (1957) appelle un *Zeitgeist,* c'est-à-dire un courant d'idées, favorable à l'émergence d'une psychologie scientifique. Ce *Zeitgeist* prend une forme concrète en 1879 à Leipzig, quand Wilhelm Wundt (1832-1920) fonde le premier laboratoire de psychologie expérimentale. Ce laboratoire attire très vite des chercheurs de tous les pays et s'attaque à des problèmes variés tels que la sensation, la perception, le temps de réaction, l'attention, le sentiment, le sens du temps et, bien sûr, l'association. Son influence sera très importante et la psychologie expérimentale connaîtra dès lors des progrès rapides. En peu de temps, deux grandes écoles de pensée — le structuralisme et le fonctionnalisme

— feront leur apparition et marqueront les débuts de la psychologie expérimentale.

Le structuralisme. Cette première école de pensée, fondée par Wundt lui-même et poursuivie par son disciple Edward Titchener (1867-1927), se propose d'étudier la structure de la conscience ou de l'esprit. Elle veut en identifier les éléments, analyser la manière dont ceux-ci se combinent en processus plus complexes, et formuler les lois de cette combinaison (Chaplin et Krawiec, 1968). Pour ce faire, le structuralisme a recours à l'introspection, c'est-à-dire à une méthode spécialisée d'auto-observation par laquelle le chercheur essaie d'étudier sa conscience, d'une manière systématique, objective et détachée.

Plus intéressés par les contenus de la conscience que par l'origine de ces contenus, les structuralistes ne feront que très peu avancer l'étude de l'apprentissage, et encore moins celle de l'apprentissage animal. Titchener reconnaît pourtant que la psychologie peut inclure, dans son champ d'intérêts, l'étude des animaux. Dans son *Manuel de psychologie* (1932), il insiste sur la nécessité de postuler qu'il existe chez l'animal un esprit, tout comme chez l'humain et préfigure en cela certaines prises de position récentes de la part de chercheurs réputés (Griffin, 1976, 1979). Il écrit en effet:

> (...) si nous attribuons un esprit aux autres hommes, nous n'avons pas le droit d'en refuser aux animaux supérieurs. Ces animaux possèdent un système nerveux du même modèle que le nôtre, et leur conduite, leur comportement, dans des circonstances qui, en nous, auraient suscité certains sentiments, semblent souvent exprimer, d'une façon très nette, des sentiments analogues en eux. (p. 26)

Cependant, le structuralisme ne réussira jamais à poser adéquatement le problème de l'apprentissage animal, et ce pour une raison essentiellement méthodologique. En effet, comment l'introspection peut-elle constituer une méthode utile et appropriée pour analyser la «conscience» animale? Titchener propose bien de procéder par analogie et par empathie, c'est-à-dire de se mettre à la place de l'animal et d'imaginer ce que les mouvements de cet animal exprimeraient chez un humain mis dans la même situation. Mais c'est là une méthode hasardeuse qui, même appliquée avec rigueur, risque fort d'être empreinte d'anthropomorphisme. Cette faiblesse méthodologique, à laquelle le structuralisme aura à faire face dans plusieurs autres domaines, explique en partie sa disparition rapide. Ayant ignoré la théorie darwinienne de l'évolution et le concept d'adaptation des organismes, il sera supplanté par la popularité grandissante du fonctionnalisme qui, lui, accorde une place importante à ces nouvelles idées (Hergenhahn, 1976).

Le fonctionnalisme. Cette deuxième école de pensée prend sa source dans la biologie évolutive de Darwin et dans la philosophie pragmatique de William James (1842-1910). Elle regroupe surtout des psychologues américains et se divise en deux grands courants : l'école de Chicago, représentée par John Dewey (1859-1952), James Rowland Angell (1869-1949) et Harvey Carr (1873-1954); l'école de Columbia, incarnée surtout par Edward Lee Thorndike, dont nous reparlerons dans le prochain chapitre.

Tout comme le structuralisme, le fonctionnalisme américain affirme que l'étude de la conscience demeure l'objet principal de la psychologie et même de la psychologie animale. Ainsi Angell (1904) écrit :

> La psychologie animale, souvent appelée psychologie comparée, est engagée dans l'étude de la conscience, partout où à l'exception de l'homme, sa présence peut-être détectée à travers l'étendue de la vie animale. (p. 2)

Les fonctionnalistes ne s'opposent donc pas au structuralisme parce qu'il étudie la conscience, mais parce qu'il la considère comme un phénomène isolé et qu'il n'en fait pas ressortir l'utilité dans l'adaptation de l'organisme à son environnement. Selon eux, la conscience ne peut être réduite à ses éléments et au lieu d'en étudier la structure, il vaut mieux examiner son rôle en tant qu'entité adaptative. Sur le plan méthodologique, ils reconnaissent volontiers la nécessité de l'introspection mais, dans les faits, ils abandonnent graduellement cette technique pour s'en remettre plutôt à l'observation objective.

En ce qui concerne l'apprentissage, l'école de Chicago le considère comme l'un des principaux problèmes de la psychologie. Carr, par exemple, le traite comme un processus perceptivo-moteur. Selon lui, si un organisme est aux prises avec une situation à laquelle il n'a pas de réponse toute prête, il s'engage dans un processus de résolution. Ce processus est déterminé par les expériences antérieures de l'organisme et produit une solution qui se fixe et s'incorpore au répertoire de réponses. Une telle conception de l'apprentissage est relativement nouvelle et constitue un progrès par rapport au structuralisme. Cependant, même si elle insiste sur le caractère adaptatif de ce processus, elle n'est pas suffisamment précise sur sa nature. Ce n'est qu'avec l'autre courant fonctionnaliste, l'école de Columbia, que des hypothèses plus substantielles seront formulées et que l'apprentissage deviendra vraiment un sujet dominant de la psychologie expérimentale.

RÉSUMÉ

Issu d'interrogations philosophiques sur la nature et sur l'origine de la connaissance humaine, le problème de l'apprentissage met beaucoup de temps à s'articuler et doit être précédé d'une remise en question du rationalisme et du nativisme platoniciens. Mais à partir du XVIe siècle, les progrès de la pensée occidentale sur ce sujet sont relativement rapides. Le cartésianisme et l'empirisme britannique, tout en s'en remettant encore à la spéculation philosophique, définissent des principes de base qui permettent de formuler le problème de façon de plus en plus précise. La physiologie sensorielle et le darwinisme fournissent les méthodes et les concepts qui mettent l'apprentissage animal sur la voie d'une analyse scientifique. Dès ses débuts, la psychologie expérimentale considère ce problème comme faisant partie de son objet d'étude, mais le structuralisme et le fonctionnalisme de Chicago ne réussissent pas à l'aborder d'une façon satisfaisante. La méthodologie n'est pas appropriée, et la question n'est pas posée à un niveau suffisamment analytique.

Cependant, la psychologie philosophique et la psychologie expérimentale naissante, malgré leur échec apparent, constituent des étapes historiques essentielles à l'émergence d'une étude scientifique de l'apprentissage animal. Sans elles, ce domaine de recherches n'aurait pu se constituer sur des bases épistémologiques aussi solides, et connaître l'essor remarquable qu'il a connu au XXe siècle. C'est cette évolution des théories de l'apprentissage que nous examinerons maintenant.

CHAPITRE 3

LES THÉORIES DE L'APPRENTISSAGE DE 1900 À 1960

Si le structuralisme de Wundt et de Titchener et le fonctionnalisme de l'école de Chicago contribuent à faire de la psychologie une science expérimentale, l'apprentissage en devient un secteur important grâce à l'influence de quatre grandes écoles de pensée: le fonctionnalisme de Thorndike, la réflexologie de Pavlov, le behaviorisme de Watson et le gestaltisme. Apparus en quelques années, ces quatre courants vont déterminer, non seulement l'orientation que prendra la recherche en apprentissage, mais aussi le type de théories qui seront élaborées.

Fortement marqué par le behaviorisme watsonnien, l'effort théorique se concentre surtout aux États-Unis. Au cours des années 30 à 60, cet effort se développe autour de quatre modèles de base: le connexionnisme de Guthrie, le cognitivisme de Tolman, le formalisme de Hull et le néobehaviorisme de Skinner. Se proposant, non seulement comme des théories de l'apprentissage, mais aussi comme des théories générales du comportement, ces modèles suscitent beaucoup de recherches, de discussions et de controverses.

Bien que ce chapitre puisse à l'occasion donner cette impression, le développement des théories de l'apprentissage n'a pas été une marche graduelle et progressive vers une formulation de plus en plus adéquate du problème. Les heurts et les conflits entre les écoles de pensée ont été assez fréquents et certains modèles théoriques sont nés en réaction contre les idées prédominantes de l'époque. Cependant, dans les pages qui suivent, notre but n'est pas de dresser une historiographie exhaustive de ce développement des théories. Il consiste plutôt à montrer les diverses stratégies et les diverses approches qui ont été adoptées face au problème de l'analyse scientifique de l'apprentissage et à identifier les influences qui ont façonné notre conception contemporaine de ce problème.

LA NAISSANCE DES THÉORIES

Le fonctionnalisme de Thorndike

Dans les années qui suivirent la publication de la théorie de l'évolution, certains disciples de Darwin, dont Romanes, avaient essayé, en se basant sur le principe de continuité entre les animaux et l'humain, de démontrer que les animaux sont plus intelligents qu'on ne le croyait jusque-là. Cependant la méthode anecdotique et l'anthropomorphisme de ces disciples avaient provoqué de vives critiques, parmi lesquelles celle de Lloyd Morgan. Reconnaissant la nécessité d'expliquer les adaptations complexes des animaux, Morgan proposait une méthode plus rigoureuse, se situant entre l'observation naturaliste et l'observation de situations artificielles en laboratoire. Pour contrer le subjectivisme et l'anthropomorphisme, il énonçait aussi un principe connu maintenant sous le nom de «Loi de parcimonie» ou «Canon de Morgan». Selon cette loi, une action ne peut être interprétée comme le résultat d'une «faculté supérieure» s'il est possible de l'attribuer à une «faculté inférieure» dans l'«échelle psychologique». Aujourd'hui, le «Canon de Morgan» fait partie des principes de base des sciences du comportement, mais à cette époque il était tout nouveau.

Quand, en 1898, Edward Lee Thorndike (1874-1949) publie son premier ouvrage intitulé *Animal Intelligence,* il propose une méthodologie et une théorie originales qui, tout en respectant la «Loi de parcimonie», veut tenir compte des concepts d'adaptation et de continuité formulés par Darwin. Selon lui, l'étude de l'animal est nécessaire et permet une meilleure compréhension de l'humain. Dans un court texte intitulé *Why Study Animal Psychology?*, il écrit:

> En plus de fournir des principes généraux qui peuvent être adéquats pour rendre compte d'une bonne partie, si ce n'est de tout l'apprentissage humain, les expériences avec les animaux permettent aux psychologues de vérifier des hypothèses de toutes sortes, dans la mesure où ces hypothèses n'impliquent pas l'intervention d'idées ou d'impressions particulières à l'homme. (p. 4)

Cette citation est très révélatrice, car elle reflète deux attitudes qui seront adoptées d'emblée par le behaviorisme et par la plupart des chercheurs en psychologie animale. La première de ces attitudes est l'approche anthropocentriste du comportement animal, c'est-à-dire une tendance à n'étudier l'animal que dans la mesure où il nous apprend quelque chose sur l'humain. La seconde est l'accent important mis sur l'apprentissage. En effet, pour Thorndike, les conduites organisées des animaux ne sont dues ni à l'instinct ni à une forme de raisonnement analogue à celui de l'humain. Elles sont dues à l'apprentissage «par essai et erreur avec succès accidentel».

Thorndike en vient à cette conclusion à la suite d'expériences réalisées avec une boîte problème. Au cours de ces expériences, un animal affamé (généralement un chat) est enfermé dans une cage, à l'extérieur de laquelle on place de la nourriture. Pour sortir de cette cage et atteindre la nourriture qu'il convoite, l'animal doit apprendre à actionner un mécanisme quelconque (appuyer sur une clenche, tirer sur la boucle d'une corde, etc.). L'observation révèle, qu'au cours des premiers essais, il passe beaucoup de temps à griffer, à mordre et à frapper la porte. L'apprentissage, mesuré par le temps nécessaire pour s'échapper de la boîte problème, est très lent au début. Mais à mesure que la situation se répète, le chat exécute de moins en moins de réponses inappropriées, et passe de plus en plus vite au comportement qui assure sa fuite.

Thorndike interprète ces résultats en invoquant l'acquisition «par essai et erreur» d'un comportement efficace: l'animal fait une sélection de ses réponses, c'est-à-dire qu'à mesure que la situation se répète, il élimine les comportements inappropriés (griffer, mordre, etc.) et ne retient que celui qui produit le résultat désiré. Cependant, il ne suffit pas d'expliquer l'apprentissage par un processus de sélection. Il faut aussi identifier ce qui le rend possible. Influencé par le mécanisme cartésien et l'associationnisme britannique, Thorndike élabore une théorie connexionniste qui définit l'apprentissage comme l'établissement de connexions entre un stimulus de l'environnement et la réponse de l'organisme. L'apparition de ces connexions est régie par plusieurs lois, dont la plus importante est sans aucun doute la «Loi de l'effet». La première partie de cette loi s'énonce comme suit (Thorndike, 1898):

> Lorsqu'une situation déclenche plusieurs réponses, celles qui s'accompagnent ou sont presque immédiatement suivies d'un état satisfaisant pour l'animal seront, toutes choses étant égales par ailleurs, plus fortement reliées à cette situation de sorte que si cette dernière se présente à nouveau, ces mêmes réponses auront vraisemblablement le plus de chances de se reproduire.

Cette première partie de la «Loi de l'effet» est extrêmement importante, car elle définit un concept, le renforcement, qui influencera plusieurs théories et qui est encore aujourd'hui l'objet de nombreuses controverses. La seconde partie de la «Loi de l'effet» exprime l'inverse de la première.

> Par contre les réponses qui sont accompagnées ou presque immédiatement suivies par un état d'inconfort pour l'animal, auront, toutes choses étant égales par ailleurs, des connexions affaiblies avec la situation de sorte que si cette dernière se présente à nouveau, elles auront vraisemblablement moins de chances de se reproduire.

Thorndike (1931, 1932) aura, sur cette deuxième partie, une position fluctuante et l'abandonnera à certains moments. Mais en 1898 il conclut de façon générale «Plus grande est la satisfaction ou l'inconfort[1], plus grande est la force ou la faiblesse du lien».

En plus d'énoncer clairement la définition connexionniste de l'apprentissage, la «Loi de l'effet» affirme que le comportement d'un animal est déterminé, en partie du moins, par ses conséquences sur l'environnement. Selon qu'il produit un effet satisfaisant ou insatisfaisant sur les conditions qui prévalent dans l'environnement, le comportement a plus ou moins tendance à réapparaître.

La contribution de Thorndike à l'analyse scientifique de l'apprentissage est sûrement l'une des plus considérables et des plus durables. Son fonctionnalisme, tout en partageant les objectifs de l'école de Chicago, donne naissance à une méthodologie et à des concepts originaux qui seront au coeur des discussions pendant plus de cinquante ans.

La réflexologie[2] de Pavlov

Déjà très connu pour ses travaux sur la physiologie du système digestif (il reçoit le prix Nobel en 1904), Pavlov (1849-1936) entreprend, au début du siècle, une seconde carrière au cours de laquelle il s'intéresse au fonctionnement du cerveau et à l'activité nerveuse. Ses recherches dans ce domaine l'amèneront, en fait, à étudier l'apprentissage associatif et à découvrir l'une des formes de cet apprentissage, le conditionnement classique.

Pavlov commença à s'interroger sur l'apprentissage à la suite d'observations qu'il avait recueillies lors de ses études du processus digestif. Il avait en effet remarqué que la salive et les sécrétions gastriques qui, chez un chien, sont normalement déclenchées par la présence de nourriture dans la gueule, pouvaient aussi être induites par les stimuli précédant l'ingestion de nourriture: par exemple, la vue du bol ou même du préposé aux animaux. Cette observation révélait ceci d'inusité, que des stimuli, *a priori* inefficaces quant au déclenchement d'un réflexe biologiquement important (la salivation), pouvaient déclencher ce réflexe inné, s'ils précédaient régulièrement la présentation de nourriture, déclencheur naturel de la réaction salivaire. L'animal semblait avoir appris que certains stimuli (les stimuli conditionnels) annonçaient la présence prochaine de nourriture, et réagissait à ces stimuli comme s'ils étaient la nourriture même. Pavlov et ses collaborateurs entreprirent donc une série de travaux visant à élucider la nature de cet apprentissage et ses paramètres. Par analogie avec le réflexe physiologique inné (nourriture

---

1 À cause des termes *satisfaction* et *inconfort*, on a souvent accusé cette loi de subjectivisme et d'anthropomorphisme. Cependant Thorndike a défini ces termes. Un état satisfaisant est un état recherché par l'animal et un état d'inconfort est un état qu'il évite.

2 Ce terme «réflexologie» n'est pas tout à fait approprié pour désigner l'approche pavlovienne. Cependant nous y avons recours car son usage est assez fréquent aussi bien en français qu'en anglais.

déclenchant la salivation), ils utilisèrent l'expression «réflexe psychique» pour désigner ce phénomène par lequel un stimulus qui n'est pas en soi relié à l'alimentation, acquiert la propriété de déclencher le réflexe salivaire. Plus tard, cette expression fut remplacée par celle de «réflexe conditionnel» et aujourd'hui on parle de «réaction conditionnelle» ou de «réponse conditionnelle».[1]

Dans ses expériences, Pavlov organisait la situation de manière à ce que le stimulus conditionnel apparaisse en étroite contiguïté temporelle avec le stimulus inconditionnel (la nourriture). Si cet appariement contigu était efficace, le stimulus conditionnel en venait, au bout d'un certain nombre de présentations, à produire une réponse semblable à la réponse inconditionnelle (salivation). Il semblait donc que cet apprentissage, appelé conditionnement classique, produisait par contiguïté temporelle une nouvelle association entre deux stimuli. Il y a donc une différence importante entre le conditionnement classique et l'apprentissage «par essai et erreur». En effet, Thorndike organisait, dans sa boîte problème, non pas une relation entre deux stimuli, mais une relation entre une réponse et la conséquence de cette réponse. Cette différence méthodologique entraîna, comme nous le verrons plus tard, une controverse qui persiste encore.

Pavlov et ses disciples voyaient, dans la réponse conditionnelle, l'unité fondamentale de tout apprentissage animal et humain. Il écrivait en effet (1927):

> Il est évident que les différents types d'habitudes qui sont basés sur l'entraînement, l'éducation, et toute forme de discipline ne sont rien d'autre qu'une longue chaîne de réflexes conditionnels. (p. 395)

Rares sont ceux qui aujourd'hui seraient d'accord avec une telle affirmation, mais la théorie pavlovienne a eu et a encore un impact considérable. Sur le plan conceptuel, elle a permis de situer l'apprentissage à un niveau très analytique. Sur le plan méthodologique, elle répondait aux positions anti-introspectionnistes du début du siècle. Par une méthode traduisant en termes objectifs le comportement animal, le conditionnement remplaçait l'introspection et le subjectivisme, qui caractérisaient le structuralisme de Wundt et Titchener. Cette théorie contribua ainsi à la naissance et à l'essor du behaviorisme watsonnien.

Le behaviorisme de Watson

En 1913, John B. Watson (1878-1958) publie un manifeste, intitulé *Psychology as the behaviorist views it,* qui marque un tournant décisif dans

---

1   À l'époque de Pavlov, les auteurs utilisaient le mot «réflexe». Il faut faire attention à cet usage car il est lié à un problème dans la traduction du texte russe. En français, ce mot désigne une réponse automatique, mécanique, involontaire. Pavlov lui donnait un sens différent: «(...) une réponse, régie par des lois, à l'action d'un agent déterminé du monde extérieur» (Pavlov, 1927). Les mots «réponse» ou «réaction» correspondent donc mieux à l'idée originale de Pavlov.

l'histoire de la psychologie expérimentale. Il cristallise dans ce texte une insatisfaction, déjà évidente chez Thorndike et Pavlov, face aux insuffisances scientifiques de la psychologie de son époque. Il énonce en même temps les principes de base du behaviorisme, qui se veut être une approche méthodologique et théorique plus objective.

Rejetant à la fois le structuralisme et le fonctionnalisme qui l'a pourtant influencé, Watson se refuse à étudier la conscience ou l'esprit. Il affirme que la psychologie doit se limiter à ce qu'on peut observer, c'est-à-dire le comportement, et se contenter de formuler des lois à partir de ces observations. Avec lui, la psychologie cesse d'être la science de la conscience, pour devenir la science du comportement (Tilquin, 1942). Il nie également catégoriquement que l'introspection doive être l'outil privilégié d'analyse et de recherche. Selon lui, cette méthode est trop subjective pour fournir des résultats vérifiables et communicables. Il veut faire de la psychologie «une branche expérimentale purement objective de la science naturelle». À partir de 1915, Watson, par l'intermédiaire de Bechterev, prend connaissance des travaux de Pavlov et trouve dans les concepts d'arc-réflexe et de conditionnement classique, l'instrument objectif d'analyse qu'il recherche. Fidèle aux conceptions mécanistes et associationnistes, il élabore un modèle S-R (Stimulus-Réponse) du comportement, où l'organisme a un rôle passif de réaction à l'environnement. Le comportement se compose d'unités simples, les liens S-R, et par conséquent les seuls événements qui méritent d'être étudiés sont ceux qui se produisent à la périphérie sensorielle et à la périphérie motrice. Ce qui se passe entre cet *input* et cet *output* n'est pas accessible à l'observation et, selon Watson, on ne peut pas l'analyser.

En ce qui concerne l'apprentissage, Watson en fait le principe fondamental de toute sa théorie du comportement. Les adaptations du comportement, observées chez l'animal et chez l'humain, sont selon lui le résultat de l'apprentissage. Elles consistent dans la formation de liens S-R plus ou moins forts et sont entièrement déterminées par l'environnement. Il existe bien quelques instincts chez les animaux, mais ce sont simplement des liens S-R qui, avant leur premier usage, possèdent déjà une certaine force associative. Quant à l'humain Watson, tout comme Aristote et les empiristes britanniques avant lui, croit qu'il est, à la naissance, une *tabula rasa*. Mais dans les deux cas, animal et humain, l'apprentissage consiste ou à appliquer des réponses établies à de nouvelles situations, ou à produire de nouvelles réponses à des stimuli familiers.

Cependant, la structure de la théorie watsonnienne de l'apprentissage n'est pas articulée de façon très claire. Watson rejette catégoriquement la «Loi de l'effet», qu'il considère trop subjective. Il la remplace au début par une loi de fréquence (la force du lien S-R dépend du nombre de fois où S et R surviennent en même temps) et une loi subsidiaire de récence (une réponse récente acquiert un lien plus fort avec S qu'une réponse éloignée dans le temps). Par la suite, il abandonne plus ou moins ces lois et s'en remet à une interprétation pseudophysiologique, sans véritable principe unificateur.

Aussi paradoxal que cela puisse paraître, la contribution de Watson à la recherche en apprentissage réside moins dans sa formulation théorique, que dans l'orientation générale qu'il donne à ce domaine. Ses successeurs retiendront moins ses concepts et ses hypothèses que l'accent qu'il met sur le comportement observable, la méthodologie rigoureuse, le rôle de l'apprentissage et les buts pragmatiques de la psychologie. Plus que tout autre courant de pensée, le behaviorisme watsonnien définit l'approche qui dominera, pendant des générations, l'étude de l'apprentissage animal et humain.

Le gestaltisme

Bien qu'il se soit surtout illustré dans le domaine de la perception, le gestaltisme est un courant extrêmement important, car il a offert une vision de l'apprentissage très différente de celle du fonctionnalisme thorndikien, du behaviorisme watsonnien ou de la réflexologie pavlovienne. Trois auteurs sont à l'origine du gestaltisme: Max Wertheimer (1880-1943), Kurt Koffka (1887-1941) et Wolfgang Köhler (1887-1967). Cependant c'est surtout le livre de Köhler, *L'intelligence des singes supérieurs,* paru en 1917, qui met en valeur la conception gestaltiste de l'apprentissage.

Köhler pose comme point de départ que ses travaux sur les chimpanzés ne visent pas à recueillir des données quantitatives, mais à découvrir quels types d'activités sont impliqués dans la résolution de situations problématiques par un animal. Cette attitude correspond à un principe fondamental de l'école gestaltiste, selon lequel la psychologie est une science jeune qui ne peut, comme le propose Watson, copier les méthodes des autres sciences. Il faut bien sûr décrire les phénomènes dans les termes les plus objectifs possibles, et éviter l'introspectionnisme. Cependant, selon Köhler, la psychologie a encore besoin d'observations qualitatives, et ne peut se limiter à des données quantitatives. Dans certains cas il faut renoncer à la quantification et s'en remettre à des méthodes peut-être moins rigoureuses. Dans *Psychologie de la forme,* paru en 1929, il écrit que «la recherche quantitative (…) présuppose l'analyse qualitative, suscitant la découverte de problèmes féconds.» (p. 53).

Les travaux de Köhler sur les chimpanzés sont donc une description de la compréhension par l'animal de relations spatiales et causales. Il soumet des sujets à une situation problème et observe dans quelle mesure ils peuvent la résoudre. Par exemple, il place un appât à l'extérieur de la cage et, pour y avoir accès, l'animal doit utiliser un bâton ou un râteau. Dans une autre situation, l'appât est fixé au plafond et le chimpanzé doit se construire un escabeau, en empilant les caisses disposées dans la salle. En construisant ainsi plusieurs situations de ce type,

Köhler constate que l'animal hésite au début, fait quelques tentatives infructueuses et s'arrête. Puis, comme s'il avait eu un «éclair de génie», il se lance brusquement dans une activité fébrile et arrive à la bonne solution.

Les résultats de ces travaux amènent les gestaltistes à conclure que l'apprentissage ou la résolution de problèmes ne sont pas, comme le prétendaient Thorndike ou Watson, le résultat de la formation progressive de connexions entre des stimuli périphériques et des réponses périphériques. Selon eux, l'apprentissage est un processus central, fondé sur une saisie directe et intuitive de la situation, processus connu maintenant sous le nom d'*insight*.

La théorie gestaltiste part du principe que, si un obstacle est introduit dans le champ des objets physiques, entre l'organisme et le but à atteindre, une tension apparaît dans le champ psychologique des processus cognitifs. Cette tension brise l'équilibre dynamique entre les éléments et provoque un *insight*. Celui-ci est conçu comme une restructuration du champ perceptif, qui a pour effet de rendre apparentes les relations significatives de l'environnement et de susciter, chez l'animal, une compréhension de la nouvelle relation existant entre les éléments. L'*insight* est soudain et apparaît juste avant l'action, à la suite d'une période de passivité ou d'une pause. Il déclenche un enchaînement fluide et ininterrompu d'activités menant à la résolution rapide du problème.

L'apprentissage par *insight* des gestaltistes est donc très différent de l'«essai-erreur» de Thorndike ou du conditionnement classique de Pavlov. Cette différence entre les deux types d'interprétation est en partie reliée aux types d'espèces animales étudiées. Alors que les données de Thorndike, de Pavlov et de Watson sont recueillies surtout chez des chats, des chiens et des rats, celles de Köhler proviennent d'animaux plus intelligents, placés dans des situations plus complexes (Hillix, 1977). Mais il n'y a pas que cela. En fait, ce sont deux conceptions fondamentales du comportement qui s'affrontent.

Les théories connexionnistes et cognitives

Placés devant la nécessité d'expliquer scientifiquement la nature et les lois de l'apprentissage, les premiers théoriciens ont eu tendance à se diviser selon deux attitudes opposées. L'une a donné naissance aux théories connexionnistes, l'autre aux théories cognitives. Cette division en deux catégories qui s'excluent l'une l'autre est évidemment une réduction un peu simpliste de la réalité historique. Entre ces deux positions extrêmes, il y a eu des théories intermédiaires qui ont fait des emprunts aux deux courants. Toutefois, cette division correspond à une scission réelle qui a marqué la recherche en apprentissage.

Les théories connexionnistes (Thorndike, Watson et Pavlov) se fondent sur un refus systématique d'expliquer l'apprentissage par des processus internes abstraits. Elles ne nient pas nécessairement leur existence, mais préfèrent éviter d'en discuter. Selon ces théories, il est impossible de savoir ce qui se passe exactement dans la tête d'un animal. Il vaut donc mieux, pour des raisons de rigueur scientifique, construire des interprétations qui se réfèrent le plus possible à des éléments concrets et observables. Or, que se passe-t-il concrètement quand un animal est placé dans une situation d'apprentissage? Il émet ou bien de nouvelles réponses à des stimuli, ou bien des réponses à de nouveaux stimuli. Ce que l'animal apprendrait, ce serait une nouvelle association ou connexion entre un stimulus et une réponse, ou entre deux stimuli. La tâche du théoricien connexionniste consiste, par conséquent, à identifier les lois qui régissent la formation de cette association.

Cette attitude des théoriciens connexionnistes, qui s'inspire du positivisme logique introduit par la physique du XIXᵉ siècle, est une réaction à l'anthropomorphisme et au subjectivisme qui caractérisaient la méthode introspective. Elle est déterminée par un profond souci de rigueur scientifique et par une adhésion inconditionnelle à la «loi de parcimonie». Elle vise à éviter les spéculations abusives qui refléteraient davantage l'imagination du chercheur que l'authenticité des faits empiriques.

Pour les théoriciens cognitifs, dont le gestaltisme est un premier exemple, l'exigence de rigueur et de parcimonie n'implique pas automatiquement l'adoption d'une interprétation connexionniste (Tolman, 1922). L'association n'est pas, en soi, un principe explicatif parcimonieux. Tout dépend de la complexité des données ou des observations. En effet, le «Canon de Morgan» n'affirme pas que l'explication la plus simple est nécessairement la meilleure. Il propose plutôt une règle selon laquelle, *face à plusieurs interprétations, également plausibles, il faut choisir celle qui fait appel à la moins grande complexité.* Par conséquent, une interprétation simple, qui ne rend pas vraiment compte de tous les faits, peut être rejetée au profit d'une interprétation plus complexe, mais aussi plus valide. Dans ce contexte, les théories cognitives considèrent l'association, non comme le seul, mais comme l'un des mécanismes par lesquels s'élabore l'apprentissage. Contrairement aux théories connexionnistes, les théories cognitives reconnaissent de plus qu'il existe chez toute espèce animale, des processus internes non observables et non isomorphes à S et à R et qui déterminent le comportement. Comme nous l'avons déjà mentionné (voir Avant-propos), elles admettent que le comportement est contrôlé, non par les événements concrets de l'environnement, mais par leur intégration à des structures internes.

Cette polarisation entre connexionnisme et cognitivisme, qui débute avec Thorndike, Pavlov, Watson et Köhler, aura un rôle constant dans l'évolution des théories de l'apprentissage. Elle sera toujours en arrière-plan des discussions et des controverses. Selon les époques, la tendance générale oscillera d'un pôle à l'autre, bien que le connexionnisme ait été, plus souvent que le cognitivisme, le pôle dominant.

LES THÉORIES BEHAVIORISTES

Au début du siècle, l'apprentissage animal est donc devenu un domaine de recherches très important à l'intérieur de la psychologie expérimentale. On reconnaît alors trois grandes hypothèses quant à la nature et au fonctionnement de ce processus.

Selon Thorndike, les animaux apprennent des comportements en établissant des connexions entre des stimuli et des réponses, la force de ces connexions S-R étant régie par les conséquences de la réponse ou par renforcement. Pavlov affirme, pour sa part, que l'apprentissage est le résultat d'une association par contiguïté temporelle entre deux stimuli (association S-S). Un stimulus antérieurement neutre acquiert la capacité de déclencher une réponse innée en étant apparié régulièrement au stimulus qui normalement déclenche cette réponse. Enfin, Köhler et les gestaltistes ne font appel ni à une association S-R ni à une association S-S. L'*insight* constitue, selon eux, le principe de base de tout apprentissage. L'animal, par suite d'une réorganisation de son champ perceptif, saisit la situation sous un nouveau jour et trouve ainsi subitement la solution au problème auquel il est confronté.

Parallèlement à l'élaboration de ces trois interprétations théoriques, un fort courant se dessine: le behaviorisme watsonnien. Séduits par les objectifs et la méthodologie de ce courant, plusieurs chercheurs en apprentissage animal, sinon la majorité, vont emboîter le pas. Tout en partageant la même orientation de base, ils vont donner au behaviorisme des formes multiples et variées. Contrairement à ce que plusieurs croient, tous les behavioristes n'adopteront pas l'interprétation connexionniste de l'apprentissage. Ces deux termes — behaviorisme et connexionnisme — ne sont pas du tout synonymes, et le cognitivisme est tout à fait compatible, comme nous le verrons, avec les buts et la méthode behavioristes (Bélanger, 1978).

Des années 30 aux années 60, quatre grands systèmes behavioristes vont dominer la pensée théorique. Les trois premiers — de Guthrie, de Tolman et de Hull — vont tenter de fournir une explication unifiée de l'apprentissage. Le dernier — celui de Skinner — se fonde, au contraire, sur une dichotomie très nette entre le conditionnement pavlovien et la «Loi de l'effet» de Thorndike.

Le connexionnisme de Guthrie

D'abord très influencé par la conception watsonnienne de l'apprentissage (Bolles, 1979), Edwin R. Guthrie (1886-1959) s'en détache graduellement et formule une théorie qui, tout en s'inscrivant dans la continuité de ses prédécesseurs, se distingue par sa simplicité et par l'économie de concepts sur laquelle elle s'appuie. En effet, ce système théorique, qui veut expliquer l'apprentissage animal et humain, s'articule presque entièrement autour de deux lois fondamentales.

La première loi fait appel à un principe que nous avons rencontré à plusieurs reprises: «la contiguïté». Elle s'énonce comme suit.

> Une combinaison de stimuli, qui a accompagné un mouvement, tendra, si elle réapparaît, à être suivie de ce mouvement. (1952, p. 23)

Par cette loi, Guthrie définit l'apprentissage comme étant simplement la formation de connexions entre des stimuli[1] et des mouvements, les uns et les autres étant contigus dans le temps. Pour lui, il n'y a ni apprentissage «par essai-erreur», ni conditionnement classique. Il n'y a que l'apprentissage par contiguïté. Sa théorie n'est ni thorndikienne ni pavlovienne, mais elle est un peu des deux à la fois. Elle est thorndikienne par l'accent qu'elle met sur les associations S-R plutôt que S-S, et pavlovienne par son recours au principe de contiguïté temporelle (Hillix, 1977).

Guthrie est aussi marqué, dans une certaine mesure, par le gestaltisme. Sans directement faire appel au processus d'*insight,* sa deuxième loi emprunte à cette école de pensée l'idée selon laquelle l'apprentissage est un phénomène soudain et discontinu.

> Une configuration de stimuli acquiert sa pleine force associative dès son premier appariement avec une réponse. (1942, p. 30)

Cette loi est en flagrante contradiction avec ce que soutiennent ses prédécesseurs et ses contemporains, mais surtout elle ne reflète pas du tout ce que les données empiriques semblent indiquer. En effet, alors que la plupart des auteurs s'entendent sur le caractère graduel et continu de l'apprentissage, Guthrie affirme exactement le contraire. Selon lui, l'apprentissage s'établit dès la première occasion où le stimulus et la réponse sont en contiguïté temporelle, et la répétition des appariements n'a pas l'effet cumulatif qu'énoncent un Thorndike ou un Pavlov.

Guthrie résout cette contradiction apparente entre les données et la théorie, en donnant au concept de stimulus une définition qui lui est très personnelle. Le stimulus devient, avec lui, l'ensemble des éléments qui composent une situation. Comme ces éléments changent continuellement, une configuration n'est jamais exactement la même d'un moment à l'autre. Par conséquent, lorsqu'une réponse a lieu, elle s'associe à tous les éléments présents à cet instant précis, en un seul appariement. L'instant d'après, cette même réponse s'associera à une autre configuration d'éléments, c'est-à-dire à un autre stimulus. Si l'apprentissage semble être progressif et continu, c'est que la réponse s'associe à une population croissante de stimuli et devient ainsi de plus en plus probable. Mais, à la

---

1   Chez Guthrie, les stimuli peuvent être externes ou proprioceptifs, c'est-à-dire produits par des mouvements.

base, chaque appariement de S et de R est un apprentissage, puisque S est toujours différent d'un appariement à l'autre.

La théorie de Guthrie, fondée uniquement sur deux lois, séduit par sa simplicité et sa parcimonie. Mais, au moment où elle est publiée pour la première fois, en 1935, et encore davantage par la suite, elle se heurte à un courant de pensée contraire (Bolles, 1979). En effet à cette époque, les théoriciens sentent le besoin d'inclure, dans leur interprétation, un concept de récompense ou de renforcement comme Thorndike l'avait fait lui-même. Or, Guthrie n'en voit pas l'utilité. Il considère qu'une récompense n'augmente pas la force du lien S-R, mais l'empêche seulement de s'affaiblir. En identifiant clairement, pour l'animal, la situation où il a produit la bonne réponse, elle isole la connexion S-R et rend peu probable l'association de cette réponse avec un autre stimulus. De même, alors que la motivation devient un élément important dans les théories de l'apprentissage, Guthrie se refuse à la considérer comme autre chose qu'une classe particulière de stimuli. Enfin, sa définition de la réponse demeure très vague et inclut des unités de natures fort différentes.

Le connexionnisme de Guthrie aurait peut-être pu vaincre ce courant contraire, s'il s'était appuyé sur des données et des observations convaincantes. Mais Guthrie était peu porté sur l'analyse expérimentale et, à part quelques expériences, d'ailleurs très controversées, il préférait soutenir son modèle en ayant recours à des anecdotes, des analogies et des exemples (Hilgard et Bower, 1975).

Malgré ses faiblesses méthodologiques et conceptuelles, la théorie guthrienne a eu un impact important. Certains disciples, comme Voeks (1950), en préciseront les postulats de base, alors que d'autres, comme Sheffield (1961) et Estes (1950), élaboreront leurs propres interprétations théoriques. Par son hypothèse des réponses compétitives, dont nous reparlerons plus loin, Guthrie a aussi contribué à mieux définir certains phénomènes d'apprentissage comme l'extinction et la punition.

Le cognitivisme de Tolman

La situation d'Edward C. Tolman (1886-1959) au sein des théoriciens behavioristes de l'apprentissage n'est pas sans offrir quelque similitude avec celle de Guthrie. Pour des raisons très différentes, les deux hommes s'inscrivent en effet dans une certaine marginalité par rapport au courant dominant, d'abord représenté par Watson et, plus tard, par Hull et par Skinner. Mais là doit s'arrêter la comparaison car, autant Guthrie incarne le connexionnisme dans sa forme la plus pure, autant Tolman est identifié au cognitivisme. Sa théorie de l'apprentissage est sûrement l'une des plus originales. Behavioriste par sa décision d'expliquer les comportements observables, sa théorie s'appuie sur une vision gestaltiste des processus psychologiques.

Tolman s'oppose vigoureusement au réductionnisme et à l'atomisme du behaviorisme connexionniste. Le comportement ne saurait, selon lui, être disséqué en une multitude d'associations S-R déterminées rigidement par la simple contiguïté temporelle. Une telle analyse découle d'une conception strictement mécaniste et ignore la nature très flexible et adaptative des conduites animales. Tolman propose plutôt une définition molaire et téléonomique, selon laquelle la véritable signification des comportements ne peut être comprise qu'à travers la totalité des actions qui les composent et des buts vers lesquels ils sont orientés (Hergenhahn, 1977). Contrairement à ce que ses adversaires feront croire, il ne prétend pas que les animaux sont guidés par des intentions conscientes. Il affirme simplement que leurs conduites sont organisées *comme s'ils* poursuivaient des buts fixes et précis (Tolman, 1923).

Dans la théorie tolmanienne, l'apprentissage consiste, non pas dans la formation d'associations S-R ou S-S, mais dans l'acquisition d'informations sur des séquences ordonnées d'événements se produisant d'une façon régulière dans l'environnement. Confronté à une situation nouvelle et problématique, l'animal, à partir de son expérience passée ou de stratégies innées, formule des hypothèses quant aux moyens de résoudre le problème et d'atteindre le but recherché. Au fur et à mesure que ces hypothèses sont confirmées ou infirmées, il apprend la séquence correcte des événements et développe simultanément des *attentes* (*expectancies*). Chaque événement devient un indice ou un signal de la présence future de l'événement suivant, ainsi que du but final. Cet apprentissage et ces attentes se traduisent par un comportement de plus en plus organisé, coordonné et prévisible. En somme, pour Tolman, l'animal apprend que la production d'une réponse particulière (R_1) en présence d'un stimulus spécifique (S_1) entraîne l'apparition d'un autre stimulus (S_2). Ce qu'on peut résumer dans cette expression schématique: $S_1R_1 \longrightarrow S_2$ (Hillix, 1977).

Tout comme Guthrie, Tolman rejette la «Loi de l'effet» et nie la nécessité du renforcement dans l'apprentissage. Selon lui, une récompense n'augmente la force d'aucune connexion. Elle ne fait que confirmer une hypothèse formulée par l'animal. La motivation n'est pas non plus une condition nécessaire à l'apprentissage, mais sa présence est essentielle pour qu'un comportement puisse se manifester. En effet, un organisme qui a acquis un renseignement sur son environnement n'utilisera ce renseignement que s'il est motivé, c'est-à-dire s'il ressent une «demande» pour un objet-but particulier. Deux facteurs composent cette demande ou cette motivation: la tendance (*drive*) qui peut être suscitée expérimentalement en privant l'animal de nourriture, d'eau ou de tout autre objet-but; et l'incitateur (*incentive*) qui représente la valence ou le degré d'attrait de l'objet-but. Ces deux facteurs, tendance et incitateur, déterminent jusqu'à quel point l'animal est prêt à agir et à utiliser ses structures cognitives (hypothèses, attentes, etc.) pour exécuter un comportement adapté.

Cette théorie de l'apprentissage subira des attaques nombreuses et répétées de la part des behavioristes connexionnistes. Son cognitivisme sera qualifié péjorativement d'animiste, de mentaliste, de finaliste et d'anthropomorphiste. Cependant, il saura résister à ces accusations car Tolman, contrairement à Guthrie, était un expérimentateur de très grand calibre. Il avait un talent exceptionnel pour concevoir des expériences cruciales, confrontant des hypothèses antagonistes et aboutissant à des conclusions évidentes. L'un de ses disciples, MacFarlane (1930), réalisa l'une de ces expériences qui sont des modèles du genre.

Cette expérience célèbre de MacFarlane visait à confronter, dans la situation du labyrinthe, les hypothèses connexionniste et cognitiviste de l'apprentissage de l'orientation spatiale. Selon le modèle connexionniste, un rat affamé placé dans un labyrinthe complexe réussit à retrouver le compartiment qui contient de la nourriture, en apprenant graduellement une série d'associations entre les stimuli de l'appareil (S) et les mouvements (R) qu'il doit y exécuter. Par contre, selon le modèle cognitif de Tolman, l'animal s'oriente dans le labyrinthe et atteint l'objet-but en se constituant une sorte de carte «mentale» ou cognitive. Au fur et à mesure des essais, il apprend l'enchaînement des événements et finit par acquérir une représentation du plan de l'appareil.

Pour déterminer quelle hypothèse était la plus valide des deux, MacFarlane conçut et réalisa son expérience en deux étapes. Dans la première étape, le labyrinthe était rempli d'eau. Les rats devaient le traverser en nageant, atteindre le compartiment d'arrivée et sortir de l'eau pour prendre la nourriture qui s'y trouvait. Dans la seconde étape, le labyrinthe était asséché et les rats devaient cette fois le parcourir en marchant ou en courant. Si l'hypothèse connexionniste était juste, les rats avaient appris, lors de la première étape, une série d'associations S-R tout à fait différentes de celles qui étaient requises dans la seconde étape. En effet, les indices sensoriels et les mouvements de natation ont peu de similitudes avec ceux de la locomotion déambulatoire. Par conséquent, la tâche était en principe presque aussi difficile à apprendre dans la deuxième situation que dans la première. Par contre, si l'hypothèse de Tolman était la meilleure, les rats utilisaient une carte cognitive indépendante des actions motrices précises. L'assèchement du labyrinthe ne modifiant en rien cette carte cognitive, les animaux devaient, dès le début de la seconde étape, s'orienter aussi facilement dans l'appareil qu'à la fin de la première étape. Les résultats de MacFarlane furent tout à fait conformes à ce deuxième énoncé et confirmèrent ainsi, de façon éclatante, l'hypothèse cognitiviste de Tolman.

L'ingéniosité expérimentale de Tolman se manifeste aussi dans une longue série d'études qu'il entreprit pour soutenir l'idée selon laquelle le renforcement ne constitue pas une condition nécessaire à l'apprentissage. Ces recherches, bien que très controversées, mirent en évidence un phénomène nouveau, l'apprentissage latent, et démontrèrent qu'un apprentissage n'apparaît pas toujours dans un comportement observable.

L'ingéniosité expérimentale de Tolman permettra à sa théorie de l'apprentissage de survivre, malgré les nombreuses attaques dont elle fut l'objet. Au cours des années 1950-1960, cette survie sera sérieusement compromise par la séduction qu'exerceront, sur les chercheurs, les théories hullienne et skinnérienne. Cependant, depuis quelques temps, le behaviorisme cognitif a tendance à renaître et plusieurs auteurs reconnaissent maintenant la dette qu'ils ont envers Tolman. L'une de ses grandes contributions est sûrement d'avoir apporté une solution de rechange à l'associationnisme. Grâce à son concept de variable intermédiaire et à son astuce méthodologique, Tolman a clairement démontré que cognitivisme n'est pas synonyme de mentalisme ou d'anthropomorphisme et que parcimonie et rigueur scientifique ne sont pas l'apanage exclusif du connexionnisme S-R.

Le formalisme de Hull

S'intéressant d'abord à des problèmes tels que la mesure des aptitudes (1928) et l'hypnose (1933), Clark Leonard Hull (1884-1952) entreprend, à la fin des années 20, une série de travaux dont l'objectif ultime est de construire un système unifié, permettant d'expliquer et de prédire le comportement animal et humain. Fortement influencé, comme plusieurs de ses contemporains, par l'oeuvre de Charles Darwin, il veut élaborer une théorie dans laquelle l'adaptation des organismes serait décrite comme le résultat de l'interaction entre les besoins corporels, le comportement et l'environnement. Ses travaux n'atteindront pas entièrement cet objectif très ambitieux, et ils l'amèneront, en fait, à formuler l'une des théories de la motivation et de l'apprentissage les plus explicites et les mieux articulées du point de vue formel (Madsen, 1968). Avec Hull, le behaviorisme connexionniste atteint un niveau de raffinement qui lui permet de rivaliser avec le behaviorisme cognitif de Tolman. Dès ses premiers écrits (1929, 1930), et dans tous ses ouvrages ultérieurs, il reconnaît la flexibilité et le finalisme apparent du comportement, mais il essaie d'intégrer ces caractéristiques au connexionnisme S-R.

Séduit par le souci d'objectivité de Watson, Hull ne partage pas son dogmatisme. Il croit plutôt dans une stratégie scientifique inspirée de la méthode hypothético-déductive mise au point par Newton, et pratiquée par les sciences dites naturelles. Selon lui, le théoricien doit d'abord s'appuyer sur des postulats de base, c'est-à-dire sur des énoncés généraux dont on ne peut démontrer directement la validité. De ces postulats, il doit ensuite déduire des théorèmes exprimés sous forme mathématique qui, eux, peuvent être soumis à la vérification expérimentale. Si les expériences confirment les théorèmes, les postulats sont maintenus. Si, par contre, elles les infirment, les théorèmes et les postulats sont révisés, de nouvelles déductions et de nouvelles hypothèses sont formulées et vérifiées.

C'est exactement cette méthode hypothético-déductive que Hull tente d'appliquer dans la formulation de sa théorie. Dans une première version, écrite en collaboration, intitulée *Mathematico-Deductive Theory of Rote Learning* (1940), il utilise ces principes pour expliquer l'une des formes de l'apprentissage humain. Dans *Principles of Behavior* (1943), il élargit son système et, à partir de seize postulats, déduit un ensemble de théorèmes sur le comportement animal et humain, théorèmes qu'il a soumis ou entend soumettre à l'épreuve expérimentale. Confronté à de nouveaux faits recueillis par lui-même et par d'autres chercheurs, il publie, peu de temps avant sa mort, une troisième et dernière version, *A Behavior System* (1952). Modifiant plusieurs de ses postulats antérieurs et en ajoutant de nouveaux, il démontre la validité et la pertinence de sa théorie dans plusieurs formes d'apprentissage, dont l'«essai-erreur,» l'orientation spatiale dans un labyrinthe, l'apprentissage discriminatif, etc.

Bien que sa conception de l'apprentissage soit fondée sur l'association entre des stimuli et des réponses, Hull élabore son système à partir d'un connexionnisme moins strict que celui d'un Watson ou d'un Guthrie. Il reconnaît la nécessité de faire appel à des variables intermédiaires mais, contrairement à Tolman, il ne les définit pas en termes de structures cognitives. Il propose plutôt ce que plusieurs ont appelé un modèle S-O-R, c'est-à-dire un modèle où l'organisme (O) est considéré comme un médiateur, mais dont les composantes internes sont conçues comme des correspondants nerveux; ces correspondants nerveux aux stimuli externes et aux réponses apparentes sont équivalents et isomorphes.

Dans la deuxième version de sa théorie (1943), Hull postule que le comportement apparent d'un organisme est le résultat d'une relation multiplicative entre l'apprentissage (H, pour *habit*) et la motivation, qu'il désigne par le terme «tendance» (D, pour *drive*).

$$C = H \times D$$

Thorndike (1898) avait énoncé que la force d'un lien S-R augmente quand la réponse est suivie d'une récompense ou d'un renforcement. Cependant, il n'avait pas précisé les raisons de cet effet du renforcement sur le lien S-R. Selon Hull, cet effet est dû à la satisfaction d'un besoin et à la réduction consécutive d'une tendance. Un animal affamé, par exemple, établit une nouvelle relation entre une situation et une réponse, si cette réponse lui procure de la nourriture, c'est-a-dire si elle satisfait son besoin alimentaire et réduit sa motivation — ou tendance — pour trouver la nourriture. De façon générale, une connexion S-R se renforce si les activités du récepteur et de l'effecteur, reliés respectivement au stimulus et à la réponse, surviennent en contiguïté temporelle avec la réduction d'une tendance (*drive*), expression psychologique du besoin organique. C'est ce qu'on appelle le renforcement primaire. Cependant, tous les comportements ne satisfont pas nécessairement des besoins organiques et il existe d'autres tendances que la faim, la soif, la motivation sexuelle, etc. C'est pourquoi Hull, dont l'objectif était d'expliquer les diverses formes d'apprentissage, y compris l'éducation, conçut un autre système d'apprentissage qu'il qualifia de secondaire. Un renforçateur secondaire est un événement en soi neutre, mais qui, par suite d'appariements réguliers avec un renforçateur primaire (eau, nourriture, etc.), acquiert des propriétés similaires à ce dernier. Par exemple, pour un enfant, la mère est un stimulus régulièrement associé à la satisfaction de ses besoins organiques. Elle devient donc un stimulus renforçateur secondaire qui facilitera l'apparition de certaines connexions S-R. Malheureusement, Hull mourut avant de pouvoir élaborer suffisamment ses idées sur les apprentissages secondaires qui, selon lui, sont responsables d'une bonne partie des comportements sociaux.

À la suite d'expériences réalisées par Crespi (1942, 1944), il dut introduire, dans la dernière version de sa théorie (1952), un nouvel élément, la motivation incitatrice (K). Ce concept avait pour but de tenir compte du plus grand attrait exercé par un renforcement fort par rapport à un renforcement faible. En effet, un animal affamé sera d'autant plus incité à émettre une réponse que celle-ci lui procure une plus grande quantité de nourriture. L'équation de base devint donc:

$$C = H \times D \times K$$

La théorie de Hull, avec ses versions successives, eut un impact considérable. Entre 1941 et 1950, environ 40% des articles traitant d'apprentissage et publiés dans deux revues importantes (*Journal of Experimental Psychology* et *Journal of Comparative and Physiological Psychology*) y faisaient directement référence. Si on ajoute à cela les textes qui discutaient aussi de motivation, on arrive au chiffre impressionnant de 70 p. cent (Spence, 1952). Cette théorie reçut aussi l'adhésion de plusieurs disciples qui devinrent célèbres par la suite: Neal E. Miller, Judson Brown, Hobard Mowrer, Abram Amsel, Frank Logan et plusieurs autres. Celui qui s'inscrit le plus directement dans la continuité de Hull est sûrement Kenneth W. Spence (1956, 1960). C'est vers 1935 que commença leur collaboration et elle fut si étroite que la plupart des auteurs se réfèrent maintenant à la théorie de Hull-Spence.

Bien qu'on n'ait pas toujours appliqué la méthode hypothético-déductive dans toute sa rigueur, bien que les fondements mathématiques soient souvent discutables et que l'objectif premier, l'explication du comportement animal et humain, soit loin d'avoir été atteint (Hilgard et Bower, 1975), le modèle hullien demeure l'une des plus marquantes parmi les théories behavioristes de l'apprentissage. Non seulement il a suscité beaucoup de recherches, mais elle a fourni un cadre épistémologique, des concepts et des méthodes encore très présents aujourd'hui. Tout en faisant l'objet d'interprétations multiples et variées, des concepts tels que la tendance, le renforcement secondaire ou l'incitateur font partie des discussions théoriques contemporaines.

Le néobehaviorisme skinnérien

L'un des auteurs contemporains les plus influents, mais aussi les plus controversés, est sûrement Burrhus Frederic Skinner (1904-   ). Ses ouvrages ont été largement diffusés dans divers milieux scientifiques et philosophiques, et certains d'entre eux ont même atteint le grand public. C'est le cas notamment de *Walden Two* (1948), roman utopique illustrant le modèle skinnérien de la société, et de *Par-delà la liberté et la dignité* (1971a), qui reprend de façon plus poussée des idées déjà avancées dans *Science and Human Behavior* (1953). Cette célébrité tient évidemment à la productivité intense de cet auteur et à l'originalité de sa pensée. Il a non seulement inventé des concepts, un vocabulaire et des situations expérimentales, mais il a aussi rajeuni le behaviorisme watsonnien et proposé une stratégie de recherche. Sa célébrité tient également, il faut bien le dire, à la nature très provocatrice de ses écrits et à sa volonté, clairement exprimée et concrètement matérialisée, de traduire les sciences du comportement dans des applications technologiques.

Skinner s'oppose à ses prédécesseurs sur plusieurs points. Dès 1950, il nie la nécessité de construire des théories au sens où Tolman et Hull entendaient ce terme. Il accepte une théorie dans la mesure où elle consiste en une critique méthodologique et une philosophie des sciences du comportement (Skinner, 1971b). Mais il rejette toute interprétation des faits qui se réfère à des événements, se situant à un autre niveau que celui de l'observation ou des données empiriques.

Skinner s'oppose particulièrement à la méthode hypothético-déductive, si chère à Hull. Il reconnaît qu'elle est utile et efficace dans les domaines de recherche où la matière à traiter est inaccessible, les variables difficiles à manipuler, et les effets impossibles à observer. L'univers cosmique et les particules subatomiques appartiennent, selon lui, à cette catégorie. Cependant «Le comportement lui-même, comme les variables dont il dépend, est généralement aisément observable...» (Skinner, 1971b, p. 13) et, dans ce cas, il n'est pas nécessaire de recourir à la méthode hypothético-déductive. Si le chercheur utilise des hypothèses c'est, selon Skinner, parce qu'il s'intéresse à des phénomènes inaccessibles ou hors de propos.

Une autre raison de cette opposition acharnée de Skinner à la méthode hypothético-déductive est que cette dernière conduit inévitablement, selon lui, à des concepts mentalistes et à des explications en termes de relais mentaux. Il classe dans cette catégorie toute explication qui se situe à un niveau autre que celui de l'observation. Ceci inclut toutes les activités intérieures, aussi bien mentales que physiologiques; les traits individuels; les concepts de caractère, de personnalité, etc. Il s'oppose aux interprétations en termes cognitifs, mentalistes ou psychiques parce qu'elles donnent l'illusion d'être explicatives et entravent une analyse plus poussée (Skinner, 1971a). Il accepte, dans une certaine mesure, l'existence de relais mentaux, c'est-à-dire d'un «univers situé à l'intérieur de notre peau» mais, selon lui, leur statut physique ne diffère pas de celui des stimuli externes.

S'il refuse l'approche cognitive, les variables intermédiaires et la méthode hypothético-déductive, Skinner n'adhère pas pour autant au modèle S-R défendu par des behavioristes connexionnistes comme Watson, Thorndike ou Guthrie. Il rejette ce type de modèle pour la même raison qu'il rejette les interprétations cognitives ou mentalistes: parce qu'il faut, selon lui, inventer quelque chose comme un «homme intérieur», pour expliquer la transformation du stimulus en réponse. Or, il considère qu'une telle invention n'est ni utile ni nécessaire.

Dès son premier ouvrage, *The Behavior of Organisms* (1938), Skinner définit son néobehaviorisme comme étant positiviste, mécaniste et analytique. Il fonde tout son système sur le postulat suivant: le comportement et l'environnement peuvent être disséqués en parties et subir ainsi, au cours d'une expérience, des modifications systématiques et révélatrices de la vie courante. Selon lui, le comportement est un phénomène ordonné qui peut et doit être prédit. Pour ce faire, il suffit, en s'appuyant sur les données empiriques, d'identifier les variables dont le comportement est fonction et de formuler des lois qui expriment les relations fonctionnelles existant entre ces variables. Les concepts doivent être définis en termes empiriques, sans référence à des variables intermédiaires, que celles-ci soient de nature cognitive ou neurophysiologique.

On peut analyser et définir l'interaction entre l'organisme et son environnement à partir de trois grands types de variables: 1) les stimuli, ou circonstances dans lesquelles survient la réponse; 2) la réponse elle-même; 3) les conséquences renforçantes de la réponse. Ces trois variables, dont les interrelations constituent ce que Skinner appelle les contingences de renforcement, sont les unités nécessaires et suffisantes pour la description scientifique de tout comportement et donc, des comportements appris.

La notion skinnérienne de stimulus est très différente de celle proposée par le behaviorisme S-R pour qui l'organisme force l'environnement à le stimuler. Elle diffère aussi de la conception pavlovienne où le stimulus est une sorte d'aiguillon, forçant l'organisme à réagir. Avec Skinner, «Le stimulus cesse d'être le simple point de départ ou d'interruption, clairement apparent, d'un échange d'énergie qu'il est dans la physiologie du réflexe; il devient tout élément de la situation dans laquelle une réponse est émise et renforcée» (Skinner, 1971b, p. 26).

En ce qui concerne la seconde variable de l'interaction organisme-environnement, à savoir la réponse elle-même, Skinner distingue deux catégories qui s'excluent l'une l'autre. Il y a, d'une part, les comportements *répondants* qui regroupent toutes les conduites dont l'apparition peut être mise en relation avec des stimuli déclencheurs spécifiques, c'est-à-dire avec un événement antérieur[1]. Il y a, d'autre part, les comportements *opérants* pour lesquels aucun stimulus préalable ne peut être mis en relation avec leur apparition et qui sont étudiés comme des événements spontanés, ayant une fréquence donnée. Ces deux catégories de comportement, répondant et opérant, sont respectivement le résultat du conditionnement classique pavlovien et de l'apprentissage instrumental thorndikien[2]. Outre cette dichotomie claire, la définition skinnérienne de la réponse se distingue par l'insistance sur l'aspect quantitatif par rapport à l'aspect qualitatif «... le fait important n'est pas dans la topographie de l'unité de comportement sélectionnée qui en résulte, mais bien dans sa probabilité, que traduit le débit d'émission.» (Skinner, 1971b, p. 22). Cette prise de position donnera naissance à une méthodologie et à une stratégie de recherche, où les interrogations porteront davantage sur la performance des comportements que sur la nature des apprentissages.

Quant à la troisième et dernière variable de l'interaction organisme-environnement, le renforcement, elle souligne l'importance des conséquences d'une réponse sur son taux ultérieur d'émission. Tout en étant empruntée à la «Loi de l'effet» de Thorndike, elle acquiert avec Skinner une définition plus neutre et plus simple. Le renforcement devient tout événement qui augmente la probabilité d'apparition d'un comportement. Malgré la simplicité de sa définition, cette variable occupe, dans l'analyse skinnérienne, une place privilégiée. Elle constitue le principe fondamental de l'apprentissage et du maintien de tout comportement. Skinner et ses collaborateurs consacreront une grande partie de leurs travaux à démontrer le rôle prépondérant du renforcement, et à identifier les conditions de son action ainsi que les relations fonctionnelles qui l'unissent au stimulus et à la réponse.

Le néobehaviorisme skinnérien, avec sa conception tridimensionnelle du comportement, son rejet de la méthode hypothético-déductive et sa conception de l'apprentissage, a toujours suscité, et suscite encore, de nombreuses critiques et de nombreuses controverses (Chomsky, 1967; Doré et Granger, 1973; Herrnstein, 1977). Le débat entre partisans et adversaires de cette approche, déjà très vigoureux sur le plan strictement scientifique, s'est déplacé sur le terrain idéologique (Nève,

---

1   répondant = en réponse à un événement antérieur.

2   Skinner rebaptisera l'apprentissage instrumental, du nom de conditionnement opérant.

1977). C'est que cet auteur propose, non seulement une analyse du comportement et de l'apprentissage, mais aussi une vision très personnelle des sciences du comportement, de la société et de l'humanité. Mais au-delà de ces débats scientifiques et idéologiques, Skinner demeure l'un des chercheurs et des théoriciens contemporains les plus productifs et les plus influents. Sa stratégie de recherche, sa méthodologie et ses concepts ont marqué plusieurs générations et, malgré les critiques qui se font de plus en plus nombreuses, son approche représente l'un des courants de pensée dominants des trente dernières années. La technologie dérivée de l'analyse skinnérienne du comportement est présente dans diverses institutions et dans diverses écoles de plusieurs pays occidentaux.

RÉSUMÉ ET CONCLUSIONS

Le fonctionnalisme de Thorndike, la réflexologie de Pavlov, le behaviorisme watsonnien et le gestaltisme définissent, dans la première moitié du XXe siècle, le cadre méthodologique et conceptuel à l'intérieur duquel vont s'élaborer les modèles théoriques prédominants des années 1930-1960. Bien que très différents les uns des autres, le connexionnisme de Guthrie, le cognitivisme de Tolman, le formalisme de Hull et le néobehaviorisme de Skinner se rattachent tous à une problématique commune.

Ces quatre grands modèles se distinguent d'abord par le fait qu'ils s'appuient presque exclusivement sur des données empiriques recueillies en laboratoire, grâce à la méthode expérimentale. Ce choix correspond à un désir d'objectivité et de rigueur, et repose sur une conviction déjà clairement exprimée par Pavlov (1965): «... l'observation recueille ce que la nature lui propose, la méthode expérimentale prend à la nature ce qui lui convient.» (p. 517). Ces modèles se caractérisent également par leur perspective anthropocentriste. L'objet principal de la recherche et des théories est de comprendre le comportement humain, et l'animal est étudié moins pour sa spécificité que pour sa représentativité et sa commodité. Enfin, bien qu'ils soient reconnus comme des théoriciens de l'apprentissage, Guthrie, Tolman, Hull et Skinner proposent en fait des théories générales du comportement. C'est que, pour eux, l'environnement est le déterminant principal et, chez certains, le déterminant unique des conduites, et ce déterminisme ne s'exprime qu'à travers les mécanismes de l'apprentissage.

CHAPITRE 4

LA SITUATION CONTEMPORAINE

Au cours des années 60, sous l'influence du néobehaviorisme skin-nérien, l'intérêt pour les modèles théoriques généraux diminue. On voit alors apparaître des systèmes miniatures qui tentent d'expliquer des phénomènes restreints, sans s'appuyer sur une conception globale de l'apprentissage. L'atmosphère est plus favorable à la cueillette de don-nées empiriques qu'aux efforts théoriques. Parallèlement à ce courant, l'éthologie fait une percée décisive en Amérique du Nord et influence de plus en plus de travaux en apprentissage. Certaines convictions de base sont remises en question, de nouveaux faits expérimentaux sont décou-verts et des domaines quelque peu délaissés, comme le conditionnement pavlovien, font l'objet de nouvelles interrogations. Les années 70 appa-raissent comme une période de transition. Les apports récents ont souli-gné la nécessité d'un retour à la réflexion théorique, mais les efforts dans ce sens demeurent dispersés et souvent décevants. Cette période de l'his-toire des théories de l'apprentissage, bien qu'inachevée, mérite qu'on s'y attarde.

LES SYSTÈMES MINIATURES

Les huit grands systèmes théoriques, dont nous avons esquissé les caractéristiques et le contenu dans le chapitre précédent, avaient suscité des débats passionnés, et donné naissance à plusieurs descendants. Ainsi, la théorie de Hull-Spence se prolongeait dans les modèles de Mil-ler (1959), de Logan (1960) et de Amsel (1958, 1962) et aussi, dans une certaine mesure, dans ceux de Mowrer (1960a, 1960b) et de Rescorla et Wagner (1972). Le cognitivisme de Tolman survivait également, mais sous une forme bien différente, dans les travaux de Miller, Galanter et Pribram (1960). D'autres auteurs, comme Bindra (1974, 1978), tout en subissant des influences variées, proposaient des interprétations se situant dans la lignée de ces grands systèmes.

Cependant, à la même époque, un certain scepticisme se développe quant à la possibilité et à la nécessité d'établir des théories de l'apprentissage aussi globales. Ce scepticisme est dû principalement à trois raisons. En premier lieu, les grands systèmes avaient suscité beaucoup d'affrontements et de controverses, sans atteindre les objectifs ambitieux qu'ils s'étaient fixés. Par exemple, la théorie de Hull-Spence, qui se proposait d'expliquer le comportement animal et humain, n'avait réussi, aux yeux de certains, qu'à rendre compte de l'apprentissage du rat dans des situations expérimentales limitées. En second lieu, le néobehaviorisme skinnérien, en niant l'utilité de variables intermédiaires et de la méthode hypothético-déductive, met l'accent sur la cueillette de données empiriques et oriente les efforts dans cette direction, plutôt que vers l'élaboration de constructions théoriques raffinées. Enfin, ce scepticisme prend aussi sa source dans des attentes irréalistes face aux théories. Influencés par le positivisme behavioriste, plusieurs chercheurs avaient cru qu'il était possible d'arriver à des interprétations définitives et irréfutables. Or, comme l'a montré Popper (1959, 1972), les théories ne sont que des approximations éphémères, appelées à se transformer ou même à être rejetées, au fur et à mesure que les questions se précisent.

Ce scepticisme face aux théories générales de l'apprentissage favorisa l'émergence de systèmes miniatures, c'est-à-dire d'efforts théoriques moins ambitieux, ayant peu de liens avec les grands systèmes et ne visant pas une explication globale. Marx (1970) énumère trois caractéristiques de ces systèmes miniatures. Premièrement, ils se développent davantage en fonction de problèmes expérimentaux spécifiques qu'en fonction de vastes questions théoriques. Deuxièmement, ils cherchent à confirmer les énoncés d'une théorie plutôt qu'à les infirmer, et évitent les controverses épistémologiques et conceptuelles. Troisièmement, ils manifestent un certain éclectisme, empruntant des concepts à des tendances théoriques différentes et parfois même opposées.

Si ces systèmes miniatures ont eu, et ont encore, le mérite de stimuler la recherche et de contribuer à la production de données empiriques nombreuses, ils ont par contre entraîné une dispersion des énergies et un manque d'unité. Ils risquent ainsi de passer à côté de l'objectif principal de toute science, objectif qui consiste à fournir des théories qui soient des énoncés plus concis et plus unifiés que la collection d'observations et de faits sur lesquels elles s'appuient. Certes, les débats scientifiques peuvent parfois être entachés de biais systématiques, et les convictions personnelles peuvent à l'occasion nuire à la rigueur intellectuelle. Toutefois, comme le démontre l'analyse sociologico-historique de Kuhn (1970), l'affrontement de positions divergentes est souvent la source des transformations profondes et souhaitables que subit une discipline scientifique.

L'INFLUENCE DE L'ÉTHOLOGIE

En même temps que les systèmes miniatures se substituaient graduellement aux théories générales, une autre approche, l'éthologie, voyait grandir son influence sur les sciences du comportement et sur la recherche en apprentissage. Apparue dès le début des années 30 en Europe, elle avait éprouvé certaines difficultés à se faire accepter sur le continent nord-américain (Doré, 1978). La diffusion de l'éthologie fut d'abord retardée par des problèmes linguistiques et sociaux. Les articles des premiers éthologistes étaient le plus souvent rédigés en allemand, ce qui en limitait évidemment l'accessibilité. De plus, les échanges scientifiques entre les deux continents étaient restreints à cause du climat sociopolitique qui prévalait à l'époque, et à cause de la Seconde Guerre mondiale qui ne tarderait pas à suivre. Ce n'est qu'au début des années 50 que se rétablira la communication, avec la parution d'une revue trilingue (*Behaviour*), de la première synthèse en anglais par Tinbergen (1951) et d'un essai de vulgarisation de Lorenz (1952).

Cependant, au-delà de ces problèmes linguistiques et sociaux, l'éthologie naissante se heurta surtout à une forte résistance de la part de la psychologie expérimentale américaine, qui était alors marquée par un behaviorisme strict et intransigeant. Cette résistance était d'ailleurs alimentée par la nature très polémique de certains articles de Lorenz (1942, 1950, 1954, 1958, 1970).

Deux conceptions très différentes du comportement et de son analyse s'affrontaient. Profondément marquée par la physiologie, la réflexologie pavlovienne et le behaviorisme, la psychologie animale d'alors adoptait une perspective essentiellement anthropocentriste et mettait l'accent presque exclusivement sur l'environnement et le processus d'apprentissage. Ses données étaient recueillies en laboratoire par la méthode expérimentale, et provenaient d'un nombre très limité d'espèces comme le rat, le chat, le chien et certains singes (Beach, 1950; Dukes, 1960; Whalen, 1961). L'éthologie proposait au contraire une perspective zoocentriste ainsi qu'une méthodologie et une analyse théorique fort différentes de celles de la psychologie de l'époque.

L'éthologie, tout comme la psychologie expérimentale, s'intéresse à deux niveaux de causalité: la causalité immédiate, ou à court terme, qui concerne la «mécanique» des comportements; la causalité ontogénétique, c'est-à-dire l'ensemble des facteurs qui, durant la vie de l'individu, contribuent au développement de ses comportements. Cependant, contrairement à la psychologie expérimentale, l'éthologie ne s'interroge pas seulement sur les causes immédiates et ontogénétiques des comportements. Elle s'interroge aussi sur leur causalité phylogénétique et sur leur fonction (Hinde, 1975; Tinbergen, 1969, 1971). La causalité phylogénétique concerne l'évolution des comportements de génération en génération, et se situe donc dans le cadre d'une espèce ou d'un groupe animal donné. À cause de l'échelle temporelle impliquée (milliers d'années), elle ne peut, comme les deux autres niveaux de causalité, faire l'objet d'une analyse expérimentale. On doit l'explorer par la méthode comparative. Quant à l'étude de la fonction, elle consiste à considérer les conséquences plutôt que les causes des comportements, et à identifier leur rôle dans l'adaptation des animaux. Il s'agit d'examiner à quelles exigences de l'environnement ils répondent, et de quelle manière ils y répondent.

Sur le plan méthodologique, l'éthologie insiste sur la valeur de l'observation systématique en milieu naturel, et la considère comme nécessaire à toute analyse expérimentale qui se propose de disséquer l'interaction organisme-environnement tout en respectant son authenticité et sa complexité. L'observation n'est cependant qu'une phase préliminaire qui permet d'inventorier les modes de comportement propres à une espèce. Elle doit être suivie d'expérimentations et de comparaisons interspécifiques, et l'ensemble de la démarche méthodologique doit contribuer à l'élucidation de problèmes de causalité, de développement, d'évolution et de fonction.

Les critiques de l'approche éthologique provenant de la psychologie animale, portaient sur la classification des comportements, les niveaux d'analyse choisis, le recours à des modèles énergétiques et à des construits motivationnels simplistes, ainsi que sur les implications physiologiques des concepts éthologiques (Beach, 1955; Hebb, 1953; Kennedy, 1954; Lehrman, 1953; Schneirla, 1956). Mais comme nous l'avons vu (voir chapitre 1), ce qui provoqua les plus vives réactions, ce fut la restauration du concept d'instinct et de comportement inné.

La controverse commença à se résorber quand certains auteurs (Hailman, 1967; Klopfer et Hailman, 1967; Hinde, 1975) tentèrent de réaliser une synthèse de la psychologie animale et de l'éthologie. La dichotomie instinct-apprentissage apparut de plus en plus clairement comme stérile et inappropriée. À mesure que la controverse instinct-apprentissage s'estompait, les résistances de la part de la psychologie animale diminuaient, et les éthologistes précisaient certains de leurs concepts et certaines de leurs méthodes. Au cours des années 60 et par la suite, les échanges entre les deux disciplines s'accentuèrent et de plus en plus de chercheurs, tant en biologie qu'en psychologie, eurent recours à l'approche éthologique. Dans le domaine de l'apprentissage, cette influence se manifesta de plusieurs façons. Elle introduisit une certaine modestie quant à la représentativité des espèces choisies et des conclusions dérivées du travail de laboratoire. Elle sensibilisa également les chercheurs à la nécessité de respecter une certaine pertinence écologique et éthologique dans leurs interprétations. Enfin, l'influence de l'éthologie posa le problème de l'évolution et de la fonction des comportements appris, tout en suscitant une réévaluation des rôles respectifs de l'hérédité et de l'environnement.

LE COURANT NÉOÉVOLUTIONNISTE

Au cours des années 60, l'influence de l'éthologie sur la recherche en apprentissage se cristallise dans un nouveau courant, que Revusky (1977) a qualifié de «néoévolutionniste»[1]. Ce courant regroupe des éthologistes (Hinde et Stevenson-Hinde, 1973) et des chercheurs éthologiquement orientés (Bolles, 1973; Kalat, 1977; Seligman et Hager, 1972; Shettleworth, 1972a), qui contestent l'approche méthodologique et théorique traditionnelle. Ces auteurs, en s'appuyant sur une analyse des limites ou des contraintes biologiques propres au comportement, remettent en question plusieurs postulats de base et plusieurs stratégies de recherche.

Les grands systèmes qui tentaient de décrire un processus général d'apprentissage et les systèmes miniatures acceptent, de façon plus ou moins implicite, un certain nombre de prémisses. Influencés notamment par l'empirisme britannique et le behaviorisme watsonnien, ils considèrent généralement l'organisme comme une *tabula rasa*. Dans une telle perspective, l'apprentisage d'un animal, qu'il ait lieu dans un laboratoire ou dans son habitat naturel, est uniquement le fruit des conditions immédiates qu'il rencontre et des conditions auxquelles il a eu à faire face dans le passé. Une autre prémisse, acceptée par ces deux types de modèles, est celle de l'équipotentialité (Seligman, 1970). Selon cette prémisse, la formation d'une association, et donc l'apprentissage, sont indépendants de la nature des événements présents dans la situation. Le type de stimuli, de réponses et de renforcements peut différer d'une situation expérimentale à une autre, mais l'animal apprendra la relation qui existe entre ces événements avec une égale facilité. Ce principe de l'équipotentialité explique la stratégie de recherche qui a toujours prévalu dans l'approche traditionnelle. Si les stimuli, les réponses et les renforcements sont équipotentiels, il est logique, et même préférable, d'étudier l'apprentissage dans des situations arbitrairement définies, plutôt que dans des situations s'approchant du milieu naturel de l'animal. Des événements aussi arbitraires qu'une tonalité pure ou la pression d'un levier, n'étant pas en principe «contaminés» par l'expérience antérieure ou la biologie de l'organisme, fournissent en effet des conditions neutres, bien contrôlées et favorables à la découverte de lois générales de l'apprentissage.

Critique des prémisses traditionnelles

Ce sont précisément ces deux prémisses — facteurs d'apprentissage et équipotentialité — que les auteurs du courant néoévolutionniste contestent. Selon eux, l'apprentissage d'un animal ne dépend pas uni-

---

1 Ce terme est plus ou moins bien choisi, car ce courant n'a pas proposé une nouvelle théorie de l'évolution. Il a plutôt tenté de mieux intégrer, dans l'étude de l'apprentissage, certains concepts reliés à la théorie de l'évolution.

quement des conditions passées et immédiates qu'il a subies ou qu'il subit. Il dépend aussi des conditions auxquelles l'espèce, et non l'individu, a été soumise, c'est-à-dire qu'il dépend de son histoire évolutive et de ses caractéristiques génétiques. Quant au choix d'événements arbitraires, justifié par un principe d'équipotentialité, il comporte un danger sérieux. Il permet peut-être la découverte de lois générales, mais ces lois ne décrivent que les relations existant entre des événements arbitraires, et non entre des événements qui composent l'environnement naturel de l'animal. Les auteurs néoévolutionnistes croient qu'il faut étudier l'apprentissage en insistant davantage sur les facteurs spécifiques à l'espèce et aux situations, plutôt que sur les principes généraux. Selon eux, quand un animal est mis en situation d'apprentissage, il se présente avec un appareil associatif spécialisé, hérité d'une longue histoire évolutive. Cette spécialisation et cette évolution affectent l'associabilité d'événements spécifiques. Certaines relations sont plus faciles ou plus difficiles à apprendre que d'autres, et les lois de l'apprentissage varient d'une situation à une autre, selon l'espèce à laquelle appartient l'organisme.

Cette prise de position du courant néoévolutionniste s'appuie sur des données empiriques nombreuses et variées, recueillies en laboratoire. Une lecture attentive d'*Animal Intelligence* (1898) montre que Thorndike lui-même avait remarqué, dès le début du siècle, des différences importantes dans la capacité d'apprendre des chats qu'il enfermait dans sa boîte problème, des mises en situation différentes entraînant des différences d'apprentissage (voir chapitre 3). Ces chats affamés apprenaient facilement à sortir de cette cage et à atteindre la nourriture placée à l'extérieur, si la tâche assurant leur fuite consistait à appuyer sur une clenche ou à tirer sur une ficelle. Cependant, ils étaient incapables d'apprendre à se gratter ou à se lécher pour produire le même effet. Les réponses n'étaient donc pas équipotentielles. Au cours des années 60 plusieurs recherches arrivèrent à la même conclusion.

La «dérive instinctive»

Parmi les travaux les plus souvent cités, figurent ceux de Breland et Breland (1961, 1966). Ces auteurs utilisaient les principes d'apprentissage, plus particulièrement les techniques de conditionnement opérant développées par Skinner et ses collaborateurs, pour dresser des animaux à des fins de spectacle ou de publicité. À plusieurs reprises, au cours de ces dressages, ils éprouvèrent des difficultés qui les amenèrent à réfléchir sur la validité des techniques employées et des principes théoriques qui les sous-tendent. Par exemple, Breland et Breland tentèrent d'apprendre à un raton laveur à prendre des jetons dans ses «mains» et à les déposer dans une boîte de métal. Normalement, on peut dresser assez facilement les ratons laveurs, et celui qu'ils avaient choisi était docile et bien apprivoisé. Il ne devait donc y avoir en principe aucun problème. Il fut en effet assez simple de lui apprendre à ramasser le premier jeton, en lui donnant de la nourriture comme récompense. Puis, les dresseurs introduisirent le contenant métallique et le raton laveur devait y déposer le jeton. C'est alors que commencèrent les difficultés: l'animal hésitait beaucoup à lâcher le jeton dans la boîte. Il le frottait sur les parois, le retirait et le saisissait fermement pendant quelques secondes. Finalement, il lâchait prise et recevait son morceau de nourriture. Les difficultés devinrent insurmontables quand les dresseurs voulurent amener le raton laveur à prendre deux jetons et à les déposer dans le contenant. Non seulement il ne lâchait pas les jetons, mais en plus il passait plusieurs secondes, et même des minutes, à les frotter l'un contre l'autre et à les plonger dans la boîte, tout en les retenant. Ce comportement était si tenace que Breland et Breland durent abandonner leur idée originale, qui consistait à montrer un raton laveur déposant de la monnaie dans une tirelire.

Après des échecs répétés avec diverses espèces animales placées dans différentes situations d'apprentissage, ces auteurs conclurent que quelque chose n'allait pas dans les théories traditionnelles du conditionnement. Des animaux, après avoir été dressés à produire une réponse spécifique, «dérivaient» graduellement vers des comportements entièrement différents de ceux auxquels on les avait conditionnés. De plus, ces comportements particuliers, vers lesquels les animaux dérivaient, étaient des cas clairs de comportements spécifiques à l'espèce, reliés aux conditions alimentaires. Par exemple, le raton laveur manifestait un «comportement de lavage», qui fait très souvent partie de sa séquence alimentaire. Ce faisant, il retardait l'arrivée de son renforcement, alors que rien dans les conditions expérimentales n'aurait dû l'y inciter. Il semblait donc que ces animaux étaient prisonniers de forts comportements spécifiques à l'espèce, et que ceux-ci avaient priorité sur les comportements conditionnés. Breland et Breland appelèrent «dérive instinctive» ce phénomène par lequel un comportement appris dérive vers un comportement spécifique à l'espèce.

L'aversion gustative apprise

À la même époque, dans plusieurs laboratoires, des chercheurs obtenaient des résultats expérimentaux qui mettaient aussi en doute le principe d'équipotentialité et qui confirmaient le rôle fondamental de l'histoire évolutive d'une espèce (Bolles, 1979; Bolles et Seelbach, 1964; Brown et Jenkins, 1968; Dobrzecka et Konorski, 1967; Konorski, 1967; Lawicka, 1964; Rozin et Kalat, 1971, Shettleworth, 1972a, 1972b; Szwesjkowska, 1967; Williams et Williams, 1969). Parmi ces travaux, les plus connus sont probablement ceux de Garcia et de ses collaborateurs sur l'aversion gustative apprise (Garcia, Ervin et Koelling, 1966; Garcia et Koelling, 1966; Garcia, McGowan, Ervin et Koelling, 1968; Gustavson, Garcia, Hankins et Rusiniak, 1974), travaux qui ont eux-mêmes suscité une multitude de recherches. En moins de quinze ans, on a publié plus de 700 articles sur le sujet (Riley et Baril, 1976; Riley et

Clarke, 1977) et ce phénomène, parfois appelé «Effet Garcia», est devenu le fer de lance du courant néoévolutionniste.

Au cours de ces expériences, Garcia présente à des rats un aliment ou un liquide ayant une saveur distincte, et un stimulus audio-visuel qu'il fait suivre d'un agent émétique (rayons X, injection de chlorure de lithium, etc.) qui a pour effet de rendre l'animal malade. Selon les lois traditionnelles de l'apprentissage et le principe d'équipotentialité, les rats devraient associer leur malaise aussi bien à la saveur qu'au stimulus audio-visuel. Or, les résultats démontrent que seule la saveur a acquis des propriétés de répulsion et qu'elle seule est associée au malaise. Par contre, quand, dans une expérience complémentaire, l'agent émétique est remplacé par un choc électrique dans les pattes, c'est le stimulus audio-visuel, et non la saveur, que les rats associent à la douleur. Autrement dit, chez le rat, un malaise digestif est associé au goût des aliments plutôt qu'aux circonstances qui entourent l'ingestion de nourriture, et un danger extérieur est plus facilement associé à des indices de l'environnement qu'à des stimuli internes (comme la saveur d'un aliment ingurgité juste au moment de l'apparition de ce danger). Les stimuli ne sont donc pas équipotentiels et leur associabilité varie en fonction de la situation.

Les expériences d'aversion gustative apprise démontrent que l'associabilité des événements varie, non seulement en fonction de la situation, mais aussi selon l'espèce à laquelle appartient l'animal. Ainsi les cailles (*Colinus virginianus*), contrairement aux rats, associent leurs malaises digestifs à la couleur, et non à la saveur des aliments (Wilcoxon, Dragoin et Kral, 1971). On ne peut prédire une telle différence interspécifique à partir des lois traditionnelles de l'apprentissage. Cependant, on pourrait la prédire en se fondant sur l'histoire naturelle de ces animaux. En effet, la plupart des oiseaux sont des «mangeurs essentiellement visuels», tandis que les rats, appartenant à une espèce nocturne et fouisseuse, doivent se fier davantage aux goûts et aux renseignements kinesthésiques pour leur alimentation.

Le courant néoévolutionniste soulignait donc des lacunes importantes dans les lois traditionnelles de l'apprentissage, et démontrait, qu'on ne pouvait plus maintenir le principe d'équipotentialité. La nécessité d'une autre solution qui tienne compte de l'histoire évolutive et des caractéristiques génétiques propres à chaque espèce, devenait de plus en plus évidente. Dans un article maintenant célèbre, Martin Seligman présenta en 1970 le concept de préparation[1] qui se voulait une ébauche de solution.

---

[1] Le mot préparation est la traduction du terme anglais «preparedness», proposé par Seligman (1970). Bien qu'imparfait, il permet l'usage des adjectifs préparé, contre-préparé et non préparé comme équivalents de prepared, contraprepared et unprepared.

Le concept de préparation

La préparation se fonde sur la prédisposition relative d'un animal à apprendre une relation particulière entre des événements. Définie de façon plus opérationnelle, c'est la quantité d'*input* nécessaire (le nombre d'essais, d'appariements, d'informations, etc.) pour que l'*output* (les réponses, les actes, le répertoire, etc.), considéré comme la manifestation de l'apprentissage, puisse être produit. Un animal peut être préparé, non préparé ou contre-préparé à faire un apprentissage spécifique. S'il est préparé, il aura besoin d'une moins grande quantité de renseignements et d'un entraînement moins long pour exécuter le comportement désigné que s'il est non préparé ou contre-préparé. Par exemple, les associations saveur-malaise chez le rat et couleur-malaise chez la caille peuvent être considérées comme des apprentissages pour lesquels le niveau de préparation est élevé. Par contre, l'apprentissage de la relation entre se gratter (ou se lécher) et fuir la boîte problème est, pour le chat, non préparé. Ce qui détermine la préparation relative d'un animal à apprendre une relation entre des événements, c'est la sélection naturelle.

Le concept de préparation s'appuie sur la prémisse que l'apprentissage est un processus qui se situe dans la continuité de l'instinct. Selon Seligman (1970), les éthologistes, en travaillant sur les comportements instinctifs, ont surtout exploré la région préparée du continuum de préparation. Par contre, les théoriciens de l'apprentissage, qui ont étudié des situations arbitrairement définies, se sont généralement limités à la région non préparée de ce même continuum. Quant à la partie contre-préparée, c'est celle qu'on a le plus négligée jusqu'ici. Le terme «contre-préparé» désigne plus que la simple absence de préparation ou la présence de la *tabula rasa*. Il implique l'intervention, au cours de l'évolution, de pressions sélectives allant à l'encontre d'une forme particulière d'association. Il implique aussi la préparation d'un processus antagoniste.

Plus qu'un simple substitut au principe d'équipotentialité, le concept de préparation donne lieu à quatre grandes hypothèses générales. 1) Les lois de l'apprentissage varient selon la région du continuum de préparation. Elles ne sont pas nécessairement les mêmes pour les apprentissages préparés, non préparés et contre-préparés. 2) Les propriétés physiologiques et les substrats neurologiques diffèrent selon la dimension de préparation. Par exemple, une préprogrammation génétique du comportement servirait de médiateur aux associations préparées, tandis que les associations non préparées seraient le fait de structures plus flexibles. 3) Les processus cognitifs diffèrent selon la dimension de préparation. Ainsi, les attentes, l'attention, la recherche d'information, la formulation d'hypothèses et de croyances accompagneraient les associations non préparées, alors que des mécanismes «aveugles» n'impliquant pas la cognition seraient responsables des associations préparées. 4) Enfin, les pressions sélectives, exercées sur une espèce, déterminent la position d'une situation d'apprentissage sur le continuum de préparation. Selon Seligman (1970), il faut examiner sérieusement ces quatre hypothèses et les soumettre à l'épreuve, pour pouvoir à nouveau formuler des lois vraiment générales.

Évaluation du courant néoévolutionniste

Le courant néoévolutionniste et le concept de préparation ont fortement contribué à donner à la recherche en apprentissage le nouvel élan qu'elle a connu au cours des années 1960-1970. Ils ont inspiré de nombreux travaux empiriques et rendu la psychologie plus perméable à l'approche biologique qui caractérise l'éthologie. Ils ont également sensibilisé les chercheurs aux concepts d'évolution, de fonction et d'adaptation que, jusque-là, ils avaient eu tendance à négliger. Un bon indice de l'influence du courant néoévolutionniste est son apparition dans les manuels d'introduction à l'apprentissage. En effet, rares sont ceux qui ne consacrent pas maintenant au moins quelques pages, sinon une section entière, à ce problème des limites, ou contraintes biologiques.

Malgré son influence marquante, le courant néoévolutionniste n'a pas échappé aux critiques. Ainsi, les travaux récents sur l'aversion gustative acquise montrent que, si cette forme d'apprentissage présente des caractéristiques très particulières, les lois qui la régissent ne sont pas radicalement différentes des lois traditionnelles (Kalat, 1977; Logue, 1979; Revusky, 1977). Il en est de même dans le cas des apprentissages dits préparés où les recherches n'ont pas toujours réussi à éliminer la possibilité que la prédisposition soit le résultat d'apprentissages antérieurs plutôt que d'une préprogrammation génétique (Mackintosh, 1974). Quand les animaux arrivent dans les laboratoires, ils ont déjà eu de multiples occasions d'apprendre certaines relations entre des événements. Il faut, par conséquent, être extrêmement prudent avant d'invoquer une prédisposition innée. Cependant, le point le plus chaudement discuté concerne la distinction entre différence qualitative et différence quantitative (Logue, 1979). Certes, les travaux du courant néoévolutionniste ont montré clairement l'inadéquation du principe d'équipotentialité, et le concept de préparation correspond bien aux faits empiriques. Mais comme le fait remarquer Kalat (1977), *apprendre plus facilement ne signifie pas nécessairement apprendre différemment*. L'existence d'une préparation, d'une non-préparation et d'une contre-préparation n'implique pas obligatoirement des lois *qualitativement* différentes. Un tel saut qualitatif est possible, mais il faudrait étudier son existence et les critères de son identification plus attentivement.

Si le courant néoévolutionniste a stimulé l'émergence d'une nouvelle problématique et favorisé les échanges avec l'éthologie, il n'a pas eu tout l'impact auquel on aurait pu s'attendre. Des pionniers comme Bolles (1972, 1975), Hogan (1973), Garcia et ses collaborateurs (Garcia et Hankins, 1977; Garcia, Hankins et Rusiniak, 1976; Garcia, Rusiniak et

Brett, 1977) et Shettleworth (1978) ont évidemment poursuivi leurs travaux dans la perspective initiale, et de nouveaux chercheurs ont adhéré à la même stratégie de recherche et aux mêmes concepts qu'eux. Les espèces et les situations d'apprentissage étudiées se sont également diversifiées. Cependant, un examen rapide des publications en apprentissage suffit à nous convaincre que le principe d'équipotentialité est loin d'avoir été abandonné et que le courant néoévolutionniste n'a pas entièrement réussi à se substituer à l'approche traditionnelle.

Ce succès mitigé tient peut-être moins à la résistance des chercheurs qu'à la faiblesse de ce courant sur le plan théorique. Les auteurs néoévolutionnistes semblent avoir investi davantage leurs énergies dans la démonstration expérimentale de la validité de leur point de vue, que dans l'élaboration d'une structure théorique cohérente et organisée. À part le concept de préparation, peu d'hypothèses générales et de construits ont été suggérés. Or, à cause de sa définition même, ce concept est peu prédictif. Il ne permet d'évaluer le niveau de préparation qu'à partir du résultat, c'est-à-dire *a posteriori*. Une théorie inspirée du courant néoévolutionniste devrait permettre de prédire *a priori,* sur la base d'autres critères (par exemple, l'analyse du répertoire de comportements innés d'un animal), la nature préparée, non préparée ou contre-préparée d'un apprentissage. Mais probablement est-ce là un jugement trop hâtif ou trop sévère. Après tout, le courant néoévolutionniste a réussi, en moins de vingt ans, à suggérer une nouvelle direction de recherche. Les vingt prochaines années verront peut-être l'émergence d'un système théorique bien intégré.

LE RETOUR AUX SOURCES

Comme nous venons de le voir, les deux dernières décennies ont été, pour l'étude de l'apprentissage animal, une époque de véritable remise en question. Au cours des années 60, les systèmes miniatures centrés sur des problèmes expérimentaux spécifiques tentent de se substituer aux grands modèles théoriques qui avaient prévalu jusque-là. Simultanément, l'influence grandissante de l'éthologie en Amérique du Nord facilite l'émergence du courant néoévolutionniste qui met en doute la généralité des lois de l'apprentissage et le principe d'équipotentialité.

À la fin des années 60 et durant les années 70, ces tendances se maintiennent, mais elles semblent s'accompagner d'un certain retour aux sources. Ainsi l'approche pavlovienne, quelque peu éclipsée par le néobehaviorisme skinnérien et ses applications technologiques, semble reprendre de la force. Des phénomènes, déjà découverts par Pavlov et ses collaborateurs, mais plus ou moins ignorés par la suite, font l'objet d'un nouvel intérêt. C'est le cas, notamment, du masquage et du blocage (Kamin, 1968, 1969) dont nous reparlerons au chapitre 6. Des problèmes fondamentaux, comme celui des conditions nécessaires et suffisantes au conditionnement classique (Mackintosh, 1974) ou encore celui de l'inhibition conditionnelle (Boakes et Halliday, 1972), refont surface. De mêmes, les limites des théories connexionnistes et des modèles S-R devenant de plus en plus évidentes (Bolles, 1975), de nombreux auteurs commencent à revenir à une approche cognitive. Ces auteurs n'adhèrent pas nécessairement au cognitivisme tolmanien, mais ils abordent le problème de l'apprentissage d'une manière qui s'en rapproche.

Ce retour aux sources, notamment à Pavlov, devient un courant important et n'est pas uniquement le fait de quelques auteurs qui auraient choisi une tendance théorique particulière. Pour s'en convaincre, il suffit d'examiner la figure 4.1 qui représente la fréquence avec laquelle certains auteurs classiques ont été cités dans les articles publiés entre 1972 et 1979 et dans les revues scientifiques répertoriées par le *Social Sciences Citation Index* (Doré, 1981a). On a choisi trois livres, chacun étant considéré comme l'oeuvre maîtresse d'un théoricien. Il s'agit de *Conditioned Reflexes* (Pavlov, 1927), *Purposive Behavior in Animals and Men* (Tolman, 1932) et *Principles of Behavior* (Hull, 1943).

Comme le montre la figure 4.1, la fréquence de citations des livres de Pavlov (1927) et de Tolman (1932) atteint son maximum en 1976. Dans le cas de Pavlov, elle se maintient à un niveau élevé tandis que pour Tolman, elle retourne à son niveau antérieur. *Principles of Behavior* a

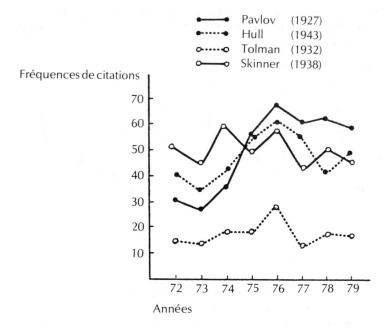

Figure 4.1 Fréquence de citations par année selon le SSCI: (Graphique publié par F.Y. Doré (1981a). *Quelques données sur l'évolution de la psychologie de l'apprentissage.* Reproduction autorisée par la revue *Psychologie Canadienne*).

connu un regain de popularité qui, à l'exception de 1978, suit de près celui de *Conditioned Reflexes*. C'est compréhensible car ces auteurs sont intimement liés, tant par l'objectif théorique qu'ils poursuivaient, que par les concepts auxquels ils se référaient. De plus, ces données indiquent que, si la prédominance du néobehaviorisme skinnérien et des systèmes miniatures a entraîné, au cours des années 50 et 60, un certain rejet de la méthode hypothético-déductive de Hull, cette tendance est peut-être en train de se résorber.

On atteint la fréquence maximale de citations des trois ouvrages étudiés au même moment, en 1976. Ce résultat pourrait être l'indice d'un artefact inhérent au *Social Sciences Citation Index*. Afin d'éliminer cette possibilité, on a choisi et analysé un livre-témoin, *The Behavior of Organisms* (1938) de Skinner, selon la même méthode que pour les livres précédents. Dans ce cas, la fréquence de citations atteint ses niveaux les plus élevés en 1974 et 1976 et ne connaît pas l'augmentation graduelle observée dans les cas de Pavlov et Hull, entre 1972 et 1976.

Le retour aux sources, que met en évidence la figure 4.1, ne semble pas être uniquement le fait de quelques auteurs qui auraient choisi une orientation théorique particulière. Ainsi, sur les 68 articles citant Pavlov (1927) en 1976, trois auteurs le citent à deux reprises et un seul, à trois reprises. Sur les 62 articles qui citent Hull (1943) dans la même année, deux auteurs reviennent deux fois et deux, trois fois. Quant à Tolman (1932), tous les articles qui le mentionnent en 1976 ont été publiés par des chercheurs différents.

Cette analyse aurait été évidemment beaucoup plus concluante si elle avait pu inclure les années 50 et 60 et ainsi offrir un point de comparaison. Malheureusement, le *Social Sciences Citation Index* ne débute qu'en 1972. Les données présentées à la figure 4.1, même si elles ne constituent qu'un seul indice, sont malgré tout assez révélatrices. Il semble en effet qu'il y ait un retour aux sources marqué dans les cas de Pavlov et de Hull, bien davantage que dans celui de Tolman. Au cours de la dernière décennie, il y a peut-être eu un abandon des modèles S-R et une forte vague cognitiviste, mais il ne semble pas que cette dernière se soit inspirée principalement de la théorie tolmanienne.

L'APPROCHE PIAGÉTIENNE

Jean Piaget (1896-1980) s'est depuis longtemps acquis une solide réputation internationale tant par sa théorie de l'intelligence et du développement de l'enfant (1926, 1927, 1936, 1937, 1945, 1947), que par son oeuvre épistémologique (1950, 1967c, 1970a, 1970b, 1970c, 1980). Par contre, sa contribution au domaine de l'apprentissage est moins bien reconnue, et seuls quelques auteurs (Berlyne, 1965; Berlyne et Piaget, 1960; Gazda et Corsini, 1980; Hergenhahn, 1976; Hilgard et Bower,

1975) l'ont vraiment soulignée. Il est encore plus rare que l'on considère Piaget comme l'un des protagonistes importants de l'évolution contemporaine des théories de l'apprentissage, surtout quand l'accent est mis sur l'apprentissage des animaux non humains. Il est certain que l'oeuvre piagétienne n'est pas vraiment récente, puisqu'elle a débuté il y a plus de cinquante ans. Il est vrai aussi que ses travaux empiriques ont surtout porté sur le comportement de l'enfant humain. Cependant, nous avons plusieurs raisons de croire que la théorie de Piaget s'inscrit bien dans le cadre du *Zeitgeist* actuel, et que sa pertinence pour l'étude de l'apprentissage animal sera, dans les années à venir, mieux évaluée.

La première de ces raisons est que l'approche piagétienne présente des affinités certaines avec les courants éthologique et néoévolutionniste qui ont marqué les deux dernières décennies. En plus de partager avec ces courants une méthodologie commune (c'est-à-dire des expériences de laboratoire qui s'appuient sur des observations systématiques en milieu naturel), la théorie de Piaget est fondée sur des concepts biologiques tels que l'adaptation, l'assimilation, et l'accommodation et elle vise à élucider la structure, la fonction, l'ontogénèse et la phylogénèse des modes de connaissance. Cela n'a d'ailleurs rien d'étonnant, puisque la formation initiale de Piaget est une formation de biologiste et de naturaliste.

Une deuxième raison, qui rend très contemporaine la théorie piagétienne, est son articulation cognitive. Comme nous l'avons vu, la dernière décennie a connu un certain retour aux sources, et plusieurs chercheurs semblent être à l'affût d'un modèle théorique plus englobant que les systèmes miniatures, modèle qui permettrait de remplacer adéquatement les modèles S-R. Or, Piaget a depuis longtemps (1936) défini sa position par rapport aux courants théoriques traditionnels en apprentissage et il a clairement adopté une interprétation qui fait appel à des variables intermédiaires de type cognitif.

Mais la principale raison de la modernité relative de Piaget réside dans les travaux récents qui se sont inspirés de sa théorie pour comprendre le fonctionnement cognitif des animaux (Bouchard et Mathieu, 1976; Chevalier-Skolnikoff, 1977; Dumas et Doré, 1981, Gibson, 1977; Gruber, Girgus et Banuazini, 1971; Mathieu, Bouchard, Granger et Herscovitch, 1976; Mathieu, sous presse; Mathieu, Daudelin, Dagenais et Gouin-Décarie, 1980; Parker, 1977; Redshaw, 1978; Triana et Pasnak, 1981; Vaughter, Smolheman et Ardy, 1972; Wise, Wise et Zimmermann, 1974). Pour bien comprendre la nature et la portée de ces travaux, il faut d'abord prendre connaissance des fondements de l'approche et de la théorie piagétiennes. Il serait illusoire de vouloir en donner un exposé complet, car l'oeuvre de Piaget est complexe et très volumineuse. Nous nous limiterons donc aux notions de base et aux aspects les plus pertinents à l'apprentissage animal.

Piaget et les théories de l'apprentissage

Piaget (1967b) identifie trois types fondamentaux de processus cognitifs dans le règne animal: *les conduites réflexes et instinctives* qui apparaissent très tôt dans le développement de l'individu, les *perceptions* qui sont une organisation immédiate des données sensorielles, les *conduites acquises* par l'individu à la suite de démarches successives. Cette dernière catégorie comprend l'apprentissage, l'intelligence et la mémoire, et recèle deux aspects distincts quant à l'influence que les activités de l'organisme exercent sur leur élaboration: il y a, dans les conduites acquises, un aspect «exogène» prépondérant dans les apprentissages que font les animaux non humains; et il y a un aspect «endogène» ou logico-mathématique qui se manifeste surtout dans la connaissance humaine. Dans les deux cas, on note une activité et une organisation internes par l'organisme, mais elles sont plus accentuées dans les conduites à caractère «endogène». Autrement dit, selon Piaget, les conduites acquises se caractérisent notamment par le fait qu'elles impliquent plus qu'une simple copie du réel. Qu'il s'agisse de comportements appris ou de comportements intelligents, l'organisme ajoute aux objets ou aux événements de l'environnement, des éléments d'organisation qui ne lui sont pas fournis d'emblée par ces objets ou ces événements. Cette notion de base se rapproche du concept éthologique d'*umwelt* ou de l'idée d'environnement psychologique dont nous avons fait mention dans le premier chapitre; elle correspond évidemment à une interprétation cognitive du comportement.

Face à l'empirisme associationniste. C'est justement parce que l'empirisme associationniste de Pavlov, Watson ou Guthrie ne reconnaît aucun rôle à l'activité interne du sujet dans l'apprentissage, que Piaget s'y oppose. Ces auteurs considèrent en effet que les caractéristiques de l'environnement forment une entité indépendante de l'activité de l'organisme et qu'elles s'imposent à ce dernier par l'intermédiaire d'associations se constituant de manière purement mécanique. Les conduites acquises ne sont donc pour eux que des habitudes qui, étant le résultat des contraintes environnementales, se résument à de simples copies du réel. Piaget reconnaît volontiers que le milieu extérieur exerce des pressions et qu'il joue un rôle essentiel dans l'acquisition des comportements. Mais là où il n'est plus d'accord avec l'empirisme associationniste, c'est sur la façon dont le milieu exerce son action et sur la façon dont l'organisme enregistre les données de son expérience avec le milieu.

L'une des raisons fondamentales de ce désaccord est que l'approche piagétienne, contrairement à la plupart des théories de l'apprentissage, comporte une dimension diachronique. L'acquisition des conduites est analysée, non seulement dans son immédiateté, mais aussi dans son développement ontogénétique. Ainsi, Piaget décrit l'élaboration des structures de l'intelligence chez l'enfant humain en quatre périodes principales: 1) l'intelligence sensori-motrice (de 0 à 2 ans) et dont l'instrument est la perception qui requiert, pour pouvoir opérer, la présence d'objets, de situations, de personnes; 2) l'intelligence préopératoire (de 2 à 7-8 ans) au cours de laquelle apparaît la représentation symbolique qui rend possible le langage et qui permet à l'enfant de voir mentalement ce qu'il évoque; 3) l'intelligence opératoire concrète (de 7-8 à 11-12 ans) au cours de laquelle émerge la réversibilité logique qui est le propre des opérations mentales; 4) l'intelligence opératoire formelle (à partir de 12 ans) qui se caractérise par le fait qu'elle est hypothético-déductive (Dolle, 1974). Cette analyse diachronique amène Piaget à rejeter la conception empirico-associationniste de l'action du milieu et de l'expérience du sujet, car elle lui démontre que le rôle de l'expérience augmente au cours du développement. Or, si l'expérience du sujet se limitait à un contact direct avec l'environnement et si elle se traduisait en habitudes, comme le supposent Pavlov, Watson, Guthrie et, dans une certaine mesure, Hull, son rôle devrait diminuer et non augmenter, les habitudes devenant de plus en plus nombreuses.

Pour Piaget, ce rôle croissant de l'expérience est particulièrement évident dans la succession des six stades qui composent la période sensori-motrice (Piaget, 1936). Au stade 1, l'expérience que l'enfant a de son milieu est extrêmement restreinte. Elle se limite à l'exercice des réflexes ou des comportements innés. Dans les stades suivants, l'environnement commence à exercer sa pression, et de nouvelles relations s'établissent. Ces nouvelles relations concernent d'abord les mouvements du corps ou la réaction à un signal externe, et sont formées fortuitement par répétition de l'action (stade 2). Puis, l'expérience de l'enfant s'élargit. De nouvelles relations s'établissent, non seulement entre les mouvements du corps, mais aussi entre les choses elles-mêmes (stade 3). Alors que jusque-là l'expérience du milieu était entièrement dépendante de la répétition d'une action, elle devient au stade 4 plus «objective», car l'enfant coordonne divers types d'action. Finalement, au stade 5, il expérimente activement sur son milieu et développe cette expérimentation durant le stade 6. Ainsi, contrairement à la conception empirico-associationniste qui voit dans les objets ou les événements de l'environnement le point de départ de toute acquisition ou activité intellectuelle, la théorie piagétienne affirme que l'expérience que l'organisme a de son milieu progresse, et que ce progrès est possible grâce à une activité organisatrice du sujet. Autrement dit, l'apprentissage ne consiste pas à acquérir mécaniquement des habitudes ou des réactions plus rapides aux stimuli de l'environnement, mais à agir, et à construire progressivement et activement cet environnement. L'objet ne s'impose pas indépendamment de l'activité du sujet, il est construit par celle-ci.

S'il manifeste peu de sympathie à l'égard de l'empirisme associationniste d'un Watson ou d'un Guthrie, Piaget s'oppose aussi à une autre forme d'associationnisme, celui de la théorie de l'apprentissage «par essai et erreur» de Thorndike. Selon lui, cette théorie combine à la fois l'idée que les solutions émanent d'une activité propre du sujet (suite d'essais produisant autant d'erreurs que de succès fortuits) et l'idée empiriste selon laquelle la découverte de la bonne solution est due à la pression de l'environnement (sélection progressive de la réponse selon la réussite ou l'échec des essais). Elle attribue donc un certain rôle à l'activité du sujet mais, au lieu de reconnaître l'indissociabilité de la relation sujet-objet, comme Piaget le fait lui-même, «l'hypothèse des essais et des erreurs distingue deux temps: la production des essais, lesquels sont dus au sujet puisqu'ils sont fortuits par rapport à l'objet, et leur sélection, due à l'objet seul» (Piaget, 1936, p. 345). Piaget admet l'existence du tâtonnement dans l'acquisition des conduites, car ses observations de la période sensori-motrice la confirment. Par contre, il ne peut admettre le tâtonnements au hasard, avec sélection après coup des résultats favorables. Il croit plutôt que «l'activité tâtonnante est d'emblée dirigée par une compréhension relative de la situation antérieure, et alors le tâtonnement n'est jamais pur, le rôle du hasard devient secondaire» (Piaget, 1936, p. 346).

Face au gestaltisme. Tout en s'opposant aux diverses formes de l'empirisme associationniste, Piaget se montre critique envers le gestaltisme. Comme ce dernier, il conçoit les conduites qui font appel à la compréhension d'une situation donnée comme des totalités, et non comme des associations d'origine empirique ou des synthèses d'éléments isolés. Il s'entend aussi avec le gestaltisme pour rechercher les origines des structures cognitives dans les processus biologiques définis comme des systèmes de relations. Cependant, Piaget voit dans le gestaltisme une sorte d'empirisme retourné. Au lieu de tout mettre dans le milieu extérieur et dans la formation mécanique d'associations, ce courant théorique met tout dans l'activité interne de l'organisme et dans la restructuration endogène du champ perceptif ou du système conceptuel. Les structures cognitives s'imposent au sujet comme si elles étaient préformées dans l'organisme. Les «Gestalt» n'ont pas d'histoire ni de pouvoir généralisateur, de sorte que le processus d'apprentissage est soumis à un mécanisme plus ou moins automatique. «En effet, les «Gestalt» n'ont elles-mêmes aucune activité. Elles surgissent au moment de la réorganisation des champs de perception et s'imposent comme telles sans résulter d'aucun dynamisme antérieur à elles; ou, si elles s'accompagnent d'une maturation interne, celle-ci est elle-même dirigée par les structures préformées, qu'elle n'explique donc pas» (Piaget, 1936, p. 339). Piaget substitue à la notion de «Gestalt» celle de *schème* d'action sensori-moteur qui, comme nous le verrons plus loin, partage avec elle son caractère de totalité mais s'en différencie par sa nature évolutive. En quelque sorte «Le schème est une «Gestalt» qui a une histoire» (Piaget, 1936, p. 335). D'ailleurs, bien qu'il se montre critique envers le gestaltisme, Piaget conserve tout de même des affinités certaines avec lui, davantage en tous cas qu'avec l'empirisme associationniste. Il écrit même qu'«En bref, critiquer le Gestaltisme, c'est non pas le rejeter, mais le rendre plus mobile et par conséquent, remplacer son apriorisme par un relativisme génétique» (1936, p. 332.)

Piaget a donc défini clairement sa position par rapport aux grands courants de pensée qui ont dominé la formulation des premières théories de l'apprentissage. Il a lui-même élaboré une théorie fort originale qu'il a surtout appliquée au développement de l'intelligence chez l'enfant. Mais, puisqu'elle est la même pour l'ensemble des conduites acquises, elle est également pertinente à l'analyse de l'apprentissage animal. Nous insisterons ici surtout sur les concepts généraux et sur ceux qui concernent la période sensori-motrice, car dans le cas des animaux non humains, c'est la plus importante, les périodes ultérieures faisant appel à la fonction symbolique, au langage et à l'intelligence verbale.

Les bases de la théorie piagétienne

La théorie piagétienne décrit aussi bien les dimensions structurales que les dimensions fonctionnelles des processus cognitifs. En effet, l'analyse de la genèse de l'intelligence chez l'enfant amène Piaget à constater que les structures cognitives sont variables et qu'elles se transforment au cours de l'ontogénèse, mais que les fonctions cognitives, c'est-à-dire les tâches qu'accomplissent ces structures, sont invariantes. Comme nous l'avons vu dans le premier chapitre, les processus cognitifs ont avec les caractères anatomo-physiologiques des propriétés biologiques communes. «De même que les grandes fonctions de l'être vivant sont identiques chez tous les organismes, mais correspondent à des organes fort différents d'un groupe à l'autre, de même entre l'enfant et l'adulte, on assiste à une construction de structures variées quoique les grandes fonctions de la pensée demeurent constantes» (Piaget, 1936, p. 11).

Piaget identifie deux fonctions invariantes des processus cognitifs, qui se manifestent à tous les niveaux de développement et en dépit de la variabilité structurale inhérente à ce développement. Ces deux invariants fonctionnels correspondent à deux fonctions biologiques plus générales. Il s'agit de l'*adaptation* et de l'*organisation*.

L'adaptation. L'adaptation comporte deux aspects: l'état et le processus. L'adaptation-état est une notion difficile à saisir et correspond à l'équilibre entre l'organisme et le milieu, équilibre qui permet la conservation et la survie. L'adaptation-processus, par contre, se définit plus clairement. Elle a lieu quand «(...) l'organisme se transforme en fonction du milieu, et que cette variation a pour effet un accroissement des échanges entre le milieu et lui favorables à sa conservation» (1936, p. 11). Qu'il s'agisse de structures morphologiques ou cognitives, cette adaptation-processus peut se réaliser *soit par assimilation, soit par accommodation.*

Pour bien comprendre ces notions d'assimilation et d'accommoda-tion, il faut d'abord souligner que Piaget conçoit l'organisme comme un cycle de processus qui, en relation constante avec le milieu, s'engendrent les uns les autres. Du point de vue formel, il faut distinguer, dans ce cycle, deux catégories d'éléments. D'une part, ceux qui appartiennent à l'organisme et qui peuvent être des structures morphologiques ou, ce qui nous intéresse ici davantage, des structures cognitives. D'autre part, les éléments fournis par l'environnement qui correspondent à des caracté-ristiques physiques ou sociales de cet environnement. Soit les éléments A, B et C propres à l'organisme et les éléments A', B' et C' propres à l'environnement, le cycle des processus organiques peut être représenté de la façon suivante (Piaget, 1936, 1967b):

$$(A \times A') \rightarrow (B \times B') \rightarrow (C \times C') \rightarrow ... (Z \times Z') \rightarrow (A \times A')...$$

Supposons maintenant que l'environnement se transforme de telle manière que l'élément (ou l'ensemble d'éléments) B' est remplacé par B''. Si l'organisme ne s'adapte pas, ce cycle est brisé. S'il s'adapte, le cycle demeure le même ou se modifie lui-même en substituant par exem-ple C_2 à C, mais sans perdre sa forme cyclique (1967b, p. 242):

$$(A \times A') \times (B \times B'') \rightarrow (C_2 \times C') \rightarrow ... (Z \times Z') \rightarrow (A \times A')...$$

Il y a *assimilation* du nouvel élément B'' de l'environnement, si le cycle se conserve tout en intégrant B''. L'assimilation est donc une «structuration par incorporation de la réalité extérieure à des formes dues à l'activité du sujet» (1936, p. 12). Réciproquement, le cycle de pro-cessus peut être modifié sans être détruit pour autant. Il y a *accommodation* si, en assimilant B'', le cycle est modifié par ce nouvel élément de façon telle, par exemple, que l'un des éléments de la structure propre à l'orga-nisme (C) est transformé (en C_2). L'accommodation consiste donc dans la transformation d'une structure existante chez l'organisme, transfor-mation causée par une modification de l'environnement. *Autrement dit, l'assimilation permet d'intégrer une nouvelle donnée du milieu à une structure déjà présente, tandis que l'accommodation implique, pour que cette intégration se fasse, que la structure soit modifiée.* Cependant, l'assimilation n'est jamais entière-ment pure et s'accompagne toujours d'une accommodation «parce qu'en incorporant les éléments nouveaux dans les schèmes antérieurs, l'intelligence modifie sans cesse ces derniers pour les ajuster aux nouvel-les données» (1936, p. 13).

La distinction entre l'adaptation-processus et l'adaptation-état devient maintenant un peu plus claire. Alors que la première se définit par l'action de l'assimilation et de l'accommodation, la seconde corres-pond à l'état d'équilibre entre l'assimilation et l'accommodation. Selon Piaget, ces principes régissent aussi bien l'adaptation des structures cognitives que celles des structures morphologiques. «L'organisme s'adapte en construisant matériellement des formes nouvelles pour les insérer dans celles de l'univers, tandis que l'intelligence[1] prolonge une telle création en construisant mentalement des structures susceptibles de s'appliquer à celles du milieu». (1936, p. 10).

L'organisation. Un autre invariant fonctionnel complémentaire de l'adaptation se manifeste, en dépit de la variabilité ontogénétique des structures, à tous les niveaux du développement. Il s'agit de l'*organisation* qui se définit par les rapports entre les parties et le tout. Cette organisation, qui caractérise toutes les dimensions biologiques des êtres vivants, se manifeste, dans le cas des structures cognitives, dès la période sensorimotrice. Elle est indissociable de l'adaptation. «Ce sont les deux processus complémentaires d'un mécanisme unique, le premier étant l'aspect interne du cycle dont l'adaptation constitue l'aspect extérieur». (1936, p. 13). Ainsi, pour Piaget, «C'est en s'adaptant aux choses que la pensée s'organise elle-même et c'est en s'organisant elle-même qu'elle structure les choses». (1936, p. 14).

En somme, dans la théorie piagétienne, les structures cognitives, qui permettent d'appréhender le réel et d'analyser les caractéristiques de l'environnement social et physique, se transforment au cours du développement. Cependant, ces transformations aboutissent toujours au même résultat fonctionnel, l'adaptation et l'organisation. Ainsi, à partir du système de réflexes et de comportements innés présents à la naissance, se forment les premières habitudes et les premières associations qui, en étant recombinées, vont donner lieu à une intelligence pratique ou sensori-motrice qui, à son tour, va servir de base à l'émergence de l'intelligence verbale et symbolique.

La période sensori-motrice

Au niveau sensori-moteur, les processus cognitifs qui contrôlent l'acquisition des conduites et qui permettent l'adaptation et l'organisation opèrent sans pensée, sans représentation, sans langage ou concept. Les situations ou les objets absents ne peuvent être représentés par des images mentales ou être évoqués par le langage. Ils doivent être présents pour que les structures cognitives puissent les traiter, et c'est donc ici que la perception joue un rôle essentiel (Dolle, 1974).

Le schème d'action Le niveau sensori-moteur s'appuie sur l'action, et le *schème* est la structure cognitive qui introduit, dans la coordination des actions, une logique fonctionnellement équivalente à la logique conceptuelle qui se manifeste dans la pensée symbolique. «Nous appellerons *schème* d'action ce qui, dans une action, est ainsi transposable, généralisable ou différenciable d'une situation à la suivante, autrement dit ce qu'il y a de commun aux diverses répétitions ou applications de la même action». (Piaget, 1967b, p. 23). Contrairement à la «Gestalt», le schème

---

1   L'intelligence ou les autres processus reliés aux conduites acquises, tels l'apprentissage.

a un pouvoir généralisateur, puisqu'il s'applique à une diversité d'objets ou d'événements, et un pouvoir organisateur, puisqu'il coordonne entre elles diverses actions ayant des caractéristiques communes. Contrairement aussi à la «Gestalt», le schème a une histoire. L'exercice des schèmes permet leur propre structuration, et le résultat de cet exercice se transmet d'un stade à l'autre. Chaque schème résume le passé et constitue une organisation active de l'expérience vécue, de sorte que l'acquisition des nouveaux comportements, ou l'apprentissage à un stade donné, se fait à partir des stades précédents. «Plus précisément, les schèmes, une fois constitués, servent d'instrument à l'activité qui les a engendrés» (Piaget, 1936, p. 339). Alors que les «Gestalt» existent en elles-mêmes et ne sont que des restructurations perceptives, conceptuelles ou relationnelles, les schèmes d'action sont des systèmes de relations dont les développements demeurent dépendants les uns des autres.

Les deux aspects de l'adaptation-processus, assimilation et accommodation, se retrouvent dans la forme sensori-motrice de la connaissance. L'assimilation se présente ici sous trois aspects. Elle peut, par répétition des actions, consister à incorporer un événement ou un objet à un schème ou à un ensemble de schèmes coordonnés, fixant et consolidant ainsi les schèmes. C'est l'*assimilation reproductrice*. Elle peut aussi, à l'intérieur d'une action, discriminer des significations et incorporer ces significations aux schèmes. C'est l'*assimilation récognitive*. Elle peut élargir l'étendue des schèmes à des objets et à des événements non encore rencontrés. C'est l'*assimilation généralisatrice*. L'accommodation, pour sa part, consiste à nuancer de plus en plus les schèmes d'action, de façon à ce qu'ils correspondent mieux aux conditions changeantes de l'activité et qu'ils contribuent à la création de nouveaux schèmes (Dolle, 1974).

Du schème d'action à la structure sensori-motrice. Chez l'enfant humain, la structure cognitive sensori-motrice apparaît vers un an et demi, au terme d'une évolution rapide qui prépare l'achèvement et l'équilibre de cette structure.

Au début de la vie extra-utérine, l'enfant est assez démuni, et ses échanges avec l'environnement physique et social s'effectuent par l'intermédiaire des réflexes et des comportements innés (stade 1). En s'exerçant, le réflexe se consolide, s'accommode au monde extérieur et permet la formation de schèmes. Ne distinguant pas, au début, son propre corps du milieu extérieur, l'enfant apprend graduellement que ses actions (cris, pleurs, etc.) ont un effet à distance sur son environnement. C'est alors qu'apparaissent les premières adaptations acquises (stade 2) où l'activité de l'enfant se modifie en fonction de son expérience avec le milieu. C'est alors aussi qu'apparaît la *réaction circulaire primaire* qui consiste à répéter un effet intéressant produit par hasard, et qui concerne le corps propre (exploration du regard, gazouillis, saisie, coordination vision-préhension). Au stade 3, s'élaborent les *réactions circulaires secondaires* où l'enfant répète encore des actions fortuites qui concernent non plus le corps propre, mais le milieu extérieur. Ces réactions contribuent donc à la distinction graduelle entre la fin et les moyens. En fait, le but de l'action n'est pas déterminé à l'avance, mais se précise par la répétition de la conduite. «L'accommodation se limite à un effort pour retrouver les conditions dans lesquelles l'action a découvert un résultat intéressant. C'est pourquoi elle est dominée par l'assimilation» (Dolle, 1974, p. 91). Au stade 4, les buts et les moyens se dissocient clairement et on assiste à une coordination des schèmes secondaires apparus à l'étape précédente. En cherchant à atteindre un but désiré, l'enfant coordonne deux schèmes indépendants: celui qui détermine le but de l'action, et celui qui sert de moyen. De plus, les schèmes secondaires sont appliqués à une variété d'objets de plus en plus grande et se généralisent donc. L'accommodation se dissocie aussi de l'assimilation. L'étape suivante (stade 5) est marquée par l'expérimentation et la recherche de la nouveauté, ainsi que par l'élaboration de la notion d'objet, sur laquelle nous reviendrons. Par la *réaction circulaire tertiaire,* l'enfant répète les actions qui ont produit un résultat intéressant, non plus telles quelles, mais en les variant de façon à étudier les fluctuations concomitantes du résultat. Il fait des expériences pour voir. «Avec l'expérimentation active, l'accommodation devient en quelque sorte une fin en soi, qui précède de nouvelles assimilations et différencie les schèmes dont elle est issue. En cherchant des moyens nouveaux, elle aboutit à la constitution de nouveaux schèmes susceptibles de se coordonner avec les anciens. Ici donc, elle l'emporte sur l'assimilation, mais demeure dans le champ perceptif» (Dolle, 1974, p. 96). Enfin, le stade 6 effectue le passage d'une structure cognitive sensori-motrice, fondée sur l'action concrète, à une structure cognitive représentative, fondée sur la fonction symbolique et rendant possible le langage. «Cette fois l'accommodation passe à un niveau supérieur au champ perceptif et devient représentative. L'assimilation structure les schèmes et les coordonne sous forme de combinaisons mentales» (Dolle, 1974, p. 97).

Les recherches chez les animaux

La théorie piagétienne est fondée sur des observations longitudinales du développement cognitif de l'enfant, mais aussi sur des batteries d'épreuves qui mettent en évidence la présence des invariants fonctionnels à travers les diverses transformations structurales. Chez l'enfant humain, on a étudié le développement de quatre notions cognitives à l'aide de ces épreuves. Il s'agit des notions d'espace, de temps, de causalité et de permanence de l'objet. Dans le cas des animaux non humains, les recherches sont relativement récentes et n'ont débuté qu'au cours de la dernière décennie. Les études longitudinales sont donc peu nombreuses. Le groupe de recherches dirigé par le Dr Mireille Mathieu à l'Université de Montréal a fait une oeuvre de pionniers dans ce domaine. Depuis environ sept ans, on observe et analyse le développement cognitif et socio-affectif de quatre jeunes chimpanzés, obtenus quelques semaines après leur naissance, et une partie des résultats de ce travail de longue haleine sera bientôt publiée (Mathieu, sous presse). Quant aux recherches utilisant les épreuves piagétiennes pour mesurer le niveau de développement cognitif des animaux, elles ont surtout porté jusqu'à maintenant sur des primates, à l'exception des travaux de Dumas et Doré (1981), Gruber et coll. (1971), Thinus-Blanc, Poucet et Chapuis (1982), Thinus-Blanc et Scardigli (1981), et Triana et Pasnak (1981) qui ont mesuré le niveau sensori-moteur atteint par des chats, des chiens, et des hamsters. On a surtout analysé deux notions chez les animaux: la permanence de l'objet et la notion de causalité.

La permanence de l'objet est un aspect fondamental de l'élaboration et de la structuration du monde extérieur par l'organisme. Dans le magma de données sensorielles multiples et variées qui assaillent l'animal naissant, certains éléments doivent être reconnus comme ayant un certain caractère de stabilité. Chez l'enfant humain, cette permanence de l'objet se construit graduellement. Au début, les objets n'ont de stabilité qu'en fonction de l'activité propre du sujet, mais petit à petit la réalité extérieure se structure et acquiert une existence indépendante de cette activité. Au terme de la période sensori-motrice, les objets deviennent permanents, c'est-à-dire que leur intégrité physique n'est plus dépendante du contact sensoriel et perceptif. L'enfant cherchera activement un objet disparu de son champ perceptif. Au cours de la dernière décennie, plusieurs chercheurs se sont demandés si une telle permanence de l'objet existe chez les animaux, et si elle se développe selon des étapes similaires à celles que traverse l'enfant humain. Voyons d'abord brièvement quelles sont ces étapes (Bouchard et Mathieu, 1976).

Au cours des stades 1 et 2 (0-4 mois), l'enfant ne recherche pas activement un objet qui disparaît devant lui; il fixe simplement, pendant une courte durée, l'endroit de disparition. L'objet n'a donc aucune stabilité, il n'existe plus dès qu'il quitte le champ perceptif de l'enfant. Au stade 3 (4-8 mois), l'enfant, sans faire de tentative réelle pour retrouver l'objet disparu, manifeste un début de recherche active. En effet, si l'objet disparaît alors qu'il a déjà amorcé un mouvement pour l'atteindre, l'enfant essaie d'y toucher. Il cherche également un objet dont une partie est encore visible. Au stade 4 (8-12 mois), l'enfant recherche activement un objet qui vient de disparaître. Cependant, il est incapable de tenir compte des déplacements visibles de cet objet. Si, par exemple, on cache, à plusieurs reprises, un objet sous un écran, qu'il trouve cet objet mais qu'ensuite on le dissimule sous ses yeux derrière un nouvel écran, il continuera à le chercher au lieu habituel de disparition. Au cours de la première étape du stade 5 (8-12 mois), l'enfant cherche l'objet à l'endroit où il a disparu en dernier. À la seconde étape, il peut tenir compte des déplacements multiples visibles, c'est-à-dire suivre une séquence de déplacements sous des écrans A, B, C et retrouver l'objet en C. Au stade 6 (18 mois et plus), l'enfant peut retrouver un objet qui a subi des déplacements invisibles. Par exemple, si l'expérimentateur cache un objet dans sa main devant le sujet, effectue ensuite une séquence de déplacements derrière trois écrans, et montre finalement sa main vide, l'enfant fera une recherche systématique de l'objet en fonction des déplacements effectués.

Mathieu et coll. (1976) ont vérifié le niveau sensori-moteur atteint, pour la permanence de l'objet, chez trois singes d'espèces différentes: deux singes du Nouveau-Monde, *Cebus capucinus* et *Lagothrica flavicauda,* tous deux âgés de 5 ans, et un chimpanzé (*Pan troglodytes*), âgé de 7 ans. Cette étude nécessitait évidemment certaines modifications à la méthodologie traditionnelle des épreuves piagétiennes, puisque celle-ci a été conçue en fonction de sujets humains. Ainsi, pour s'assurer que le sujet sait ce qu'on attend de lui, Mathieu et ses collaborateurs, par une procédure instrumentale, entraînaient d'abord l'animal à saisir l'objet (un osselet) et à l'échanger pour un morceau de nourriture. Ils l'entraînaient aussi à soulever l'écran sans que l'objet soit présent. Les sujets n'apprenaient donc pas la tâche typique de l'épreuve piagétienne, mais plutôt les actions préliminaires nécessaires à cette tâche.

Chaque singe est soumis à trois tests différents. Le test 1 implique un déplacement visible unique. L'expérimentateur montre l'objet à l'animal et le cache sous l'écran A. Si le sujet trouve l'osselet sous cet écran, cela indique qu'il a atteint le stade 4. L'expérimentateur cache ensuite l'objet sous l'écran B. Si le singe le cherche sous l'écran A, il échoue au test. S'il le cherche sous l'écran B, il a atteint le début du stade 5 de la permanence d'objet. Le test 2 fait intervenir des déplacements visibles multiples. L'expérimentateur place sa main successivement sous trois écrans et, après chaque déplacement, montre au sujet si sa main contient encore ou non l'osselet. La réussite à ce test indique la fin du stade 5. Enfin, le test 3 met en jeu des déplacements invisibles. La procédure est la même que celle du test précédent, sauf que les déplacements se font eux-mêmes derrière un écran. La réussite à ce test montre que l'animal atteint l'achèvement de la période sensori-motrice, c'est-à-dire le stade 6 de la permanence d'objet.

Les résultats de cette expérience montrent que le chimpanzé et le capucin réussissent parfaitement les trois tests, et qu'ils possèdent une permanence de l'objet équivalente à celle d'un enfant humain du stade 6 de la période sensori-motrice (environ 18-24 mois). Quant au lagothriche, il aurait, selon un critère très conservateur, atteint la première phase du stade 5.

Les recherches longitudinales menées par Mathieu et ses collaborateurs sur quatre jeunes chimpanzés fournissent des résultats encore plus clairs et plus saisissants (Mathieu, sous presse). En effet, ces recherches montrent que le sujet le plus précoce parvient à la fin du stade 6 à l'âge de 14 mois, tandis que le sujet le plus tardif atteint la même capacité à 21 mois. Quant aux deux autres chimpanzés, ils atteignent le niveau de permanence de l'objet à 16 et 18 mois. Il semble donc que le chimpanzé suive un développement cognitif, du moins pour la permanence d'objet, similaire à celui de l'enfant humain et aussi rapide en termes d'âge. Cela semble aussi être le cas du gorille (Redshaw, 1978). Ce développement serait cependant moins rapide et moins avancé chez d'autres singes, tels que le macaque-rhésus (Wise et coll., 1978) et le singe-écureuil (Vaughter et coll., 1972). Quant aux espèces non simiesques, on les a moins étudiées. Toutefois, le chat et le chien atteignent le stade sensori-moteur 4 de la permanence d'objet et, probablement, au moins le début du stade 5 (Dumas et Doré, 1981; Gruber et coll., 1971; Triana et Pasnak, 1981).

Enfin, il faut mentionner que le chimpanzé semble dépasser la période sensori-motrice et que, selon des critères piagétiens, il serait très près de posséder, s'il ne la possède pas, la fonction symbolique qui rend possible la représentation mentale.

Pertinence de la théorie piagétienne

Aux yeux de certains, la théorie et la méthodologie piagétiennes peuvent paraître très marginales, ou même étrangères aux grands courants de pensée et aux techniques de recherche qui, jusqu'à maintenant, ont prévalu dans l'étude de l'apprentissage animal. D'une certaine manière, elles le sont. En effet, quand les lois de l'apprentissage sont formulées en termes de connexions ou d'associations entre des stimuli et des réponses, on analyse l'acquisition des conduites uniquement de façon ponctuelle, dans son immédiateté, sans dimension diachronique; et la théorie piagétienne est peu compatible avec ce type d'approche. Toutefois, à partir du moment où l'on accepte que l'apprentissage est un processus cognitif, comme cela semble être de plus en plus le cas depuis une quinzaine d'années, cette théorie devient un outil conceptuel puissant, non seulement pour comprendre les structures et le fonctionnement cognitifs sous-jacents à l'acquisition des conduites, mais aussi pour en analyser le développement ontogénétique.

Bien sûr, l'oeuvre de Piaget a surtout consisté à expliquer le développement de l'intelligence chez l'enfant. Mais sa théorie ne se limite pas à ce seul aspect, elle constitue plutôt une tentative pour définir et décrire l'origine biologique et les divers modes de la connaissance. Elle s'applique donc tout aussi bien à l'apprentissage animal et n'est pas sans offrir des affinités certaines avec l'approche éthologique qui a marqué la recherche en apprentissage au cours des deux dernières décennies. Nous aurons d'ailleurs l'occasion de revenir sur cette question de la pertinence de la théorie piagétienne.

RÉSUMÉ

Les années 60 et 70 constituent, pour l'étude de l'apprentissage animal, une période de transition et de ballottements. Les chercheurs oscillent entre le rejet des grands modèles théoriques et le retour aux sources, c'est-à-dire le retour aux théoriciens qui ont marqué ce domaine. Malgré ces hésitations et ces remises en question, certaines convictions commencent à s'imposer. Grâce à l'influence de l'éthologie et du courant néoévolutionniste, il semble de plus en plus évident que la compréhension de l'apprentissage animal nécessite une perspective davantage zoocentriste, un approfondissement de certains concepts de la biologie évolutive et une plus grande préoccupation concernant la validité éco-éthologique des interprétations théoriques. Les limites des modèles S-R qui ont prévalu pendant plusieurs années deviennent aussi plus évidentes, et un nombre croissant de chercheurs s'orientent vers des explications cognitives qui les obligent à s'interroger sur cette «boîte noire» située entre le stimulus et la réponse, et que Watson et Skinner se refusaient à analyser. Les chemins que doit emprunter cette orientation cognitive ne sont pas encore très clairs, et ne semblent pas s'inspirer directement du behaviorisme tolmanien. Au cours de la dernière décennie, certains auteurs semblent avoir trouvé une voie prometteuse dans la théorie piagétienne qui a approfondi nos connaissances des origines, du développement ontogénétique et du fonctionnement des structures cognitives sous-jacentes à l'acquisition des comportements.

DEUXIÈME PARTIE

HABITUATION ET APPRENTISSAGE ASSOCIATIF

Dans la première partie de ce livre, nous avons tenté de cerner la problématique propre à l'analyse de l'apprentissage. Après avoir défini la nature et la fonction biologique de ce processus, nous avons esquissé un historique des origines de ce problème et de son évolution, du début du siècle jusqu'à nos jours.

Dans les prochains chapitres, nous allons explorer et analyser certaines formes que peut prendre le processus d'apprentissage. Le chapitre 5 est consacré à l'habituation, une forme d'apprentissage souvent négligée par les auteurs mentionnés aux chapitres 3 et 4, mais néanmoins très importante. Les chapitres 6 et 7 abordent deux formes d'apprentissage traditionnellement étudiées en psychologie expérimentale et dont nous avons déjà parlé. le conditionnement classique et l'apprentissage instrumental. Le chapitre 8 discute d'une question débattue depuis longtemps, à savoir l'existence d'un seul ou de plusieurs processus d'apprentissage.

Ces quatre chapitres permettront d'approfondir davantage le vocabulaire, les concepts, les méthodes de recherche, les hypothèses et les théories propres au domaine de l'apprentissage animal. À partir des données et des connaissances qui y seront exposées, nous pourrons aborder, dans la troisième partie, d'autres formes d'apprentissage qui, bien que moins étudiées, jouent un rôle fondamental chez l'animal.

CHAPITRE 5

L'HABITUATION

En milieu naturel, les animaux sont, dans leur vie quotidienne, exposés à une multitude de stimulations provenant de leur environnement physique et social. Ces stimulations ne suscitent pas nécessairement une réaction, tout simplement parce que l'animal ne les a pas perçues, ou bien, comme nous l'avons déjà vu, parce que ces stimulations ne sont pas intégrées à l'*umwelt* propre à l'espèce ou au groupe taxinomique auquel appartient l'animal. Par contre, les stimulations perçues qui font partie de cet *umwelt* ont des propriétés très diffférentes, et produisent des réponses de natures très variées. Certaines stimulations sont relativement stables et présentes de façon continue. D'autres sont modulées par des fluctuations régulières et périodiques, selon les saisons ou le moment de la journée. D'autres encore, sans avoir ce caractère périodique, surviennent fréquemment. Certaines stimulations, enfin, ne sont qu'occasionnelles.

Le junco ardoisé (*Junco hyemalis*), par exemple, est un oiseau nord-américain de la famille des Pinsons qui vit en bordure des forêts et en milieu urbain. Les caractéristiques géographiques générales et les repères topographiques de ces lieux (emplacement des arbres, des cours d'eau, des rochers, des maisons) sont stables et permettent à cet animal de s'orienter et de reconnaître les limites de son domaine vital. Au printemps et en été, les juncos ardoisés vivent en couples et sont présents sur presque tout le continent, de l'Alaska jusqu'à Terre-Neuve et de la taïga jusqu'à la limite septentrionale des États-Unis. Au cours de l'automne, ils se regroupent en bandes de dix à quinze individus et migrent plus au sud. Ils passent l'hiver dans les régions centrales et méridionales des États-Unis, bien qu'on les retrouve dans les états du nord et dans le sud du Québec (Eaton, 1968). Ces déplacements saisonniers et ces modifications de la structure sociale sont partiellement influencés par la température, mais sont principalement déterminés par les fluctuations cycliques et régulières de la photopériode (Engels et Jenner, 1956; Weise, 1956, 1962; Wolfson, 1960).

L'environnement du junco ardoisé n'est pas uniquement constitué de stimulations aussi stables ou aussi périodiques. Il se compose également d'événements plus ponctuels et sporadiques qui reviennent fréquemment, comme le bruit du vent dans le feuillage, l'approche d'un congénère ou d'un prédateur, le clapotis de la pluie, la chute des feuilles en automne, etc. Quand un stimulus inhabituel se produit, le junco ardoisé réagit en exécutant l'un des trois comportements suivants (Doré, 1977). Il peut adopter la posture verticale d'alerte (figure 5.1A). Il se dresse alors sur ses pattes, le cou et le corps fortement étirés dans l'axe vertical, et demeure immobile pendant plusieurs secondes. Il peut aussi adopter la posture horizontale d'alerte (figure 5.1B). Les pattes sont fléchies, l'abdomen est abaissé vers le perchoir ou le sol et le cou rétracté dans les épaules. Enfin, si le bruit est vraiment inusité ou s'il semble menaçant, le junco ardoisé peut tout simplement s'envoler.

Ces réactions d'alerte sont appropriées et elles assurent souvent la survie de l'oiseau, notamment lorsqu'un prédateur rôde dans les environs. Cependant, elles ne peuvent se produire chaque fois qu'apparaît une stimulation ponctuelle et sporadique. L'agitation des branches et des feuilles n'indique pas toujours la présence d'un prédateur, elle peut être due au vent. De plus, alors que durant la saison de migration il vit en bandes fortement hiérarchisées (Sabine, 1949, 1956), le junco n'adopte pas une posture d'alerte chaque fois qu'un congénère de sa bande s'approche de lui. Si tel était le cas, il perdrait un temps précieux et risquerait ainsi de mettre sa survie en danger. En effet, à cause de son métabolisme, cet oiseau doit consacrer une proportion considérable de sa journée à chercher de la nourriture et à renouveler ses ressources énergétiques. En automne et en hiver, cette recherche de nourriture occupe entre 55 et 75 p. cent de son activité diurne (Doré, 1977). Il ne peut donc réagir à toutes les stimulations ponctuelles, et doit apprendre à ne pas répondre à celles qui se produisent souvent et qui sont inoffensives, comme le clapotis de la pluie ou le bruit du vent. Cependant, il doit aussi être en mesure de répondre promptement quand ces stimulations subissent des modifications importantes, car l'agitation des arbres ou le clapotis de l'eau peut, à l'occasion, trahir la présence d'un prédateur. Cette capacité d'apprendre à ne pas réagir à certains stimuli constitue ce que les chercheurs appellent l'habituation.

PHÉNOMÈNES DE BASE

Bien qu'on l'étudie depuis plusieurs décennies (Jennings, 1906), on ne conçoit toujours pas l'habituation comme une forme d'apprentis-

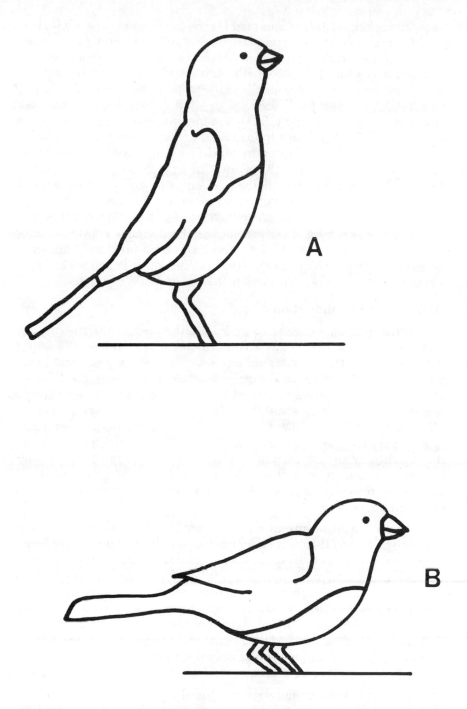

Figure 5.1 (A) Posture verticale d'alerte et (B) posture horizontale d'alerte chez le junco ardoisé (*Junco hyemalis*). (Tiré de Doré, 1977).

sage. Humphrey (1933) et plus tard Harris (1943) ont été parmi les premiers à proposer cette conception, mais ce n'est que récemment qu'elle a réussi à s'imposer. Longtemps considérée comme un phénomène marginal, peu intéressant et fonctionnellement insignifiant, plusieurs auteurs contemporains placent aujourd'hui l'habituation sur un pied d'égalité avec le conditionnement classique ou l'apprentissage instrumental. Grâce au livre de Thorpe (1963) notamment, elle a fait l'objet d'un regain d'intérêt, depuis une quinzaine d'années, et de nombreux chercheurs ont tenté d'en comprendre les dimensions aussi bien comportementales (Peeke et Herz, 1973a) que neurophysiologiques (Peeke et Herz, 1973b). Les travaux éthologiques ont contribué pour beaucoup à la revalorisation de l'habituation, en montrant que cette forme d'apprentissage joue souvent un rôle important dans des comportements tels que la protection contre les prédateurs (Balderrama et Maldonado, 1971; Hinde, 1954a, 1954b, 1961) ou l'agression intraspécifique et la défense territoriale (Mertl, 1975, 1977; Patterson et Petrinovich, 1979; Peeke et Peeke, 1973a; Petrinovich et Patterson, 1979, 1980).

Définition de l'habituation

L'habituation est assez facile à induire expérimentalement et se manifeste de façon claire dans le comportement des animaux. Elle consiste, en effet, dans la «diminution relativement permanente d'une réponse à la suite de la présentation répétée d'une stimulation» (Thorpe, 1963, p. 61). Elle a pour caractéristique fondamentale d'être *spécifique au stimulus*, c'est-à-dire que le déclin de la réponse n'a lieu qu'en présence du stimulus apparu à plusieurs reprises (*stimulus d'habituation*) ou en présence de stimuli très semblables au stimulus d'habituation. Ainsi, lors d'une journée venteuse, un junco ardoisé ne réagit plus au bruit du feuillage ou au craquement des branches. Cependant, si un prédateur s'approche, ces sons ne sont plus tout à fait les mêmes et l'oiseau est alors en état d'alerte, ou s'envole.

La spécificité au stimulus d'habituation est bien illustrée par l'expérience de Mertl (1975) sur la discrimination olfactive du lémur (*Lemur catta*). Les mâles de cette espèce simiesque possèdent, sur l'avant-bras, des glandes sudoripares appelées organe antébrachial, ainsi qu'un groupe de glandes sébacées ayant un orifice commun sous chaque clavicule, appelé organe brachial. En se frottant vigoureusement les bras contre les objets, ces singes utilisent ces organes pour laisser une marque olfactive de leur passage. Mertl (1975) montre que les lémurs s'habituent à l'odeur spécifique d'un congénère, mais que cette habituation disparaît dès que l'odeur d'un autre mâle est présentée.

Pour faire cette démonstration, Mertl recueille d'abord les sécrétions en fixant, pendant toute une journée, des tampons de gaze sur l'organe antébrachial de plusieurs individus. Le chercheur présente ensuite chacun de ces tampons à deux groupes de sujets, pendant 90 secondes.

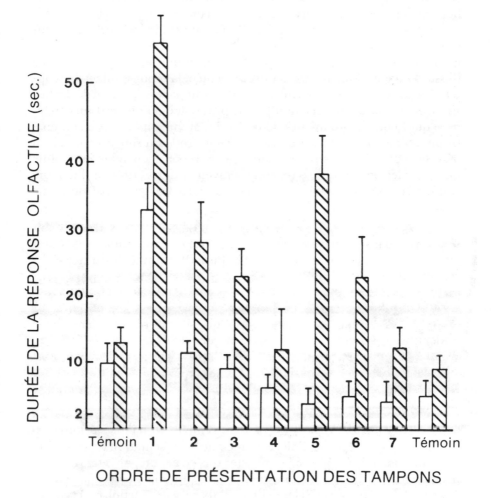

Figure 5.2 Durée de la réponse olfactive aux tampons présentés en succession rapide, pendant 90 secondes chacun. Tampons témoins présentés au début et à la fin de la série. Le groupe I (□) reçoit sept tampons provenant tous du même mâle. Le groupe II (▤) reçoit quatre tampons imbibés de l'odeur d'un mâle, et trois tampons imbibés de l'odeur d'un autre mâle. (Tiré de Mertl (1975); reproduit avec la permission de l'auteur et d'Academic Press).

Le groupe I est soumis successivement à l'odeur de sept tampons provenant tous du même mâle, tandis que le groupe II reçoit quatre tampons imbibés de l'odeur d'un mâle, et trois tampons imbibés de l'odeur d'un autre. Avant et après cette série de sept stimuli, les sujets des deux groupes doivent sentir un tampon témoin, c'est-à-dire un tampon propre et sans odeur. Cette manipulation permet de s'assurer que les singes réagissent bien au marquage olfactif, et non à autre chose. La figure 5.2 illustre les résultats de cette expérience. Les données du groupe I montrent que la présentation répétée du même stimulus olfactif produit une habituation. Les sujets flairent de moins en moins l'objet qui leur est présenté, jusqu'à atteindre un niveau de réponse similaire à celui du tampon témoin. Les données du groupe II, quant à elles, montrent clairement que cette habituation est spécifique au stimulus. En effet, quand à l'essai 5 l'odeur d'un autre mâle est présentée, la réponse olfactive réapparaît à un niveau élevé, comme si elle n'avait pas encore subi de déclin. En somme, un lémur mâle finit par ne plus réagir à l'odeur d'un congénère qui fréquente les mêmes lieux que lui et qui appartient à la même troupe. Mais, si un intrus d'une autre troupe rôde sur son territoire, il en détecte la présence très rapidement, car sa réponse olfactive ne décline que pour les odeurs qui se répètent souvent. Mertl (1977) a d'ailleurs confirmé cette observation en milieu naturel, sur des lémurs des forêts de Madagascar.

Le déclin d'une réponse n'est pas toujours le résultat d'une habituation et, dans les recherches sur cette forme d'apprentissage, il faut toujours, avant de conclure à un effet habituatif, éliminer les autres sources possibles de déclin. La maturation, le vieillissement, les rythmes circadiens, les maladies et les blessures sont autant de facteurs qui peuvent entraîner la diminution d'une réponse et qui ne sont pas déterminés par un processus d'apprentissage. Toutefois, il est relativement facile d'identifier ces facteurs et de les distinguer de l'habituation. Il existe deux autres sources possibles de déclin plus difficiles à isoler car, tout comme l'habituation, elles impliquent une répétition de la stimulation. Il s'agit de la fatigue musculaire et de l'adaptation ou fatigue sensorielle.

Cependant, contrairement à l'habituation elles ne sont pas spécifiques au stimulus mais à la réponse. Par exemple, si un junco ardoisé cessait d'émettre sa réponse d'alerte parce que la présentation répétée d'un stimulus menaçant a épuisé les muscles mis en action par cette réponse, il y aurait absence de réaction, même si le stimulus de déclenchement était modifié. Par contre, si le déclin ou l'absence de réaction est la conséquence d'une habituation, l'oiseau ne réagira pas au stimulus auquel il a été exposé de façon répétée, mais il adoptera une posture d'alerte ou s'envolera dès qu'un stimulus insolite et différent surviendra. La spécificité de l'habituation à une stimulation est donc une caractéristique fondamentale qui permet, notamment, de distinguer cette forme d'apprentissage des autres facteurs possibles de déclin de la réponse.

La généralisation

En affirmant que la caractéristique fondamentale de l'habituation est d'être spécifique au stimulus, nous avons pris soin de préciser que le déclin de la réponse n'a lieu qu'en présence du stimulus d'habituation *ou de stimuli qui lui sont très semblables*. En effet, pour être fonctionnellement adaptée, l'habituation, comme toute autre forme d'apprentissage, ne peut se limiter aux conditions exactes dans lesquelles elle a été originellement produite. Elle doit aussi *se généraliser* aux situations qui présentent un certain degré de similitude avec les conditions premières. Sinon, l'apprentissage serait à refaire au complet chaque fois que le stimulus ou la situation subit la moindre modification. Par exemple, un junco ardoisé qui s'est habitué au bruit produit par un vent d'est de 30km/h adopterait à nouveau une posture d'alerte, dès que la vitesse du vent augmenterait ou diminuerait et dès que sa direction changerait. Cela n'aurait aucun sens et entraînerait un gaspillage inutile de temps et d'énergie. La généralisation est donc un mécanisme qui permet d'étendre le «savoir» acquis dans des conditions particulières à d'autres conditions qui leur sont semblables sous réserve que les différences entre les conditions 1 et 2 aient une importance ou une signification négligeables.

Comme nous l'avons vu par l'étude de Mertl (1975) sur la réponse olfactive du lémur, on démontre la spécificité de l'habituation à un stimulus quand la présentation d'une nouvelle stimulation a pour effet de rétablir la réponse initiale. L'habituation peut ou non être généralisée et, pour le savoir, il faut à plusieurs reprises présenter le nouveau stimulus. On peut parler de généralisation, si l'habituation à ce nouveau stimulus est plus facile que dans le cas où le nouveau stimulus est présenté de façon répétée sans habituation préalable à la stimulation originelle. Sinon, il n'y a pas de généralisation (Wyers, Peeke et Herz, 1973,). Un exemple facilitera la compréhension de la méthode utilisée pour mettre en évidence la présence d'une généralisation.

Applewhite (1971) analyse la réponse de contraction du ver plat *Stenostomum* à un stimulus tactile donné par l'intermédiaire d'un fil de 100 microns. On présente cette stimulation toutes les quatre secondes, et on dit que la réponse est habituée quand l'animal ne réagit pas trois fois de suite. Les résultats montrent que six ou sept stimuli suffisent à atteindre ce critère d'habituation. Si l'expérimentateur touche l'autre extrémité du ver, l'habituation atteint le critère fixé après un nombre de stimuli beaucoup moins élevé, et on peut donc dire qu'il y a généralisation. Le déclin de la réponse est néanmoins spécifique au stimulus tactile. En effet, quand on donne en alternance des séries successives de stimulations tactiles et électriques, on ne facilite pas l'habituation à l'un de ces deux types de stimuli par l'habituation préalable à l'autre type.

La généralisation semble avoir aussi une caractéristique assez particulière: elle serait directionnelle. Plusieurs études ont en effet démontré que, si l'habituation à un stimulus très efficace qui déclenche fortement la réponse est suivie de la présentation d'un stimulus nouveau, mais moins efficace, il y a généralisation de l'habituation au nouveau stimulus. Par contre, cette généralisation est faible, ou même absente, si un stimulus très efficace est présenté après l'habituation à un stimulus peu efficace.

Balderrama et Maldonado ont bien démontré le caractère directionnel de la généralisation (1971) dans le cas du comportement «déimatique» de la mante religieuse (*Stagmatoptera biocellata*). Ce comportement «déimatique» est une réaction à un stimulus menaçant; il est formé de sept composantes incluant des mouvements des antennes, des pattes, des ailes, du corps tout entier ainsi que la mise en valeur de taches corporelles colorées. Dans une première phase, trois groupes d'insectes sont exposés, trente fois par jour, à travers une paroi transparente, à un oiseau vivant, chaque présentation durant 3 minutes. Les groupes se distinguent par le stimulus d'habituation auquel ils sont confrontés. Les résultats démontrent que l'oiseau qui déclenche la plus forte réaction est le vacher (*Molothrus bonariensis*), suivi du pinson de Java (*Padda oryzivora*) et finalement du serin (*Serinus canarius*), et que plus le stimulus est efficace, moins l'habituation est rapide. Une fois l'habituation terminée, les chercheurs présentent aux sujets l'un des deux oiseaux auxquels ils n'ont pas été exposés jusque-là. Ainsi, la moitié des sujets habitués au vacher sont mis en présence du pinson de Java, et l'autre moitié est confrontée au serin. Les deux autres groupes sont soumis à une manipulation similaire. Les résultats de cette deuxième phase de l'expérience montrent qu'il y a généralisation pour les deux sous-groupes d'abord habitués au vacher, ainsi que pour les sujets habitués au pinson de Java et exposés ensuite au serin. Autrement dit, le déclin de la réaction «déimatique», observé chez ces insectes au cours de l'habituation, se maintient quand le nouveau stimulus est introduit. Par contre, il y a peu de généralisation si on' habitue d'abord les mantes religieuses au pinson et au serin, et qu'on les confronte ensuite respectivement au vacher et au pinson. Enfin, il n'y a aucune généralisation si, après une habituation au serin, on présente le vacher comme nouveau stimulus. En somme, l'habituation se généralise s'il y a transition d'un stimulus fort à un stimulus faible (vacher-serin, vacher-pinson, pinson-serin), et ne se généralise pas (serin-vacher) ou très peu (pinson-vacher; serin-pinson) dans le cas contraire.

On a également observé ce caractère directionnel de la généralisation de l'habituation dans le cas de la réponse de retrait du polychète (ver marin) *Nereis pelagica* (Clark, 1960a, 1960b), ainsi que pour l'habituation à des stimuli environnementaux et acoustiques chez le rat (Peeke et Zeiner, 1970). Cette caractéristique, à première vue, assez particulière, est peu étonnante si on la situe dans le contexte de l'adaptation du comportement. En effet, si un prédateur potentiel s'avère inoffensif et ne suscite plus de réaction défensive, il y a peu de risques si cette passivité se généralise à d'autres espèces qui ne représentent que peu de danger. Par contre, un animal habitué à côtoyer des espèces peu menaçantes a intérêt à réagir promptement si un prédateur potentiel apparaît dans son environnement.

La déshabituation

La déshabituation consiste en une annulation de l'habituation, et donc en une réapparition de la réponse, à la suite de l'interférence, d'un stimulus nouveau, dit stimulus parasite. Pour détecter ce phénomène, il suffit d'introduire, après le déclin de la réponse, un stimulus parasite et de le faire suivre d'une nouvelle série de présentations du stimulus d'habituation (Wyers, Peeke et Herz, 1973). S'il y a déshabituation, la réponse, au début de cette nouvelle série, atteint une intensité supérieure à celle qu'elle avait à la fin de la première habituation, et une intensité égale ou légèrement inférieure à la toute première présentation du stimulus d'habituation.

Peeke et Peeke (1972) ont étudié l'habituation et la déshabituation du comportement de prédation chez le poisson rouge (*Carassius auratus*). Dans une première étape, ils introduisent dans l'aquarium du sujet un tube transparent rempli de crevettes, et le laissent là 10 minutes par jour, pendant six jours. Ils enregistrent la fréquence avec laquelle le poisson tente de mordre cette proie inaccessible, et constatent, pour l'ensemble des trente sujets ainsi que pour chacun des poissons, une diminution de cette réponse de prédation (figure 5.3). Le septième jour, les sujets sont divisés en trois groupes égaux et chacun de ces groupes est exposé à un stimulus différent. Un groupe (groupe P) reçoit quinze petits cailloux lâchés dans l'aquarium à l'endroit exact où on avait introduit le tube transparent lors de la première étape. Un deuxième groupe (goupe W) est exposé à une petite portion de vers tubifex. Un troisième groupe (groupe BS) reçoit quinze crevettes vivantes, libres cette fois de nager dans l'aquarium. Ces trois types de stimuli ont tous un certain caractère de nouveauté, puisqu'aucun d'eux n'a été présenté jusque-là sous cette forme ou à ce moment de la journée. La troisième étape de l'étude commence le huitième jour et consiste simplement à présenter de nouveau le stimulus d'habituation (tube transparent rempli de crevettes) pendant trois jours, à raison de 10 minutes par jour. Les résultats de cette deuxième série de présentations montrent un effet de déshabituation chez le Groupe BS, mais pas chez les groupes P et W (figure 5.3). En effet, le huitième jour, la présentation du stimulus d'habituation produit une forte résurgence du comportement de prédation, uniquement chez les poissons qui ont reçu, comme stimulus parasite, des crevettes en liberté dans leur aquarium.

Bien qu'*au sens strict* la déshabituation consiste, comme nous venons de le décrire, en un rétablissement de la réponse *au stimulus d'ha-*

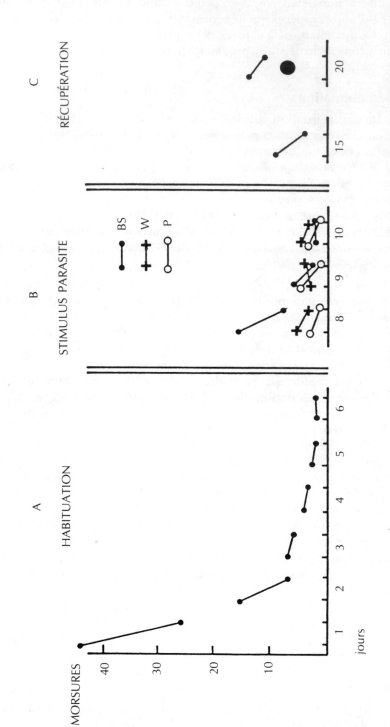

Figure 5.3 Habituation, déshabituation et récupération du comportement de prédation chez le poisson rouge (*Carassius auratus*). (Tiré de Peeke et Peeke (1972); reproduit avec la permission des auteurs et de Ballière Tindall).

bituation après interférence d'un stimulus parasite, plusieurs auteurs utilisent ce terme pour décrire un phénomène différent. Ils emploient ce terme pour désigner la réapparition de la réponse à un *nouveau stimulus*, différent du stimulus original, après l'habituation à ce dernier. Ces auteurs diraient qu'il y a eu déshabituation dans l'exemple de la réponse olfactive du lémur (figure 5.2), quand on présente l'odeur du deuxième congénère (groupe II, essai 5). Cet usage un peu laxiste du concept de déshabituation n'est pas entièrement faux, mais est malheureux car il introduit beaucoup de confusion. Il est cependant assez fréquent dans les publications récentes.

Récupération spontanée et rétention

Nous avons vu jusqu'ici que l'habituation et sa généralisation constituent une forme d'apprentissage très adaptée, qui permet à un animal de ne pas réagir à tous les stimuli de son environnement physique et social, et d'économiser ainsi une énergie précieuse consacrée à des besoins fondamentaux. Cependant, un animal chez qui l'habituation à une stimulation se maintiendrait de façon totalement permanente risquerait de mettre en danger sa propre survie. Par exemple, un poisson rouge habitué à un type de proie ne peut demeurer impassible devant ce stimulus indéfiniment. Son comportement de prédation doit réapparaître à un moment donné, car il est possible qu'un jour le stimulus d'habituation soit la seule proie disponible. L'habituation serait une bien mauvaise adaptation si, dans cette situation, elle l'empêchait de se nourrir et entraînait sa mort par inanition. Bien sûr, la déshabituation est un mécanisme qui permet la réapparition d'une réponse habituée mais, comme nous l'avons vu, elle se produit dans des circonstances assez particulières. Un autre mécanisme fait que le simple passage du temps peut restaurer une réponse habituée et c'est la *récupération spontanée*. En effet, si l'habituation est suivie d'une période de repos au cours de laquelle le stimulus d'habituation ne se produit pas, on constate une restauration de la réponse initiale dès que le stimulus se présente de nouveau après cette période de repos.

La récupération spontanée existe pour presque toutes les réponses et les espèces étudiées jusqu'à maintenant par les chercheurs. Ainsi, elle apparaît dans le cas du comportement «déimatique» de la mante religieuse (Balderrama et Maldonado, 1971). Quand une période de repos de deux ou six jours suit l'habituation à chacun des trois stimuli (vacher, pinson de Java et serin), et qu'à la fin de cette période on présente à nouveau le même stimulus, la réponse «déimatique» tend à réapparaître. Elle n'est pas tout à fait aussi forte qu'au début de l'habituation mais, plus la période de repos est longue, plus la récupération est complète (figure 5.4). Il en est de même dans le cas du poisson rouge (Peeke et Peeke, 1972): la réponse de prédation est restaurée si une période de

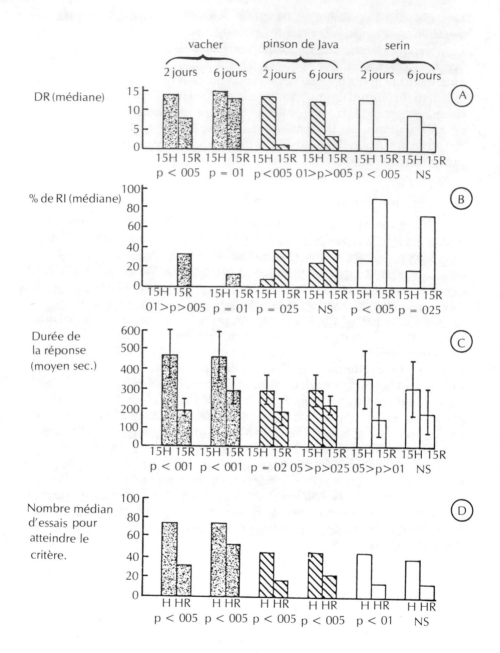

Figure 5.4   Habituation (15H) et récupération (15R) de la réponse «déimatique» de la mante religieuse après des périodes de repos de 2 ou 6 jours. (Tiré de Balderrama et Maldonado (1971); reproduit avec la permission des auteurs et de l'American Psychological Association).

repos suit l'habituation, et cette récupération est plus forte après dix jours qu'après cinq jours (figure 5.3).

Hinde (1954b) a montré que la récupération spontanée peut être relativement rapide dans certains cas, comme celui de l'habituation du houspillage (*mobbing*) chez le pinson *Fringilla coelebs*. Le houspillage est une réaction déclenchée par un prédateur, qui se caractérise notamment par l'émission d'un cri (le chink), au cours de laquelle la crête de l'oiseau se soulève, les pattes se fléchissent légèrement et les ailes se déploient à peine. Hinde induit une habituation du houspillage en présentant aux pinsons pendant 30 minutes un hibou empaillé. Il note le nombre de cris émis pendant les six premières minutes. Puis, le hibou est retiré de la vue des sujets pour une période de repos variant de 30 secondes à 24 heures, on le présente à nouveau pendant 6 minutes. Les résultats montrent que des périodes de repos de 15 minutes, 30 minutes et 24 heures produisent respectivement une récupération spontanée du houspillage de 40, 50 et 56 p.cent. Il semble donc qu'un intervalle très court entre l'habituation et la phase de mesure de la récupération donne lieu à une restauration importante de la réponse initiale. Cependant, ces résultats indiquent aussi que la récupération complète est assez lente, puisqu'une période de repos de 24 heures ne rétablit la réponse qu'à un peu plus de la moitié de la force qu'elle avait au début de l'habituation.

Cette lenteur relative de la récupération complète de la réponse constitue un bon indice de la *rétention* de l'habituation. Elle démontre, en effet, que l'animal a retenu quelque chose de l'expérience qu'il a vécue au cours de la phase d'habituation. Il semble de plus que la récupération spontanée soit elle-même influencée par l'expérience antérieure de l'animal. En effet, si à plusieurs reprises on répète la séquence habituation-période de repos-récupération spontanée, la réponse *au début de la phase de récupération* est de moins en moins forte, ce qui signifie que l'habituation augmente avec chaque répétition de cette séquence. Ce phénomène, appelé *potentiation de l'habituation* (Thompson et Spencer, 1966), a été mis en évidence notamment chez le chinchilla (*Chinchilla lanigera*). Au cours d'une recherche où ils analysaient plusieurs réponses et plusieurs aspects de l'habituation, Leibrecht et Kemmerer (1974) immobilisaient les chinchillas dans un harnais pendant 25 minutes et notaient la fréquence avec laquelle ils exécutaient des mouvements visant à se libérer du harnais. Cette immobilisation se répétait pendant sept jours, avec une période de repos de 24 heures entre chaque session. Les résultats (figure 5.5) montrent qu'à l'intérieur de chaque session de 25 minutes les chinchillas s'habituent au harnais et qu'ils se débattent de moins en moins. Ils montrent aussi qu'il y a récupération spontanée, c'est-à-dire qu'au début de chaque session la fréquence des mouvements est partiellement restaurée. Enfin, la potentiation de l'habituation apparaît dans le fait que la récupération spontanée est de moins en moins forte de la deuxième à la septième session.

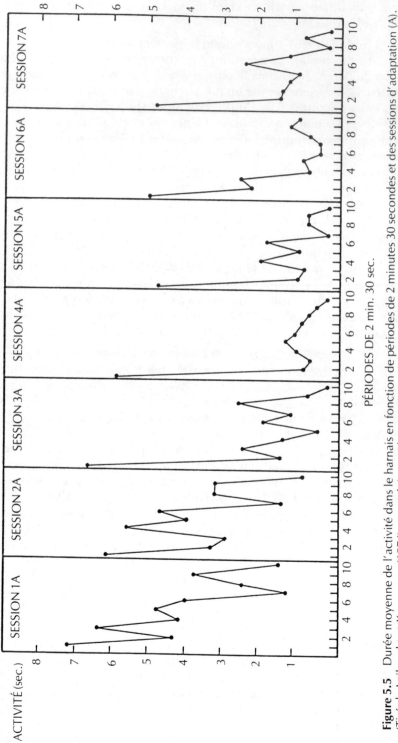

Figure 5.5 Durée moyenne de l'activité dans le harnais en fonction de périodes de 2 minutes 30 secondes et des sessions d'adaptation (A). (Tiré de Leibrecht et Kemmerer (1974); reproduit avec la permission des auteurs et de l'American Psychological Association).

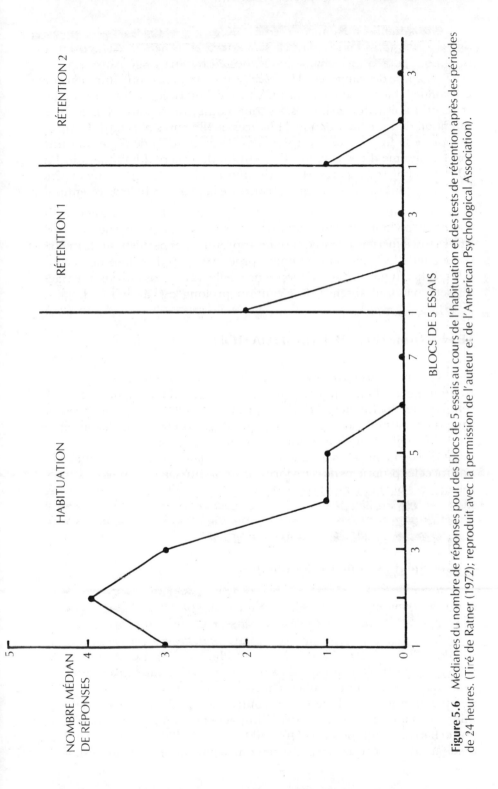

Figure 5.6 Médianes du nombre de réponses pour des blocs de 5 essais au cours de l'habituation et des tests de rétention après des périodes de 24 heures. (Tiré de Ratner (1972); reproduit avec la permission de l'auteur et de l'American Psychological Association).

La réduction du nombre d'essais nécessaires pour atteindre un critère de déclin met encore plus clairement en évidence l'existence d'une rétention, lors d'une deuxième session d'habituation. Ainsi Ratner (1972) expose des sangsues (*Macrobdella decora*) à des stimuli lumineux de 2 secondes chacun, séparés par un intervalle de 16 secondes, jusqu'à un critère d'habituation de huit essais consécutifs sans réponse. Il mesure la rétention de cette habituation 24 heures et 48 heures plus tard. Comme le montre la figure 5.6, il y a, lors des deux mesures de rétention, une forte économie d'essais visant l'obtention du critère d'habituation. En effet, la réponse des sangsues au stimulus lumineux atteint le nivau zéro beaucoup plus rapidement qu'au cours de la phase initiale de rétention.

La récupération spontanée et la rétention de l'habituation constituent des phénomènes très importants car, en soulignant que l'animal utilise son expérience passée et donc apprend, elles permettent de mieux distinguer l'habituation des autres processus périphériques de déclin, tels que la fatigue ou l'adaptation sensorielle, processus qui eux se caractérisent par une absence de rétention prolongée (Fantino et Logan, 1979).

LES PARAMÈTRES DE L'HABITUATION

Comme nous l'avons vu jusqu'ici, l'analyse scientifique de l'habituation ne se limite pas à étudier ce déclin du comportement — relativement permanent et spécifique au stimulus — qui se produit quand une stimulation apparaît ou qu'elle est présentée de façon répétée. Elle englobe aussi tout un ensemble de phénomènes qui, tout en étant directement reliés à l'habituation, spécifient encore davantage la nature et les propriétés de cette forme d'apprentissage. En plus de s'intéresser à ces phénomènes de base, les chercheurs ont tenté d'identifier les facteurs ou paramètres qui accélèrent ou ralentissent l'habituation. Il y en a surtout trois: l'intensité de stimulus d'habituation, la fréquence de stimulation et le rôle des stimuli contextuels.

L'intensité du stimulus d'habituation

Selon Thompson et Spencer (1966) qui énumèrent neuf caractéristiques fondamentales de l'habituation, plus le stimulus d'habituation est faible, plus le déclin de la réponse est rapide. Cette relation a été mise en évidence notamment chez le protozoaire *Spirostomum ambiguum* (Kinatowski, 1963 cité dans Wyers, Peeke et Herz, 1973). Dans cette expérience, les sujets étaient exposés à un stimulus similaire aux gouttes de pluie qu'ils reçoivent en milieu naturel. Ils étaient en effet exposés dix fois par minute à la chute d'une goutte de liquide provenant de leur milieu de culture et dont la force d'impact était calibrée avec précision pour chaque groupe de sujets (400, 800, 1 600, 3 200 ou 4 800 ergs). Les résultats montrent que la réponse de contraction de *Spirostomum* disparaît au bout de 8 minutes quand l'intensité de la stimulation est de 400 ou 800 ergs, au bout de 15 à 20 minutes quand elle est de 1 600 ergs. Quant aux intensités de 3 200 et 4 800 ergs, elles produisent une habituation, mais la réponse demeure présente même au bout de 20 minutes. Ainsi, tel que prédit par Thompson et Spencer (1966), le rythme ou le degré d'habituation est inversement relié à l'intensité du stimulus d'habituation.

Dans l'exemple que nous venons de voir, ainsi que dans plusieurs études du même genre, l'intensité du stimulus d'habituation est mesurée sur une échelle physique. Cependant, il semble que la relation établie par Thompson et Spencer soit également valable quand l'intensité du stimulus d'habituation est évaluée sur une échelle «psychologique», ou une échelle de «signification biologique». Ainsi, dans le cas du comportement «déimatique» de la mante religieuse (Balderrama et Maldonado, 1971), l'habituation à la présence du vacher est moins rapide que l'habituation au pinson de Java ou au serin. Or, le vacher constitue un stimulus psychologiquement ou biologiquement plus intense puisque c'est un prédateur naturel de la mante religieuse, alors que les deux autres espèces sont granivores et ne consomment qu'occasionnellement des insectes. Cette relation inverse entre l'intensité psychologique ou biologique d'un stimulus et le rythme d'habituation existe également dans d'autres situations, comme l'agression intraspécifique chez certains poissons (Figler, 1972).

La fréquence de stimulation

Toujours selon Thompson et Spencer (1966), plus la fréquence de stimulation est élevée, plus l'habituation est rapide ou prononcée. Autrement dit, la réponse diminue plus vite si l'intervalle entre les stimuli est court, que s'il est long. Par exemple, chez l'hydre (*Hydra pirardi*), un invertébré du phylum des Coelentérés, la proportion d'individus qui, après une heure de stimulation mécanique, continuent à se contracter, est moindre quand l'intervalle interstimuli est d'une minute que s'il est de 5 minutes (Rushfort, 1965, 1967). Avec des intervalles interstimuli plus longs, il n'y a aucune habituation, même si l'intensité du stimulus d'habituation est plus forte.

Une autre façon de manipuler la fréquence de stimulation consiste à comparer les effets de présentations groupées et réparties. C'est ce qu'ont fait Peeke et Peeke (1970) dans leur étude de l'habituation de l'agression intraspécifique chez le Combattant du Siam (*Betta splendens*).

Le Combattant du Siam est un petit poisson originaire du sud-est asiatique. Dans leurs expériences en laboratoire, les chercheurs utilisent habituellement la race domestique sélectionnée artificiellement à partir de la race indigène en fonction de critères de beauté, mais surtout de combativité. Le comportement agonistique, qui se compose de mouvements de menace et d'attaque (Simpson, 1968), est très facile à déclen-

Figure 5.7 Comportement agonistique d'un Combattant du Siam (*Betta splendens*) mis en présence d'un congénère.

cher chez les mâles de cette race domestique. Il suffit de mettre le poisson en présence d'un congénère mâle (figure 5.7) ou, ce qui est plus simple encore, de le confronter à sa propre image dans un miroir. Peeke et Peeke ont donc exposé des mâles à un congénère de même sexe enfermé dans un tube transparent. Les poissons étaient divisés en trois groupes: un groupe-contrôle servant à évaluer certaines tendances décroissantes indépendantes de l'habituation, et deux groupes expérimentaux. Un groupe expérimental (E15) était confronté quotidiennement au stimulus déclencheur d'agressivité pendant 15 minutes, et ce durant 20 jours consécutifs. L'autre groupe expérimental (E60) était aussi exposé quotidiennement à ce stimulus, mais pendant 5 jours consécutifs, à raison d'une heure par jour. Ainsi, les deux groupes étaient placés en situation d'agression pendant 5 heures chacun. Cependant dans le premier cas (E15), les présentations étaient réparties: le poisson recevait chaque jour une fréquence de stimulations relativement faible; dans le second cas (E60), les présentations étaient groupées, chaque confrontation avec le congénère offrant une fréquence de stimulations agonistiques élevée.

Les résultats de cette expérience montrent que cette différence dans la modalité de présentation du stimulus entraîne des différences qualitatives et quantitatives dans l'habituation du comportement agonistique. Sur le plan qualitatif, les diverses composantes de ce comportement ne s'habituent pas dans le même ordre, selon que la présentation du stimulus est groupée ou qu'elle est répartie. Sur le plan quantitatif, les données indiquent que la présentation groupée produit une habituation plus lente que la présentation répartie. Cette conclusion va à l'encontre de la relation prédite par Thompson et Spencer (1966), mais il faut la nuancer. En effet, la manipulation de la fréquence de stimulation par présentation groupée ou répartie fournit des résultats moins cohérents que si on fait varier l'intervalle interstimuli. Ainsi, Hinde (1954b) arrive à une conclusion similaire à celle de Peeke et Peeke (1970) dans le cas du houspillage chez *Fringilla coelebs*. Par contre, la présentation groupée produit une habituation plus rapide que la présentation répartie dans le cas de la réponse de contraction du polychète *Nereis pelagica* (Clark, 1960a), et dans celui du comportement agonistique du poisson cichlidé *Cichlasoma nigrofasciatum* (Peeke, Herz et Gallagher, 1971). Cette dernière recherche est particulièrement frappante, puisqu'elle porte sur le même comportement que celui étudié par Peeke et Peeke (1970) et qu'elle a été réalisée dans des conditions très semblables; pourtant, elle produit des résultats contraires. Cette incohérence des données demeure difficile à expliquer bien que certaines interprétations aient tenté d'en rendre compte (Peeke et Peeke, 1973a).

Les stimuli contextuels

Des recherches récentes ont montré que les paramètres directement reliés au stimulus d'habituation ne sont pas les seuls à influencer le rythme du déclin de la réponse. Les stimuli contextuels, c'est-à-dire les stimuli de l'environnement autres que le stimulus d'habituation, semblent aussi jouer un rôle. Cela a été particulièrement mis en évidence dans une série d'expériences réalisées par Davis (1974a) sur l'habituation de la réponse de sursaut chez le rat.

Davis réalise d'abord trois expériences au cours desquelles il examine l'effet d'un stimulus contextuel sur le pouvoir déclencheur d'un stimulus produisant le sursaut. Pour ce faire, il présente des sons de forte intensité auxquels il surimpose un bruit blanc continu d'intensité variable. Il compare par exemple la réaction de sursaut (mesurée par un stabilimètre) à des sons de 100, 110 et 120 dB s'accompagnant d'un bruit blanc de 60 ou 70 dB. Ces trois expériences l'amènent à conclure que l'amplitude du sursaut n'est pas déterminée directement par l'intensité du son ou par l'intensité du bruit, mais plutôt par le rapport signal-bruit, c'est-à-dire par la différence entre l'intensité du son et celle du bruit.

Suite à ces trois expériences, Davis examine l'effet d'un stimulus contextuel, non plus sur l'amplitude du sursaut comme telle, mais plutôt sur l'habituation de cette réponse. Dans la quatrième expérience, il expose deux groupes de rats à 600 présentations d'un son de 120 dB, un groupe étant exposé à ce son avec un bruit blanc de 60 dB, et l'autre groupe avec un bruit blanc de 70 dB. Comme le montre la figure 5.8, le bruit contextuel de 70 dB produit, au cours des 300 premières présentations, une habituation plus lente au son de 120 dB que le bruit contextuel de 60 dB. Toutefois, cette relation est inversée dans les 300 dernières présentations, et l'habituation du sursaut est finalement plus prononcée avec le bruit de 70 dB qu'avec le bruit de 60 dB. Cette expérience indique donc clairement que le taux d'habituation ne dépend pas uniquement de l'intensité du stimulus d'habituation, mais qu'il est également influencé par les stimuli contextuels.

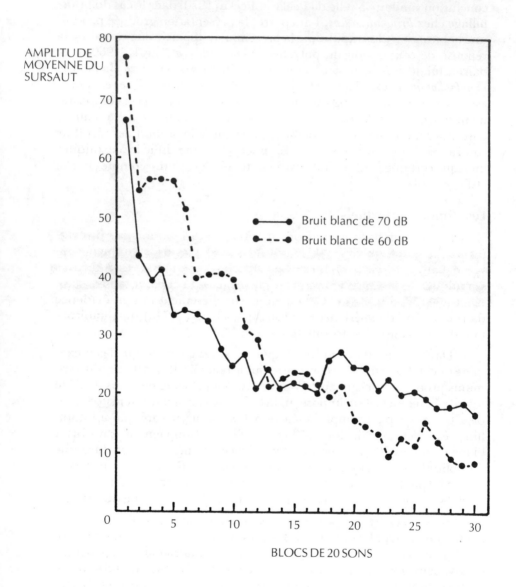

Figure 5.8 Amplitude moyenne de la réponse de sursaut par blocs de 20 sons quand le bruit contextuel est de 60 ou 70 dB. (Tiré de Davis (1974a); reproduit avec la permission de l'auteur et de l'American Psychological Association).

La cinquième expérience vise à évaluer si le niveau d'habituation atteint dépend davantage de l'intensité du stimulus d'habituation, de l'intensité du bruit contextuel ou du rapport signal-bruit. La procédure expérimentale utilisée dans cette étude est complexe, et le lecteur intéressé peut se référer directement à l'article de Davis (1974a) pour en connaître les détails. Pour la résumer de façon succincte, disons simplement qu'elle consiste à comparer six groupes de rats exposés à des combinaisons différentes de son et de bruit, dont certaines sont équivalentes quant au rapport signal-bruit. Les résultats de cette expérience montrent qu'il existe une relation directe entre l'habituation et le rapport signal-bruit, et donc que les stimuli contextuels constituent un paramètre important, sinon fondamental, dans la mesure de la réponse de sursaut et de son habituation. Seules des études ultérieures pourront indiquer si ce rôle des stimuli contextuels est particulier à l'habituation du sursaut, ou s'il est caractéristique à plusieurs réponses.

LA MESURE DES COMPOSANTES

Les méthodes de travail et les concepts reliés à l'habituation ont été, à l'origine, élaborés dans le cadre de recherches portant sur des réflexes ou des réponses simples, comme la contraction d'un protozoaire. Les chercheurs avaient donc l'habitude de ne mesurer qu'une seule réponse, et d'observer son déclin en fonction de la répétition du stimulus. Depuis quelques décennies, certains auteurs ont adopté une approche plus molaire en mesurant simultanément plusieurs composantes d'un même comportement. Cette approche a permis de constater deux faits: 1) que la présentation répétée d'un stimulus produit, non seulement une modification quantitative du comportement, mais aussi des changements qualitatifs dans sa topographie; 2) que les diverses composantes d'un comportement ne s'habituent pas toutes au même rythme.

Les modifications topographiques

Pour illustrer les modifications topographiques que subit un comportement au cours de l'habituation, nous présenterons l'étude qui est probablement la plus élaborée dans ce domaine, soit l'analyse de Szlep (1964) de l'habituation du comportement de prédation des araignées du genre *Uloborus*.

Ces araignées construisent, sur le plan horizontal, des toiles orbiculaires au centre desquelles elles s'installent pour surveiller ce qui se passe sur les rayons. Les deux paires de pattes antérieures sont tendues en avant et posées sur le même rayon tandis que les troisième et quatrième paires de pattes sont tendues vers l'arrière sur le rayon correspondant. Si une stimulation est véhiculée par la toile, l'araignée écarte d'abord les pattes et les met en contact avec plusieurs rayons, permettant ainsi une détection plus fine des vibrations. Puis elle s'oriente vers la source de stimulation et se déplace dans sa direction, tirant derrière elle un fil auxiliaire. Si les vibrations ont été causées par une proie, l'araignée peut la localiser de façon très précise, pour finalement l'encercler à l'aide de son fil auxiliaire et l'attaquer.

Dans sa recherche, Szlep déclenche cette séquence de comportements (à l'exception de l'encerclement et de l'attaque) en stimulant un rayon de la toile avec une aiguille vibrante qu'il retire juste avant que l'araignée ne l'atteigne. Il applique cette vibration une fois par minute, un intervalle de repos de cinq minutes séparant chaque série de dix présentations. Après s'être rendue à la source des vibrations, l'araignée retourne au centre de sa toile orbiculaire, coupe le fil auxiliaire qu'elle n'a pu utiliser et se remet en posture de repos.

En plus de ralentir chacune des composantes de la réponse de prédation, la présentation répétée du stimulus vibratoire en modifie la forme, ou la topographie. La première modification que subit la réponse est une diminution qui finira par une omission de la course du centre de la toile vers la source de vibrations. Puis, la séquence de comportements est amputée d'une autre composante: l'araignée, alors qu'elle est installée au centre de sa toile, ne s'oriente plus vers la source de vibrations, et seul l'écartement des pattes sur plusieurs rayons indique qu'elle a détecté le stimulus. Ensuite, l'écartement des pattes ne se fait plus que d'un côté du corps et, finalement, une seule patte bouge légèrement. À mesure que les diverses composantes ralentissent ou restent inachevées, le fil auxiliaire, au lieu d'être coupé par une patte antérieure, est sectionné par une patte postérieure.

La stimulation répétée de la toile ne produit pas uniquement les modifications topographiques systématiques que nous venons de décrire. Elle produit aussi des changements transitoires et intermittents du comportement. Normalement, une araignée du genre *Uloborus* ne dépasse pas, une fois qu'elle l'a atteinte, la source de vibrations. Dans l'expérience de Szlep, les dix premiers essais induisaient une transformation de cette composante. En effet, après le retrait de l'aiguille, les sujets se déplaçaient souvent le long du rayon, allant même au-delà du centre de la toile, et voyageaient sur plusieurs rayons qu'ils tiraient et secouaient. Ce comportement anormal disparaissait dans les sessions ultérieures. C'est comme s'il y avait apparition puis déclin de la recherche de la proie à mesure que progresse l'habituation.

Ces observations indiquent donc clairement que l'habituation implique davantage que la diminution quantitative d'une réponse. Elle induit également des variations qualitatives dans la structure même du comportement. La présence de modifications topographiques n'est pas particulière au comportement de prédation des araignées. Elle a également été mise en évidence dans l'habituation de l'anémone de mer (*Anthopleura elegantissima*) à la poussée d'un courant d'eau (Logan, 1975) ainsi que dans plusieurs exemples déjà mentionnés (Balderrama et Maldonado, 1971; Peeke et Peeke, 1970).

Les différences quantitatives

Les recherches des dernières décennies ne se sont pas contentées de montrer que la répétition d'une stimulation produit une transformation qualitative du comportement. Elles ont aussi montré l'existence de disparités dans l'habituation des diverses composantes d'un comportement.

En présence d'une stimulation mécanique, le ver de terre (*Lumbricus terrestris*) se retire dans son trou. Cette réponse de retrait a deux composantes: une contraction des parties antérieure et postérieure qui permet à l'animal de se retirer dans son trou; un aplatissement et une incurvation des quinze derniers segments postérieurs, qui lui fournissent un point d'ancrage en enfouissant les appendices locomoteurs dans le substrat. Quand un stimulus vibratoire de 1/4 de seconde est présenté de façon répétée toutes les 18 secondes, une habituation du retrait se développe graduellement (Gardner, 1968). Toutefois, les deux composantes de ce comportement ne diminuent pas au même rythme. En effet, la contraction des parties antérieure et postérieure atteint un critère d'habituation de dix essais successifs sans réponse en moins de 20 essais, tandis que l'autre composante requiert 110 présentations pour atteindre le même critère. Il y a donc là un décalage temporel important dans l'habituation des deux composantes.

Dans certains cas, les différences quantitatives entre les composantes sont encore plus marquées. Il arrive que certaines composantes subissent un déclin évident, alors que d'autres demeurent stables ou même augmentent en intensité. Cela est notamment le cas pour l'habituation du comportement agonistique du Combattant du Siam.

Doré (1981b) analyse l'habituation, sur une courte période, de quatre des composantes du comportement agonistique de ce poisson: la fréquence et la durée d'extension des opercules brachiales; la fréquence du battement latéral de la queue; la fréquence des tentatives de morsure. Deux groupes de sujets sont exposés pendant 15 minutes à un stimulus déclencheur d'agressivité. Un groupe (MI) est confronté à sa propre image dans un miroir, tandis que l'autre (CON) est mis en présence d'un congénère mâle non habitué. Ce congénère est visible mais inaccessible puisqu'il est placé dans un aquarium adjacent à celui du poisson expérimental. Les résultats de cette expérience mettent en évidence des différences dans l'habituation, en fonction des composantes et de la nature de la stimulation (figure 5.9). L'image réfléchie dans le miroir entraîne, même dans une exposition aussi brève que celle de l'expérience, un déclin des trois composantes de menace: la fréquence et la durée d'extension des opercules et la fréquence du battement latéral de

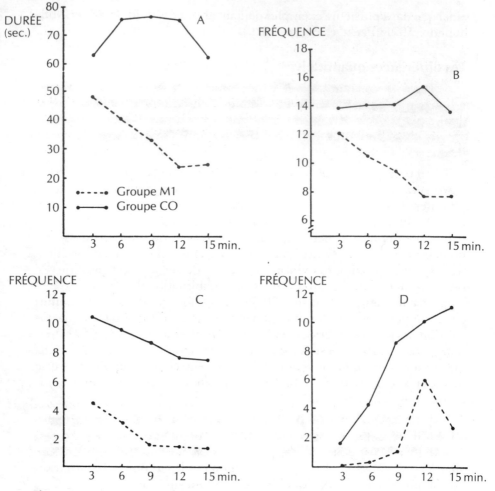

Figure 5.9 Durée (A) et fréquence (B) d'extension des opercules brachiales, fréquence du battement latéral de la queue (C) et des tentatives de morsure (D) chez deux groupes de Combattants du Siam. (Tiré de Doré, 1981b).

la queue. La composante d'attaque, les tentatives de morsure, augmente au lieu de diminuer à mesure que l'exposition au stimulus déclencheur se prolonge. La présentation d'un congénère visible mais inaccessible fournit des résultats très différents. En effet, seule la fréquence de battement de queue subit une habituation. Les autres composantes de menace demeurent stables (fréquence d'extension des opercules), ou atteignent un maximum vers le milieu de la confrontation (durée d'extension des opercules). Cependant, les tentatives de morsure augmentent de façon à peu près semblable dans les deux situations: miroir ou présence du congénère.

On obtient des résultats du même genre quand l'habituation s'échelonne sur des sessions plus nombreuses et plus longues, du moins en ce qui concerne l'image dans le miroir (Clayton et Hinde, 1968; Figler, 1972). Quant au congénère visible et inaccessible, il semble que des répétitions plus nombreuses de ce stimulus permettent un déclin, non seulement des composantes de menace, mais aussi des tentatives de morsure (Peeke et Peeke, 1970).

Cette disparité dans l'habituation des composantes agonistiques chez le Combattant du Siam pose toutefois un problème. Ne serait-elle pas liée à la nature relativement artificielle des stimuli employés? En effet, certains auteurs comme Peeke et Peeke (1970) soulignent que

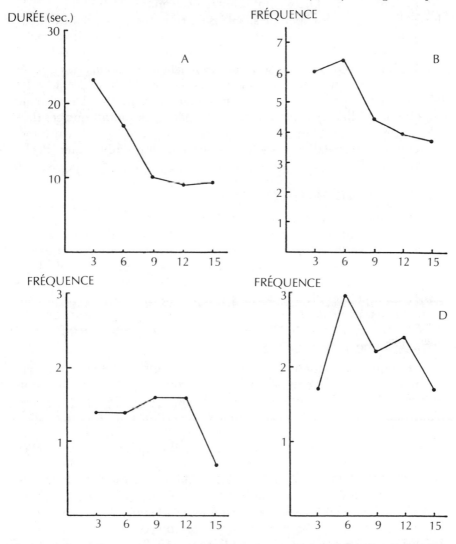

Figure 5.10 Durée (A) et fréquence (B) d'extension des opercules brachiales; fréquence du battement latéral de la queue (C) et des tentatives de morsure (D) chez des Combattants du Siam dans une situation de combat réel. (Tiré de Doré, 1973).

l'image dans le miroir crée une situation un peu singulière de rétroaction positive, c'est-à-dire que, contrairement à ce qui se passe dans un combat véritable, l'adversaire virtuel exécute toujours le même comportement que le sujet et au même moment. La présentation d'un congénère serait moins artificielle. La figure 5.10 semble indiquer que, dans une habituation de courte durée (15 minutes), la disparité quantitative des composantes n'est pas la conséquence de l'«artificialité» du stimulus. Cette figure représente les variations des quatre composantes au cours d'un *véritable combat* où les adversaires étaient placés dans le même aquarium (Doré, 1973). Deux composantes de menace, la fréquence et la durée d'extension des opercules, subissent clairement une habituation. Le déclin de la réponse est tardif dans le cas du battement de queue et inexistant dans celui de la morsure. La disparité des composantes lors de la présentation répétée d'un stimulus déclencheur est donc une caractéristique authentique du comportement agonistique de *Betta splendens*. Le fait que la composante d'attaque n'atteigne son intensité maximale qu'après le déclin des composantes de menace indiquerait que ces dernières constituent un signal pour l'adversaire, et que la morsure n'intervient que si ce signal d'agressivité échoue à faire fuir l'adversaire (Peeke et Peeke, 1973a).

L'INTERPRÉTATION THÉORIQUE

Comme nous l'avons vu, le *phénomène d'habituation* consiste en la diminution d'une réponse spécifique au stimulus et relativement permanente, par suite de la présentation répétée d'une stimulation. Cette définition est fondée sur l'observation du comportement des animaux. Toutefois les théoriciens, dont le rôle consiste, non seulement à décrire, mais aussi à expliquer les diverses formes d'apprentissage, ne peuvent se contenter de ce type de définition. Ils essaient aussi de comprendre le *processus d'habituation,* c'est-à-dire le mécanisme sous-jacent aux modifications observables du comportement.

Puisque l'habituation est une forme d'apprentissage qui a été négligée pendant longtemps, les théories sont beaucoup moins nombreuses que pour le conditionnement classique ou l'apprentissage instrumental. Plusieurs interprétations théoriques (Carlton, 1968; Hernandez-Péon, 1960; Konorski, 1967; Sokolov, 1963) sont articulées autour du concept neurophysiologique d'inhibition, et peu d'entre elles ont fourni une explication se situant à un niveau plus molaire du comportement. Cependant, la théorie qui prédomine actuellement dans le domaine de l'habituation fait appel à la fois au niveau moléculaire (neurophysiologie) et au niveau molaire (comportement). Avant d'exposer cette théorie formulée par Groves et Thompson (Groves et Thompson, 1970; Thompson, Groves, Teyler et Roemer, 1973), il faut d'abord examiner un dernier phénomène étroitement relié à l'habituation: la sensibilisation.

La sensibilisation

La présentation répétée d'une stimulation n'entraîne pas toujours et uniquement une diminution de la réponse à cette stimulation. Elle peut aussi produire une augmentation de la réponse. C'est ce phénomène, qui est en quelque sorte l'inverse du phénomène d'habituation, que les chercheurs appellent sensibilisation. Un exemple concret permettra de mieux comprendre ce paradoxe apparent d'après lequel un stimulus répété peut induire à la fois une diminution et une augmentation de la réponse.

Davis (1972) provoque une réponse de sursaut chez des rats en leur faisant entendre un son de forte intensité (120dB) d'une durée de 90 millisecondes. Chaque séance expérimentale se compose de 50 présentations de cette stimulation, les présentations étant séparées par des intervalles de 30 secondes. L'expérience compte en tout huit séances expérimentales, structurées de la façon suivante: deux séances hebdomadaires à 24 heures d'intervalle, chaque groupe de ces deux séances hebdomadaires ayant lieu six jours après le prédécent.

La figure 5.11 illustre l'amplitude moyenne du sursaut par blocs de cinq présentations du son, pour chacune des deux séances hebdomadaires et pendant les quatre semaines que durent l'expérience. L'analyse statistique de ces résultats révèle les faits suivants:

1) La séance 1 est marquée par une diminution générale du sursaut et donc par une *habituation*, si on compare le début et la fin de cette séance. Par contre, la diminution n'est pas régulière. Elle est très forte durant les deux premiers blocs de présentations mais, dans les cinq blocs suivants, le sursaut augmente graduellement. Ce n'est que dans les trois derniers blocs qu'il diminue à nouveau.

2) À la séance expérimentale 2, l'*amplitude moyenne de la réponse pour les 50 sons* est inférieure à celle de la séance 1, indiquant donc qu'il y a *rétention de l'habituation* pendant l'intervalle de 24 heures qui sépare ces deux séances.

3) L'amplitude moyenne du sursaut pour les 50 sons est très semblable de la séance 2 à la séance 8. Autrement dit, le niveau d'habituation atteint à la séance 2 demeure le même durant les six séances suivantes, même si les intervalles de rétention diffèrent (24 heures et 6 jours).

4) Si on compare la séance 1 et les sept séances suivantes, on constate qu'elles présentent un profil fort différent. Alors que la séance 1 est marquée par une diminution générale du sursaut, les sept séances suivantes produisent chacune une augmentation graduelle de cette réponse. À l'intérieur de chacune de ces séances un *phénomène de sensibilisation* se manifeste donc.

5) Bien qu'au cours des séances 2 à 8 le sursaut subisse une augmentation, *la réponse du début de chaque séance expérimentale est inférieure à la*

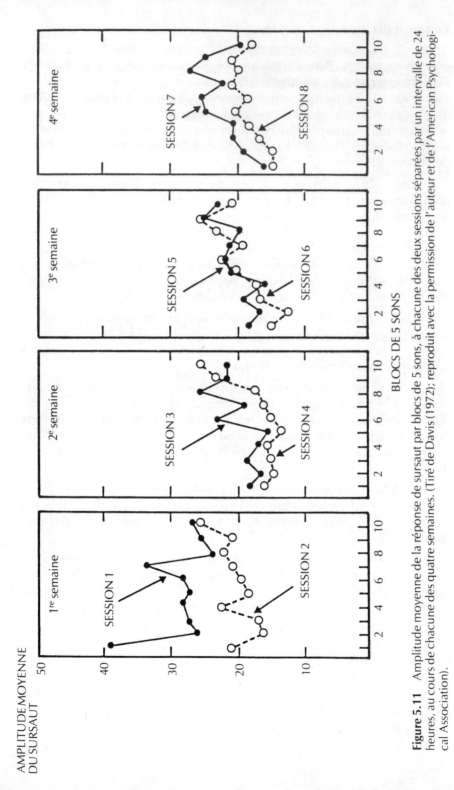

Figure 5.11 Amplitude moyenne de la réponse de sursaut par blocs de 5 sons, à chacune des deux sessions séparées par un intervalle de 24 heures, au cours de chacune des quatre semaines. (Tiré de Davis (1972); reproduit avec la permission de l'auteur et de l'American Psychological Association).

réponse de la fin de la séance précédente. Ceci est vrai, que la séance précédente ait eu lieu 24 heures ou six jours avant.

Davis interprète ces résultats en faisant appel au *processus d'habituation* et au *processus de sensibilisation.* Ainsi, au cours de la séance 1, la répétition de la stimulation produit à la fois une habituation, qui se manifeste par une baisse de l'amplitude du sursaut au début de la séance, et une sensibilisation, que traduit l'augmentation ultérieure de cette réponse. À la fin de la séance 1, l'amplitude de sursaut est déterminée par ces deux processus antagonistes, l'un tendant à réduire le sursaut et l'autre tendant à l'augmenter. Quand les 50 présentations du son sont terminées et que la stimulation est interrompue, l'influence de ces deux processus diminue à des rythmes différents. Les effets du processus de sensibilisation se dissipent plus rapidement que ceux du processus d'habituation, de sorte que l'amplitude de la réponse au début de la séance suivante est inférieure à l'amplitude atteinte avec l'intervalle de rétention de 24 heures. Une fois que la stimulation a été présentée à quelques reprises, le processus de sensibilisation se développe plus rapidement que le processus d'habituation, ce qui entraîne une augmentation graduelle de l'amplitude du sursaut au cours de la séance 2. Cette même séquence se répète dans les séances ultérieures.

En somme, selon Davis, la présentation répétée d'une stimulation met en jeu deux processus ayant des propriétés distinctes: un processus de sensibilisation dont l'effet apparaît rapidement dans le comportement, mais qui se dissipe aussi très rapidement; un processus d'habituation qui est plus lent à se manifester, mais dont l'action est plus durable et fait l'objet d'une rétention assez prolongée. Cette interprétation est entièrement fondée sur la théorie dualiste de Groves et Thompson que nous allons maintenant exposer.

La théorie dualiste de Groves et Thompson

Groves et Thompson ont résumé leur théorie de façon succinte à au moins deux reprises (Groves et Thompson, 1970; Thompson et coll. 1973). Elle s'énonce comme suit:

1) Tout stimulus qui provoque un comportement a deux propriétés: il déclenche une réponse et influence l'«état» de l'organisme. Le chemin le plus direct entre le stimulus et la réponse est la voie S-R, que la réponse soit apprise ou non. L'«état» correspond au niveau général d'excitation, d'éveil, d'activation, de tendance à répondre, etc. de l'organisme. Ce n'est pas nécessairement une entité ou un construit unitaire, mais plutôt un concept qui résume les multiples facteurs influençant l'excitabilité générale de l'organisme. Ces deux catégories, réponse et état, ne s'excluent pas mutuellement. En fait, elles doivent entrer en interaction à un moment donné pour produire la tendance nette à émettre un comportement.

2) La répétition d'un stimulus efficace engendre un *processus* inféré de décroissance *dans la voie S-R* qui peut être appelée *habituation*.

3) La présentation d'un stimulus efficace engendre un *processus* inféré de croissance *dans l'état d'excitation* ou la tendance à réagir de l'organisme qui peut être appelé *sensibilisation*.

4) Les deux processus d'habituation et de sensibilisation apparaissent et se développent indépendamment l'un de l'autre, mais entrent en interaction pour produire une fonction représentant la réponse finale (figure 5.12). L'habituation a une action surtout «tonique» sur la réponse (c'est-à-dire une action qui se dissipe lentement et qui est récurrente), tandis que la sensibilisation a une action «phasique» (c'est-à-dire rapide et transitoire).

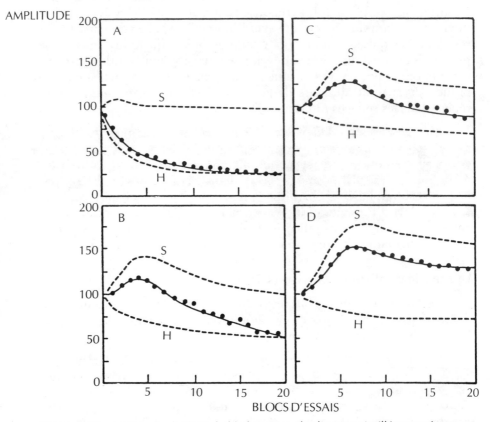

Figure 5.12 La théorie dualiste de l'habituation (les lignes pointillées représentent deux processus hypothétiques résultant de la plasticité de la réponse à la stimulation répétée. Les points sont des données réelles). (A) Habituation prononcée de la réponse avec une intensité faible du stimulus. (B) et (C) augmentation du processus de sensibilisation (S) et atténuation du processus d'habituation (H) à mesure que l'intensité du stimulus augmente. (D) La sensibilisation est très prononcée avec une intensité très forte. (Tiré de Groves et Thompson (1970); reproduit avec la permission des auteurs et de l'American Psychological Association).

Cette théorie dualiste a fait l'objet de nombreuses critiques, notamment de la part de Hinde (1970). Sans faire l'exégèse de ces critiques, il convient de souligner que cette théorie présente les mêmes lacunes que tout autre modèle de type S-R (Bolles, 1975). De plus, une recherche de Davis (1974b) indique que les phénomènes d'habituation et de sensibilisation ne sont pas déterminés par les mêmes stimuli, nuançant ainsi le premier énoncé de Groves et Thompson. Alors que le premier dépend du stimulus d'habituation ou du rapport signal-bruit (Davis, 1974a), le second est davantage contrôlé par les stimuli contextuels. Enfin, cette théorie dualiste a surtout été élaborée à partir d'expériences où une réponse unique et de faible complexité était mesurée. Elle peut donc difficilement rendre compte des modifications topographiques et des différences quantitatives observées entre les diverses composantes d'une même réponse. Cependant, il faut reconnaître que, malgré ses lacunes, la théorie de Groves et Thompson constitue l'interprétation de l'habituation la mieux articulée qui soit actuellement disponible.

LES DIMENSIONS DIACHRONIQUES

Les caractéristiques de base et les paramètres de l'habituation examinés dans les pages précédentes concernaient les modifications du comportement qui apparaissent à l'intérieur d'un segment temporel limité, le temps d'une expérience de laboratoire ou d'une observation ponctuelle en milieu naturel. Mais l'habituation, comme toute autre forme d'apprentissage, a aussi des dimensions diachroniques. Elle a une histoire ontogénétique: elle se développe au cours de la vie de l'individu. Elle a une histoire phylogénétique: elle a été façonnée par l'évolution biologique.

La dimension ontogénétique

Malgré leur intérêt indéniable, les études ontogénétiques de l'habituation sont relativement peu nombreuses. Cette rareté s'explique en partie par la difficulté d'identifier et de mesurer une réponse qui, tout en permettant des comparaisons d'un groupe d'âge à un autre, soit clairement définie et puisse être déclenchée de façon fiable et régulière.

L'une des tentatives les plus réussies dans ce domaine est celle de Campbell et Stehouwer (1979). Ces chercheurs ont analysé, par des études transversales, l'ontogénèse de l'habituation du retrait de la patte à un choc électrique, chez de jeunes rats. Pour ce faire, ils retiennent leurs sujets dans un harnais qui, tout en laissant les membres libres de se mouvoir, peut être suspendu à un appareil d'enregistrement (figure 5.13). Malgré le caractère artificiel de la situation, cette procédure a l'avantage de fournir une réponse bien définie (le retrait de la patte) et un stimulus déclencheur fiable (un choc électrique). De plus, cette réponse rend possible une étude très précoce de l'ontogénèse puisque le retrait de la patte apparaît au 16ᵉ jour de la gestation, donc avant la naissance.

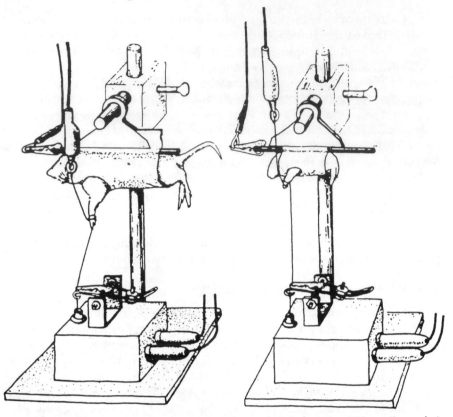

Figure 5.13 Représentation schématique de rats de 3 (à droite) et 15 jours (à gauche) suspendus dans l'appareil d'habituation. (Tiré de Campbell et Stehouwer (1979) et reproduit avec la permission de Lawrence Erlbaum Associates).

Dans l'une de leurs expériences, Campbell et Stehouwer administrent à des ratons de 3, 6, 10 et 15 jours des chocs de 0,18 mA, séparés par des intervalles de 1 à 8 secondes. Après 160 présentations de ce stimulus, ils donnent un choc fort de déshabituation de 2 mA, suivi de 40 présentations supplémentaires du stimulus d'habituation de 0,18 mA. Pour tous les intervalles interstimuli, le choc électrique produit au début un niveau élevé de réponse (figure 5.14). Avec l'intervalle interstimuli le plus court, la répétition entraîne un déclin systématique de la réponse à tous les âges. Avec l'intervalle interstimuli le plus long, le déclin devient de moins en moins marqué au cours du développement. En fait, à l'âge de 15 jours, le déclin avec un intervalle de 8 secondes n'apparaît que dans les 10 premiers essais, et il est faible. En général, les résultats confirment les prédictions de Thompson et Spencer (1966); la répétition de la stimulation produit une diminution exponentielle de la réponse de retrait; l'habituation est proportionnelle à la fréquence de stimulation; un choc fort a un effet de déshabituation. Cependant deux de ces caractéristiques changent au cours du développement: 1) à l'âge de 3 jours, les ratons

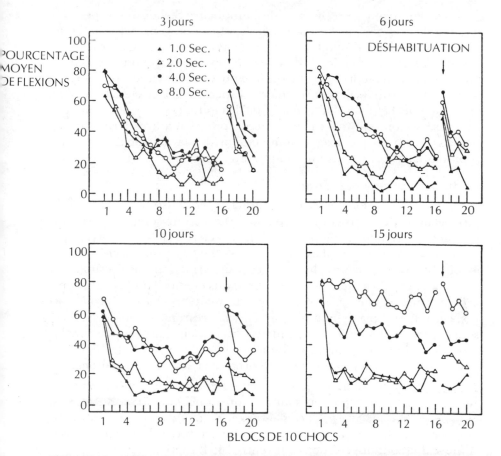

Figure 5.14 Habituation du retrait de la patte antérieure à un choc répété chez des rats de 3, 6, 10 et 15 jours, avec un intervalle interstimuli de 1, 2, 4 et 8 secondes. Les flèches dans le coin supérieur droit indiquent l'insertion d'un seul stimulus intense (déshabituation) dans la série d'habituation. (Tiré de Campbell et Stehouwer (1979) et reproduit avec la permission de Lawrence Erlbaum Associates).

s'habituent rapidement à toutes les fréquences de stimulation, mais plus vieux, l'habituation n'est marquée que pour les fréquences élevées; 2) la déshabituation est très forte à l'âge de 3 et 6 jours, moins forte à 10 jours et pratiquement nulle à 15 jours.

D'autres expériences des mêmes chercheurs montrent que l'habituation à la stimulation électrique est relativement spécifique à la voie sensorielle stimulée. Si le site de stimulation est transféré à la patte antérieure contralatérale, les fréquences de réponses dans les deux pattes reviennent à leur niveau initial et l'habituation au deuxième site de stimulation n'est pas plus rapide qu'au site initial. Enfin, la rétention de l'habituation est faible. En effet, le déclin de la réponse se dissipe rapidement: chez les ratons de tous les âges, la réponse retrouve son niveau initial 15 à 20 minutes après l'interruption du choc électrique.

Evidemment, ces recherches de Campbell et Stehouwer ne permettent pas de tirer des conclusions générales sur l'ontogénèse de l'habituation. Bien que leurs résultats soient partiellement en accord avec ceux de File et Plotkin (1974) et ceux de File et Scott (1976) qui ont étudié une autre réponse, il faudra attendre qu'une plus grande variété de comportements et d'espèces aient été étudiées avant d'identifier plus clairement les règles de base de l'ontogénèse de l'habituation. Cependant, ces recherches montrent que l'habituation, comme d'autres formes d'apprentissage, n'est pas fixée définitivement dès la naissance et qu'elle subit des transformations importantes au cours de la vie de l'individu.

La dimension phylogénétique

La comparaison des espèces animales permet souvent d'établir la phylogénèse d'une structure morphologique ou d'un comportement. En mettant en relation la complexité d'un caractère et le statut phylétique des espèces considérées, il est en effet possible de reconstituer l'histoire évolutive de ce caractère et les diverses transformations qu'il a subies au cours des âges. Les exemples que nous avons décrits dans les pages précédentes mettaient en scène des espèces animales très variées: protozoaires, coelentérés, plathelminthes, annélidés, arthropodes, insectes, poissons, oiseaux, mammifères et primates. En principe, la comparaison des espèces devrait nous fournir des indices sur la phylogénèse de l'habituation et nous aider à comprendre son origine et ses transformations.

S'appuyant sur le fait qu'elle existe chez toutes les espèces étudiées jusqu'à maintenant, plusieurs auteurs ont conclu que l'habituation est la forme la plus primitive d'apprentissage. Bien que vraisemblable, cette conclusion est insuffisante, et peut-être prématurée. Il est en effet très difficile d'établir une relation claire entre l'habituation et le statut phylétique. Les situations expérimentales et les méthodes employées varient trop d'une recherche à l'autre. Cependant Wyers et coll. (1973) croient que des études plus systématiques pourraient révéler que le système de réponses impliqué dans l'habituation est un paramètre aussi important, sinon plus, que le statut phylétique de l'animal. Selon ces auteurs, il est probable que les systèmes de réponse pourront être différenciés en mettant en relation d'une part, la récupération spontanée et la rétention de l'habituation et, d'autre part, les pressions sélectives engendrées par les exigences de survie propres à l'écologie de chaque espèce. Par exemple, la capture d'une proie et la fuite face au prédateur pourraient s'avérer très différentes chez toutes les espèces en termes de récupération et de rétention. En effet, les données actuelles indiquent une récupération totale ou partielle et une forte rétention pour les réponses de fuite face au prédateur, mais une récupération complète sans rétention pour les réponses de capture. Cette relation générale suggérée par Wyers et coll. (1973) est certes spéculative pour le moment, mais elle trace au moins une voie de recherche claire, pour mieux comprendre la phylogénèse de l'habituation.

CHAPITRE 6

LE CONDITIONNEMENT CLASSIQUE

Plusieurs animaux, dont les protozoaires et les coelentérés, sont des organismes très simples qui vivent dans des environnements relativement stables et peu complexes. Pour survivre et se reproduire, ils n'ont donc besoin, et ne disposent en fait, que d'un répertoire limité de comportements, constitué essentiellement de réactions biochimiques, de réflexes et d'instincts. Cependant, grâce au processus d'habituation, ces animaux peuvent, parmi toutes les stimulations qu'ils détectent, apprendre à ignorer celles qui n'ont aucune répercussion sur leur survie, et ne réagir qu'aux événements biologiquement importants.

Pour d'autres groupes taxinomiques comme les reptiles, les amphibiens, les poissons, les oiseaux et les mammifères, l'apprentissage serait un processus d'adaptation vraiment inadéquat si son action se limitait, comme dans le cas de l'habituation, à induire une baisse ou une absence de réaction aux stimulations récurrentes et inoffensives de l'environnement. Ces animaux ont en effet besoin de moyens plus raffinés, mieux adaptés à la complexité et à la variabilité des événements qui composent leur milieu de vie. Ils doivent, non seulement réagir à la présence d'eau ou de nourriture, à l'attaque d'un prédateur, à l'agressivité d'un congénère ou à la réceptivité d'un partenaire sexuel, mais ils doivent aussi *anticiper* ces événements biologiquement significatifs, de façon à accroître leurs chances de survie et de reproduction. Comme l'écrivait Pavlov (1927):

> Il est assez évident que dans des conditions naturelles, un animal normal doit répondre non seulement aux stimuli qui sont en eux-mêmes bénéfiques ou dangereux, mais aussi aux autres agents chimiques ou physiques — ondes sonores, lumière, etc. — qui en eux-mêmes ne signalent que la proximité de ces stimuli, même si ce sont les dents et les griffes du prédateur et non son odeur ou son spectacle qui sont dangereux pour la proie. (p. 14)

Un animal peut anticiper les événements biologiquement significatifs de son environnement physique et social sans nécessairement comprendre, au sens humain du terme, les relations et la structure causales de cet environnement. Un rat qui, par exemple, survit à un empoisonnement alimentaire (voir page 19), ne comprend sûrement pas que la cause de son malaise est la substance toxique contenue dans la nourriture qu'il a ingérée. Pourtant, il anticipe l'effet déplaisant de l'intoxication puisque, par la suite, il évite cette nourriture qui l'a rendu malade. Il acquiert donc, d'une manière quelconque, des informations sur «la texture et la structure causales de son environnement» (Dickinson, 1980; Testa, 1974). En fait, il apprend à associer son malaise à un indice qui le précède et qui est étroitement relié à la cause réelle de l'intoxication: la saveur de la nourriture. L'une des propriétés universelles des relations causales étant que la cause précède toujours l'effet, cet *apprentissage associatif* fournit à l'animal des indices précurseurs suffisants, et lui permet de réagir de façon adaptée à un environnement dont il ignore la structure causale réelle.

L'apprentissage associatif se manifeste sous deux formes: le conditionnement classique ou pavlovien qui fait l'objet du présent chapitre et l'apprentissage instrumental que nous étudierons au chapitre 7. Dans une situation de conditionnement classique, le chercheur observe ou crée une relation entre un *stimulus* et un événement biologiquement significatif, tandis que dans une situation d'apprentissage instrumental, il observe ou organise une relation entre un *comportement de l'animal* et un événement qui en découle. Ces deux situations correspondent aux deux types d'enchaînement causal qui sont à l'origine des événements biologiquement significatifs. Dans le premier cas, les événements ont entre eux une relation indépendante du comportement de l'animal: même si celui-ci anticipe l'effet à partir d'un indice causal pertinent, il ne peut hâter ou empêcher son avènement. Dans le second cas, l'animal peut produire lui-même une modification de l'environnement s'il anticipe correctement l'effet de son action. La tâche du chercheur consiste à identifier et à analyser le processus cognitif par lequel l'animal acquiert, dans ces deux situations, de l'information sur la texture et la structure causales de son environnement.

DÉFINITION DU CONDITIONNEMENT CLASSIQUE

Le conditionnement classique a été découvert pour la première fois par un chercheur américain. Twitmyer (1902) avait en effet observé que le réflexe rotulien, normalement déclenché par un choc tactile sur le tendon, peut aussi être produit par un signal sonore précédant le choc de façon régulière. Mais cette découverte fut accueillie dans la plus grande indifférence par la communauté scientifique des États-Unis (Dallenbach, 1959), et ce sont les travaux de Pavlov sur le conditionnement salivaire du chien qui ont donné naissance à la recherche dans ce domaine.

Le conditionnement classique salivaire

Une expérience de conditionnement salivaire débute par une intervention chirurgicale mineure qui consiste à implanter une fistule dans la joue du chien, permettant ainsi de faire aboutir le conduit salivaire à l'extérieur de la gueule. Reliée à d'autres appareils, cette fistule permet de recueillir et de mesurer la salive sécrétée. Quand il est remis de cette intervention, l'animal est familiarisé aux conditions expérimentales. Il est placé dans un local isolé des bruits, des spectacles et des odeurs qui pourraient le distraire. Il est laissé seul dans cette salle, debout sur une table et retenu par un harnais. Une fois la familiarisation achevée, l'expérimentateur procède à une autre étape préliminaire. Il présente au chien le stimulus que, plus tard, il devra apprendre à associer à la nourriture, ce stimulus constituant l'événement biologiquement significatif du conditionnement salivaire. Ce stimulus, quand on le présente seul, ne suscite que des *réponses d'orientation* (RO). S'il s'agit par exemple d'un son, le chien dresse les oreilles ou tourne la tête en posture d'attention. Ces RO sont des réponses normales à une stimulation nouvelle, et disparaissent par habituation au bout de quelques présentations. Cette étape préliminaire est nécessaire pour s'assurer qu'avant le conditionnement, le son est un *stimulus neutre* (SN), c'est-à-dire qu'il ne déclenche pas la réaction salivaire. Puisque le but de l'expérience est que le chien apprenne à anticiper la présence de nourriture dans sa gueule en associant cet événement à un indice précurseur, cet indice ne doit avoir *a priori* aucune relation avec la salivation.

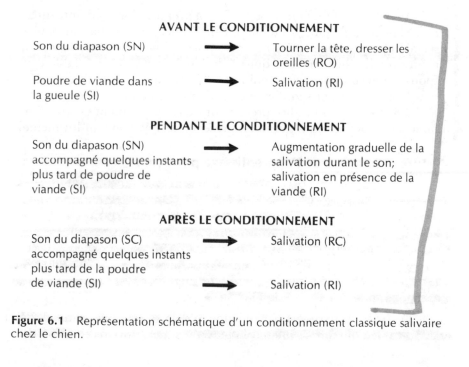

Figure 6.1 Représentation schématique d'un conditionnement classique salivaire chez le chien.

La neutralité du son par rapport à la réaction salivaire ayant été vérifiée, le conditionnement proprement dit peut commencer (figure 6.1). Le son est à nouveau présenté mais, cette fois, il est accompagné d'une quantité déterminée de poudre de viande, introduite par un tube directement dans la gueule du chien. Au bout de quelques instants, l'expérimentateur peut noter l'apparition de salive, résultat de l'action de la nourriture sur la muqueuse buccale. À ce stade de l'expérience, le son n'a pas encore acquis son statut d'indice précurseur. La salivation est alors une *réponse inconditionnelle* (RI), c'est-à-dire un comportement inné, déclenché par un *stimulus inconditionnel* (SI), la nourriture. Cette RI n'est pas apprise, et fait partie du répertoire inné de comportements du chien; sa forme est relativement invariable et semblable chez tous les membres de cette espèce.

En répétant la présentation conjointe du SN et du SI à plusieurs reprises, l'expérimentateur constate bientôt que le son, qui précède le SI, commence à son tour à provoquer l'apparition de quelques gouttes de salive. Au bout d'une quinzaine de présentations, le SN est devenu actif au même titre que la poudre de viande (SI). Dans le langage pavlovien, il est maintenant devenu un *stimulus conditionnel* (SC), et la salivation qu'il déclenche est une *réponse conditionnelle* (RC). Cette nouvelle réponse au son, qui est le résultat de l'apprentissage associatif, est dite «conditionnelle» parce que sans la présentation conjointe du SN et du SI, elle n'aurait pu être déclenchée. La RC s'apparente à la RI: elle a avec elle certaines similitudes, mais ne lui est pas nécessairement identique.

Après un certain nombre d'essais, la présentation conjointe du SC et du SI ne modifie plus, du moins en apparence, cette situation. La RC est stabilisée, et le chien a maintenant appris à émettre une réponse, saliver, à un stimulus, un son, qui ne déclenchait pas au préalable cette réponse. Son comportement indique qu'il anticipe désormais un événement biologiquement significatif de son environnement, la nourriture. Sa réaction envers un indice précurseur de cet événement est très semblable à la réaction qu'il aurait en présence de l'événement lui-même.

Nature et fonction de l'apprentissage pavlovien

Le *conditionnement classique ou pavlovien* est donc une forme d'apprentissage se produisant spontanément en milieu naturel, ou induite expérimentalement dans des conditions contrôlées, au cours de laquelle la présentation conjointe et répétée d'un stimulus neutre (SN) et d'un stimulus inconditionnel (SI) permet à un animal d'acquérir une réponse (RC) qui, par certains aspects, s'apparente à la réponse inconditionnelle (RI) et qui est déclenchée par le stimulus originellement neutre, devenu maintenant stimulus conditionnel (SC).

Dans la terminologie pavlovienne, le stimulus inconditionnel (SI) est défini comme un *renforçateur* de la réponse conditionnelle (RC). En effet, comme nous le verrons plus loin, la présence de ce stimulus augmente la probabilité que le SC déclenche la RC tandis que son retrait diminue cette probabilité. Selon que le SI est un événement que l'animal a tendance à rechercher (eau, nourriture, partenaire social ou sexuel, etc.), ou à éviter (poison, prédateur, adversaire, douleur, etc.), il renforce une RC *appétitive* ou une RC *aversive*. Ainsi, le conditionnement salivaire que nous venons de décrire induit une RC *appétitive* puisque le SI est de la nourriture. Si ce renforçateur était remplacé par l'introduction d'une goutte d'acide dans la gueule, la réaction salivaire du chien serait alors *aversive* car il s'agirait d'un stimulus contre lequel il essaierait de se protéger par une sécrétion abondante de salive.

Comme Pavlov le soulignait lui-même, le conditionnement classique exerce une fonction biologique fondamentale, en contribuant au maintien de l'équilibre entre l'organisme et son environnement.

> En tant que système, l'organisme animal n'existe au milieu de la nature environnante que grâce à l'équilibre constamment rétabli entre ce système et le milieu extérieur...L'équilibre d'un organisme donné ou de son espèce et, par conséquent, son intégrité sont assurés par les réflexes inconditionnels les plus simples...de même que par les plus compliqués, appelés d'ordinaire instincts...Mais l'équilibre assuré par ces réflexes ne serait parfait que dans le cas où le milieu extérieur serait constant. Comme le milieu extérieur, outre son extrême diversité, est encore en état de mouvement continuel, les réflexes absolus en tant que connexions permanentes ne suffisent pas à assurer cet équilibre et doivent être complétés par des réflexes conditionnels, des liaisons temporaires (Pavlov, 1934, *Le réflexe conditionnel*, édition de 1963, pp. 191-192).

Aujourd'hui un tel énoncé nous semble évident. À l'époque de Pavlov pourtant, il constituait une véritable révolution scientifique, car il remettait en question la conception contemporaine de l'arc-réflexe et du comportement. Au début du siècle les chercheurs, en s'inspirant de la physiologie sensorielle (chapitre 2), avaient en effet trouvé dans l'arc-réflexe l'unité objective et facilement mesurable qui leur manquait pour faire de l'étude du comportement une véritable science. Cependant, ils concevaient encore l'arc-réflexe comme un principe purement mécanique, un peu à la manière de la théorie des animaux-machines de Descartes. Cette conception du comportement se heurtait à un certain nombre de contradictions. Comment, en effet, réconcilier la très grande flexibilité du comportement humain et la très forte rigidité de l'arc-réflexe, sans retomber dans la dichotomie cartésienne et antidarwinienne entre l'animal mû par des réflexes et l'humain animé par un autre principe?

La découverte du conditionnement classique s'opposait à la conception mécaniste du comportement, et fournissait une solution aux contradictions que sa confrontation avec la théorie évolutionniste de Darwin avait générées. Avec Pavlov, le réflexe n'est plus une relation rigide entre un stimulus et une réponse, puisqu'un signal annonçant le stimulus normalement relié à la réponse peut aussi en venir à déclencher cette dernière. Le comportement acquiert ainsi une très grande flexibilité et un fort pouvoir d'adaptation, un même signal pouvant servir d'indice à plusieurs événements, et plusieurs signaux devenant autant d'indices d'un même événement (Fantino et Logan, 1979).

Situations pavloviennes

Très en vogue au début du siècle, le conditionnement salivaire de Pavlov et le conditionnement du réflexe rotulien de Twitmyer sont devenus relativement rares dans les recherches et les publications des dernières décennies. Ils ont été remplacés par une très grande variété de situations expérimentales dont nous ne donnerons ici que quelques exemples parmi les plus fréquents.

Le *conditionnement classique du réflexe palpébral* est sûrement l'une des situations les plus souvent employées depuis les années 1920 chez des sujets humains. Le réflexe palpébral est une réaction commune à plusieurs mammifères, et que nous émettons nous-mêmes régulièrement. Il consiste simplement dans le clignement rapide de la paupière dès qu'une stimulation quelconque risque d'atteindre l'oeil. En laboratoire, les chercheurs provoquent cette RI en dirigeant vers l'oeil du sujet un souffle d'air (SI) d'intensité contrôlée. Le conditionnement consiste à apparier un stimulus lumineux (SN), par exemple, avec ce SI. Au bout de plusieurs présentations conjointes de la lumière et du souffle d'air, la lumière (SC) commence à déclencher le clignement de la paupière (RC) juste un peu avant l'arrivée du souffle d'air (SI) qui, à son tour, déclenche la fermeture complète de la membrane (RI). Tout comme dans le conditionnement salivaire ou la flexion conditionnelle, un indice précurseur, à l'origine neutre, devient capable de déclencher le réflexe palpébral qui, de façon innée, nécessite une stimulation tactile de l'oeil. Le conditionnement du réflexe palpébral a aussi été expérimenté chez des animaux tels que le rat (Biel et Wickens, 1941; Hughes et Schlosberg, 1938), le lapin (Gormezano, 1972; Schneiderman, 1966; Schneiderman, Fuentes et Gormezano, 1962; Schneiderman et Gormezano, 1964), le chien et les singes (Hilgard et Marquis, 1935, 1936). Pour plusieurs espèces animales, l'acquisition de la RC palpébrale est en effet très adaptée. Chez certains primates, par exemple, la mère transporte son petit en le laissant s'agripper à elle. Au cours des pérégrinations en forêt ou dans la jungle, le visage du petit est fréquemment heurté par le feuillage. Celui-ci apprend donc très tôt à anticiper ce stimulus et à fermer les paupières, avant que les feuilles ne pénètrent dans ses yeux (Baldwin et Baldwin, 1981).

La *réponse électrodermale*, aussi appelée réponse *psychogalvanique* ou plus brièvement GSR (*Galvanic Skin Response*), est un autre comportement qui a fait l'objet de nombreuses études chez l'humain. Utilisée dans plusieurs domaines de la psychologie comme mesure de l'état émotif, cette réponse consiste essentiellement en modifications bioélectriques de la peau. Dans une expérience de conditionnement classique, le SI est généralement un léger choc électrique et parfois un bruit fort. Le SC est le plus souvent un stimulus sonore ou lumineux, bien que divers stimuli soient aussi utilisés selon les fins spécifiques de l'expérience (Hall, 1976). Le conditionnement classique de la *réponse électrodermale* a rarement été pratiqué chez l'animal, et n'a été réussi que dans des conditions particulières (Wickens, Meyer et Sullivan, 1961). Chez l'humain, il a suscité, et continue à susciter, de vives controverses, notamment au sujet du rôle de la prise de conscience sur l'acquisition de la RC *électrodermale* (Perruchet, 1979).

Bien qu'il présente plusieurs difficultés méthodologiques, de nombreux chercheurs se sont intéressés depuis une trentaine d'années au *conditionnement de la réponse cardiaque*. Dans ces travaux, un choc électrique (SI) sert à produire soit une accélération, soit une décélération de la fréquence cardiaque (RI). Quand au SC, il varie beaucoup d'une étude à l'autre, mais consiste souvent en stimuli sonores ou lumineux. La RC cardiaque a été analysée chez diverses espèces animales et elle a fait l'objet d'innombrables recherches chez l'humain. Ces recherches ont également grandement contribué à la compréhension de la rétroaction biologique (C. Bouchard, 1974; M.A. Bouchard, 1977; Lamoureux, Joly et Bouchard, 1977).

L'une des techniques de conditionnement pavlovien qui s'est répandue le plus rapidement au cours des dernières années, est la *suppression conditionnelle*, jadis désignée par l'abréviation CER (*Conditioned Emotional Response*). L'une des raisons de ce succès est qu'elle requiert un équipement relativement plus simple que les autres situations expérimentales. En outre, la mesure est plus facile à recueillir et peut être prise sur des animaux comme le rat, moins coûteux et plus accessible que le singe, le chien, le chat ou même le lapin. La suppression conditionnelle comporte *grosso modo* trois étapes: la première consiste à établir une réponse; la deuxième est le conditionnement classique proprement dit; la troisième, qui peut être réalisée conjointement avec la deuxième, sert à mesurer la RC.

La première étape est un apprentissage instrumental. Par des moyens que nous étudierons au chapitre 7, l'expérimentateur entraîne l'animal à appuyer sur un levier qui, en actionnant une distributrice automatique, lui procure des boulettes de nourriture. Il s'agit bien d'un apprentissage instrumental, puisque la relation structurée par l'expérimentateur est établie entre la réponse de l'animal (appuyer sur un levier) et sa conséquence (apparition de nourriture). Une fois que l'animal a appris cette tâche et qu'il l'exécute de façon stable, la seconde étape débute. Un stimulus neutre (SN) — lumière, son ou bruit blanc — est présenté. La fin de ce stimulus coïncide avec l'apparition d'un choc électrique (SI) délivré à travers le plancher de la cage, et produisant un sautillement et parfois un figement (RI). Après plusieurs de ces présentations, le SN est devenu un SC annonçant l'apparition prochaine du choc électrique. La troisième étape consiste à mesurer la RC qui, dans ce cas, est définie comme la diminution du taux de pressions sur le levier en présence du SC. Cette mesure s'exprime sous forme d'un rapport A/A + B, où A est le nombre de pressions pendant le SC, et B le nombre de pressions pendant une durée équivalente à celle du SC, mais précédant le début du SC. Si un stimulus neutre ne s'est pas transformé en SC lors de la deuxième étape, il n'a aucun effet sur la réponse de l'animal et A/A + B = 0,50. Si au contraire, le SN, par son appariement avec le choc (SI), est devenu un SC puissant, il supprime complètement les pressions sur le levier et A/A + B = 0,00. Quant aux valeurs intermédiaires, plus elles s'approchent de 0,00 et plus la RC a été bien apprise.

Une autre technique de conditionnement classique qui, comme nous l'avons déjà vu (chapitre 4), a suscité une multitude de recherches au cours des deux dernières décennies, est l'*aversion gustative apprise* ou «effet Garcia». Ces expériences sont toutes construites sur le même principe de base. Au cours d'une première étape, la phase d'acquisition, les sujets sont entraînés à boire une eau ou à manger un aliment ayant une saveur clairement identifiable grâce à l'addition de sel ou de saccharine. Pendant cette ingestion, l'animal est exposé à une source de rayons X, ou à injection d'une substance telle que le chlorure de lithium. Cette stimulation (SI) a un effet émétique: elle provoque en effet une perturbation gastro-intestinale et des nausées (RI). Au début de l'expérience, la saveur de l'eau ou de la nourriture constitue vraiment un stimulus neutre par rapport à la RI, puisque le sel ou la saccharine n'ont en soi aucune propriété émétique. Ce n'est que l'appariement avec le SI qui leur confère cette propriété et qui les transforme en SC. La deuxième étape de l'expérience a lieu quand l'animal a bien récupéré, et que les effets du SI se sont dissipés. Il s'agit alors de vérifier que l'animal a acquis la RC au cours de la première étape. Les sujets ont accès à l'abreuvoir ou à la mangeoire. Si le conditionnement est réussi, ils évitent de boire ou de manger (RC) dès qu'ils reconnaissent la présence de la saveur caractéristique (SC).

Comme le démontrent les exemples précédents, les situations expérimentales de conditionnement classique sont nombreuses, et elles ont recours à des événements extrêmement variés. Cette diversité est relativement récente. À l'époque de Pavlov, et dans les années qui ont suivi, les chercheurs avaient une forte tendance à choisir comme RI des réflexes tels que la réaction salivaire, le réflexe rotulien ou le réflexe palpébral. Pourtant, les réflexes ne sont pas les seules réponses qui font partie du répertoire inné de comportements des animaux, et les comportements instinctifs, tels que les définissent les éthologistes, peuvent aussi être considérés comme des réponses inconditionnelles.

Thompson et Sturm (1965) fournissent un exemple montrant que le comportement instinctif peut être soumis au conditionnement classique. Ces auteurs utilisent dans leur expérience le comportement agonistique du Combattant du Siam (*Betta splendens*). Comme nous l'avons vu au chapitre précédent, lorsque ce poisson rencontre un congénère mâle (SI), il exécute toute une séquence d'actions agonistiques (RI). Thompson et Sturm réalisent un conditionnement classique de cette séquence en appariant un stimulus lumineux (SN) et la présence d'un congénère mâle (SI). Après un certain nombre de ces appariements, le Combattant du Siam commence à exécuter la séquence agonistique (RC) dès que le stimulus lumineux (SC) apparaît, et avant que le congénère ne soit visible. Cette expérience indique donc clairement que la notion de réponse inconditionnelle définit un domaine de comportements beaucoup plus vaste que celui des simples réflexes.

PHÉNOMÈNES DE BASE

L'acquisition et l'extinction

Dans toutes les situations pavloviennes que nous avons décrites jusqu'à maintenant, le conditionnement classique permettait à l'animal d'apprendre qu'un stimulus est un indice précurseur de la *présence* imminente d'un événement biologiquement significatif. Mais, du point de vue de l'adaptation des comportements, il est tout aussi important que l'animal apprenne à reconnaître les indices qui signalent l'*absence* d'un tel événement. Plusieurs prédateurs, par exemple, apprennent à détecter la proximité de leur proie par l'odeur qu'elle dégage, mais aussi par des indices visuels et acoustiques. S'ils n'apprenaient pas, dans ce dernier cas, qu'un vent leur soufflant dans le dos annonce l'absence de la proie, ils resteraient souvent sur leur appétit puisqu'ils seraient eux-mêmes repérés par la proie. Les chercheurs ont donc traditionnellement distingué deux formes de conditionnement classique: le *conditionnement excitateur* où le SC signale la présence du SI et le *conditionnement inhibiteur* où le SC signale l'absence du SI.

Le conditionnement excitateur. Dans un conditionnement excitateur, l'expérimentateur présente conjointement le SN et le SI, et constate, au bout d'un certain nombre d'essais, que le SN est devenu un SC, c'est-à-dire qu'il a acquis la propriété de déclencher une réponse, la RC, similaire à la RI. Cependant, le SC et le SI sont généralement très rapprochés dans le temps, de sorte qu'il est difficile de distinguer la RC et la RI. Comment le chercheur peut-il alors démontrer que le conditionnement classique a modifié le comportement de l'animal?

La technique la plus simple pour démontrer qu'il y a eu apprentissage consisterait évidemment à retirer le SI et à présenter le SC seul, de façon à ne déclencher que la RC. Cependant, cette technique est inadéquate et ne permet pas de mesurer l'acquisition de la RC, car elle induit un phénomène opposé à l'acquisition, l'*extinction*. Nous avons vu en effet que la réponse apprise par conditionnement classique est dite «conditionnelle», parce qu'elle dépend de la présentation conjointe du SN et du SI. Dès que le SI n'accompagne plus le SC, la force de la RC diminue graduellement et parfois s'éteint complètement. L'extinction est un phénomène tout à fait adapté, puisque l'animal n'a aucun intérêt à continuer de réagir à un stimulus qui n'indique plus la présence imminente d'un événement biologiquement significatif. Toutefois, elle rend impossible la mesure de l'acquisition par le simple retrait du SI.

Deux techniques ont été élaborées pour mesurer adéquatement la force de la RC et l'apprentissage généré par un conditionnement classique: les techniques de l'anticipation et de l'essai-test.

La *technique d'anticipation* est employée quand l'animal peut exécuter la RC avant que la RI ne commence. Cette situation se présente dans deux cas. Le premier cas est celui où le chercheur peut interposer entre le SC et le SI un intervalle de temps suffisamment long qui, sans nuire à l'apprentissage, permet à la RC de se manifester avant l'apparition du SI et donc de la RI. Le deuxième cas est celui où la latence de la RC est très courte: l'intervalle entre le SC et le SI peut alors être court puisque la réponse apparaît très vite après le début du SC. La réponse de la membrane nictitante du lapin, par exemple, a, dans le conditionnement palpébral, une latence de 25 à 50 millisecondes; si l'expérimentateur utilise un intervalle de 250 millisecondes entre le SC et le SI, la RC a amplement le temps de se manifester avant l'arrivée du SI. La technique d'anticipation permet donc d'observer la croissance de la RC à mesure que les présentations conjointes du SC et du SI s'accumulent, et de vérifier ainsi à chaque essai si la RC a été exécutée.

Il arrive souvent que les chercheurs s'intéressent à l'acquisition de réponses ayant des latences longues, ou qu'ils désirent, pour diverses raisons, recourir à des intervalles très courts entre le SC et le SI. Ils doivent alors mesurer l'apprentissage pavlovien par la *technique de l'essai-test*. Avec cette technique, la plupart des essais présentent conjointement le SC et le SI. Mais, à quelques reprises, des essais-tests sont intercallés dans les essais normaux. Cet essai-test consiste soit à allonger l'intervalle entre le SC et le SI de façon à rendre possible l'enregistrement d'une RC distincte, soit à présenter le SC seul. Dans ce dernier cas, les risques d'extinction sont minimisés, puisque les essais-tests ne se succèdent pas et qu'ils ne sont qu'occasionnels.

Le conditionnement inhibiteur. Dans un conditionnement classique inhibiteur, l'animal doit apprendre que le stimulus neutre (SN) annonce, non la présence, mais l'absence d'un événement biologiquement significatif. Cependant, pour apprendre dans quelles conditions cet événement est absent, il doit au préalable avoir constaté qu'il peut, à l'occasion, être présent. Un moyen très simple de créer une telle situation consiste à présenter le SN seul à plusieurs reprises, et à ne faire apparaître le SI que durant les longs intervalles séparant les présentations du SN. Dans un conditionnement salivaire, par exemple, la nourriture n'est introduite dans la gueule du chien qu'entre les présentations du son, de sorte que le SC devient un signal de l'absence du SI, et ne déclenche pas la salivation. Cette situation est différente de l'extinction car, dans ce dernier cas, le renforçateur n'apparaît, ni pendant le SC, ni entre les SC. De plus, l'extinction se manifeste par une diminution dans la force d'une RC préalablement acquise, tandis que le conditionnement inhibiteur produit souvent une absence totale de réponse.

L'absence de réponse, qui caractérise le conditionnement inhibiteur, pose un problème particulier. En effet, la seule façon de démontrer qu'il y a eu apprentissage et acquisition d'une RC est de mesurer la force de cette RC. Comment faire cette démonstration quand le conditionnement classique conduit à un «silence du comportement» (Dickinson, 1980)? Il faut, en fait, recourir aux mesures indirectes que sont les techniques de retard et de sommation (Rescorla, 1969a, 1969b).

La *technique du retard de conditionnement* se fonde sur un raisonnement relativement simple. Un animal qui a appris qu'un stimulus annonce l'absence du SI devrait, par la suite, éprouver plus de difficultés qu'un congénère à apprendre que ce même stimulus s'accompagne du renforçateur, le congénère n'ayant pas été soumis au conditionnement inhibiteur. Une expérience qui utilise cette technique se déroule habituellement en deux étapes. Dans la première étape, le groupe expérimental apprend qu'un son, par exemple, n'est pas suivi d'un choc électrique, tandis que le groupe témoin apprend qu'un stimulus lumineux annonce la présence du SI. Lors de la deuxième étape, les deux groupes de sujets sont exposés à des présentations conjointes et répétées du son et du choc électrique. Si le conditionnement inhibiteur de la première étape a effectivement eu lieu, le groupe expérimental aura besoin d'un plus grand nombre d'essais que le groupe témoin pour acquérir la RC de la deuxième étape. Plus le conditionnement inhibiteur est fort, plus le retard des sujets expérimentaux sera marqué.

La *technique de la sommation* est un autre moyen de mesurer l'apprentissage réalisé au cours d'un conditionnement inhibiteur. Une fois que l'animal a appris qu'un son signale l'absence du SI, il est soumis à un second conditionnement classique au cours duquel un stimulus lumineux est accompagné de la présence du SI. Puis, les stimuli sonores et lumineux sont présentés simultanément. On constate alors que la force de la RC, qui était déclenchée par le stimulus lumineux seul, est amoindrie par la présence du son. Plus le conditionnement inhibiteur a été intense, plus la sommation du SC inhibiteur (SC-) et du SC excitateur (SC +) produit un affaiblissement de la RC au SC +.

Un conditionnement inhibiteur se traduit souvent par une absence de réponse, mais cette caractéristique ne le définit pas. Les conditionnements excitateur et inhibiteur se distinguent, non par la présence ou l'absence de comportement, mais par la nature de la relation qui existe entre deux événements: dans le premier cas, l'événement 1 annonce la présence de l'événement 2 tandis que dans le second cas, il signale l'absence de l'événement 2.

Réponse conditionnelle et réponse inconditionnelle. Depuis le début de ce chapitre, nous avons toujours pris soin de distinguer clairement la réponse inconditionnelle (RI) et la réponse conditionnelle (RC). Mais puisque, dans un conditionnement classique, le stimulus neutre (SN) acquiert un pouvoir de déclenchement similaire à celui que le stimulus inconditionnel (SI) possède de façon innée, ne pourrait-on pas dire que le SC en vient à déclencher la RI? Toute la question consiste justement à savoir si la RC et la RI sont une seule et même réponse.

Les premières recherches sur le conditionnement classique avaient convaincu plusieurs auteurs (Culler, Girden et Brogden, 1935; Kellogg, 1938) de l'hypothèse de Pavlov selon laquelle le SC se substitue simplement au SI par suite de l'apprentissage, rendant ainsi identiques la RC et la RI. De fait, dans de nombreuses situations expérimentales, les deux réponses se ressemblent beaucoup. C'est le cas notamment du conditionnement salivaire, de la flexion conditionnelle ou de la réaction palpébrale. Cependant, au cours des trente dernières années, plusieurs chercheurs ont soutenu que, même quand la RC ressemble beaucoup à la RI, elle ne lui est jamais parfaitement identique. Différents arguments ont été invoqués à l'appui de cette thèse (Mackintosh, 1974), mais l'argument qui a le plus de poids est celui qui invoque la différence de forme existant entre ces deux réponses.

Dans un conditionnement salivaire *appétitif*, par exemple, la RI se manifeste évidemment par une sécrétion salivaire, mais aussi par d'autres comportements: le chien mâche et avale la nourriture qui sert de SI. Par contre, la RC se limite uniquement à la réaction salivaire et n'inclut pas les composantes de mastication et d'ingestion. De même, dans le conditionnement du réflexe rotulien, le choc électrique (SI) déclenche, non seulement un retrait de la patte, mais aussi des vocalisations qui n'apparaissent pas lors de la RC.

Ces différences de forme sont évidentes et on ne peut les nier. Cependant elles n'impliquent pas nécessairement une distinction qualitative entre les deux réponses. Comme le souligne Mackintosh (1974), plusieurs données empiriques indiquent que la nature de la RI déclenchée par le SI, et donc la nature de la RC renforcée par ce SI, sont très influencées par le mode de présentation du SI et par la situation dans laquelle il apparaît. Quand, par exemple, un rat enfermé dans une cage reçoit un choc électrique dans les pattes, il tressaille et saute sur place; la

RC à un stimulus annonçant ce choc consiste au contraire à se blottir dans un coin ou à se figer. Par contre, si le choc provient d'une source que le rat peut identifier et localiser (Blanchard et Blanchard, 1969, 1970), ou s'il est administré dans un appareil qui offre une possibilité de fuite vers un refuge (Baum, 1966), la RC et la RI sont identiques, et consistent toutes deux en une fuite plutôt qu'en un figement. La nature de la RC et son degré de similitude avec la RI dépendent donc des stimuli disponibles.

Le problème de la similitude entre la RC et la RI n'est pas encore vraiment réglé, et d'autres recherches seront nécessaires pour élucider cette question. Les données actuelles ne montrent peut-être pas de façon absolument convaincante que les deux réponses sont identiques. Elles indiquent toutefois que les arguments les plus souvent cités pour affirmer que la RC est qualitativement différente de la RI ne résistent pas à l'analyse.

La récupération spontanée

Au cours d'un conditionnement classique, l'animal apprend à anticiper la présence ou l'absence d'un événement biologiquement significatif (SI), grâce à un indice précurseur qui annonce cet événement. Il acquiert ainsi une nouvelle réponse très semblable à celle qui est déclenchée de façon innée par l'événement biologiquement significatif. Cet apprentissage est temporaire, et se maintient tant que les conditions appropriées sont présentes. Si le SI annoncé par le SC n'apparaît plus, il y a extinction. Mais est-ce que l'extinction, qui se manifeste dans le comportement par une baisse graduelle de la force de la RC, signifie que l'animal a immédiatement désappris le caractère précurseur du SC? Autrement dit, le SC est-il redevenu le stimulus neutre (SN) qu'il était avant l'acquisition? La réponse à cette question est non, et elle nous est fournie par un phénomène que nous avons déjà rencontré dans le cas de l'habituation: la *récupération spontanée*.

Supposons qu'après l'acquisition et l'extinction d'une RC, nous interrompions l'expérience et laissions l'animal se reposer. Au bout de quelques heures, ou même de quelques jours, nous présentons à nouveau le SC seul, sans le SI. Nous pouvons alors observer que ce stimulus est redevenu actif et que la RC s'est rétablie d'elle-même. Dans le cas du conditionnement classique, la récupération spontanée consiste donc dans la réapparition de la RC après extinction, suite à l'absence plus ou moins prolongée du SC. Bien sûr, si le SC est présenté seul à plusieurs reprises, il y aura à nouveau extinction de la RC.

En général lors d'un essai de récupération spontanée, la RC ne réapparaît pas dans sa pleine force, c'est-à-dire qu'elle est plus faible qu'au dernier essai d'acquisition, bien que plus forte qu'à la fin de l'extinction. L'amplitude de la récupération spontanée dépend de l'intervalle de temps qui la sépare de la fin de l'extinction. Plus cet intervalle est long (jusqu'à une certaine limite), plus la récupération est marquée. Elle dépend aussi de la force (ou de la faiblesse) de la RC à la fin de l'extinction. Si cette dernière n'a pas été menée à terme et que la RC est seulement affaiblie, la récupération sera plus facile que si l'extinction a été complète. Enfin, si la séquence extinction-récupération spontanée se répète plusieurs fois, il arrivera un moment où la RC ne pourra plus réapparaître.

En réponse à notre question initiale, nous pouvons donc dire que si une RC éteinte peut subir une récupération spontanée, c'est que l'extinction ne ramène pas le SC, du moins immédiatement, à son statut initial de stimulus neutre.

La généralisation

Comme nous l'avons vu à propos de l'habituation (chapitre 5), quand un animal apprend quelque chose, cet apprentissage, pour être fonctionnel, ne doit pas se limiter uniquement aux conditions précises dans lesquelles il a été produit. Par exemple, un chien qui a appris à anticiper la présence de nourriture et à saliver à la simple vue de son bol de nourriture doit pouvoir tolérer quelques modifications de ce stimulus. Il peut arriver que son maître décide de changer de récipient ou, qu'en certaines occasions, il se fasse remplacer par une autre personne. De la même façon, un rat qui a été empoisonné par un aliment ayant une saveur spécifique a intérêt à éviter toute nourriture dont la saveur se rapproche de celle qui l'a rendu malade. Autrement dit, pour être efficace, une RC doit pouvoir être déclenchée non seulement par le SC original, mais aussi par des stimuli qui ressemblent à ce SC. Tout comme dans l'habituation, il doit y avoir *généralisation* du stimulus.

Pavlov a lui-même observé et étudié ce phénomène de généralisation. Les recherches menées dans son laboratoire indiquent, par exemple, que si le SC consistait en une stimulation tactile appliquée dans une région délimitée du dos, la stimulation des autres régions corporelles avait tendance aussi à déclencher une RC chez le chien. Cependant, plus ces autres régions étaient éloignées de celle où était appliqué le SC original, moins la stimulation réussissait à déclencher la RC. Il a observé également que si un son de 1000 Hz servait de SC original, les sons d'autres fréquences, supérieures ou inférieures à la fréquence de 1000 Hz, tendaient aussi à déclencher la RC. Encore une fois cependant, plus la fréquence utilisée était différente du SC original, plus la probabilité de déclencher la RC était faible.

La *généralisation du stimulus* peut donc être définie comme

le processus par lequel une réponse déclenchée par un stimulus conditionnel (SC) peut aussi être déclenchée par d'autres stimuli (n'ayant pas été utilisés auparavant) présentant des caractères de similitude avec le stimulus original. La force de la réponse déclenchée par les autres stimuli dépendra du degré de similarité entre le stimulus original et le stimulus avec lequel il y a généralisation (Malcuit et Pomerleau, 1977, p. 37-38).

Il faut bien distinguer cette forme de généralisation de la généralisation de la réponse. «La *généralisation de la réponse* est le processus par lequel un stimulus conditionnel (SC) déclenchant une réponse conditionnelle (RC) peut aussi déclencher d'autres réponses reliées qui, elles, n'ont pas été conditionnées» (Malcuit et Pomerleau, 1977, p. 41).

L'importance de la généralisation du stimulus dans l'adaptation des animaux a été reconnue très tôt par Pavlov lui-même. Il écrivait en effet que:

> ...la plupart des stimuli naturels ne sont pas rigoureusement constants, mais forment des groupes et se répartissent autour d'une certaine force et qualité communes. Le cri hostile d'un prédateur agira, par exemple, comme stimulus conditionnel d'une réaction défensive chez l'animal qu'il pourchasse. La réaction défensive apparaît même si la hauteur tonale, la force et le timbre du cri émis par le prédateur varient selon la distance, la tension de ses cordes vocales et d'autres facteurs similaires (Pavlov, 1927, p.113).

La discrimination

S'il est important, du point de vue de l'adaptation, qu'un animal soit capable de généralisation, il est parfois tout aussi important qu'il puisse faire la distinction entre les stimuli qui sont accompagnés ou suivis d'événements biologiquement significatifs et ceux qui ne le sont pas. Au début, Pavlov croyait que si un stimulus neutre était suivi du SI un nombre suffisant de fois, l'organisme en viendrait à ne répondre qu'à ce seul stimulus, et pas aux autres. Toutefois, les recherches montrèrent qu'il en est autrement. Une différenciation complète entre un stimulus régulièrement suivi du SI (SC) et les autres stimuli de l'environnement (SX) n'a jamais été obtenue par cette méthode, même si, dans certains cas, l'expérience comprenait plus de 1000 présentations conjointes du SC et du SI. La réponse la plus forte (RC) était évidemment obtenue en présence du SC, mais l'animal continuait à réagir, bien que très faiblement, à des stimuli comme l'entrée de l'expérimentateur dans la pièce, l'installation dans le harnais, etc. Par contre, si on présentait systématiquement deux stimuli, l'un toujours suivi du SI (SC +) et l'autre jamais suivi du renforçateur (SC-), l'animal apprenait rapidement à ne répondre qu'au SC + et ne réagissait plus ni au SC-, ni aux stimuli contextuels (SX). Dans le laboratoire de Pavlov par exemple, des chiens étaient conditionnés à saliver quand une figure circulaire (SC +) leur était présentée, et à ne pas saliver en présence d'une figure carrée (SC-).

La *discrimination* ou apprentissage discriminatif est une situation naturelle ou expérimentale dans laquelle un stimulus est renforcé de façon régulière, c'est-à-dire accompagné du SI, tandis qu'un autre stimulus n'est pas renforcé de façon régulière. En somme, l'animal subit, en même temps ou successivement, un conditionnement excitateur et un conditionnement inhibiteur. Il acquiert une réponse conditionnelle d'excitation (RC +) à un stimulus (SC +), et une réponse conditionnelle d'inhibition (RC-) à un autre stimulus (SC-).

Le conditionnement d'ordre supérieur

Quand un stimulus neutre est apparié à plusieurs reprises avec un SI, il devient un SC, et acquiert le pouvoir de déclencher une RC, une nouvelle réponse qui s'apparente à celle (RI) qui est déclenchée par le SI. Est-ce que cela signifie que le SC acquiert aussi des propriétés renforçantes similaires à celles que le SI possède intrinsèquement? Est-ce que le SC, une fois la RC bien acquise, peut, à son tour, jouer le rôle du SI et servir à établir un conditionnement classique avec un nouveau stimulus neutre? La réponse à cette question est oui, et c'est l'existence du conditionnement d'ordre supérieur qui le démontre. La procédure expérimentale caractéristique de ce type de conditionnement est illustrée à la figure 6.2.

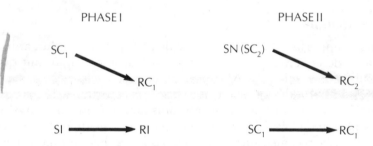

PHASE I   PHASE II

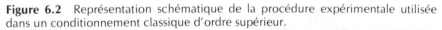

Figure 6.2 Représentation schématique de la procédure expérimentale utilisée dans un conditionnement classique d'ordre supérieur.

La première phase d'une telle expérience consiste en un conditionnement classique ordinaire. Dans la seconde phase, le SC original (SC_1) est utilisé comme SI, et apparié avec un nouveau stimulus neutre (SC_2). Par exemple, la première phase consiste à présenter un son (SC_1) accompagné de nourriture (SI). Quand la RC salivaire est bien acquise, la seconde phase débute. Un stimulus lumineux (SC_2) est présenté conjointement avec le son (SC_1), sans nourriture, et au bout de plusieurs essais, une réaction salivaire (RC_2) apparaît en présence du stimulus lumineux.

Un conditionnement classique ordinaire (première phase) est un conditionnement de premier ordre. Le conditionnement d'ordre supérieur que nous venons de décrire est, une fois la RC_2 établie au SC_2, un conditionnement de second ordre. Si nous voulions poursuivre l'expérience par une troisième phase où un stimulus tactile (SC_3) serait apparié avec le stimulus lumineux (SC_2), nous tenterions de réaliser un conditionnement de troisième ordre.

Le conditionnement d'ordre supérieur a été relativement peu étudié, et les recherches faites jusqu'à maintenant indiquent qu'il est difficile à établir et, qu'une fois établi, il ne se maintient pas longtemps. L'une des causes responsables du peu de stabilité de ce type de conditionnement serait que cette procédure (la phase II de la figure 6.2) constitue aussi une procédure d'extinction pour le SC original, puisque son renforçateur est alors absent (Rizley et Rescorla, 1972).

Le préconditionnement sensoriel

Bien que la procédure de préconditionnement sensoriel ressemble par certains égards à celle du conditionnement d'ordre supérieur, ce sont deux phénomènes fondamentalement différents. Pour illustrer la procédure de préconditionnement sensoriel (figure 6.3), examinons l'expérience classique de Brogden (1939).

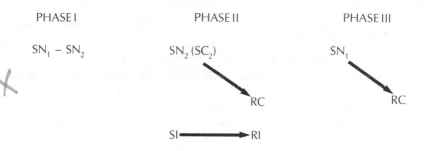

Figure 6.3 Représentation schématique de la procédure de préconditionnement sensoriel.

Dans une première phase, Brogden appariait, à 200 reprises, le son d'une cloche (SN_1) avec un stimulus lumineux (SN_2). Dans une deuxième phase, il appariait l'un de ces deux stimuli avec un choc électrique donné à la patte du chien (SI), réalisant ainsi un conditionnement classique ordinaire. Au cours de la troisième et dernière phase, seul l'autre stimulus neutre de la phase I, qui jusque-là n'avait jamais été apparié avec le choc, était présenté aux chiens. Brogden constatait que ce stimulus déclenchait alors la flexion conditionnelle de la patte (RC). Des chiens traités de façon identique, sauf pour la phase I à laquelle ils n'étaient pas exposés, ne manifestaient pas ce transfert de la RC à un autre stimulus.

Le préconditionnement sensoriel est un phénomène intrigant et difficile à expliquer pour les théories traditionnelles de l'apprentissage, surtout celles qui s'inspirent du modèle connexionniste S - R (Mackintosh, 1974). Il semble, en effet, qu'un animal peut apprendre qu'une relation existe entre deux stimuli neutres, c'est-à-dire que, contrairement à ce que ces théories affirment, la présence d'un renforçateur (SI) ou d'un événement biologiquement significatif n'est pas toujours nécessaire à l'apprentissage. Cependant, un préconditionnement sensoriel produit un apprentissage moins stable et moins durable qu'un conditionnement avec renforcement. Le lecteur intéressé pourra consulter notamment Rizley et Rescorla (1972) pour l'interprétation théorique de ce phénomène, et Seidel (1959) pour une description plus détaillée des contrôles nécessaires dans une expérience de préconditionnement sensoriel.

LES CONDITIONS D'APPRENTISSAGE

Dans un conditionnement classique, un animal acquiert une RC similaire à la RI par suite de la présentation conjointe et répétée d'un stimulus neutre (SN) devenant stimulus conditionnel (SC) et d'un stimulus inconditionnel (SI). Mais que signifie l'expression «présentation conjointe du SN et du SI»? Quelles sont les conditions nécessaires et suffisantes à la formation d'un apprentissage pavlovien?

La contiguïté temporelle

Pendant plusieurs décennies, les chercheurs, influencés notamment par Pavlov (1927) et par Guthrie (1935), ont affirmé qu'un animal apprend à anticiper un événement biologiquement significatif et acquiert une RC conforme à cette anticipation, dans la mesure où l'indice précurseur (SN) et l'événement biologiquement significatif (SI) sont appariés de façon temporellement contiguë. Croyant que la contiguïté temporelle était la condition nécessaire et suffisante à l'acquisition d'une RC, ils ont donc investi beaucoup d'efforts dans l'analyse des relations temporelles entre les stimuli et dans l'analyse de l'intervalle séparant le SC et le SI.

Les types de relation temporelle. L'appariement du SN (SC) et du SI peut être réalisé selon cinq types principaux de relation temporelle (figure 6.4) qui sont appelés conditionnements simultané, différé, de trace, temporel et rétroactif.

Si la contiguïté temporelle constitue la condition nécessaire et suffisante à l'apprentissage pavlovien, le *conditionnement simultané (Figure 6.4a)* devrait en principe produire l'acquisition la plus rapide de la RC. En effet dans cette situation, le SN et le SI commencent et se terminent en même temps, de sorte que la contiguïté temporelle est parfaite. Pourtant, une telle relation entre les stimuli produit peu ou pas d'apprentissage (Hall, 1976). En fait, l'acquisition la plus rapide de la RC se manifeste dans le *conditionnement différé* (figure 6.4b, c et d), c'est-à-dire quand le SN précède le SI et se poursuit au moins jusqu'au début du SI. Bien qu'un peu moins efficace que ce dernier, le *conditionnement de trace* (Figure 6.4e) permet aussi une acquisition forte et rapide de la RC. Dans ce cas, le SN commence et se termine avant le début du SI, une période de temps mesurable devant s'écouler entre les deux événements.

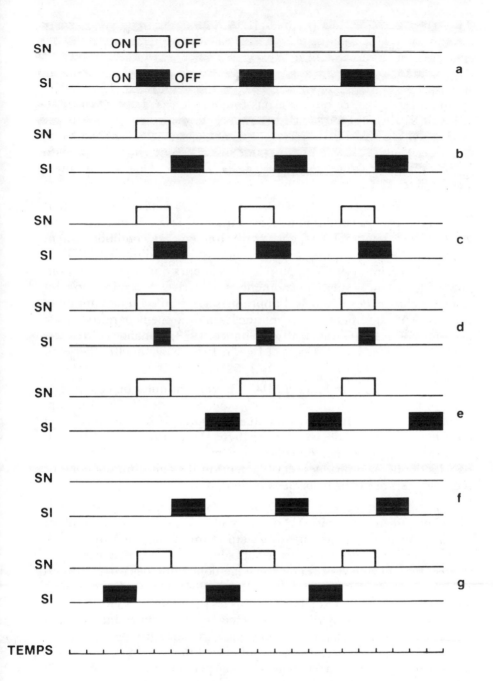

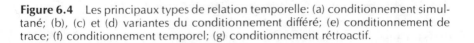

Figure 6.4 Les principaux types de relation temporelle: (a) conditionnement simultané; (b), (c) et (d) variantes du conditionnement différé; (e) conditionnement de trace; (f) conditionnement temporel; (g) conditionnement rétroactif.

Le *conditionnement temporel* (figure 6.4f) est une situation un peu particulière, puisqu'il n'y a pas de SN distinct. Le SI survient de façon répétée, après un intervalle de temps régulier et constant, l'indice précurseur étant alors le passage du temps proprement dit. Le conditionnement temporel produit cependant une RC faible et instable (Hall, 1976) quand il est réussi, ce qui n'est pas toujours le cas. Le *conditionnement rétroactif* (figure 6.4g) est la relation temporelle qui a suscité, et qui suscite encore, le plus de controverses. C'est le seul cas où le SN succède au SI au lieu de le précéder, c'est-à-dire que l'indice précurseur survient après l'événement biologiquement significatif. Il mérite donc une attention particulière.

Le conditionnement rétroactif. Pavlov (1927) a été le premier à tenter de produire un conditionnement rétroactif, et à affirmer qu'un tel arrangement temporel ne peut, contrairement au conditionnement proactif (différé et de trace), conduire à l'acquisition d'une RC. À l'exception de Razran (1956), la plupart des auteurs qui, par la suite, ont analysé les données sur ce phénomène, sont arrivés à la même conclusion. La plupart des manuels d'apprentissage, sauf celui de Fantino et Logan (1979), spécifient également que le conditionnement rétroactif est peu ou pas efficace (Catania, 1979; Chance, 1979; Donahoe et Wessels, 1980; Hall, 1976; Hulse, Deese et Egeth, 1975; Malcuit et Pomerleau, 1977; Schwartz, 1978).

Spetch, Wilkie et Pinel (1981) remettent en question ce point de vue qui prévaut depuis les premières expériences de Pavlov. En s'appuyant sur des travaux récents (Heth et Rescorla, 1973; Keith-Lucas et Guttman, 1975; Mahoney et Ayres, 1976; Wagner et Terry, 1975), ils montrent que l'existence du conditionnement rétroactif est confirmée par des données empiriques, et affirment qu'il s'agit d'un phénomène réel que seuls des biais théoriques incitent à nier.

Dans l'expérience de Keith-Lucas et Guttman (1975), la phase de conditionnement ne comprend qu'un seul essai, et permet de réaliser simultanément un appariement proactif et un appariement rétroactif. Quatre groupes expérimentaux de rats sont soumis aux conditions suivantes. Ils sont introduits dans une cage dont l'une des extrémités est dotée d'un contenant renfermant une boulette de sucrose. Dès que le rat s'empare de cette boulette, il reçoit dans les pattes un choc électrique de 0,75 seconde, les lumières de la cage s'éteignent et le contenant est retiré. Cette obscurité dure 1, 5, 10 ou 40 secondes, selon le groupe expérimental auquel appartient le sujet, après quoi les lumières sont rallumées et un hérisson-jouet est introduit dans la cage pendant 1 minute. Ainsi, les quatre groupes expérimentaux reçoivent un appariement proactif (contenant-choc) et un appariement rétroactif différé (choc-hérisson). En plus des groupes expérimentaux, deux groupes témoins sont soumis à des conditions similaires, sauf que l'un ne reçoit pas le choc électrique (groupe témoin «SC seul») et que l'autre n'est pas exposé au hérisson-jouet (groupe témoin «SI seul»). Le lendemain de cette acquisition en un essai, tous les sujets sont introduits à nouveau dans la cage pour un test de 10 minutes; le contenant de nourriture et le hérisson-jouet sont placés à chacune des extrémités, et leurs positions respectives sont inversées au milieu du test. Plusieurs comportements sont alors observés et enregistrés (ingestion de sucrose, localisation de l'animal, rapprochement et éloignement par rapport aux stimuli) de façon à évaluer jusqu'à quel point les sujets ont tendance à éviter le contenant (SC proactif), le hérisson-jouet (SC rétroactif) ou le site du choc électrique. Les résultats de ce test montrent que les rats expérimentaux, soumis à un conditionnement rétroactif différé de 1, 5 ou 10 secondes, évitent davantage le SC rétroactif (hérisson-jouet) que le SC proactif (contenant) ou le site du choc. Par contre, le groupe expérimental qui est exposé à un conditionnement rétroactif de 40 secondes et le groupe témoin «SI seul» évitent davantage le SC proactif que le hérisson, tandis que le groupe témoin «SC seul» réagit de la même façon aux deux stimuli. En somme, un seul appariement rétroactif suffit à créer l'apprentissage pavlovien, pourvu que l'intervalle entre le SC et le SI soit inférieur à 10 secondes.

Keith-Lucas et Guttman attribuent le succès de leur conditionnement rétroactif à la nature du SC qu'ils ont employé. Se référant aux critiques formulées par le courant néoévolutionniste (chapitre 4), ils affirment que leur hérisson-jouet constitue un stimulus complexe qui ressemble à un prédateur naturel du rat et qui, contrairement aux recherches antérieures montrant l'impossibilité du conditionnement rétroactif, n'est pas un événement arbitraire sans signification biologique. Selon eux, il est tout à fait normal qu'un animal soit en mesure de se défendre contre un nouveau stimulus surgissant à la suite d'un événement *aversif* soudain. Un animal qui voit un prédateur inhabituel après que celui-ci ait raté son attaque (appariement rétroactif) réagirait défensivement avant qu'une seconde attaque ne se produise (appariement proactif).

L'interprétation de Keith-Lucas et Guttman est très intéressante. Elle permet d'expliquer les échecs de certaines expériences antérieures, et de mieux comprendre la fonction potentielle d'un phénomène comme le conditionnement rétroactif. Elle est d'autant plus vraisemblable que l'apprentissage a pu être réalisé en un seul essai. Il est en effet peu probable que l'appariement rétroactif «attaque (SI) — vue du prédateur (SC)» se répète plusieurs fois, la deuxième attaque ayant de fortes chances de réussir. L'animal doit donc faire cet apprentissage très rapidement pour qu'il lui soit utile et qu'il lui permette d'échapper au prédateur.

Bien que cette interprétation soit très plausible et cohérente, il reste que d'autres expériences récentes (Heth et Rescorla, 1973; Mahoney et Ayres, 1976; Shurtleff et Ayres, 1981; Wagner et Terry, 1975) ont aussi réussi à produire un conditionnement rétroactif, mais avec des événememts arbitraires tels que des stimuli neutres, sonores ou lumineux. Si tel est le cas, comment expliquer alors que les tentatives antérieures aient échoué, et que les chercheurs et les théoriciens aient affirmé pendant aussi longtemps que l'appariement rétroactif ne permettait pas vraiment l'acquisition d'une RC?

Selon Spetch et coll. (1981), les tentatives antérieures n'ont pas vraiment échoué. Un examen attentif des expériences de Pavlov (1927) révèle que celui-ci obtenait, non pas une absence d'effet de l'appariement rétroactif, mais plutôt un effet double se manifestant en deux temps. Les premiers essais de conditionnement donnaient lieu à la formation d'une RC temporaire qui disparaissait au cours des essais subséquents. Les travaux postérieurs à ceux de Pavlov confirment indirectement ce double effet de l'appariement rétroactif. Ceux utilisant un nombre restreint d'essais obtiennent souvent une RC (Switzer, 1930; Wolfle, 1930), tandis que ceux qui ont recours à un plus grand nombre d'essais produisent une absence de conditionnement (Bernstein, 1934; Porter, 1938) ou une inhibition conditionnelle (Moscovitch et Lolordo, 1968).

La conviction selon laquelle l'appariement rétroactif ne permet pas l'acquisition d'une RC excitatrice provient en fait de quelques études, très souvent citées (Grether, 1938; Prokasy, Hall et Fawcette, 1962; Spooner et Kellogg, 1947), mais qui fournissent peu de preuves empiriques et dont les conclusions ont été par la suite déformées ou mal interprétées. Elle provient aussi de quelques articles-synthèses qui appliquent des critères trop sévères (Cautela, 1965), ou qui appuient leur argumentation sur une situation expérimentale particulière (Mackintosh, 1974). Selon Spetch et coll. (1981), «le temps où la possibilité du conditionnement rétroactif était controversée est passé; il est maintenant temps d'explorer systématiquement dans quelles conditions il apparaît et les variables qui affectent l'importance et la durée de l'effet» (p. 174).

L'intervalle SC — SI. Outre les types de relation temporelle que nous venons de décrire, les chercheurs en conditionnement classique se sont beaucoup intéressés à l'*intervalle SC — SI,* c'est-à-dire à l'*intervalle qui existe entre le début du SC et le début du SI,* parce que cet intervalle définit le degré de contiguïté temporelle considérée pendant longtemps comme la condition nécessaire et suffisante à l'apprentissage pavlovien.

Les chercheurs ont essayé d'identifier un intervalle SC-SI optimal, c'est-à-dire un intervalle qui permettrait une acquisition plus rapide ou plus forte de la RC et, par conséquent, un meilleur apprentissage. Les études du conditionnement palpébral (Kimble et Reynolds, 1967) et de la flexion conditionnelle (Spooner et Kellogg, 1947, Wolfle, 1930,. 1932) amenèrent plusieurs auteurs à penser que le conditionnement classique différé s'établit toujours plus rapidement si l'intervalle SC — SI se situe autour de 0,5 seconde. Il semblait donc qu'on avait finalement trouvé cet intervalle optimal tant recherché, et on crut qu'il était valable pour toutes les situations expérimentales et toutes les espèces animales. Des recherches ultérieures démontrèrent que tel n'était pas le cas. Le conditionnement différé produit effectivement de meilleurs résultats que les autres types de relation temporelle, et l'intervalle SC — SI optimal est généralement court, de l'ordre de quelques secondes. Il est vrai aussi que l'acquisition d'une RC par un animal s'effectue plus rapidement pour une valeur donnée de l'intervalle SC — SI que pour toute autre valeur. Cependant, *cette valeur n'est pas universelle et dépend de la nature du SI et de la RI, ainsi que de l'espèce à laquelle appartient l'animal.* Par exemple, chez l'humain, l'intervalle SC — SI optimal se situe autour de 0,5 seconde dans le cas du conditionnement palpébral, mais autour de 13 secondes dans celui du conditionnement de la fréquence cardiaque (Hastings et Obrist, 1967). De la même façon, l'apprentissage pavlovien de cette dernière réponse se fait plus rapidement avec un intervalle SC — SI de 6 secondes chez le rat (Fitzgerald et Martin, 1971; Fitzgerald et Teyler, 1970), de 2 à 5 secondes chez le lapin (Deane, 1965) et de 2,5 à 10 secondes chez le chien (Black, Carlson et Solomon, 1962).

La corrélation entre les événements

L'étude des principaux types de relation temporelle et de l'intervalle SC — SI montre clairement que la contiguïté temporelle du SN et du SI joue un rôle important dans l'apprentissage pavlovien et dans l'acquisition de la RC. Cependant, le conditionnement classique serait un moyen bien peu efficace pour rendre l'animal sensible à la structure causale de son environnement, si la contiguïté temporelle constituait la seule condition nécessaire et suffisante. En effet, deux événements peuvent être proches dans le temps, sans que l'un ne soit nécessairement la cause ou un indice précurseur de l'autre. Leur contiguïté temporelle peut être tout à fait fortuite. Quand un rat, par exemple, survit à une intoxication alimentaire, le malaise qu'il ressent apparaît à la suite de plusieurs événements simultanés, incluant bien sûr la saveur de la nourriture, mais aussi d'autres stimuli comme la présence de ses congénères et les caractéristiques du lieu où il se trouve. S'il associait tous ces événements à son malaise, il pourrait difficilement réagir de façon adéquate à son environnement physique et social. Bien que peut-être nécessaire (Kamin et Kremer, 1971; Kremer 1971), la contiguïté temporelle n'est pas une condition suffisante.

L'apprentissage pavlovien ne peut être une source féconde d'adaptation que s'il génère des comportements conformes à la nature des corrélations existant entre les stimuli temporellement contigus. Cette corrélation peut être nulle, positive ou négative. Quand deux événements contigus E_1 et E_2 sont indépendants l'un de l'autre, *la corrélation est nulle:* la probabilité d'apparition de E_2 est aussi élevée en présence qu'en l'absence de E_1, ce qui peut s'exprimer sous la forme suivante:

$$p(E_2/E_1) = p(E_2/\overline{E}_1) \qquad (6.1)$$

Si E_1 *est un indice précurseur de la présence de* E_2, il y a une *corrélation positive* entre ces deux événements: E_2 est plus probable s'il est précédé de E_1 que s'il ne l'est pas, et

$$p(E_2/E_1) > p(E_2/\overline{E}_1) \qquad (6.2)$$

Par contre, si E_1 *annonce l'absence de* E_2, *la corrélation est négative:* E_2 est plus probable quand E_1 est absent que quand il est présent:

$$p(E_2/E_1) < p(E_2/\overline{E}_1) \qquad (6.3)$$

Des travaux récents (Rescorla, 1966, 1967, 1968) ont montré que plusieurs espèces animales peuvent acquérir une RC qui est conforme, non seulement à la contiguïté temporelle des événements, mais aussi au degré de corrélation qui les unit.

Corrélation positive et corrélation négative. L'une de ces expériences (Rescorla, 1967) comprend trois étapes. Au cours de la première étape, des chiens apprennent à sauter par-dessus une clôture, et à éviter ainsi des chocs électriques administrés à intervalles réguliers par le plancher de la cage. Aucun signal n'indique l'arrivée imminente du choc, si ce n'est le temps écoulé. Cette étape préliminaire, au terme de laquelle les sujets réussissent à éviter la plupart des chocs, sert uniquement à établir le niveau de base de la réponse d'évitement. La deuxième étape est celle du conditionnement classique proprement dit. Les chiens, qui ont été transportés de la cage d'évitement à un autre appareil, sont divisés en quatre groupes. Le groupe I est soumis à un *conditionnement excitateur:* un choc électrique apparaît si, et seulement s'il a été précédé d'un son. Le groupe II est soumis à un *conditionnement inhibiteur:* les chiens reçoivent le même nombre de présentations du son et du choc que les sujets du groupe I, mais le SI n'apparaît jamais à proximité du SN, et survient durant le long intervalle séparant les essais. Le groupe III subit une *présentation purement aléatoire* des stimuli: le choc peut survenir avant ou après le son, à proximité de ce dernier ou entre les essais. Enfin, le groupe IV est exposé à une *présentation semi-aléatoire.* Ces chiens reçoivent un traitement similaire à ceux du groupe III, sauf que le SI ne peut apparaître plus de 30 secondes après le dernier SN. Si le hasard avait déterminé que le SI devait apparaître après un tel délai, le choc serait annulé. Autrement dit, contrairement au groupe III, certains chocs devant survenir en l'absence du son sont éliminés, de sorte que le SI est plus probable en présence qu'en l'absence du SN. Dans la troisième et dernière étape, tous les chiens sont réintroduits dans la cage d'évitement, et l'apprentissage réalisé à la deuxième étape est mesuré en présentant le son et en observant la fréquence des évitements.

Si la contiguïté temporelle du SN et du SI est la seule condition nécessaire et suffisante à l'apprentissage pavlovien, seul le groupe I devrait avoir acquis la RC et franchir la clôture plus souvent en présence du SC qu'à la première étape. En effet, les chiens de ce groupe ont été soumis à un appariement systématique des stimuli, tandis que les autres n'ont pas été exposés à la contiguïté temporelle du SN et du SI. Par contre, si cette condition n'est pas suffisante et si l'animal doit aussi apprendre la nature de la corrélation existant entre les événements, les résultats qu'il faut prévoir sont très différents. En termes de probabilité, les quatre groupes ont subi les traitements suivants:

$$\text{groupe I: } p\,(SI/SN) > p\,(SI/\overline{SN}) \qquad (6.4)$$

$$\text{groupe II: } p\,(SI/SN) < p\,(SI/\overline{SN})$$

$$\text{groupe III: } p\,(SI/SN) = p\,(SI/\overline{SN})$$

$$\text{groupe IV: } p\,(SI/SN) > P\,(SI/\overline{SN})$$

Par conséquent, la fréquence des évitements (RC) en présence du son (SC) devrait être plus élevée à la troisième étape qu'à la première, chez les groupes I et IV; elle devrait être inférieure chez le groupe II; quant au groupe III, la présence du son ne devrait produire aucune différence significative par rapport à la première étape.

Les résultats obtenus par Rescorla confirment la seconde hypothèse. Le conditionnement classique est donc plus qu'une simple association mécanique entre deux stimuli temporellement contigus. L'animal réussit à apprendre qu'un stimulus (SC) est un indice précurseur de la présence ou de l'absence d'un événement biologiquement significatif, (SI) non seulement en détectant la contiguïté temporelle, mais aussi en reconnaissant l'existence d'une corrélation positive ou négative entre ces événements. Est-ce qu'un animal est également en mesure de reconnaître la corrélation nulle qui existe entre deux événements indépendants? Sur ce point, les expériences de Rescorla ne sont pas entièrement convaincantes. L'absence de RC observée chez le groupe III peut être interprétée de deux façons: ou les chiens ont effectivement appris que le SN et le SI sont deux stimulations indépendantes, sans corrélation entre elles; ou ils n'ont rien appris du tout. Le silence comportemental de l'animal ne permet pas de trancher cette question et, pour ce faire, il faut recourir à une méthode indirecte.

Corrélation nulle. Si un animal peut vraiment apprendre que deux stimuli sont indépendants l'un de l'autre, il devrait avoir plus de difficultés à acquérir une RC, quand il a été au préalable exposé à une corrélation nulle entre le SN et le SI, que s'il n'a pas été soumis à ce traitement (Mackintosh, 1973). Baker et Mackintosh (1977) ont tenté de vérifier cette hypothèse par deux expériences.

La première expérience se divise en deux étapes et utilise quatre groupes de rats assoiffés. Au cours de la première étape, le groupe I est soumis à une séquence aléatoire de présentations d'un son et d'une quantité d'eau: pour ces sujets, la corrélation entre les deux stimuli est donc nulle. Les groupes II et III sont exposés à un seul stimulus: l'un reçoit le même nombre de sons que le groupe I, tandis que l'autre a accès à l'eau. Quant aux rats du groupe IV, ils ne sont soumis à aucun des deux stimuli. Dans la deuxième étape, tous les sujets subissent un conditionnement excitateur: 10 secondes après le début du son (SN), les rats ont accès à l'eau (SI). La RC est mesurée en calculant le temps passé durant les 10 secondes du SN à lécher l'abreuvoir, et en le comparant à celui passé à la même activité dans les 10 secondes précédant le début du SN. Si l'animal a appris que le son est un indice précurseur de l'eau, il passe plus de temps à lécher l'abreuvoir pendant ce stimulus que dans la période qui le précède.

Les résultats indiquent que les quatre groupes de rats ont appris l'association son-eau. Cependant, les sujets du groupe I, qui avaient été confrontés au préalable à une corrélation nulle entre ces deux stimuli, acquièrent la RC moins vite que les autres groupes. Il semble donc qu'à la première étape, ces rats aient vraiment appris que le son et l'eau sont deux événements indépendants.

Pour s'assurer de la validité de leur conclusion, Baker et Mackintosh réalisent une seconde expérience. Selon eux, si la préexposition à une corrélation nulle produit un retard du conditionnement excitateur parce que l'animal a appris que le son et l'eau sont indépendants l'un de l'autre, elle devrait induire aussi un retard du conditionnement inhibiteur, puisqu'un stimulus indépendant de l'événement biologiquement significatif (SI) n'annonce pas plus l'absence que la présence de cet événement.

La première étape de cette expérience est identique à celle de l'expérience précédente: un groupe est soumis à des présentations aléatoires du son et de l'eau, tandis que les trois autres groupes sont exposés à un seul, ou à aucun de ces stimuli. Dans la deuxième étape, les rats subissent un conditionnement inhibiteur son-absence d'eau. Durant certains essais, un stimulus lumineux (S +) est apparié avec l'eau, et ces essais sont intercalés avec d'autres au cours desquels un composé son-lumière (S-) est présenté en l'absence d'eau. L'apprentissage de la corrélation négative est mesuré en calculant le temps nécessaire pour que les sujets cessent de lécher l'abreuvoir durant les présentations du stimulus composé son-lumière. Les résultats indiquent qu'au cours de ces essais, les rats préexposés à la corrélation nulle lèchent l'abreuvoir plus longtemps que les autres sujets. Le conditionnement inhibiteur est donc retardé, tout comme le conditionnement excitateur, par une telle préexposition. Ainsi, conformément à l'hypothèse de Baker et Mackintosh, les rats ont appris, lors de la première étape, que le son et l'eau sont deux stimuli indépendants l'un de l'autre.

Conditions nécessaires et suffisantes

Comme le montrent clairement les expériences décrites à la section «la corrélation entre les événements», il n'est plus possible aujourd'hui d'affirmer que la contiguïté temporelle du SN et du SI constitue la seule condition nécessaire et suffisante à l'apprentissage pavlovien et à l'acquisition de la RC. Elle joue un rôle important, qui peut même être amplifié par d'autres formes de contiguïté comme la contiguïté spatiale (Rescorla et Cunningham, 1979) ou la similitude qualitative des stimuli (Rescorla et Furrow, 1977). Elle demeure cependant insuffisante.

Le conditionnement classique rend l'animal sensible à la texture et à la structure causales de son environnement, en lui permettant de détecter, non seulement la contiguïté temporelle des stimuli, mais aussi la nature des corrélations qui existent entre eux. La figure 6.5 résume toutes les possibilités de corrélation entre les stimuli auxquelles un animal peut être exposé.

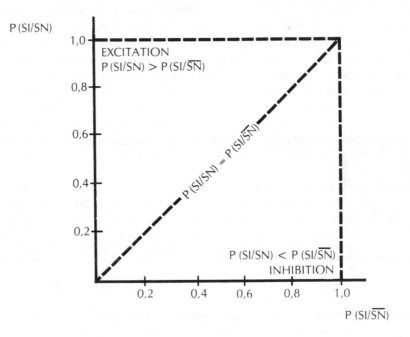

Figure 6.5 Représentation en termes de probabilité conditionnelle des différents types et niveaux de corrélation auxquels un animal peut être soumis dans un conditionnement pavlovien.

Quand un stimulus neutre et un stimulus inconditionnel ont entre eux une corrélation nulle, leur relation est décrite par la diagonale de la figure 6.5: le SI est aussi probable en présence qu'en l'absence du SN. L'animal apprend alors que ces deux stimuli sont indépendants l'un de l'autre, le nombre de fois où le SI est apparié avec la présence ou l'absence du SN important peu. La région du graphique située au-dessus de cette diagonale décrit la situation où la probabilité d'apparition du SI est plus grande en présence qu'en l'absence du SN, c'est-à-dire lorsque les deux stimuli sont en corrélation positive. L'animal apprend alors que le SN est un indice précurseur de la présence du SI, et acquiert une RC excitatrice conforme à cette anticipation. La région du graphique située sous la diagonale décrit la situation inverse. Le SI est plus probable en l'absence qu'en présence du SN et la corrélation est négative. L'animal apprend que le SN est un indice précurseur de l'absence du SI, et acquiert donc une RC inhibitrice.

Cette nouvelle conceptualisation de l'apprentissage pavlovien a eu, comme nous le verrons plus loin (page 157), un impact considérable sur les théories du conditionnement classique. Elle a permis également d'apporter des améliorations méthodologiques significatives, en remettant en cause la validité des groupes témoins traditionnellement employés dans les situations pavloviennes (Rescorla, 1967).

Dans un conditionnement classique excitateur, le chercheur constate qu'il y a eu apprentissage par la présence d'une modification du comportement, c'est-à-dire par l'apparition d'une RC. Mais pour conclure que cette modification est vraiment due à l'appariement du SN et du SI, il doit comparer un groupe expérimental qui a été soumis à l'appariement et un groupe témoin qui a été exposé aux mêmes conditions, sauf à l'appariement. Quatre types de groupes témoins étaient utilisés dans le passé. Dans les deux premiers types, les sujets recevaient le même nombre de présentations du SN ou du SI que le groupe expérimental, mais n'étaient jamais exposés à l'autre stimulus. Cette procédure violait la définition même du groupe témoin, puisque les sujets, contrairement au groupe expérimental, n'étaient mis en contact qu'avec un seul stimulus. Un troisième type consistait à soumettre les sujets témoins à une procédure de conditionnement rétroactif, sous le prétexte qu'une telle relation temporelle n'induit aucun apprentissage, ce qui, comme nous l'avons vu, s'est par la suite révélé faux (page 140). Le quatrième type de groupe témoin consistait à présenter aux sujets le même nombre de SN et de SI que le groupe expérimental, mais dans une séquence semi-aléatoire: les deux stimuli apparaissaient au hasard, mais avec la restriction que le SN ne pouvait jamais précéder le SI de façon immédiate. Cette restriction, imposée au hasard, annulait toute possibilité d'appariement du SN avec la présence du SI, mais créait du même coup un appariement entre le SN et l'absence du SI, favorisant ainsi l'émergence d'un conditionnement inhibiteur indésirable chez le groupe témoin.

Ces différents groupes témoins avaient pour objectif de détecter l'habituation qu'entraîne la répétition d'un stimulus neutre et les effets de sensibilisation ou de pseudoconditionnement[1] induits par un stimulus fort comme un choc, de façon à pouvoir les distinguer du véritable apprentissage pavlovien produit chez le groupe expérimental par l'appariement des stimuli. Ces méthodes de contrôle, en plus d'être déficientes, n'étaient concevables que dans le cadre de la contiguïté temporelle. Si, comme le montre la figure 6.5, la condition cruciale de l'apprentissage pavlovien est davantage la présence d'une corrélation négative ou positive entre le SN et le SI que l'appariement proprement dit de ces stimuli, le groupe témoin doit être défini d'une autre manière. Il doit recevoir le même nombre de présentations du SN et du SI que le groupe expérimental, mais sans qu'il y ait de corrélation entre ces deux stimuli. Autrement dit, sa situation est celle décrite par la diagonale du graphique 6.5 et que Rescorla (1967) a utilisé (voir page 144): la présentation purement aléatoire du SN et du SI.

LES PARAMÈTRES DU CONDITIONNEMENT CLASSIQUE

Une fois que l'animal est mis en présence d'une corrélation positive ou négative entre un SN et un SI, il y a en principe apprentissage pavlovien et acquisition d'une RC. Toutefois, la force de cette RC est plus ou moins grande selon les paramètres qui définissent la situation de corrélation. Nous allons donc maintenant examiner ces paramètres.

Les propriétés intrinsèques des stimuli

Un événement biologiquement significatif, ainsi que sa cause ou l'indice qui l'annonce, ont des caractéristiques particulières qui aident à les distinguer des autres événements: ils ont notamment une certaine intensité et une certaine durée. Est-ce que ces caractéristiques influencent l'animal quand il apprend que le SN et le SI sont en corrélation, positive ou négative?

Le SI qui déclenche de façon innée une RI produit une réaction d'autant plus forte qu'il est lui-même intense. De même, si un animal apprend que le SC est un indice précurseur du SI, sa RC devrait être d'autant plus forte que le SI qu'il annonce est intense. Un chien devrait, par exemple, saliver davantage s'il a appris qu'un stimulus (SC) annonce l'apparition imminente d'une forte quantité de nourriture (SI) que s'il sait que le SC annonce une faible quantité. C'est ce qu'affirmait Pavlov (1927), et ce que de nombreuses expériences ont confirmé par la suite, dans des situations et avec des espèces très variées: conditionne-

---

1 Le pseudoconditionnement est un phénomène que Wickens et Wickens (1942) ont décrit en ces termes: «Si une série de stimuli inconditionnels relativement forts sont présentés seuls et que cette série est suivie de la présentation d'un stimulus antérieurement neutre, on observe alors que ce stimulus antérieurement neutre produit une réponse semblable à celle fournie au stimulus inconditionnel, bien que les deux stimuli n'aient jamais été appariés» (p. 518).

ment salivaire *appétitif* (Gantt, 1938; Wagner, Siegel, Thomas et Ellison, 1974) et *aversif* chez le chien (Ost et Lauer, 1965); conditionnement palpébral chez le lapin (Smith, 1968) et chez l'humain (Beck, 1963; Prokasy et Harsanyi, 1968; Spence, Haggard et Ross, 1958; Spence et Platt, 1966; Trapold et Spence, 1960); conditionnement de la fréquence cardiaque (Caul, Miller et Banks, 1970; Fitzgerald et Teyler, 1970) et suppression conditionnelle chez le rat (Annau et Kamin, 1961; Kamin et Brimer, 1963). La force de la RC est donc directement fonction de l'intensité du SI.

Les effets de la durée du SI sont beaucoup moins clairs que ceux de son intensité. Alors que plusieurs expériences ont montré dans le passé que la manipulation de ce paramètre a peu ou pas d'influence sur la vitesse d'acquisition ou la force de la RC (Coppock et Chambers, 1959; Runquist et Spence, 1959; Zeaman et Wegner, 1958), des travaux plus récents semblent indiquer que, du moins à l'intérieur de courtes durées, la force de la RC augmente avec la durée du SI (Frey et Butler, 1973; Riess et Farrar, 1973). Cependant, l'effet de la durée du SI ne serait pas indépendant de la réponse mesurée, c'est-à-dire qu'il ne serait pas le même dans les conditionnements moteur et viscéral (Overmier, 1966).

Bien que certaines expériences sur des sujets humains (Grant et Schneider, 1949; Walker, 1960) n'aient pas réussi à établir de lien entre l'intensité du SC et la force de la RC, la plupart des recherches sur les animaux et sur l'humain (Barnes, 1956; Gray, 1965; Gormezano, 1972; Grice et Hunter, 1964; Kamin, 1965; Kamin et Brimer, 1963) indiquent que l'acquisition de la RC est directement proportionnelle à l'intensité du SC. Cependant, cette relation, que Hull (1949) avait déjà incorporée à son modèle théorique, est plus complexe qu'elle ne le semble à première vue.

Une première difficulté inhérente à cette relation est qu'elle n'est valable que pour une modalité sensorielle donnée. Comme Pavlov (1927) l'avait lui-même observé, et comme d'autres études russes l'ont confirmé par la suite (Razran, 1971), les stimuli conditionnels permettent une acquisition plus ou moins forte de la RC, selon la modalité sensorielle à laquelle ils s'adressent. On a fait également la même observation, plus récemment, dans le cas de l'aversion gustative apprise (Kalat, 1977), certaines substances provoquant plus facilement que d'autres une aversion conditionnelle. Il n'y a donc pas d'échelle physique unique sur laquelle mesurer l'intensité du SC, et le problème est d'autant plus complexe que l'importance relative des diverses modalités sensorielles varie avec les espèces animales considérées. Deuxièmement, même si la force de la RC augmente en fonction de l'intensité du SC, il n'est pas certain que cet effet soit uniquement le résultat de l'intensité absolue du SC. Il peut aussi, comme nous le verrons dans la prochaine section, être déterminé par l'intensité relative ou la «détectabilité» de ce stimulus.

Stimuli contextuels et masquage

Quand un animal est confronté, dans son milieu naturel, à une corrélation positive ou négative entre un stimulus biologiquement significatif et un indice précurseur, il est exposé, non seulement à deux stimuli, mais à une multitude d'événements. La même chose est vraie d'une expérience en laboratoire. Dans le conditionnement classique salivaire, par exemple, le chien est isolé des bruits, des odeurs et des spectacles qui pourraient le distraire et nuire à son apprentissage de la corrélation existant entre le SN et le SI. [1]. Cependant, cela n'implique pas qu'il ne soit exposé qu'au SC et au SI. Il est en fait entouré d'une grande variété de stimulations: stimuli tactiles provenant du harnais, de la fistule et de la table sur laquelle il repose; stimuli visuels fournis par la pièce où il se trouve et par les objets qu'elle contient; stimuli olfactifs et auditifs générés par l'animal lui-même; etc. Il y a donc un ensemble de stimuli contextuels (SX) qui se surperposent au SC et au SI.

Compte tenu de cette précision, on peut décrire la situation de conditionnement classique avec plus d'exactitude de la façon suivante. Durant les essais, c'est-à-dire lors des appariements SC + SI (dans le cas d'un conditionnement excitateur), l'animal est exposé aux stimuli contextuels (SX) et au stimulus conditionnel (SC), et cet ensemble de stimulations (SC + SX) est accompagné de la présentation du stimulus inconditionnel (SI). Entre les essais, seuls les stimuli contextuels (SX) sont présents. Autrement dit, quand un animal est placé dans une situation de conditionnement classique, il doit apprendre à discriminer, parmi l'ensemble des stimulations auxquelles il est confronté, quel stimulus a le plus de chances d'être en corrélation avec l'événement biologiquement significatif.

Est-ce que la présence des stimuli contextuels influence l'apprentissage de la corrélation positive ou négative existant entre le SN et le SI? Pour répondre adéquatement à cette question, il faudrait, en principe, comparer l'apprentissage en présence et en l'absence des stimuli contextuels. Une telle manipulation est évidemment impossible, puisqu'un conditionnement classique se déroule toujours dans un certain contexte. Un moyen indirect de résoudre ce problème consiste à introduire un deuxième stimulus neutre, de façon à créer un élément contextuel que l'expérimentateur peut contrôler, et à voir dans quelle mesure la présence de ce deuxième stimulus influence l'acquisition de la RC. L'une des premières expériences de ce type a été réalisée dans les laboratoires de Pavlov.

---

1   Cet isolement et ces précautions expérimentales ont été inspirés à Pavlov par l'observation de deux phénomènes qu'il a appelés *inhibition externe* et *désinhibition*. La RC peut être réduite par l'apparition subite, au cours de l'*acquisition*, d'un stimulus parasite un peu avant ou en même temps que le SC (inhibition externe). Par contre, la force de la RC augmente momentanément au cours de l'*extinction* si un tel stimulus apparaît (désinhibition).

Palladin, un collaborateur de Pavlov, a réalisé un conditionnement salivaire *aversif,* au cours duquel le dépôt d'une goutte d'acide dans la gueule du chien (SI) était apparié avec un SN composé, consistant en l'application simultanée d'un stimulus thermique de 0°C et d'un stimulus tactile sur la peau. La force de la RC était mesurée en présence du composé et de chacune des composantes. Les résultats indiquèrent que la sécrétion salivaire (RC) était abondante dès que le stimulus tactile était présent, que celui-ci apparaisse seul ou en composé. Par contre, le stimulus thermique ne déclenchait, à lui seul, qu'une RC très faible ou nulle. Un autre collaborateur de Pavlov, Zeliony, réalisa une expérience similaire mais, cette fois, dans une situation de conditionnement salivaire *appétitif.* Dans ce cas, la nourriture (SI) était appariée avec un SN composé comprenant un stimulus sonore et un stimulus lumineux: la RC n'était déclenchée que si le son était présent, le stimulus lumineux ne produisant aucune salivation significative.

Ces deux expériences décrites par Pavlov (1927) indiquent que deux stimuli présentés simultanément sous la forme d'un SN composé acquièrent un pouvoir de déclenchement de la RC différent. Ce phénomène est aujourd'hui connu sous le nom de *masquage*[1], puisque l'un des stimuli masque l'autre et l'empêche d'acquérir les propriétés de SC qu'il a lui-même acquises. Dans l'expérience de Palladin, il y a masquage du stimulus thermique par le stimulus tactile, alors que dans celle de Zeliony, c'est le son qui masque le stimulus lumineux.

Le masquage a suscité beaucoup d'intérêt et a donné lieu à de nombreuses recherches empiriques au cours des dernières années (Baker, 1968; Mackintosh, 1971, 1976, 1977; Miles, 1969; Miles et Jenkins, 1973; Odling-Smee, 1978; Sutherland et Andelman, 1967; Tennant et Bitterman, 1975). Le schéma expérimental de ces recherches est généralement celui illustré au tableau 6.1. Dans le groupe témoin, chacun des

TABLEAU 6.1

Schéma expérimental des recherches sur le phénomène de masquage

Groupes	Phase préliminaire	Acquisition	Mesure de la RC
Témoin	SN_1	$SN_1 + SI$	SC_1
	SN_2	$SN_2 + SI$	SC_2
Expérimental	SN_1	$(SN_1 + SN_2) + SI$	SC_1
	SN_2		SC_2
			$(SC_1 + SC_2)$

---

1 *Overshadowing* en anglais.

stimuli formant le SN composé est apparié individuellement avec le SI, tandis que, dans le groupe expérimental, c'est le SN composé qui fait l'objet de l'appariement. Une phase préliminaire est nécessaire, au cours de laquelle chaque stimulus est présenté seul, de façon à s'assurer que la différence obtenue lors de la mesure de la RC est bien due au traitement utilisé, et non à des facteurs parasites tel qu'un taux de réponse inconditionnelle inégal au SN avant l'acquisition. L'élément crucial permettant de vérifier la présence d'un masquage est la comparaison du stimulus le moins fort (ex: SC_2) chez le groupe témoin et chez le groupe expérimental. Il y a masquage du SC_2 par le SC_1, si le SC_2 déclenche une RC lorsqu'il est apparié seul avec le SI (groupe témoin), et qu'il n'en déclenche pas lorsqu'il est apparié en composé avec SC_1. Le masquage peut apparaître quand deux stimuli du SN composé s'adressent à la même modalité sensorielle, et l'effet dépend alors notamment de l'intensité de chacun des stimuli. Il peut aussi se manifester avec des stimuli s'adressant à des modalités sensorielles différentes, comme dans les expériences de Palladin et Zeliony, et l'effet de masquage est dû à d'autres facteurs comme la «détectabilité[1]».

Si un stimulus neutre peut en masquer un autre, il n'y a aucune raison pour que le masquage n'existe pas aussi entre le SC nominal et les stimuli contextuels. Dans un conditionnement excitateur, l'ensemble SC + SX est apparié au SI, mais le SC est généralement plus intense ou plus «détectable» que les SX. Il y a donc masquage des SX par le SC. Cependant, il est théoriquement possible que les SX puissent masquer le SC, s'ils sont plus intenses ou plus «détectables» que ce dernier.

Le phénomène de masquage confirme l'hypothèse, formulée à la section précédente, selon laquelle l'intensité absolue du SC n'est pas le seul déterminant de la fonction directe existant entre la force de la RC et l'intensité du SC. En fait, l'intensité d'un stimulus (SC) est relative, et son effet sur la RC dépend de sa «détectabilité» en rapport aux stimuli contextuels (SX). Autrement dit, un SC intense déclenche une RC plus forte qu'un SC faible, parce qu'il est plus facilement «détectable» sur l'arrière-fond que constituent les SX.

L'importance de la «détectabilité» du SC a été notamment démontrée par une expérience de Kamin (1965). Au cours de cette expérience, un bruit ambiant de 80 dB était maintenu durant l'intervalle entre les essais, et le SC consistait en une réduction de ce bruit à 0, 45, 50, 60 ou 70 dB selon le groupe expérimental auquel appartenait l'animal. Dans cette situation, l'intensité et la «détectabilité» du SC était clairement dissociées: moins le SC était intense, plus il était facilement «détectable.» Les résultats indiquent que le conditionnement est plus rapide dans les cas où les SC sont les moins intenses. La «détectabilité» est donc une caractéristique très importante qui s'ajoute à l'influence de l'intensité.

---

1 *Salience* en anglais.

Validité relative et blocage

Quand un événement biologiquement significatif (SI) survient dans l'environnement physique et social d'un animal, il apparaît en contiguïté temporelle avec plusieurs stimuli neutres. Si la situation se répète à quelques reprises, l'animal apprendra que certains de ces stimuli sont indépendants du SI, et que d'autres entretiennent avec lui une corrélation positive ou négative. Cependant, dans certaines situations, comme l'attaque d'un prédateur, l'animal doit réagir rapidement et apprendre très vite à quel stimulus neutre est relié l'événement significatif en question. Puisque les stimuli contextuels font partie de la trame de base de l'environnement, la probabilité qu'un stimulus plus «détectable» qu'eux soit un indice précurseur du SI est élevée. Le masquage des stimuli contextuels par un stimulus plus «détectable» contribue donc de façon significative au caractère adaptatif de l'apprentissage pavlovien.

Tout animal a acquis dans le passé une expérience de son environnement, et a appris que certains stimuli constituent de meilleurs indices précurseurs que d'autres. Les stimuli contextuels peuvent donc être masqués, non seulement par un stimulus plus «détectable», mais aussi par un stimulus dont la validité relative est plus élevée. Autrement dit, un stimulus qui s'est avéré dans le passé un bon prédicteur du SI, aura tendance à masquer les autres stimuli. Cette forme de masquage, fondée sur la validité relative des stimuli, plutôt que sur leur «détectabilité,», est désignée par le terme *blocage*[1].

Pour démontrer expérimentalement le phénomène de blocage, les chercheurs procèdent d'une façon similaire à l'étude du masquage: ils créent un stimulus contextuel qu'ils peuvent contrôler en présentant un SN composé (tableau 6.2). Le groupe témoin et le groupe expérimental sont tous deux exposés à des appariements du SN composé et du SI, au

TABLEAU 6.2

Schéma expérimental des recherches sur le phénomène de blocage

Groupes	Phase préliminaire	Conditionnement préalable	Acquisition	Mesure de la RC
Témoin	SN_1	_____	$(SC_1 + SN_2) + SI$	SC_1
	SN_2	_____		SC_2
				$(SC_1 + SC_2)$
Expérimental	SN_1	$SN_1 + SI$	$(SC_1 + SN_2) + SI$	SC_1
	SN_2	_____		SC_2
				$(SC_1 + SC_2)$

---

1   *Blocking* en anglais.

cours de la phase d'acquisition de la RC. Toutefois, avant cette phase d'acquisition, les sujets du groupe expérimental sont soumis à un conditionnement préalable au cours duquel l'un des deux stimuli (SN_1) du SN composé est apparié avec le SI. L'élément crucial d'une expérience de blocage est la comparaison de l'effet du SC_2 chez les deux groupes de sujets. Il y a blocage, si les sujets ayant subi un conditionnement préalable avec l'un des stimuli (SC_1) apprennent moins bien les propriétés conditionnelles de l'autre stimulus (SC_2) que les sujets qui n'ont été soumis qu'aux appariements du SN composé et du SI. Bien que la plupart des chercheurs emploient le schéma expérimental illustré au tableau 6.2, on peut aussi étudier le blocage à l'aide de schémas légèrement différents. Les phases de conditionnement préalable et d'acquisition avec le SN composé peuvent, par exemple, être entremêlées, au lieu d'être présentées successivement en deux étapes.

Les phénomènes de masquage et de blocage ont été mis en évidence dans des situations expérimentales très variées (Dickinson, Hall et Mackintosh, 1976; Gillan et Domjam, 1977; Gray, 1978; Kamin, 1968, 1969; Luongo, 1976; Mackintosh, 1971, 1975a, 1976, 1977; Miles, 1969, 1970; Schnur, 1971; Tomie, 1969; Wagner, 1971), et chez différentes espèces animales. On les considère aujourd'hui comme des phénomènes très importants. Selon Bitterman et Woodard (1975), ce sont «des phénomènes généralisés dans l'apprentissage des Vertébrés», tandis qu'Odling-Smee (1978) affirme que «Loin d'apparaître comme des épiphénomènes pavloviens, le blocage et le masquage s'avèrent être deux processus principaux par lesquels est résolue la tâche de discrimination figure-fond, qui constitue possiblement aussi la base des autres paradigmes d'apprentissage» (p. 50).

Expérience antérieure et préexposition

Comme le phénomène de blocage le démontre, l'expérience antérieure de l'animal a un effet significatif sur l'acquisition de la RC. La préexposition au SN ou au SI peut aussi interférer avec l'apprentissage pavlovien.

Les premières données sur l'effet de la préexposition au SN ont été fournies par Grant, Hake et Schneider (1948) et Grant, Hake, Riopelle et Kostlan (1951), mais ce sont surtout les travaux de Lubow et de ses collaborateurs qui ont approfondi l'analyse de ce phénomène. Ainsi, Lubow et Moore (1959) démontrent, chez des moutons et des chèvres, qu'une exposition préliminaire au SN rend plus difficile l'acquisition d'une RC que si le conditionnement est réalisé sans cette préexposition. Cette démonstration est faite grâce à une expérience en deux phases consécutives. Au cours de la première phase, les sujets du groupe expérimental sont soumis à la présentation répétée et non renforcée d'un stimulus neutre sonore, tandis que les sujets du groupe témoin ne subissent pas cette préexposition et sont simplement placés dans des conditions similaires, pour une période de temps équivalente. La deuxième phase de l'expérience est identique pour les deux groupes, et consiste dans l'apprentissage d'une flexion conditionnelle: le son est apparié avec un choc de faible intensité (SI) qui produit une flexion de la patte chez le mouton ou la chèvre. Les résultats révèlent que l'acquisition de la RC est plus lente chez le groupe préalablement exposé au son. Lubow et Moore ont appelé «*inhibition latente*» ce retard du conditionnement consécutif à la préexposition répétée et non renforcée au SN ou futur SC. Cependant, Reiss et Wagner (1972) et Rescorla (1971) ont souligné que cette expression est inappropriée, car en fait le phénomène ne serait pas dû à un processus inhibiteur. Plusieurs auteurs utilisent donc maintenant les expressions «*Effet de préexposition au SC*» ou «*Effet Lubow*» pour désigner ce phénomène (Doré, 1981c; Parent, 1982).

L'«Effet Lubow» est un phénomène robuste qui a été mis en évidence dans une grande variété de situations expérimentales: flexion conditionnelle (Lubow, 1965; Lubow et Moore, 1959); conditionnement palpébral (Siegel et Domjam, 1971); aversion gustative apprise (Best, 1975); conditionnement cardiaque (Fitzgerald et Hoffman, 1976) et électrodermal (Wolf et Maltzman, 1968); suppression conditionnelle (Anderson, Wolf et Sullivan, 1969; Carlton et Vogel, 1967; Domjam et Siegel, 1971). Il se manifeste chez toutes les espèces étudiées jusqu'à maintenant (poisson rouge, lapin, rat, mouton et chèvre, chien), y compris l'humain bien que, dans ce dernier cas, les résultats soient parfois contradictoires, et que des différences apparaissent entre les enfants et les adultes (Ginton, Urca et Lubow, 1975; Hulstijn, 1978).

De nombreuses recherches démontrent que, dans un conditionnement classique excitateur, l'acquisition de la RC est aussi influencée par l'expérience antérieure que l'animal a eue avec le stimulus inconditionnel, avant que celui-ci ne soit apparié avec le SN ou futur SC. Ainsi, un sujet exposé un certain nombre de fois au SI seul, et ensuite soumis à un conditionnement excitateur, aura plus de difficultés à acquérir la RC qu'un sujet qui n'a pas subi de préexposition au SI. (Randich et Lolordo, 1979). Ce phénomène a été mis en évidence dans différentes situations expérimentales, dont le conditionnement palpébral chez le lapin et chez l'humain, la suppression conditionnelle et l'aversion gustative apprise. L'effet débilitant de la préexposition au SI se produit, même quand le SI présenté lors de la phase de préexposition est différent du SI utilisé lors du conditionnement excitateur (Braveman, 1975).

Deux types d'hypothèses ont été proposés pour expliquer ce phénomène. Selon les hypothèses non associatives, la préexposition au SI réduirait la réactivité de l'animal aux présentations ultérieures de ce stimulus, soit par habituation centrale, soit par adaptation sensorielle périphérique de la réponse, entraînant ainsi une atténuation du conditionnement excitateur. Selon les hypothèses associatives, qui s'inspirent des théories récentes du conditionnement classique (voir page 160), l'animal apprendrait, au cours de la phase de préexposition, une relation entre le SI et d'autres événements de la situation, et ce premier apprentissage créerait une interférence avec la formation, au cours du conditionnement excitateur, d'une association entre le SC nominal et le SI. Toutefois, selon Randich et Lolordo (1979), ce phénomène demeure encore une énigme. Les données empiriques dont nous disposons actuellement ne confirment ni l'un ni l'autre des deux types d'hypothèses. Il est d'ailleurs possible que, dans ce phénomène, interviennent aussi bien des facteurs associatifs que non associatifs, et que leur importance relative varie en fonction de la situation de conditionnement.

LES INTERPRÉTATIONS THÉORIQUES

L'interprétation pavlovienne

Comme nous l'avons déjà vu, Pavlov insista beaucoup sur la fonction biologique de cette forme d'apprentissage et accorda, dans son interprétation, une place très importante au concept d'équilibre entre l'organisme et l'environnement.

Dans son interprétation du conditionnement classique, la réponse conditionnelle, en tant que source d'équilibre entre l'organisme et l'environnement, a un double statut: «Ainsi, la liaison nerveuse temporaire est un phénomène physiologique universel dans le monde animal et dans la vie humaine. C'est, en même temps, un phénomène psychique, ce que les psychologues appellent une association» (1934, p. 193). Même si le débat entre les théories connexionnistes et cognitivistes ne se posait pas à cette époque dans les mêmes termes que par la suite (voir chapitre 3, page 44); Pavlov adopte donc clairement un point de vue associationniste. Cependant, il conçoit l'association comme se situant davantage entre les stimuli, le SN et le SI, qu'entre le SN et la RI ou la RC. Sa théorie est plutôt de type S — S que de type S — R. De plus, bien qu'il ait peu étudié le fonctionnement du système nerveux proprement dit, Pavlov essaie de fournir une explication neurophysiologique de l'association S — S car, dans son optique, le conditionnement classique est un moyen d'étudier les «fonctions supérieures» du cortex cérébral. Sa théorie se veut donc davantage une explication des événements corticaux et sous-corticaux responsables du comportement, qu'une explication du processus d'apprentissage.

L'interprétation pavlovienne s'appuie sur quatre concepts physiologiques fondamentaux: l'excitation, l'inhibition, l'irradiation et la concentration. Quand un stimulus atteint un organe sensoriel, il déclenche une activité, plus précisément une *excitation nerveuse,* dans la région du cortex cérébral qui reçoit cette information sensorielle. Cette excitation se répand, s'*irradie* aux autres régions du cerveau, de la même façon que la chute d'un caillou dans l'eau produit des ondes concentriques s'éloignant du point d'impact. Dans un conditionnement classique, les premières présentations conjointes du SN et du SI produisent une excitation qui affecte, non seulement la région corticale du SN, mais aussi les régions avoisinantes. Ainsi, la réponse conditionnelle est déclenchée au début par le SN, mais aussi par les autres stimuli du même type. Cependant, au fur et à mesure que les présentations conjointes s'additionnent, «... l'irradiation se limite de plus en plus; le processus d'excitation se *concentre* en un point minuscule...» (1934, p. 195), une connexion se forme entre les régions corticales responsables du SC et du SI, et seul le SC devient capable de déclencher la RC. L'irradiation et la concentration de l'excitation nerveuse et, par conséquent, le déclenchement de la RC par le SC, sont aussi accélérés par une irradiation et une concentration de l'*inhibition*. En effet, les stimuli qui ressemblent au SN et qui, au début du conditionnement déclenchent partiellement la RC, font l'objet d'une inhibition, puisqu'ils ne sont jamais accompagnés du SI. Après une première phase d'irradiation, l'inhibition se concentre dans les régions corticales où ces stimuli sont représentés, et leur enlève tout pouvoir de déclenchement de la RC. Ainsi selon Pavlov, l'acquisition d'une RC est le résultat d'une interaction complexe entre des processus corticaux d'excitation et d'inhibition, eux-mêmes soumis aux lois de l'irradiation et de la concentration. Ces mêmes lois et processus lui servent à expliquer la plupart des phénomènes de base, tels que l'extinction, la généralisation, le conditionnement d'ordre supérieur. Dans le cas de la généralisation, par exemple, «... l'excitation irradie à partir de son point d'origine dans tout le cortex, diminuant d'intensité à mesure qu'elle s'éloigne du centre d'excitation...» (1927, p. 186). Dans certains cas, notamment celui de la discrimination, Pavlov complète les lois d'irradiation et de concentration par une loi subsidiaire d'induction réciproque qui «... consiste en ce que l'effet d'un excitant conditionnel positif augmente, quand celui-ci est employé directement ou bientôt après un agent inhibiteur concentré, de même que l'effet de l'agent inhibiteur se trouve être plus précis et mieux concentré, s'il succède à un excitant positif concentré» (1934, p. 200).

Cette mécanique corticale qui agit au cours du conditionnement produit, selon Pavlov, une *substitution du stimulus*, c'est-à-dire que le SC se substitue au SI et déclenche une réponse identique à la RI. «Le son du métronome est le signal pour la nourriture, et l'animal réagit à ce signal comme s'il était la nourriture même; aucune différence ne peut être observée entre les effets produits sur l'animal par le bruit du battement du métronome et ceux produits par la nourriture réelle» (1927, p. 22). Ce principe de la substitution du stimulus appuie l'idée selon laquelle une même réponse peut être déclenchée par différents stimuli, idée qui a conféré plus de flexibilité au concept d'arc-réflexe (voir page 125).

Les hypothèses neurophysiologiques autour desquelles est articulée l'interprétation pavlovienne sont depuis longtemps rejetées, principalement parce qu'elles n'ont pu être confirmées par des données expérimentales. Les recherches en neurophysiologie corticale et sous-corticale n'ont pu, jusqu'ici, identifier des phénomènes cérébraux qui soient isomorphes aux lois d'irradiation et de concentration, ou à la formation d'une connexion entre des régions corticales SC et SI. Plusieurs auteurs ont aussi mis en doute l'hypothèse de la substitution du stimulus, en s'appuyant sur les différences existant entre la RC et la RI, ainsi que sur la nature préparatoire de la RC. Cependant, comme nous l'avons vu à la section «réponse conditionnelle et réponse inconditionnelle», ces deux arguments sont très fragiles et peu convaincants. Des travaux récents, notamment ceux de Pinel et de son équipe (Pinel et Treit, 1978; Wilkie, MacLennon et Pinel, 1979), et d'autres (voir Moore, 1973; Schwartz et Gamzu, 1977), indiquent que l'animal a souvent tendance à se comporter envers le SC comme s'il s'agissait du SI, et une analyse sérieuse des données empiriques (Mackintosh, 1974) favorise davantage l'hypothèse de la substitution du stimulus qu'elle ne la discrédite. Enfin, quelques auteurs (Weisman, 1977) ne voient pas nécessairement d'incompatibilité entre cette hypothèse et certaines différences entre la RC et la RI.

Les interprétations stimulus-réponse

Quand les travaux de Pavlov commencèrent à être connus en Amérique du Nord, ils furent tout de suite bien accueillis par le behaviorisme connexionniste qui commençait alors à voir le jour. Le behavioristes américains, dont Watson, Guthrie et Hull, mirent cependant davantage l'accent sur l'association entre le SC et la RC ou entre le SC et la RI, plutôt que sur l'association entre le SC et le SI, d'où le nom de théories stimulus-réponse ou plus brièvement, théories S-R. Deux raisons expliquent probablement cette différence d'interprétation. Premièrement, l'interprétation S-R répondait mieux au désir de rigueur scientifique et de parcimonie du behaviorisme connexionniste. En effet, la RC ou la RI constitue une variable qu'on peut mesurer objectivement tout au long du conditionnement, tandis qu'il n'y a aucun moyen de mesurer ou d'observer directement la force de l'association se constituant entre le SC et le SI. Deuxièmement, en mettant l'accent sur la réponse, les behavioristes pouvaient plus facilement établir des comparaisons entre le conditionnement classique et l'apprentissage instrumental qui, à cette époque, constituait la principale forme d'apprentissage connue en Amérique du Nord.

Nous avons déjà exposé aux chapitres 2 et 3 plusieurs aspects de ces théories S-R, et nous n'aborderons ici que deux points théoriques qui ont fait l'objet de nombreuses controverses.

Selon les théories S-R, une RC est acquise par suite d'une association entre le SC et la RC ou la RI. Ce postulat implique donc qu'un conditionnement classique ne peut s'établir que si un comportement est exécuté au cours de l'acquisition. Or, de nombreuses recherches démontrent qu'une RC peut être acquise, même si l'animal est dans l'impossibilité d'exécuter quelque réponse motrice que ce soit. Cette démonstration est généralement réalisée en paralysant l'animal à l'aide de drogues puissantes, comme le curare, qui bloquent l'activité de la musculature squelettique (ex: Leaf, 1964; Solomon et Turner, 1972). Devant cette objection de taille, certains théoriciens connexionnistes affirment que l'élimination de la réponse observable n'implique pas nécessairement l'élimination de l'activité nerveuse sous-jacente, et que c'est cette dernière qui devient alors l'objet du conditionnement. Bien qu'elle soit très habile, cette réplique est insatisfaisante, car elle contient en elle-même un contre-argument. Si le SC s'associe à l'activité cérébrale sous-jacente, et non à la RC ou à la RI qui résulte de cette activité, l'interprétation S-R perd l'avantage qu'elle avait sur l'interprétation S-S. Il devient en effet aussi difficile de mesurer l'association S-R que de mesurer l'association S-S puisque, dans les deux cas, la formation du lien associatif ne se manifeste pas dans le comportement directement observable, mais se manifeste au niveau cortical.

Un deuxième point sur lequel les théories S-R ont dû essuyer de nombreuses critiques est leur incapacité à fournir une explication cohérente de plusieurs phénomènes de base, notamment le préconditionnement sensoriel, l'inhibition conditionnelle, l'apprentissage instrumental d'évitement et la suppression conditionnelle (Mackintosh, 1974). Le cas du préconditionnement sensoriel est probablement le plus évident: lors de la première phase de l'expérience (voir page 137), l'animal n'exécute aucune réponse apparentée de près ou de loin à la RC ou à la RI et, pourtant, les résultats montrent clairement qu'il a appris quelque chose lors de cette phase.

Les théories récentes

Comme nous l'avons vu au chapitre 4, le conditionnement classique a connu, au cours de la dernière décennie, un regain d'intérêt qui a amené la formulation de nouvelles interprétations théoriques tenant compte des données antérieures et plus récentes. Selon ces interprétations, l'acquisition d'une RC consécutive à l'appariement d'un SC et d'un SI est l'indice qu'une «représentation interne» quelconque de la relation entre les deux stimuli s'est constituée. «La tâche d'une théorie du conditionnement classique consiste, dès lors, à spécifier la nature exacte de cette représentation interne» (Pearce et Hall, 1980, p. 532).

Les quatre modèles théoriques que nous allons maintenant décrire s'accordent au moins sur un point, à savoir qu'une association est formée entre les représentations centrales[1] du SC et du SI, de sorte que l'ac-

---

1   Cette expression «représentations centrales» est volontairement ambiguë. Elle désigne parfois un corrélat neurophysiologique hypothétique, parfois un médiateur interne dont la nature n'est pas toujours précisée.

tivation de la première par présentation du SC suscite une activité appropriée à l'apparition de l'autre. «Par conséquent, la «force associative du SC» est devenue un concept central dans une théorie du conditionnement classique, et l'objectif du théoricien consiste principalement à spécifier comment diverses manipulations expérimentales arrivent à déterminer cette force» (Pearce et Hall, 1980, p. 532).

Le modèle de Rescorla et Wagner. Le modèle de Rescorla et Wagner (1972) s'articule sur deux principes de base. Premièrement, si l'acquisition d'un conditionnement excitateur nécessite, en plus de la contiguïté temporelle, la présence d'une corrélation positive entre le SN et le SI, c'est que le SC doit fournir de l'information sur l'apparition du SI. Deuxièmement, l'apprentissage pavlovien ne dépend pas uniquement des propriétés physiques du SI, mais aussi de l'information que l'organisme possède déjà sur ce SI. Autrement dit, il dépend de l'écart entre le SI reçu et le SI attendu par l'animal. Si le SI reçu comporte un élément de nouveauté, de «surprise» que le SC ne permettait pas à l'animal de prévoir, la force associative du SC augmente et la RC progresse. Par contre, si l'animal peut complètement prédire, sur la base du SC, le SI qu'il recevra, la force associative du SC se stabilise et la RC plafonne.

S'inspirant d'un modèle initialement proposé par Hull (1943) et traduit sous forme probabiliste par Bush et Mosteller (1955), Rescorla et Wagner (1972) résument leur modèle par l'équation suivante:

$$\triangle V_A = \alpha_A \beta (\lambda - \overline{V})$$

où $\triangle V_A$ représente la modification (augmentation ou diminution) de la force associative du stimulus A (SC); α_A est un paramètre constant qui représente l'intensité ou la «détectabilité» du stimulus A; β est aussi un paramètre constant, mais qui caractérise les propriétés qualitatives et quantitatives du SI; λ décrit une asymptote, c'est-à-dire la valeur maximale de la force associative qu'un SI peut soutenir; enfin $\overline{V}$ représente la force associative totale du composé dans lequel est imbriqué le stimulus A.

Cette équation permet de prédire non seulement le niveau final de performance généré par l'apprentissage, mais aussi les modifications de la RC en cours de conditionnement. Voyons de plus près ce qu'elle signifie.

1. Les modifications ($\triangle V_A$) que la force associative (V_A) d'un stimulus subit au cours d'un apprentissage pavlovien sont essentiellement déterminées par trois facteurs: les propriétés intrinsèques du SC (α_A), les propriétés intrinsèques du SI (β) et la différence entre d'une part, le niveau maximal que la force associative peut atteindre compte tenu du SI présent (λ), et d'autre part la force associative totale que l'ensemble des stimuli dont A fait partie a atteinte au moment où la RC est mesurée ($\overline{V}$).

2. Les paramètres α_A et β prennent des valeurs comprises entre zéro et un $(0 \leqslant \alpha_A \leqslant 1 ; 0 \leqslant \alpha \leqslant 1)$. Le paramètre α signifie qu'un stimulus A peut produire une acquisition de la RC moins ou plus rapide qu'un stimulus B, même si ces deux stimuli sont individuellement appariés au même SI. Il permet donc de rendre compte de l'effet différentiel produit par des stimuli neutres ayant des intensités ou des niveaux de «détectabilité différents» (voir page 153). Quant au paramètre β, il signifie que, même si deux SI différents permettent d'atteindre le même niveau maximal de force associative (λ), le rythme d'apprentissage ($\triangle V_A$) ne sera pas nécessairement le même, puisque chaque SI a un β qui lui est propre.

3. Puisque les paramètres α et β sont fixés *a priori* par les propriétés quantitatives et qualitatives du SN et du SI, et qu'ils demeurent constants tout au long de l'apprentissage, le principal facteur de modification de la force associative réside dans l'expression $(\lambda - \overline{V})$, c'est-à-dire dans l'écart entre le niveau d'apprentissage ou de force associative ($\overline{V}$) atteint à un moment donné du conditionnement, et le niveau maximal (λ) que le SI permet d'atteindre. Pourquoi la force associative atteinte à un moment donné est-elle représentée par $\overline{V}$ plutôt que par V_A? Comme nous l'avons déjà vu, dans toute situation de conditionnement classique, l'animal est mis en présence non seulement du SC et du SI, mais aussi d'un ensemble de stimuli contextuels (SX), qui sont susceptibles d'acquérir une partie de la force associative. Ainsi, les modifications que subit l'apprentissage à un moment donné du conditionnement dépendent, non seulement de la force associative acquise par le SC lui-même (V_A), mais aussi de celle acquise par les SX (V_X). Autrement dit:

$$\overline{V} = V_A + V_X \tag{6.5}$$

et:

$$\triangle V_A = \alpha_A \beta (\lambda - \overline{V}) \tag{6.6}$$

$$\triangle V_X = \alpha_X \beta (\lambda - \overline{V}) \tag{6.7}$$

Concentrons-nous pour le moment sur l'équation 6.6 et examinons attentivement en quoi elle correspond à l'hypothèse de Rescorla et Wagner (1972).

Selon cette hypothèse, il y a conditionnement classique excitateur en autant que le SI n'est pas entièrement prédit par les stimuli présents (SC et SX), et qu'il y a un écart entre le renforcement attendu et le renforcement reçu par l'animal. Autrement dit, il n'y a apprentissage que si la force associative atteinte par les stimuli ($\overline{V}$), au moment où la RC est mesurée, est inférieure à la force associative maximale (λ) permise par le renforçateur (SI). Dans les termes de l'équation 6.6, cela signifie que l'animal continue à apprendre, et que $\triangle V_A$ est positif tant que $\lambda > \overline{V}$, c'est-à-dire tant que $(\lambda - \overline{V}) > 0$. Quand le SI est bien prédit par les stimuli et que le renforcement reçu correspond bien au renforcement attendu, la force associative atteinte par les stimuli SC et SX $(\overline{V})$ est égale à la force associative maximale (λ) et puisque $\lambda = \overline{V}$, $|(\lambda - \overline{V})| = 0$ et $\triangle V_A = 0$. Ainsi, l'animal n'apprend plus rien et sa performance de la RC a tendance à plafonner.

Jusqu'ici, nous avons vu comment Rescorla et Wagner conçoivent le conditionnement classique excitateur, et de quelle manière leur équation de base rend compte de cette conception. Qu'en est-il maintenant de l'inhibition conditionnelle?

Selon leur modèle, l'inhibition est plus que la simple absence d'excitation, et n'existe que dans la mesure où les effets normalement produits par l'excitation sont atténués. Un SC est inhibiteur quand il a acquis le pouvoir d'interférer avec la production d'une réponse par un excitateur, et pour conclure qu'il y a apprentissage inhibiteur, il faut démontrer que le pouvoir inhibiteur du stimulus est le résultat d'expériences passées spécifiques de l'organisme (Rescorla, 1975).

L'une des méthodes pour produire une inhibition conditionnelle consiste à présenter un stimulus A qui est régulièrement suivi du renforçateur (A +), en alternance avec un composé AX qui n'est pas suivi du SI (AX-). Au terme d'une telle expérience, A devient un excitateur conditionnel et X, un inhibiteur conditionnel. Lors des essais AX-, A acquiert une certaine part d'inhibition mais les essais A + compensent cette tendance inhibitrice, et maintiennent le caractère excitateur du stimulus A. Ainsi, seuls les stimuli qui véhiculent de l'information sur le non-renforcement (X) sont source d'inhibition.

Rescorla et Wagner utilisent, pour décrire l'inhibition conditionnelle, la même équation 6.6 qui sert à décrire l'excitation conditionnelle, sauf que le non-renforcement est considéré comme ayant une asymptote (λ) égale à zéro, et que le paramètre β a une valeur différente. Ainsi la modification de la force associative *lors des essais AX –* peut être décrite ainsi:

$$\triangle V_A = \alpha_A \beta_2 (0 - \overline{V}) \tag{6.8}$$
$$\triangle V_X = \alpha_X \beta_2 (0 - \overline{V}) \tag{6.9}$$

Par conséquent, dans la méthode A + /AX – , la force associative de A $(\triangle V_A)$ tend vers λ lors des essais A + puisque dans ce cas $\triangle V_A = \alpha_A \beta_1 (\lambda - \overline{V})$. Par contre, lors des essais AX – , la force associative de AX tend vers zéro. Étant donné que V_A demeure élevé et que $V (= V_A + V_X)$ tend vers zéro, V_X deviendra nécessairement négatif, et X deviendra un inhibiteur conditionnel. Autrement dit, X devient un SC inhibiteur parce qu'il est présent quand un excitateur A n'est pas renforcé (Rescorla, 1975).

En somme, le modèle de Rescorla et Wagner considère l'excitation et l'inhibition conditionnelles comme des processus parallèles, tous deux se produisant quand il y a un écart entre la force associative actuelle et la force associative à laquelle le renforcement suivant donnera lieu. Dans le cas de l'excitation conditionnelle, l'écart est positif, c'est-à-dire que l'animal reçoit un SI auquel il ne s'attendait pas. Dans le cas de l'inhibition conditionnelle l'écart est négatif, l'animal ne recevant pas le SI qu'il avait prévu.

Cette interprétation théorique, qui se résume très économiquement en une équation principale, permet de rendre compte de plusieurs phénomènes de base du conditionnement classique. Par exemple, la diminution graduelle et l'élimination éventuelle de la RC au cours de l'extinction s'explique par la valeur nulle que le non-renforcement confère au paramètre λ: en effet, si $\lambda = 0$, les expressions $(\lambda - \overline{V})$ et $\triangle V_A$ deviennent négatives et la force associative du stimulus A diminue. De même, la relation entre l'intensité du SI et la force de la RC (voir page 149) peut être attribuée aux paramètres β et λ. Le modèle de Rescorla et Wagner permet, dans une certaine mesure, de rendre compte des données récentes sur le rôle des stimuli contextuels, ainsi que sur le masquage, le blocage et l'aversion gustative apprise, puisque l'équation de base prend en considération la présence de stimuli autres que le SC nominal et le SI. Il suffit, dans ces cas, d'accorder aux paramètres α_A et α_X des valeurs différentes représentant la «détectabilité» de ces stimuli ou, en ce qui concerne le blocage, de reconnaître que l'acquisition préalable confère au stimulus bloquant (A) une force associative supérieure (V_A) à celle (V_X) du stimulus bloqué (X).

Le modèle de Wagner. Wagner (1976, 1978) a tenté récemment d'expliciter l'idée de base du modèle de Rescorla et Wagner (1972), selon laquelle l'apprentissage pavlovien est essentiellement déterminé par l'écart entre le renforcement anticipé et le renforcement reçu. Cette explication décrit le fonctionnement cognitif des organismes en s'inspirant des théories du traitement de l'information et, notamment, du postulat commun à toutes ces théories qui spécifie que les événements «surprenants» ont une plus grande probabilité d'être retenus en mémoire que les événements «anticipés».

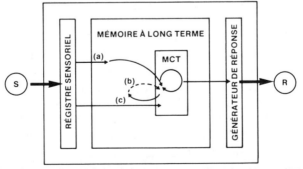

Figure 6.6 Schéma du modèle théorique proposé par Wagner. (Tiré de Wagner (1978); reproduit avec la permission de l'auteur et de Lawrence Erlbaum Associates).

Selon ce modèle de Wagner, le système de traitement de l'information des organismes comprend *grosso modo* trois mécanismes fondamentaux (figure 6.6): un Registre Sensoriel (RS) qui fournit à l'organisme un premier encodage sensoriel des stimulations de l'environnement; un système mnémonique qui se subdivise en une composante de Mémoire à Court Terme (MCT) et une composante de Mémoire à Long Terme (MLT); un mécanisme efférent, le Générateur de Réponse (GR). La MLT est conçue comme un ensemble illimité d'éléments de représentantion (unités gnostiques, idées, images mentales, etc.) reliés entre eux par un réseau associatif et qui sont dans un état d'activité ou d'inactivité. La MCT se définit comme le sous-ensemble de la MLT qui contient les représentations en état d'activité.

Le fonctionnement de ce système hypothétique de traitement de l'information est simple. Lorsqu'un événement de l'environnement physique ou social est détecté et codé par le RS, il active une représentation de cet élément dans la MLT et, puisque cette représentation devient active, elle est transférée dans la MCT. Grâce au réseau associatif qui relie les éléments de la MLT, l'activation d'une représentation dans la MCT entraîne l'activation des autres représentations qui ont un lien avec elle, et les «récupère[1]» ainsi dans la MCT. Ce fonctionnement est décrit par les cheminements (a) et (b) de la figure 6.6.

Le modèle de Wagner s'articule à partir de trois postulats quant aux caractéristiques opérationnelles de la MCT. Premièrement, un élément activé ne demeure pas indéfiniment dans cet état, et retourne à un état d'inactivité. Deuxièmement, la MCT ne dispose que d'une étendue limitée. L'activation d'une nouvelle représentation tend à déplacer les représentations qui s'y trouvent déjà, et le déplacement d'un élément est d'autant plus probable que cet élément a séjourné longtemps dans la MCT. Troisièmement, une représentation peut être *maintenue* active alors que d'autres ne le sont pas, grâce à un mécanisme de «récitation interne»[2]. Un élément ainsi maintenu par récitation interne dans la Mémoire à Court Terme possède les propriétés suivantes. 1) Il est soumis de façon continue au Générateur de Réponse, et peut exercer une plus grande influence sur le comportement. 2) Il peut servir plus régulièrement d'indice récupérateur et activer les représentations qui lui sont associées. 3) L'étendue de la MCT étant limitée, il a le pouvoir d'empêcher les autres représentations d'y avoir accès. 4) Enfin, il exerce une plus grande influence sur l'état ultérieur de la MLT. En somme, puisque les éléments de représentation ne développent entre eux des con-

---

1 Traduction du verbe anglais «*to retrieve*».

2 La «récitation interne» signifie que tout se passe comme si l'animal se répétait intérieurement l'élément en question. Cette expression a, dans le cas des animaux en particulier, des connotations anthromorphiques malheureuses. Cependant, le terme anglais d'origine, *rehearsal*, présente les mêmes difficultés sémantiques.

nexions associatives permanentes que dans la mesure où ils séjournent conjointement dans la MCT, les représentations qui font l'objet d'une récitation interne devraient être particulièrement aptes à former des associations productives (Wagner, 1978).

Si nous revenons au problème de départ, ce modèle implique que le mécanisme de récitation interne est déclenché davantage par les événements «surprenants» que par les événements «anticipés». Une stimulation de l'environnement produit plus ou moins une récitation interne de la représentation correspondante, selon que le stimulus est ou n'est pas, à ce moment, déjà représenté dans la MCT (Wagner, 1976). S'il n'est pas déjà représenté dans la MCT, il active une représentation appropriée dans la MLT, et cette première activation est normalement suivie d'une récitation interne dans la MCT. C'est ce que décrit le cheminement (a) de la figure 6.6, la boucle dans la MCT illustrant la récitation interne hypothétique. Si, au moment où le stimulus est détecté par le Registre Sensoriel, il est au contraire déjà représenté dans la MCT, il rafraîchit la représentation qui s'y trouve, mais ne déclenche pas le mécanisme de récitation interne comme le montre le cheminement (c) de la figure 6.6.

Les deux énoncés ci-dessus indiquent comment des événements «surprenants» et «anticipés» sont traités différemment dans la Mémoire à Court Terme. Cependant selon Wagner (1976), la préreprésentation d'un événement «anticipé» peut provenir de deux sources. Elle peut être le résultat de l'action de récupération exercée par des stimuli antécédents avec lesquels elle entretient des connexions associatives. Il s'agit alors d'un «amorçage de la représentation généré par récupération». Un événement peut aussi être préreprésenté dans la MCT, simplement parce qu'il a été récemment détecté par le RS, et il s'agit alors d'un «amorçage autogénéré». Dans les deux cas, toutefois, l'influence sur le mécanisme de récitation interne est la même.

Ce modèle de Wagner, fondé sur les théories du traitement de l'information, a évidemment des conséquences sur l'équation de base (équation 6.6) et la théorie de Rescorla et Wagner (1972). Cette équation de base est transformée de la façon suivante.

$$\triangle V_A = a[\ell - (\tilde{v} + k)] \quad \beta[\lambda - (\overline{V} + K)] \qquad (6.10)$$

Examinons d'abord la dernière partie de l'équation qui nous est la plus familière. Elle n'a subi en fait qu'une seule modification, soit l'addition du terme K dans l'expression $(\lambda - \overline{V})$. Ainsi, l'un des facteurs fondamentaux de la modification de la force associative $(\triangle V_A)$ du stimulus A demeure encore l'écart entre d'une part, le niveau maximal d'association que le SI permet d'atteindre (λ) et d'autre part, la force associative atteinte à un moment précis de l'apprentissage, plus un autre facteur $(\overline{V} + K)$. Cependant, l'expression $(\overline{V} + K)$ a une signification légèrement différente de celle qu'elle avait antérieurement. Elle désigne maintenant la représentation totale du SI dans la Mémoire à Court Terme. Cette représentation totale est due en partie aux liens associatifs ($\overline{V}$) qui unissent le SI et les stimuli antécédents (dont le SC), liens qui permettent à ces stimuli de récupérer la représentation du SI dans la MCT. Elle est due aussi aux traces (K) laissées dans la MCT par les présentations antérieures du SI, ces traces se dissipant rapidement avec le temps.

La principale modification à l'équation 6.6 concerne le paramètre α qui, dans l'équation 6.10, est remplacé par l'expression a $[\ell - (\bar{v} + k)]$. Cette modification provient d'une nouvelle hypothèse de Wagner, selon laquelle une relation, analogue à celle qui existe entre le SC et le SI, se développe entre les stimuli contextuels (SX) et le SC. Autrement dit, les SX et le SC jouent dans la relation SX + SC les mêmes rôles respectifs que le SC et le SI dans la relation SC + SI. Les SX sont un signal du SC et servent à la récupération de la représentation du SC dans la MCT, de la même manière que le SC est un signal du SI et sert à la récupération de la représentation du SI dans la MCT. C'est pourquoi les expressions a $[\ell - (\bar{v} + k)]$ et $\beta[\lambda - (\overline{V} + K)]$ sont calquées sur le même modèle. Le terme a est un paramètre constant d'apprentissage, déterminé par les propriétés du SC; le terme ℓ est l'équivalent de λ et désigne l'asymptote de conditionnement que le SC permet d'atteindre; le terme $\bar{v}$ est la force associative ou la capacité de prédire le SC que possèdent les stimuli précédant le SC; finalement, k désigne les traces laissées dans la MCT par les présentations antérieures du SC.

Cette nouvelle équation, et le modèle théorique qui en est la source, permettent de mieux expliquer et de mieux prédire certaines données relatives aux phénomènes de masquage et de blocage. Ils permettent aussi de rendre compte, dans une certaine mesure, de l'effet débilitant que la préexposition au SN ou au SI (voir p. 155) a sur l'apprentissage ultérieur. Cependant, comme Wagner (1978) le reconnaît lui-même, il n'est pas certain que «les modifications spécifiques du modèle de Rescorla-Wagner qui sont suggérées soient les plus nécessaires pour faire en sorte que le modèle soit conforme aux données disponibles» (p. 206).

Le modèle de Mackintosh. Acceptant les mêmes principes de base que les autres théories de l'apprentissage associatif, le modèle de Mackintosh (1975b) prend comme point de départ l'équation suivante:

$$\triangle V_A = \alpha_A \Theta (\lambda - V_A) \qquad (6.11)$$

Bien, qu'à première vue elle soit très semblable à l'équation de base des modèles de Rescorla-Wagner (1972) et Wagner (1976), l'équation 6.11 contient une différence fondamentale: le terme $\overline{V}$ est remplacé par le terme V_A. En effet chez Mackintosh, l'apprentissage, ou modification de la force associative (ΔV_A) d'un stimulus A, ne dépend plus de l'écart entre l'asymptote de conditionnement (λ) permise par le SI et *la force associative totale de tous les stimuli présents* ($\overline{V}$), mais plutôt de l'écart entre ce λ et *la force associative propre au stimulus A*. De plus, le paramètre α_A acquiert une signification et des propriétés différentes de celles des théories examinées jusqu'à maintenant.

Dans la formulation de ses hypothèses, Mackintosh s'inspire fortement des théories de l'attention sélective (Lovejoy, 1968; Sutherland et Mackintosh, 1971; Trabasso et Bower, 1968; Zeaman et House, 1963). Ces théories proposent un modèle du comportement en deux étapes: une première étape, où l'organisme porte attention à un ensemble de stimuli, et une seconde étape, où il exécute une réponse uniquement déterminée par les stimuli qui ont au préalable retenu son attention. Par son équation de base, Mackintosh essaie de réduire ces deux étapes à une seule. Il adhère cependant à une hypothèse fondamentale de ces théories, selon laquelle la probabilité de porter attention aux stimuli pertinents augmente avec l'apprentissage, et celle de porter attention aux stimuli insignifiants diminue. L'adhésion à cette hypothèse implique une conception du paramètre α très différente de celle proposée par Rescorla et Wagner (1972) ou Wagner (1978). Comme l'affirment ces auteurs, la valeur de α_A est déterminée par les propriétés physiques du stimulus A, mais, selon Mackintosh, cela est vrai au début de l'apprentissage. Par la suite, elle est influencée par l'expérience que l'organisme a de ce stimulus. Ainsi, quand les variations du stimulus A sont reliées avec celles du renforçateur, et que les variations du stimulus B ne sont pas reliées avec celles du renforçateur, α_A augmente et α_B diminue.

Mackintosh rejette, par contre, une autre hypothèse des théories de l'attention sélective. Selon l'«hypothèse de l'inverse» en effet, la probabilité de porter attention à un ensemble de stimuli est inversement proportionnelle à la probabilité de porter attention à un autre ensemble de stimuli. Cette hypothèse a un équivalent dans le modèle de Rescorla-Wagner, bien qu'il ne soit pas formulé en termes d'attention. Ces auteurs affirment, comme nous l'avons vu, que les stimuli sont en compétition les uns avec les autres pour une quantité limitée de force associative, et que plus un stimulus accapare une part importante de cette force associative, moins il en reste pour les autres stimuli ($V_{A\,X} = V_A + V_X$). Mackintosh n'est pas d'accord avec ce point de vue. Selon lui, un stimulus B n'est pas appris, non pas parce que toute la force associative est déjà accaparée par le stimulus A, mais parce que α_B a diminué, puisque le stimulus B n'annonce aucune modification du renforcement qui ne soit déjà prédite. Contrairement aux théories de l'attention sélective et au modèle de Rescorla-Wagner, Mackintosh affirme donc que, dans une situation où il y a plusieurs stimuli A, B, C, une augmentation de α_A n'entraîne pas nécessairement et directement une diminution de α_B ou α_C. La modification de ces derniers dépend uniquement du niveau de corrélation des stimuli B et C avec le renforcement.

Le modèle de Mackintosh l'amène à prédire intuitivement que α_A augmente si A signale un événement qui ne pourrait être anticipé autrement, et qu'il diminue si A n'annonce aucune modification qui ne soit déjà anticipée à l'aide des autres stimuli (SX). Comment cela se traduit-il en règles plus formelles? C'est ici que notre remarque initiale sur l'importance de l'expression ($\lambda - V_A$) prend toute sa signification. Plus précisément les modifications du paramètre α sont déterminées par la valeur absolue de cette expression. Ainsi α_A augmente c'est-à-dire que:

$$\triangle\alpha_A > 0, \text{ si } |\lambda - V_A| < |\lambda - V_X| \qquad (6.12)$$

Inversement α_A diminue, c'est-à-dire que:

$$\triangle\alpha_A < 0, \text{ si } |\lambda - V_A| \geqslant |\lambda - V_X| \qquad (6.13)$$

L'associabilité (α_A) d'un stimulus A augmente donc lorsque la force associative (V_A) de ce stimulus est plus près de λ que la force associative (V_X) des autres stimuli, et diminue lorsque l'écart entre λ et V_A est égal ou plus grand que l'écart entre λ et V_X. Dans le blocage par exemple, α_B diminuera si B est toujours présenté en composé avec A, et que A a préalablement été établi comme signal du renforçateur. De même, dans le masquage, le stimulus A, par suite de sa plus grande «détectabilité», est initialement doté d'une valeur α plus élevée et acquiert donc une force associative plus rapidement que B.

Le modèle de Pearce et Hall. Tout récemment Pearce et Hall (1980) proposaient un modèle qui, tout en acceptant comme ses prédécesseurs que l'efficacité d'un SC varie avec son pouvoir prédictif, se démarque par deux principes fondamentaux. Ce modèle suggère une nouvelle règle pour déterminer les variations de α, et abandonne l'idée que l'efficacité du SI subit des changements au cours du conditionnement.

Pearce et Hall tentent essentiellement de décrire comment l'expérience antérieure de l'organisme affecte la probabilité qu'un SC ait accès au système de traitement de l'information. Selon eux, des stimuli comme les SI ont toujours accès au système de traitement de l'information. Par contre, l'accès à ce système est limité, dans le cas des autres stimuli, à ceux qui sont nécessaires à l'apprentissage. En fait, les stimuli qui constituent de bons prédicteurs n'ont pas accès au système, tandis que ceux qui sont suivis d'événements surprenants ou inattendus sont traités. Autrement dit, et contrairement à l'hypothèse de Mackintosh, un stimulus a une probabilité d'autant plus grande d'être incorporé dans le système de traitement de l'information qu'il n'est pas un bon prédicteur.

Le principe de base qui vient d'être énoncé s'exprime de façon plus formelle dans l'équation suivante:

$$\alpha_A{}^n = |\lambda^{n-1} - V_T{}^{n-1}| \qquad (6.14)$$

L'associabilité (α_A) d'un SC (A) lors d'un essai n est égale à la valeur absolue de l'écart entre d'une part, l'intensité du SI (λ^{n-1}) à l'essai précédent et, d'autre part, la force associative totale (V_T) de tous les stimuli présents à l'essai n – 1. Plus précisément, $VT^{n-1} = V_\Sigma{}^{n-1} + \overline{V}_\Sigma{}^{n-1}$ où V_Σ est la force associative totale de tous les SC excitateurs et $\overline{V}_\Sigma$ est la force associative totale de tous les SC inhibiteurs.

Cependant la force associative acquise par un SC ne dépend pas uniquement de l'associabilité (α_A) que lui confèrent les essais antérieurs de conditionnement. Elle dépend aussi de l'intensité ou «détectabilité» du SC (S_A) et de l'intensité du SI (λ). Par conséquent:

$$\triangle V_A = S_A \alpha_A \lambda \qquad (6.15)$$

En remplaçant α_A par sa définition à l'équation 6.14, on obtient alors que:

$$\Delta V_A{}^n = S_A \left| \lambda^{n-1} - (V_\Sigma{}^{n-1} + \overline{V}_\Sigma{}^{n-1}) \right| \lambda^n \qquad (6.16)$$

Tout comme Mackintosh, Pearce et Hall reconnaissent que l'associabilité d'un SC (α_A) peut être influencée par l'expérience antérieure de l'organisme avec ce stimulus. Mais, contrairement à lui, ils dissocient clairement cette propriété de l'intensité ou «détectabilité» (S_A) du SC. De la même manière que Rescorla et Wagner (1972) ou Wagner (1978), ils accordent une grande importance à l'écart entre λ et la force associative totale (V_T) de l'ensemble des stimuli présents. Toutefois, chez Pearce et Hall, cet écart a une toute autre signification. Premièrement, la force associative totale des stimuli (SC + SX) est un composé des tendances excitatrices et inhibitrices. Deuxièmement, l'expression $(\lambda - V_T)$ ne réfère plus à l'essai en cours, mais à l'essai précédent et même à plusieurs essais antérieurs. En effet, ces auteurs ont élargi leur définition de α_A, et considèrent que sa valeur à l'essai n est déterminée non seulement par sa valeur à l'essai n-1, mais par une moyenne des valeurs prises au cours d'un nombre fixe (c) d'essais antérieurs. Ainsi, l'équation 6.14 devient la suivante:

$$\alpha_A{}^n = \frac{1}{c} \sum_{n-c}^{n-1} |\lambda - V_T| \qquad (6.17)$$

et l'équation 6.16 devient:

$$\triangle V_A{}^n = S_A \left[\frac{1}{c} \sum_{n-c}^{n-1} |\lambda - (V_\Sigma + \overline{V}_\Sigma)| \right] \lambda^n \qquad (6.18)$$

Selon les équations 6.16 et 6.18 qui résument tout le modèle de Pearce et Hall, la force associative d'un SC à l'essai n augmentera $(\triangle V_A{}^n > 0)$ ou diminuera $(\triangle V_A{}^n < 0)$, selon que l'associabilité de ce stimulus (α_A) augmente ou diminue, S_A et λ^n étant des paramètres fixes. Plus l'écart entre l'asymptote de conditionnement (λ) fixée par l'intensité du SI et la force associative totale de tous les stimuli (V_T) a diminué au cours des essais précédents, plus l'associabilité du SC $(\alpha_A{}^n)$ à l'essai n est faible, et moins la force associative $(V_A{}^n)$ de ces stimulus sera modifiée ($\triangle V_A$) au cours de l'essai n̲. Autrement dit, plus la force associative de SC est grande, moins il est associable, et moins il a de chances d'avoir accès au système de traitement de l'information sous-jacent à l'apprentissage.

Commentaires

Au cours de la dernière décennie, les interprétations théoriques du conditionnement classique se sont multipliées et ont progressé à un rythme accéléré. Alors que cette forme d'apprentissage était considérée jusqu'à récemment comme relativement simple, il est apparu de plus en plus évident que la complexité des phénomènes pavloviens avait été sous-estimée et que, pour les expliquer adéquatement, il devenait nécessaire de faire appel à des interprétations plus raffinées.

Les quatre modèles théoriques que nous venons d'exposer constituent les principales voies qu'on explore actuellement. Ils réussissent tous à rendre plus ou moins compte des données empiriques déjà bien connues, et de celles qui ont été recueillies récemment sur des phénomènes comme la préexposition au SC ou au SI, l'aversion gustative apprise, le masquage et le blocage. Toutefois, il est encore trop tôt pour se prononcer définitivement sur la validité et les mérites respectifs de chacun de ces modèles. En effet, les résultats empiriques sont souvent contradictoires et, comme le reconnaissent eux-mêmes la plupart de leurs auteurs, il reste beaucoup de travail à faire pour bien articuler la structure conceptuelle de ces modèles. Malgré le caractère transitoire de ces interprétations, des tendances assez claires se dessinent dans la façon d'aborder et de concevoir l'apprentissage pavlovien.

Le postulat de base des interprétations S-R, selon lequel l'organisme subit très passivement la formation d'associations, est de plus en plus délaissé. Selon la conception moderne du conditionnement classique, et d'ailleurs de l'apprentissage instrumental,

> la modification du comportement qui résulte d'un apprentissage associatif nécessite un système d'acquisition de connaissances peut-être primitif mais en tous cas puissant, ainsi que des règles déterministes de performance tout aussi importantes, qui régissent la transformation de la connaissance emmagasinée, en comportements biologiquement appropriés (Weisman, 1977, p. 1).

La plupart des auteurs s'entendent donc pour accorder à l'organisme un rôle actif dans le traitement de l'information que lui fournit l'environnement physique et social.

Les interprétations récentes conçoivent aussi le conditionnement pavlovien comme le résultat d'un processus cognitif permettant à l'animal de se constituer une représentation interne des événements qui l'entourent, d'intégrer ou d'assimiler à partir de son expérience passée l'organisation de son environnement, et d'atteindre l'autorégulation de son comportement en fonction de cette intégration ou assimilation. Cependant, la nature exacte du processus cognitif et de la représentation interne impliquée est encore assez peu définie. Plusieurs théoriciens ont tendance à fonder leur modèle, non pas sur un processus d'apprentissage proprement dit, mais sur d'autres processus cognitifs comme la mémoire (Wagner, 1978), ou l'attention sélective (Mackintosh, 1976). Ces processus entretiennent avec le processus d'apprentissage des relations très étroites, et jouent évidemment un rôle fondamental dans la programmation et l'exécution des comportements. Toutefois, ils ne constituent pas à proprement parler ce système d'*acquisition,* d'assimilation des connaissances qu'est l'apprentissage. Quant à la nature de la représentation interne, générée au cours d'un conditionnement classique, les hypothèses sont essentiellement de deux types. Elles sont formulées ou en termes neurophysiologiques, ou en termes de traitement de l'information. Une hypothèse, qui jusqu'à maintenant n'a pas été envisagée et qui pourrait peut-être s'avérer fructueuse, est celle du schème sensori-moteur telle qu'elle est définie dans la théorie piagétienne (voir chapitre 4).

Enfin, une dernière tendance, qui s'est dessinée au cours de la dernière décennie, est un retour à la dimension fonctionnelle du conditionnement classique, sur laquelle Pavlov insistait beaucoup. En effet, de plus en plus d'auteurs s'intéressent au rôle de cette forme d'apprentissage dans l'adaptation des animaux, et à son importance dans la «sensibilité à la texture spatio-temporelle et causale» de l'environnement physique et social.

CHAPITRE 7

L'APPRENTISSAGE INSTRUMENTAL

Les conditionnements classiques, qu'ils se produisent spontanément en milieu naturel ou qu'ils soient recréés en laboratoire, apparaissent dans des situations où l'animal peut apprendre la relation existant entre deux événements, mais son comportement n'a pas à proprement parler d'effet sur cette relation. Même s'il «sait» que le SC annonce l'apparition prochaine du SI, et qu'il réagit par anticipation en exécutant une RC, cela ne change rien au fait que le SI suit le SC. Par exemple, dans le cas du conditionnement salivaire, que le chien salive ou non (RC) à la vue de son bol de nourriture (SC), il sera quelques secondes plus tard mis en présence de nourriture (SI). Il en est de même pour le jeune primate qui, voyageant sur le dos de sa mère et risquant à tout moment d'avoir le visage heurté par le feuillage, peut ou non fermer les paupières à la vue de cet obstacle (SC). Il reste que, s'il n'exécute aucune autre réponse que cette RC palpébrale, le feuillage (SI) lui frôlera les yeux. Bien sûr, l'apprentissage d'une telle RC permet de minimiser les conséquences que pourrait avoir la pénétration de cet obstacle dans l'oeil. Cependant, le comportement appris par l'animal (RC) ne modifie pas l'environnement, c'est-à-dire la relation qui existe entre le SC et le SI.

L'apprentissage instrumental, qui est une autre forme d'apprentissage associatif, permet à un animal, non seulement d'être sensible à la structure causale des événements, mais aussi d'intervenir dans cette structure. Il est instrumental, en ce sens qu'il génère des comportements qui modifient certaines relations de l'environnement.

DÉFINITIONS ET EXEMPLES

Qu'il survienne spontanément en milieu naturel ou qu'il soit induit expérimentalement dans des conditions contrôlées, l'*apprentissage instrumental ou conditionnement opérant* se manifeste dans les situations où l'exécution d'un comportement par un animal a un effet sur l'environnement; c'est-à-dire que l'exécution du comportement est suivie de l'apparition, du retrait ou de l'élimination d'un stimulus ou d'un événement particulier. La production de cet effet modifie la probabilité de réapparition du comportement.

Les phénomènes de base

Depuis Skinner (1938), il est d'usage d'analyser la relation qui existe entre trois composantes principales: les stimuli présents; le comportement exécuté par l'animal; et l'effet produit par ce comportement sur l'environnement physique ou social.

Dans une situation instrumentale, l'animal exécute un comportement qui n'est pas nécessairement inné. Il n'y a donc pas à proprement parler de réponse inconditionnelle (RI) et de stimulus inconditionnel (SI) ou conditionnel (SC). Cependant, l'animal n'est pas placé dans un vide absolu, et certains stimuli accompagnent ou précèdent la réponse en cours d'élaboration. Sans déclencher la réponse, comme cela est le cas dans une situation pavlovienne, ces stimuli indiquent dans quelles circonstances le comportement a un effet sur l'environnement, et dans quelles circonstances il n'en a pas. D'où leur nom de *stimuli discriminatifs* (S^D). De façon plus précise, «Un stimulus discriminatif est donc tout stimulus en présence duquel une réponse voit sa probabilité (ou sa fréquence) changée» (Malcuit et Pomerleau, 1977, p. 79).

Le comportement que l'animal exécute est tout simplement désigné par les expressions *comportement instrumental* ou *comportement opérant*. Il s'agit d'une action, ou d'une séquence d'actions, ayant une forme précise et un effet déterminé sur l'environnement. Avant l'apprentissage, cette action est émise avec une certaine fréquence, ou probabilité, qui peut parfois être nulle. On appelle *niveau opérant* cette intensité initiale.

Les actions d'un animal n'ont pas toujours d'effet sur l'environnement mais, lorsqu'elles en ont un, il consiste à faire apparaître ou disparaître un stimulus quelconque. Selon la nature de ce stimulus, l'*effet* produit entraîne une augmentation ou une diminution de la probabilité de réapparition du comportement. En apprentissage instrumental, on distingue deux grandes catégories d'effet: le renforcement ou la punition.

Le renforcement. Il y a *renforcement* quand l'exécution d'un comportement est suivie de l'apparition ou de la disparition d'un stimulus ou d'un événement (appelé *agent de renforcement* ou *renforçateur*), et que cette situation entraîne une *augmentation* de la probabilité, de l'intensité, de la fréquence ou du taux ultérieur du comportement. Le renforcement est *positif* quand le comportement produit l'*apparition d'un stimulus,* et il est *négatif* quand le comportement est suivi de l'*élimination* ou du *retrait d'un stimulus* (cf. figure 7.1).

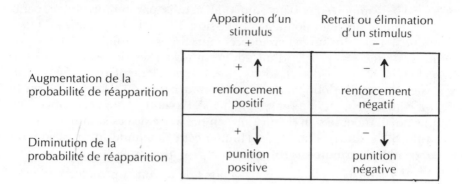

Figure 7.1 Représentation schématique des quatre types fondamentaux de situations d'apprentissage instrumental (Diagramme inspiré de Malcuit et Pomerleau (1977), p. 52).

Quand un jeune primate a faim, il s'approche de sa mère et quémande le sein. Ce comportement est positivement renforcé, et il a donc tendance à se répéter puisqu'il a pour effet de produire l'apparition d'un stimulus, le sein maternel (Baldwin et Baldwin, 1981)[1]. Ce même individu apprendra aussi que, dans ses tentatives pour rejoindre sa mère, il doit prendre soin de bien s'agripper aux branches et de maintenir son équilibre de façon à ne pas tomber. Ce comportement est négativement renforcé, et il a tendance à se répéter parce qu'une locomotion adéquate entraîne l'élimination d'un événement *aversif*, la chute.

Il existe plusieurs types de renforçateurs. Ainsi, un *renforçateur primaire ou inconditionnel* est un stimulus, ou un événement, dont les propriétés de renforcement sont indépendantes de tout apprentissage antérieur (nourriture, chaleur, etc.). Par contre, un *renforçateur secondaire ou conditionnel* acquiert ses propriétés de renforcement au cours de l'ontogénèse de l'organisme, grâce à son appariement avec un autre stimulus possédant déjà ces propriétés (ex: la mère devient pour le jeune primate un renforçateur secondaire, car elle a été appariée avec des renforçateurs primaires, dont la nourriture). Un renforçateur n'est pas toujours un stimulus, et les comportements eux-mêmes peuvent être renforçants. Selon le *Principe de Premack* en effet, une réponse qui a une forte probabilité d'apparition peut servir de renforçateur pour une autre réponse moins fréquente. Autrement dit, si une réponse X survient plus souvent dans le répertoire de l'animal qu'une réponse Y, la fréquence de la réponse Y peut être augmentée si elle est suivie de la possibilité d'exécuter la réponse X.

---

1   Les exemples de la section «phénomènes de base», tirés du comportement des jeunes primates, proviennent tous de cette même référence.

Un comportement instrumental acquis par renforcement peut, tout comme un conditionnement classique, faire l'objet d'une *extinction* quand il n'est plus suivi du renforcement. Si, par exemple, un jeune primate affamé s'approche d'un adulte qui est près de sa mère et qu'il recherche les seins de cet adulte, il est généralement repoussé par un geste délicat. Il n'obtient donc pas la nourriture qu'il recherche, et se voit confronté à un non renforcement. À l'avenir, il aura tendance à ne plus quémander le sein (extinction) en présence de ces stimuli discriminatifs (S^Δ = autres adultes), et à limiter cette demande aux occasions où les stimuli discriminatifs (S^D = sa mère) sont présents.

La punition. Comme nous venons de le voir, un renforcement se traduit toujours par une *augmentation* de la probabilité de réapparition du comportement. Les renforçateurs négatifs augmentent la probabilité de réapparition des comportements qui entraînent leur retrait ou leur élimination, tandis que les renforçateurs positifs augmentent la probabilité de réapparition des comportements qui entraînent leur apparition. Les stimuli ou les événements qui *diminuent* la probabilité de réapparition d'un comportement ne sont pas des renforçateurs, mais des *agents de punition* ou *punisseurs*.

Tout comme le renforcement, la punition peut être positive ou négative (voir figure 7.1). Elle est *positive* quand l'exécution du comportement entraîne l'apparition d'un stimulus, et *négative* quand elle entraîne le retrait d'un stimulus déjà présent.

Les situations instrumentales

Depuis la cage problème de Thorndike, les chercheurs ont toujours manifesté beaucoup d'imagination pour la construction d'appareils, et l'élaboration de situations expérimentales. Cependant, ces situations de laboratoire peuvent être divisées en deux grandes catégories: les situations instrumentales à essais discrets, et les situations opérantes libres.

Les situations à essais discrets. Les situations instrumentales à essais discrets sont, comme les situations pavloviennes, divisées en essais qui se succèdent. Chaque essai reconstitue, en quelque sorte, toutes les conditions auxquelles l'animal doit être exposé. Son contenu, ses limites et sa durée sont entièrement planifiés et contrôlés par l'expérimentateur. Par exemple, dans la cage problème de Thorndike, un essai commence à partir du moment où l'animal est placé dans l'appareil, et se termine quand il s'en échappe et s'empare de la nourriture située à l'extérieur. Chaque séquence compte pour un essai, et l'apprentissage est évalué en termes de nombre d'essais réussis, ou du temps nécessaire pour accomplir un nombre déterminé d'essais.

Une situation expérimentale, très courante dans la première moitié du siècle et moins aujourd'hui, est celle des couloirs de course (figure 7.2a) et des labyrinthes. L'essai commence lorsque l'expérimentateur

(a)

(b)

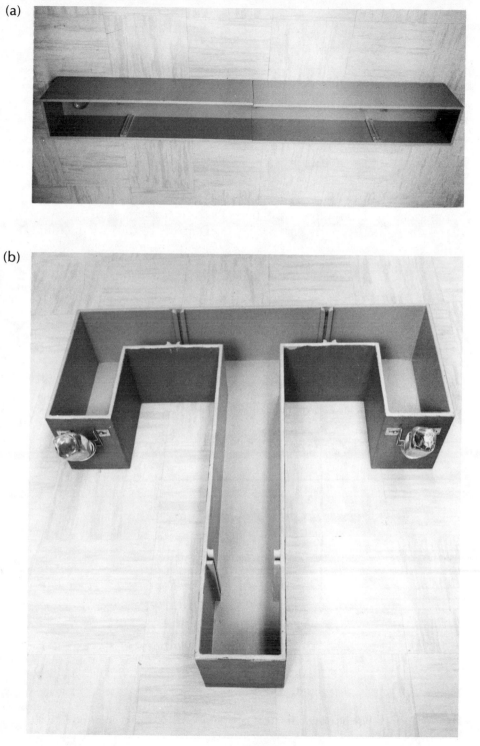

(c)

(d)

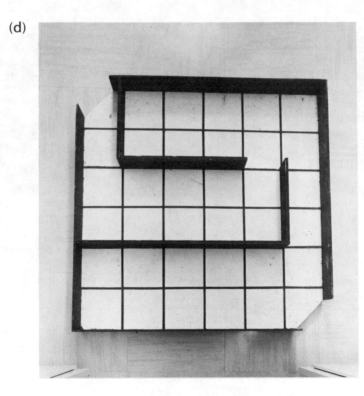

Figure 7.2 (a) le couloir de course; (b) le labyrinthe en T; (c) le labyrinthe en Y; (d) le labyrinthe de Hebb-Williams.

place l'animal dans le compartiment de départ, et se termine quand il atteint le compartiment d'arrivée contenant le renforçateur (nourriture, eau, partenaire sexuel, etc.) ou le punisseur. L'apprentissage peut être mesuré par la latence de départ, la vitesse de course, le nombre d'essais réussis et, dans le cas du labyrinthe, par le nombre d'erreurs commises. Les labyrinthes peuvent prendre des formes variées allant du simple T ou Y (figure 7.2b et c), où le choix se limite à deux possibilités, jusqu'aux méandres complexes ou au labyrinthe de Hebb-Williams (figure 7.2d), qui tient compte, non seulement des erreurs d'entrée, mais aussi des erreurs répétitives.

La plate-forme de Lashley (figure 7.3) est une autre situation expérimentale à essais discrets. Dans ce cas, l'essai commence au moment où l'animal est déposé sur une plate-forme étroite et surélevée. Devant lui, un panneau affiche deux stimuli, par exemple des lignes verticales et des lignes horizontales. Le sujet doit apprendre à distinguer ces deux stimuli et à exécuter la réponse produisant l'effet approprié. Il doit choisir le stimulus derrière lequel est caché le renforçateur positif, et sauter de sa plate-forme vers le panneau sur lequel il est présenté. Si son choix est bon, le panneau s'ouvre et il a accès au renforçateur positif. S'il est mauvais, le panneau demeure fermé et il tombe dans un filet tendu entre la plate-forme et le panneau. L'essai se termine donc avec la réussite ou la chute dans le filet. Pour s'assurer que l'animal apprend vraiment à distinguer les stimuli, et non leurs positions, on change régulièrement la position des stimuli.

Le renforcement négatif peut aussi être étudié dans les situations à essais discrets. L'appareil le plus souvent utilisé est alors la cage d'évitement, qui se présente en deux modèles. La cage d'évitement unidirectionnel (figure 7.4a) est divisée en deux compartiments: un compartiment de départ dont le plancher est fait de tiges métalliques, et un compartiment d'arrivée, situé à quelques centimètres au-dessus du compartiment de départ. L'essai commence avec l'apparition d'un stimulus sonore ou visuel et l'ouverture d'une porte coulissante séparant les deux compartiments. Au bout de quelques secondes, si l'animal n'a pas déjà fui dans le compartiment d'arrivée, ce stimulus s'accompagne d'un choc électrique administré à travers les tiges métalliques du compartiment de départ. L'animal doit apprendre à sauter d'un compartiment à l'autre, de façon à interrompre (*échappement*) ou à prévenir (*évitement*) l'émission du choc électrique. L'essai se termine lorsque l'expérimentateur repousse l'animal dans le compartiment de départ, à l'aide de la porte coulissante. La cage d'évitement bidirectionnel (figure 7.4b) est aussi divisée en deux compartiments, mais ces derniers sont tous deux situés au même niveau et peuvent être électrifiés. Un mur percé d'une porte, ou un obstacle quelconque tel un cylindre transversal les sépare. Un essai commence aussi par la présentation d'un signal sonore ou visuel, bientôt suivi d'un choc électrique, et se termine avec la traversée de

l'animal dans l'autre partie de la cage. Cependant, il n'y a pas à proprement parler de compartiment de départ ou de fuite, car un essai commence là où se trouve le sujet. Si à l'essai précédent, il a traversé du compartiment A au compartiment B et qu'il est demeuré en B depuis ce
temps, le nouvel essai commencera alors qu'il est en B.

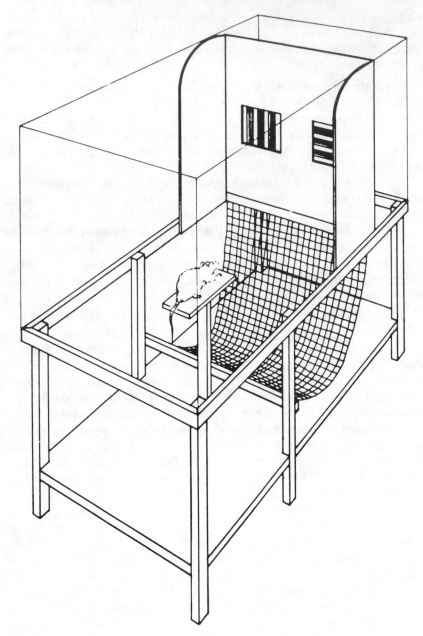

Figure 7.3   La plate-forme de Lashley.

(a)

(b)

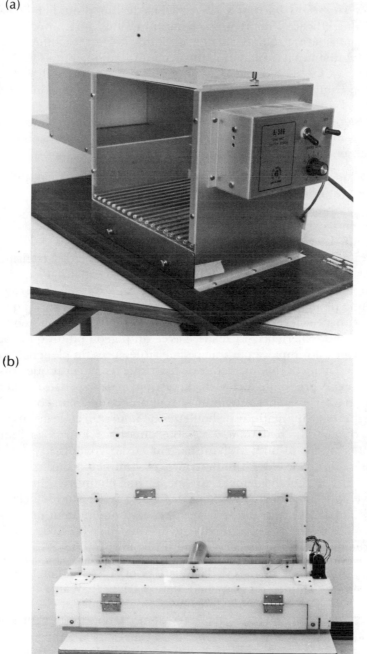

Figure 7.4 (a) la cage d'évitement unidirectionnel; (b) la cage d'évitement bidirectionnel.

Les situations opérantes libres. Dans le but d'étudier de façon encore plus efficace l'apprentissage instrumental, aussi appelé conditionnement opérant, Skinner a mis au point, durant les années 30, un appareil et une situation expérimentale, connus aujourd'hui sous le nom de boîte ou cage de Skinner. Cet appareil, qui est très utilisé dans la recherche contemporaine, offre de nombreux avantages, dont celui de permettre l'automatisme du contrôle de l'expérience et de l'enregistrement des données. Les interventions de l'expérimentateur sont réduites au minimum, ce qui, en principe, favorise une plus grande objectivité dans l'observation des phénomènes.

La cage de Skinner (figure 7.5a), qui a été employée avec différentes espèces animales mais surtout avec le pigeon et le rat, est de conception très simple. Il s'agit d'une boîte rectangulaire dont les murs sont en métal et en plexiglass, et dont les dimensions sont généralement de 30 x 25 x 30cm. Le plancher est constitué de tiges métalliques qui, en plus d'éviter l'accumulation d'urine ou de défécation, servent à transmettre un choc électrique dans les pattes de l'animal quand l'expérience requiert la présentation d'un tel stimulus. L'un des murs de la cage est doté d'une petite plaque de métal rectangulaire (de 1 cm sur 3) qui fait saillie et constitue le levier sur lequel le rat doit appuyer pour obtenir l'effet désiré. Si l'expérience est réalisée avec un pigeon plutôt qu'avec un rat, le levier est remplacé par une pédale située près du plancher ou, ce qui est plus fréquent, par un disque de plastique fixé au mur que l'oiseau doit picorer. À proximité du levier, du disque ou de la pédale, le mur est percé d'un trou pouvant contenir un abreuvoir ou une mangeoire reliés à un distributeur automatique de boulettes de nourriture, de grains ou de gouttes d'eau. Un plafonnier de faible puissance fournit la lumière ambiante, tandis qu'un petit haut-parleur et des voyants fixés au mur permettent de générer des stimuli sonores ou lumineux. Enfin, un ventilateur assure le renouvellement de l'air, et une chambre d'insonorisation enveloppe généralement la cage, de façon à éviter que le sujet ne soit pas distrait par les bruits du laboratoire. L'expérimentateur peut observer les comportements de l'animal à travers un oeil de boeuf ou une fenêtre percée dans la porte de la chambre d'insonorisation.

Les divers mécanismes de la cage (levier, distributeur automatique, tiges métalliques du plancher, haut-parleur, voyants lumineux) sont reliés à un système de modules électromécaniques et électroniques auquel s'ajoute maintenant, dans plusieurs laboratoires, un microordinateur (figure 7.5b). Ce système assume les deux fonctions principales d'une expérience: le contrôle du déroulement et l'enregistrement des données.

Comme nous allons le voir, cet aménagement expérimental est très versatile et sert à créer les différentes situations de renforcement et de punition.

(a)

(b)

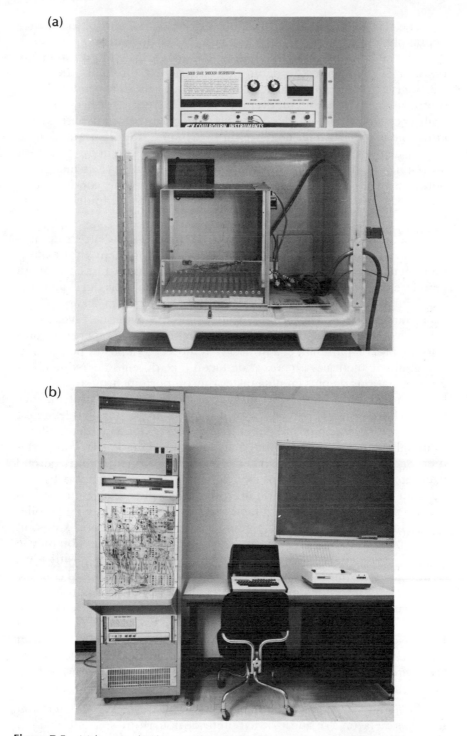

Figure 7.5 (a) la cage de Skinner; (b) micro-ordinateur et modules.

Le renforcement positif — Un rat privé de nourriture (ou d'eau) depuis plusieurs heures est introduit dans la cage de Skinner en présence du levier et de la mangeoire. La première étape consiste à l'entraîner à se rendre à la mangeoire. Au début de l'expérience, l'animal est en effet très «nerveux», et explore le nouvel environnement dans lequel il vient d'être plongé. Il longe les murs et renifle tous les recoins de la cage. Pour réaliser cet entraînement, des boulettes de nourriture sont déposées dans la mangeoire, par l'intermédiaire du distributeur automatique dont le déclenchement produit un bruit caractéristique. L'attention du rat est attirée par ce bruit, et il suffit d'attendre qu'il découvre et mange les boulettes mises à sa disposition. Puis, l'expérimentateur continue à lui donner de la nourriture jusqu'à ce qu'il se présente rapidement à la mangeoire.

Au terme de cette première étape, l'animal n'a pas encore appuyé sur le levier. Pour commencer l'apprentissage proprement dit, l'expérimentateur peut attendre que cette réponse apparaisse par hasard, ce qui peut être très long. Il peut aussi avoir recours à une procédure qui accélère l'émission de la première pression sur le levier: *le façonnement*. Cette procédure consiste à choisir d'abord des réponses ayant un niveau opérant élevé, c'est-à-dire des réponses fréquentes dans le répertoire comportemental de l'animal, et à utiliser le renforcement positif pour modifier graduellement ces réponses, de façon à ce qu'elles deviennent des approximations de plus en plus justes du comportement final désiré. Si l'expérimentateur veut amener un rat à appuyer sur un levier, il lui donnera d'abord de la nourriture dès qu'il s'approche du mur où le levier est fixé. Le renforcement positif de cette réponse aura tendance à maintenir l'animal dans le voisinage immédiat du levier. Une fois ce comportement acquis, l'expérimentateur cesse de le renforcer (extinction), et rend le critère de renforcement plus exigeant. Pour recevoir la nourriture, il ne suffit plus de se tenir près du mur; il faut, en plus, que le museau du rat soit placé près du levier. Quand cette deuxième réponse est établie, l'expérimentateur cesse de la renforcer et passe à une approximation encore plus juste de la pression sur le levier. Cette fois, le rat doit mettre la patte au-dessus du levier. Finalement, le renforçateur positif n'est donné que s'il appuie sur le levier. Le façonnement, même s'il consiste toujours à renforcer des approximations successives de la réponse terminale, varie d'une situation à l'autre, et d'un individu à l'autre. Il n'y a pas de recette magique ou d'étapes valables en toutes circonstances. Il faut savoir tirer parti de la variabilité naturelle du comportement, et doser ses interventions en fonction des réactions de l'animal. Il faut surtout éviter de renforcer trop longtemps une approximation, car l'animal peut alors se fixer à cette étape et être incapable de passer à la suivante.

Une fois le façonnement terminé, les mécanismes de la cage sont modifiés de façon à ce que le distributeur de nourriture soit actionné par une pression du levier, et non plus par l'expérimentateur. Le rat apprend donc que cette réponse a un effet sur son environnement, celui de faire apparaître des boulettes de nourriture. La probabilité qu'il répète cette réponse est élevée, et la suite de l'expérience consiste à enregistrer l'augmentation du taux de réponses (fréquence/ unité de temps).

Le renforcement négatif — La situation est semblable à la précédente, sauf que le rat n'a pas été préalablement privé de nourriture et que la mangeoire ne joue aucun rôle particulier. De plus, un voyant lumineux est placé au-dessus du levier. À intervalle régulier, ce voyant (S^D) s'allume. Au début, il ne suscite aucune autre réaction chez l'animal qu'une réponse d'orientation et un comportement d'exploration. Cependant, dès que le voyant s'éteint, il reçoit dans les pattes un choc électrique transmis par les tiges métalliques du plancher. Après quelques-unes de ces présentations, le rat commence à appuyer sur le levier quelques secondes après la fin du stimulus lumineux, interrompant ainsi le choc électrique en cours. Sa réponse a donc eu un effet sur l'environnement, celui d'*échapper à un stimulus aversif*. Plus tard, il apprend graduellement à actionner le levier pendant que le voyant est allumé, et *évite ainsi complètement l'apparition du choc*. L'expérience consiste, dans ce cas, à mesurer l'*augmentation de la fréquence de cette réponse d'évitement*.

La punition positive — Un rat affamé et préalablement conditionné à appuyer sur le levier est introduit dans la cage de Skinner. Quand il exécute cette réponse, il ne reçoit plus une boulette de nourriture, mais un choc électrique dans les pattes. Son comportement a donc un effet différent de celui qu'il avait auparavant. Il ne fait plus apparaître un stimulus *appétitif* mais *provoque l'apparition d'un stimulus aversif*. Dans une telle situation, le chercheur constate que la *fréquence des pressions sur le levier diminue* rapidement.

La punition négative — Deux leviers sont mis à la disposition du rat. Chaque fois que le voyant lumineux est allumé, la pression sur le levier A actionne le distributeur de nourriture, et l'animal reçoit une boulette. Celui-ci a évidemment tendance à appuyer aussi sur le levier B mais, dans ce cas, la réponse est suivie d'une période de deux minutes au cours de laquelle le voyant est éteint, et la pression sur le levier A ne fournit plus de nourriture. Le comportement en rapport avec le levier B a donc pour effet de produire la *disparition du stimulus appétitif*. Au bout d'un certain temps, la fréquence de pressions sur B *diminue* et le rat finit par ne plus y toucher.

Évidemment, la cage de Skinner n'est pas la seule situation opérante libre, mais c'est sûrement la plus utilisée. De façon générale, les situations de ce type se caractérisent par le fait qu'une fois le conditionnement mis en marche, l'expérimentateur n'intervient plus directement jusqu'à la fin de l'expérience. Bien sûr, c'est lui qui a planifié les conditions expérimentales et qui les contrôle indirectement par la program-

mation des modules ou du micro-ordinateur. Cependant, le déroulement de l'expérience n'est pas déterminé par des essais correspondant à
des critères préalablement définis, mais par le rythme de comportement
de l'animal. Ainsi un rat affamé, placé dans une cage de Skinner, peut
obtenir les boulettes de nourriture en autant qu'il appuie sur le levier. Il
n'a pas à attendre d'être ramené du compartiment d'arrivée au compartiment de départ. Étant donné qu'elles réduisent au minimum les interventions de l'expérimentateur, les situations opérantes libres ont l'avantage de ne pas perturber l'animal, et permettent d'examiner les résultats
au fur et à mesure qu'ils apparaissent.

Laboratoire et milieu naturel. Les situations d'apprentissage instrumental ainsi créées en laboratoire sont évidemment très simples et
très artificielles, si on les compare à la complexité des éléments qui composent la vie en milieu naturel. Cette critique, formulée notamment par
le courant néoévolutionniste (chapitre 4), n'est pas sans fondement et ne
date pas de la dernière décennie. Déjà en 1925, Köhler considérait que la
cage problème de Thorndike, en dissimulant le lien mécanique entre la
corde, la pédale ou la clenche et l'ouverture de la porte, ne permettait pas
à l'animal de donner la pleine mesure de son potentiel cognitif ou «intellectuel». Il écrivait en effet que «Si des composantes essentielles de l'appareil expérimental ne peuvent être vues par les animaux, comment
peuvent-ils utiliser leurs facultés intellectuelles pour saisir la situation?»
(p. 22).

Bien que cette critique mérite d'être prise en considération, et elle
l'est de plus en plus (voir la controverse entre Herrnstein (1977) et Skinner (1977)), il ne faut pas oublier que les situations instrumentales, tout
comme les situations pavloviennes, constituent des tentatives pour abs-
traire les éléments essentiels de cette forme d'apprentissage, et les reproduire dans un environnement où les variables pertinentes peuvent être
identifiées et contrôlées. L'adéquation entre la situation de laboratoire et
le milieu naturel n'est donc pas nulle. D'ailleurs, l'analyse behaviorale
de cas cliniques (Bouchard, Ladouceur et Granger, 1977) et d'autres cas
de comportement humain a clairement démontré que les phénomènes
étudiés dans les conditions artificielles du laboratoire se manifestent
aussi dans la vie quotidienne. Elle a aussi permis d'élucider et de résoudre de nombreux problèmes issus du processus d'apprentissage. Dans le
cas des animaux non humains, tous les efforts n'ont peut-être pas été
faits pour bien mettre en valeur la validité éthologique et écologique de
ces recherches (Johnston, 1981). Des publications récentes (Baldwin et
Baldwin, 1981; Pietriwicz et Kamil, 1981) permettent cependant de
croire que la recherche en apprentissage instrumental est en train de se
transformer et que, sans abandonner le laboratoire et ses avantages
méthodologiques, elle se préoccupera davantage à l'avenir du comportement en milieu naturel.

Les programmes de renforcement (et de punition)

Dans la plupart des exemples que nous avons vus jusqu'ici, la situation était relativement simple. À chaque fois que l'animal exécutait la réponse appropriée, c'est-à-dire celle choisie par l'expérimentateur, il recevait l'agent de renforcement ou de punition. Cependant, dans le milieu naturel des animaux et de l'humain, le renforcement et la punition ne sont pas toujours disponibles de façon *continue*, et se présentent généralement sous une forme plus complexe. Par exemple, quand il recherche de la nourriture, le junco ardoisé donne régulièrement et très fréquemment des coups de bec en direction du sol. Tous ces picorements ne sont pas également efficaces. Certains lui procurent la nourriture qu'il recherche ou le gravier qui facilite sa digestion, mais plusieurs s'avèrent infructueux (Doré, 1977, 1980). Pourtant, le comportement de picorement est loin de subir une extinction, et se maintient à un taux élevé, même si le renforcement est *intermittent*. La même intermittence caractérise aussi plusieurs situations naturelles de renforcement ou de punition chez l'humain. Que l'on songe simplement à la faible fréquence avec laquelle plusieurs comportements de l'enfant ou de l'adulte sont suivis d'une forme quelconque de renforcement social, ou encore au joueur qui dépose de la monnaie des dizaines de fois dans un gobe-sous avant que le résultat souhaité ne se produise.

Ces situations naturelles ont aussi leur équivalent en laboratoire. Les chercheurs ont en effet créé une variété de programmes de renforcement et de punition, et ont étudié l'effet de ces programmes sur l'acquisition, le maintien et l'extinction de l'apprentissage instrumental. Certaines de ces études ont été réalisées dans des situations expérimentales à essais discrets, mais la plupart ont été menées dans des situations opérantes libres. De plus, même si, en principe, ces programmes peuvent s'appliquer aussi bien à la punition qu'au renforcement, ils ont été employés surtout dans le deuxième cas.

Les données sur les programmes de renforcement sont souvent recueillies par enregistrement cumulatif. Il s'agit d'une technique qui utilise un appareil assez simple, comprenant un rouleau de papier et une plume mobile. Le papier se déroulant à vitesse constante, l'abscisse ainsi créée représente le déroulement du temps, alors qu'en ordonnée apparaît la fréquence cumulée des réponses (figure 7.6). Tant que l'animal émet la réponse mesurée, la plume trace une courbe dont la pente varie en fonction de la fréquence par unité de temps. Plus la pente est abrupte, plus le taux de réponses est élevé. Quand le sujet s'interrompt et fait une pause, la plume trace une ligne parallèle à l'axe des abscisses. Comme nous le verrons, l'enregistrement cumulatif permet d'obtenir des graphiques très clairs, caractéristiques de chacun des programmes de renforcement. Il permet de visualiser rapidement, en cours d'expérience, l'activité du sujet.

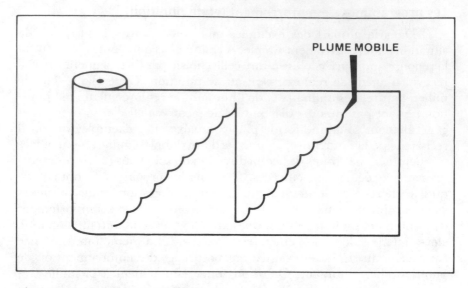

Figure 7.6 Enregistreur cumulatif.

Les programmes de renforcement intermittent. Contrairement au programme de renforcement continu dans lequel chaque exécution du comportement est suivie du renforçateur, les programmes de renforcement intermittent sont des programmes à l'intérieur desquels la réponse n'est pas toujours renforcée. L'intermittence peut être réalisée selon deux critères: le nombre de réponses renforcées (programme à proportion), ou le temps écoulé entre deux réponses renforcées (programme à intervalle). De plus, chacun de ces critères peut être fixe ou variable.

Dans un *programme à proportion fixe* (PF), l'animal reçoit un renforcement après avoir réalisé un nombre fixe de réponses. Par exemple, un rat qui doit apprendre à appuyer sur un levier selon un programme PF-5 ne recevra de la nourriture qu'une fois toutes les cinq pressions. Plus les réponses sont exécutées rapidement, plus le délai de temps entre deux renforcements est court. Un tel programme induit généralement chez l'animal un taux élevé de réponses, jusqu'à l'arrivée du renforcement, lequel est suivi d'une pause et d'une nouvelle accélération du comportement (figure 7.7a). La pause est absente, ou de brève durée, quand la proportion est faible, et longue, quand la proportion est élevée. L'extinction d'un comportement préalablement acquis et maintenu par un programme PF se caractérise par une diminution des périodes où la fréquence de réponses est élevée, et par un allongement graduel des pauses.

Le *programme à proportion variable* (PV) est fondé sur le même principe que le programme précédent, sauf que le nombre de réponses à exécuter avant le renforcement n'est pas fixe et varie d'un renforcement à l'autre, autour d'une moyenne déterminée à l'avance. Si, par exemple,

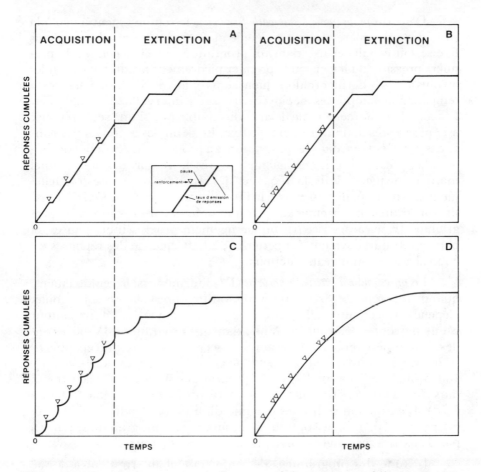

Figure 7.7 Enregistrements cumulatifs au cours de l'acquisition et de l'extinction (a) avec un programme à proportion fixe (PF); (b) avec un programme à proportion variable (PV); (c) avec un programme à intervalle fixe (IF); (d) avec un programme à intervalle variable (IV). Tiré de Malcuit et Pomerleau (1977); reproduit avec la permission des Presses de l'Université du Québec).

un expérimentateur soumet un pigeon à un programme PV-60, il lui donnera accès au premier renforçateur après que l'oiseau aura picoré 40 fois le disque, au deuxième renforçateur après 70 picorements, et ainsi de suite avec des fréquences de 30, 85, 80, 180, 5, 30, 20 et 60 picorements. Il répétera cette séquence de 10 éléments jusqu'à la fin de l'expérience, de sorte que l'animal aura été renforcé en moyenne une fois toutes les 60 réponses (40 + 70 + 30...60/10). Contrairement au programme PF, le programme PV ne produit pas de pause après le renforcement, mais il suscite un taux très élevé de réponses (figure 7.7b). Quant à l'extinction d'un comportement soumis à de telles conditions, elle se caractérise par l'apparition de bouffées intenses de réponses, suivies de pauses de plus en plus longues.

Dans un *programme à intervalle fixe* (IF), le renforcement a lieu à la suite de la première réponse exécutée après qu'un intervalle de temps fixe se soit écoulé. Ainsi, dans un programme IF-30 secondes, la première pression du levier, ou le premier picorement produit 30 secondes ou plus après le dernier renforcement sera renforcé. Ni le seul passage du temps, ni les réponses déployées durant l'intervalle, n'ont d'effet. L'agent de renforcement ne devient disponible que si une seule réponse est émise après la fin de l'intervalle fixe. Le débit des réponses est, dans ce cas, plus lent que dans les programmes à proportion. Au début de l'intervalle, c'est-à-dire immédiatement après le renforcement, l'animal marque une pause. Puis, la fréquence des réponses augmente graduellement et atteint un niveau élevé à la fin de l'intervalle (figure 7.7c). L'extinction d'un comportement acquis et maintenu dans le cadre d'un programme IF se caractérise par un allongement progressif des pauses, et par un raccourcissement des périodes où la fréquence des réponses est équivalente à son niveau antérieur.

Le *programme à intervalle variable* (IV) fournit aussi le renforcement, quand une réponse est émise après qu'un intervalle se soit écoulé. Cependant, cet intervalle varie d'un renforcement à l'autre autour d'une moyenne déterminée. Ainsi, dans un programme IV-60 secondes, la première réponse émise après 25 secondes sera renforcée, puis 70 secondes plus tard, et ainsi de suite avec des intervalles de 30, 85, 80, 180, 5, 30, 20 et 75 secondes. Un tel programme suscite généralement un taux régulier de réponse sans temps d'arrêt après le renforcement (figure 7.7d). L'extinction se traduit par une diminution graduelle de la fréquence de réponses et, contrairement aux autres programmes, il n'y a pas de pauses prolongées suivies d'une reprise de l'activité.

L'étude des programmes de renforcement intermittent a donné lieu à un nombre incalculable de travaux, touchant des aspects extrêmement variés. Mais le phénomène le plus intéressant qu'elle a permis de mettre en valeur, et qui s'est avéré l'un des plus robustes en apprentissage instrumental, est l'«*Effet du Renforcement Partiel*» (ERP) qui se décrit simplement comme suit: les comportements acquis et maintenus sous un programme de renforcement intermittent sont, par la suite, plus résistants à l'extinction que les comportements acquis et maintenus sous un programme de renforcement continu. Ce phénomène a été constaté aussi bien dans les situations expérimentales à essais discrets que dans les situations opérantes libres.

À l'époque où l'ERP a été démontré par Skinner (1938) et par Humphreys (1939b), il représentait un véritable paradoxe pour la théorie de Clark Hull (voir chapitre 3). Selon cette théorie, une réponse renforcée à chaque fois qu'elle survient devrait, en principe, être plus forte qu'une réponse qui n'est renforcée qu'occasionnellement, la force de la réponse se manifestant par une acquisition plus rapide et une plus grande résistance à l'extinction. Les données montrent, de fait, que les réponses renforcées de façon continue *s'acquièrent plus facilement* que les réponses renforcées de façon intermittente. Elles seraient donc, en vertu du critère d'acquisition, plus fortes. Cependant, et c'est là le paradoxe, le renforcement continu produit des comportements qui, en vertu du critère d'extinction, sont moins forts que ceux générés par le renforcement intermittent, puisqu'ils sont *moins résistants à l'extinction*.

Plusieurs hypothèses théoriques ont été proposées pour résoudre ce paradoxe et expliquer l'ERP, mais deux d'entre elles ont pu être confirmées empiriquement, et retiennent aujourd'hui l'attention des chercheurs. Selon la théorie de la frustration (Amsel, 1958, 1962, 1967, 1972; Amsel, Hug et Surridge, 1968), une réponse non renforcée induit chez l'animal un état de frustration qui devient conditionné à certains indices propres à la situation de non renforcement. Lors de l'acquisition, les sujets soumis à un renforcement intermittent apprennent à exécuter la réponse en présence des indices de frustration et sont donc, lors du retrait définitif du renforcement, moins perturbés que des sujets soumis à un renforcement continu et qui, au moment de l'extinction, éprouvent pour la première fois un état de frustration. La théorie séquentielle (Capaldi, 1966, 1967, 1971; Koteskey, 1972), qui est actuellement la mieux acceptée, s'inspire d'une hypothèse antérieure de Sheffield (1949). Elle suppose que le renforcement et le non renforcement génèrent des stimuli distincts qui laissent des traces dans la mémoire. Si les effets consécutifs au non renforcement sont présents lors d'un renforcement ultérieur, ils deviennent conditionnés par le renforcement, et font partie intégrante de l'ensemble des stimuli qui agissent sur le comportement. Les sujets soumis au renforcement intermittent sont, quand il y a renforcement, renforcés à exécuter la réponse en présence des stimuli consécutifs au non renforcement générés antérieurement. Lors de l'extinction, des stimuli consécutifs continuent à induire la réponse, puisqu'ils font partie de l'ensemble des stimuli conditionnés au moment de l'acquisition. Les sujets renforcés de façon continue n'ont pas eu, au cours de l'acquisition, la possibilité de ressentir les effets consécutifs au non renforcement, et ils les ressentent pour la première fois au moment de l'extinction. Pour ces sujets, l'extinction constitue donc une modification importante des stimuli, ce qui engendre un décrément de généralisation et une baisse rapide de la fréquence des réponses. La théorie séquentielle a tendance à être mieux acceptée parce que, contrairement à la théorie de la frustration, elle réussit à rendre compte adéquatement de l'ERP dans les situations où le nombre d'essais est faible, et où l'intervalle inter-essais est très long (Tarpy et Maier, 1978).

Le renforcement différentiel du débit de réponse. Contrairement aux programmes de renforcement continu et intermittent qui établissent des conditions à l'intérieur desquelles l'animal peut lui-même fixer son rythme de production de réponses, le renforcement différentiel du débit vise à imposer ce rythme. Deux programmes de ce type ont surtout été mis au point. Dans le *programme de renforcement différentiel du débit lent* (RDL), l'animal n'est renforcé que s'il exécute une réponse *après* qu'un intervalle déterminé se soit écoulé depuis la réponse précédente. Un programme RDL ressemble donc, en apparence, aux programmes à intervalle, mais cette ressemblance n'est que superficielle. Contrairement aux programmes IF et IV, l'intervalle n'est pas calculé à partir du dernier renforcement, mais à partir de la dernière réponse et, ce qui est encore plus fondamental, toute réponse émise pendant l'intervalle retarde le renforcement. Ainsi, un pigeon entraîné à picorer un disque selon un RDL-30 secondes devra s'abstenir de toucher le disque pendant les 30 secondes qui suivent sa réponse précédente. Le *programme de renforcement différentiel du débit rapide* (RDR) est évidemment l'inverse du précédent: une réponse n'est renforcée que si elle suit la réponse précédente *avant* la fin du délai défini par l'expérimentateur. Les recherches sur ces deux types de programme ont notamment contribué à l'étude de l'estimation des durées et de la régulation temporelle du comportement chez les animaux (Richelle, 1967, 1968, 1972).

Les programmes complexes. L'expression «programmes complexes» désigne une variété de programmes de renforcement dont la caractéristique commune est d'être constitués d'une combinaison, ou juxtaposition, de programmes élémentaires.

Un *programme multiple* est une combinaison de deux ou plusieurs programmes indépendants qui sont présentés successivement à l'animal, chacune des composantes étant annoncée par un stimulus différent. Par exemple, un programme multiple IF 30 secondes — IF 2 minutes permet à l'animal de répondre alternativement en fonction de l'un et l'autre programme. Si chacune des composantes est annoncée par le même stimulus, plutôt que par des stimuli différents, il s'agit alors d'un *programme de renforcement mixte*.

Un *programme composé* est un programme selon lequel une seule réponse est renforcée, après que les composantes successives ont toutes été exécutées. Il y a deux types de programme composé: le *programme en chaîne,* où chaque composante est accompagnée ou signalée par un stimulus distinct, et le *programme en tandem,* où le même stimulus annonce toutes les composantes. Dans un programme en chaîne IF 30 secondes — IF 2 minutes, la réponse qui complète la composante IF 30 secondes donne accès à la composante IF 2 minutes qui, une fois exécutée, rend disponible le renforcement primaire. Autrement dit, dans un programme composé, l'animal ne reçoit le renforcement qu'à la fin d'une série de deux ou plusieurs composantes.

Un programme qui s'est avéré particulièrement utile dans l'analyse du comportement de choix (voir section «conditions d'acquisition») est le *programme concomitant ou concurrent.* Dans ce cas, deux ou plusieurs comportements indépendants, souvent incompatibles, sont soumis à deux ou plusieurs programmes de renforcement en même temps.

Validité éco-éthologique. L'exposé des programmes de renforcement que nous venons de donner ne constitue qu'un aperçu très partiel et incomplet de la multitude et de la diversité des travaux dans ce domaine. Un coup d'oeil rapide sur certaines revues comme *Journal of the Experimental Analysis of Behavior* suffira à convaincre le lecteur du bienfondé d'une telle affirmation. La principale raison qui nous a amené à restreindre l'espace accordé à ce thème est le scepticisme croissant de nombreux auteurs, quant à la validité éco-éthologique des résultats obtenus en laboratoire.

Comme nous l'avons souligné dès le début, les situations en milieu naturel correspondent probablement plus souvent à des programmes de renforcement intermittent qu'à des programmes de renforcement continu et, en ce sens, les recherches en laboratoire sont des outils précieux pour mieux comprendre le comportement spontané des animaux. Il est également vrai que l'«Effet du Renforcement Partiel» représente un phénomène important, dont la robustesse peut difficilement être mise en doute. Cependant, il y a lieu de se demander si le degré de complexité atteint en laboratoire correspond vraiment à celui qui existe en milieu naturel, et s'il n'introduit pas une confusion dans les variables qui déterminent le comportement (Mackintosh, 1974).

Certains auteurs (Reynolds, 1968) sont convaincus que les programmes de renforcement ou de punition constituent la clef de voûte du contrôle du comportement, et que l'étude en profondeur de ces programmes est essentielle à la compréhension du comportement animal et humain. Selon d'autres, le milieu naturel est généralement fait de situations où la réponse n'a pas le caractère hautement répétitif de la pression du levier ou du picorement du disque. Ce deuxième groupe d'auteurs considère plutôt les programmes de renforcement comme des outils d'analyse ou de thérapie (Schwartz, 1978), et se rallie à la position très souvent citée de Jenkins (1970) selon laquelle:

> Les programmes de renforcement sont une invention et on peut choisir ou non d'analyser les effets qu'ils produisent. Il y a des analogies intéressantes entre les programmes de renforcement mis au point par les psychologues et les conditions générales dans lesquelles apparaît le comportement. Toutefois, ces analogies ne sont probablement pas aussi claires que ce que les conceptions populaires des programmes de renforcement pourraient laisser croire. Ni les humains ni les animaux ne répètent en milieu naturel une réponse qui, dans un environnement stable, ne fournit qu'un renforcement occasionnel. Les manipulations expérimentales qui se rapprochent des conditions naturelles ne sont pas toujours nécessairement celles qui sont les plus susceptibles de faire progresser une science. L'un des critères importants dans le choix des phénomènes à analyser en profondeur est la simplicité de résolution du problème. Ni les programmes en situations opérantes libres, ni ceux en situations à essais discrets ne satisfont ce critère. La complexité d'une situation expérimentale donnée ne doit pas à elle seule nous contraindre à entreprendre une analyse poussée (p. 107).

LES CONDITIONS D'ACQUISITION

Qu'il s'agisse de situations en laboratoire ou en milieu naturel, que l'exécution du comportement entraîne un renforcement ou une punition, il faut se poser la même question que dans le cas du conditionnement classique. Quelles sont les conditions nécessaires et suffisantes pour que l'animal établisse la relation entre son comportement et l'effet produit sur l'environnement?

Plusieurs auteurs ont cru pendant longtemps que l'apprentissage instrumental était déterminé par la contiguïté temporelle de la réponse et du renforçateur, tout comme ils croyaient que l'apprentissage pavlovien résultait de la contiguïté temporelle entre le SN et le SI. Cette idée, déjà présente chez Thorndike et Guthrie, entre autres, trouva un appui de taille dans une expérience célèbre de Skinner (1948b), connue sous le nom de conditionnement du *comportement superstitieux*.

Comportement superstitieux et contiguïté temporelle

L'expérience sur le comportement superstitieux est réalisée avec des pigeons affamés placés quotidiennement dans une cage de Skinner et entraînés à manger du grain dans une mangeoire amovible. Une fois cet entraînement achevé, la mangeoire est mise à la disposition des oiseaux toutes les 15 secondes, pendant 5 secondes et *indépendamment du comportement de l'oiseau*. L'apparition du renforçateur positif n'est donc pas reliée à la réponse du sujet, et dépend entièrement d'un critère temporel. Il est bien évident que, lors du premier renforcement, les pigeons n'exécutent pas tous la même réponse, puisque l'expérimentateur n'a pas défini un comportement précis, et que la nature de la réponse précédant le renforçateur est en quelque sorte le fruit du hasard. Toutefois, le principe de contiguïté temporelle permet de prédire que cette réponse précédant immédiatement le renforçateur, quelle qu'elle soit, sera celle dont la probabilité augmentera, et que chaque pigeon développera un comportement différent conforme aux conditions qui prévalaient pour lui au moment du premier renforcement.

Les résultats obtenus par Skinner confirmèrent cette prédiction. Ainsi, l'un des pigeons avait appris à faire, entre les renforcements, deux ou trois fois le tour de la cage en sens contraire des aiguilles d'une montre. Un deuxième donnait des coups de tête dans l'un des coins supérieurs de la cage. Un troisième étirait le cou et se balançait la tête de gauche à droite. Un quatrième picorait le plancher. Seulement deux des huit pigeons n'avaient appris aucun comportement stéréotypé. En somme, même si leurs réponses n'avaient aucun effet sur l'apparition de la nourriture, la plupart des sujets avaient appris quelque chose. Skinner appela ce phénomène *superstition,* par analogie avec certains comportements humains (ex: porter un porte-bonheur) exécutés de façon persistante en dépit de leur inefficacité à produire l'effet voulu. Selon lui, cette expérience démontrait que la probabilité d'une réponse augmente si elle est suivie d'un renforcement, et que ce résultat dépend simplement de la contiguïté temporelle entre les deux événements.

Le conditionnement opérant du comportement superstitieux, et le principe de la contiguïté temporelle, posent toutefois de sérieux problèmes du point de vue de l'adaptation des organismes à leur environnement. En effet, l'acquisition d'un comportement superstitieux constitue un gaspillage d'énergie, puisque l'animal est victime du hasard et que la modification de son comportement ne correspond pas vraiment aux conditions de l'environnement. Il serait beaucoup plus économique et rentable que l'animal puisse distinguer les situations où son comportement a un effet réel, et les situations où il est apparié de façon aléatoire avec le renforçateur ou le punisseur (Schwartz, 1978). Au cours de la dernière décennie, Seligman et Maier (Maier et Seligman, 1976; Seligman, 1968, 1975) ont mis en évidence un phénomène, la *résignation apprise*[1], qui va à l'encontre des données de Skinner sur le comportement superstitieux. En effet, ce phénomène indique que les animaux, du moins certaines espèces, sont en mesure de distinguer les situations où l'effet dépend de leur comportement, et celles où il n'en dépend pas.

Résignation apprise et indépendance des événements

Dans l'une de leurs expériences caractéristiques, Seligman et Maier soumettent des chiens aux conditions suivantes. Dans une première étape, deux sujets sont immobilisés dans des harnais, dans des pièces adjacentes d'où ils peuvent se voir et s'entendre. On a disposé, devant chacun d'eux, une petite plaque de métal sur laquelle ils peuvent appuyer avec le museau. Les deux chiens reçoivent à intervalles réguliers, et de façon identique, des chocs électriques douloureux. Ces animaux subissent donc dans l'ensemble le même traitement. Cependant, leurs situations respectives diffèrent par le contrôle que chacun peut exercer sur l'interruption du stimulus douloureux. Le «chien témoin» peut arrêter le choc en poussant avec son museau sur la plaque de métal, tandis que les réponses du «chien apparié» demeurent sans effet. Par contre, le comportement du «chien témoin» interrompt aussi le choc reçu par le «chien apparié», et cela au même moment. Comme il faut s'y attendre, le «chien témoin» apprend la bonne réponse et réussit à échapper au stimulus douloureux à presque tous les essais.

Dans la deuxième étape de l'expérience, les deux sujets sont placés dans une situation de renforcement négatif où ils doivent apprendre à éviter un choc électrique, en franchissant la clôture qui sépare les deux compartiments de la cage. Les résultats de cette deuxième étape indiquent que le «chien témoin» apprend rapidement à éviter le choc électri-

---

1 En anglais, *learned helplessness*. Cette expression est très difficile à traduire en français. Elle est parfois traduite par «impuissance apprise» (Ladouceur, Bouchard et Granger, 1977).

que, tout comme un chien qui n'aurait pas subi la première étape. Par contre, le «chien apparié» semble totalement désemparé devant la deuxième situation. Chaque fois qu'il reçoit un choc, il gémit, il hurle mais ne franchit pas l'obstacle qui le sépare du compartiment de fuite. Il devient de plus en plus passif et résigné. Il finit par s'écraser sur le plancher et ne bouge plus.

Puisque, à la deuxième étape de l'expérience, la situation est identique en tous points pour les deux sujets, la source de la résignation du «chien apparié» ne peut provenir que de la différence de traitement créée lors de la première étape. Deux interprétations sont possibles. La première s'appuie sur le principe de la contiguïté temporelle. Quand le «chien apparié» est immobilisé dans le harnais, il adopterait accidentellement une posture quelconque dont l'effet serait de réduire la quantité de choc qu'il reçoit. Cette posture serait donc renforcée négativement, et généralisée à la situation d'évitement de la deuxième étape. Ce conditionnement à la passivité, incompatible avec le franchissement de la clôture, serait maintenu parce qu'il a été antérieurement renforcé. L'autre interprétation, proposée par Seligman et Maier, soutient que, pendant la première étape, le «chien apparié» a appris que les événements marquants de la situation (stimuli douloureux) sont *indépendants* de son comportement. Ce premier apprentissage l'empêcherait par la suite (à la deuxième étape) d'apprendre que l'effet (l'interruption ou l'élimination du choc) dépend entièrement de son comportement (franchir la clôture).

Si la première interprétation est exacte, on devrait obtenir une résignation encore plus forte quand l'animal («chien témoin») est délibérément entraîné à la passivité. Par contre, si la seconde interprétation est plus valide, l'entraînement à la passivité ne devrait pas produire de résignation, puisque dans un tel entraînement il y a une relation de dépendance entre la réponse (passivité) et l'effet. Pour trancher ce débat, Maier (1970) a soumis des «chiens témoins» et des «chiens appariés» à une procédure similaire à celle de l'expérience précédente. La seule différence était que, pour réussir à échapper aux chocs, les «chiens témoins» devaient demeurer immobiles pendant un certain temps. Une fois cette tâche apprise, les deux groupes de sujets sont placés dans la cage d'évitement. Les résultats indiquent que les «chiens appariés» deviennent résignés, confirmant ainsi l'hypothèse selon laquelle la résignation résulte de l'apprentissage de l'indépendance de la réponse et de l'effet. Si l'hypothèse du conditionnement à la passivité avait été exacte, les «chiens témoins» auraient été encore plus résignés que les «chiens appariés».

Les expériences sur la résignation apprise, qui ont été reprises chez l'humain et qui sont utilisées dans l'explication de la dépression réactive (Seligman, 1975), sont en contradiction flagrante avec le principe de la contiguïté temporelle. Elles démontrent en effet que cette contiguïté ne constitue pas une condition suffisante à l'apprentissage instrumental et, ce qui est en accord avec le concept d'adaptation, que les animaux sont capables de faire la distinction entre les situations où leur comportement a un effet sur l'environnement, et celles où il n'en a pas (Schwartz, 1978).

Même si la résignation apprise montre que les animaux peuvent distinguer les effets qui dépendent de leur comportement, et ceux qui n'en dépendent pas, il reste que le comportement superstitieux existe, et que l'apprentissage instrumental est possible quand le renforcement est indépendant de la réponse. La simple contiguïté temporelle serait donc, du moins dans certains cas, une condition suffisante, et la relation de dépendance entre les événements ne constituerait pas une condition nécessaire. Ce point de vue a été remis en question par les recherches de Staddon et Simmelhag (1971), qui ont repris l'expérience de Skinner (1948b) et l'ont interprétée différemment.

Corrélation entre le comportement et l'effet

Dans leur expérience, Staddon et Simmelhag créent une situation de conditionnement superstitieux qui ressemble étroitement à la situation originale de Skinner. La modification la plus importante qu'ils apportent à cette procédure concerne la façon de recueillir les données. Les comportements des pigeons sont observés et enregistrés de façon continue, selon 16 catégories, incluant notamment l'orientation en direction du distributeur de grains, le picorement du disque ou du plancher, les quarts de tour, le battement des ailes, le lissage des plumes, etc. À la fin de chaque session expérimentale, la fréquence et, pour plusieurs catégories, la durée de chaque comportement peuvent être analysées.

Selon les données obtenues par Skinner (1948b), et selon le principe de la contiguïté temporelle, chaque pigeon devrait apprendre un comportement différent, puisque le renforcement est indépendant de la réponse et qu'il apparaît au hasard par rapport à l'activité du sujet. Cependant, ce n'est pas ce que Staddon et Simmelhag observent. Au cours des premières sessions expérimentales, les pigeons se livrent à différentes activités, et les premiers renforçateurs surviennent à la suite de différentes réponses. Cependant, au bout de quelques sessions expérimentales, tous les pigeons font la même chose: ils picorent. Certains picorent sur le mur où est fixée la mangeoire, d'autres picorent sur le plancher, d'autres encore picorent sur le mur de la fenêtre d'observation. En somme, même si la réponse et le renforçateur sont indépendants, les sujets exécutent le même comportement que des pigeons soumis à une situation où l'apparition de nourriture est l'effet du picorement., La seule différence est que les oiseaux picorent en différents endroits, plutôt que sur un disque de plastique prévu à cette fin.

Staddon et Simmelhag observent, dans leur expérience, des comportements superstitieux du genre de ceux rapportés par Skinner (ex:

tourner en rond; battre des ailes). Mais ces comportements ne surviennent qu'au début de l'intervalle séparant deux renforcements. Ils constituent ce que ces auteurs appellent des *comportements intérimaires.* À la fin de l'intervalle, de tels comportements se font de plus en plus rares, et sont remplacés par le *comportement terminal,* c'est-à-dire le picorement.

Nous verrons plus loin comment il se fait que tous les sujets en arrivent finalement à picorer, même si le renforçateur n'est pas vraiment lié à cette réponse. Pour le moment, il suffit de souligner que les résultats de Staddon et Simmelhag sont incompatibles avec l'interprétation skinnérienne de la contiguïté temporelle, puisque celle-ci aurait dû, en principe, donner lieu à une variété de comportements superstitieux, et non à une réponse commune à tous les pigeons. Le comportement superstitieux ne constitue plus une objection à la conclusion des travaux sur la résignation apprise. Non seulement les animaux peuvent-ils distinguer les situations où il y a indépendance des événements de celles où cette dépendance existe, mais en plus la corrélation entre la réponse et l'effet constitue probablement une condition nécessaire à l'apprentissage instrumental. De la même façon que, dans le conditionnement classique, l'acquisition de la RC dépend de la contiguïté temporelle et de la corrélation entre le SN et le SI, l'acquisition d'une réponse dans une situation d'apprentissage instrumental serait déterminée par la contiguïté temporelle *et* la corrélation entre le comportement de l'animal et l'effet que ce comportement produit sur l'environnement. La figure 7.8, qui ressemble à la figure 6.5, résume cet énoncé.

La bissectrice de ce graphique représente la situation de résignation apprise où la corrélation entre la réponse et le stimulus[1] est nulle: la probabilité d'apparition du stimulus est aussi élevée quand l'animal n'exécute pas la réponse ($P(S/\bar{R})$) que lorsqu'il l'exécute ($P(S/R)$). Les régions situées au-dessus et au-dessous de cette bissectrice décrivent respectivement les situations de corrélation positive et de corrélation négative. Examinons d'abord le cas où le stimulus S est *appétitif.* La région au-dessus de la bissectrice correspond alors au *renforcement positif:* la probabilité que l'animal obtienne la nourriture (S) est plus élevée s'il appuie sur le levier (R) que s'il n'appuie pas ($\bar{R}$), et la fréquence de pressions a tendance à augmenter. La région au-dessous de la bissectrice, elle, correspond à la *punition négative*: si l'animal appuie sur le levier, S n'apparaît pas; il est plus probable quand il n'a pas été précédé de R que quand il l'a été, de sorte que la fréquence de R a tendance à diminuer. Examinons maintenant le cas où le stimulus est *aversif,* un choc électrique par exemple. Si $P(S/R) > P(S/\bar{R})$ (région au-dessus de la bissectrice), l'animal est dans une situation de *punition positive:* S apparaît plus souvent s'il est pré-

---

1 Pour la commodité de l'exposé, nous faisons ici référence à un stimulus pour désigner la conséquence du comportement. Mais, comme le montre le Principe de Premack, cette conséquence peut aussi être une réponse. Seligman (1975) utilise d'ailleurs le terme «outcome» plutôt que stimulus.

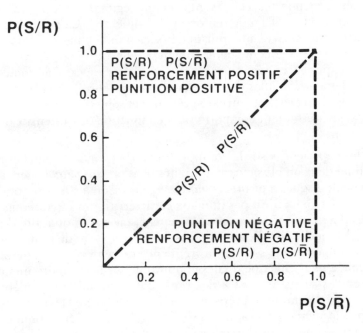

Figure 7.8 Représentation en termes de probabilité conditionnelle des différents types et niveaux de corrélation auxquels un animal peut être soumis dans une situation d'apprentissage instrumental.

cédé de R que dans le cas contraire, de sorte que la fréquence de R subit, par la suite, une diminution. Par contre, si $P(S/R) < P(S/\overline{R})$ (région sous la bissectrice), il s'agit d'un cas de *renforcement négatif:* le choc électrique est plus probable quand l'animal ne fait pas le comportement approprié que quand il le fait, de sorte que la fréquence ultérieure de R augmente. Enfin, il faut noter que la figure 7.8 fournit par ses deux axes une représentation des différents niveaux de probabilité, et donc une représentation des différents programmes de renforcement ou de punition.

Le comportement de choix

Les situations opérantes libres n'exigent souvent, de la part de l'animal, qu'une seule réponse, dont la force est mesurée par le taux ou la probabilité d'émission. Cependant, depuis une vingtaine d'années, des chercheurs réalisent des expériences au cours desquelles ils modifient les conditions, de façon à introduire, comme dans certaines situations à essais discrets (labyrinthe en T par exemple), un choix entre deux ou plusieurs réponses disponibles simultanément. L'une des méthodes les plus fréquemment employées consiste à établir un programme de renforcement ou de punition *concomitant.* Le but de ces expériences est d'étudier comment les animaux distribuent leur activité entre les diverses possibilités qui leur sont offertes, et qui sont chacune régies par une probabilité, une quantité ou un délai de renforcement différent. La pertinence de ces travaux est assez évidente, puisque la vie en milieu naturel implique régulièrement des choix qui déterminent la répartition des activités. De plus, ces expériences démontrent que plusieurs espèces animales sont, non seulement capables de détecter le type de corrélation (nulle, positive ou négative) existant entre une réponse et son effet, mais qu'elles peuvent aussi ajuster leur comportement en fonction de l'intensité de cette corrélation.

Dans les expériences sur le comportement de choix, le chercheur offre à l'animal deux ou plusieurs possibilités de réponse (deux leviers à appuyer ou deux disques à picorer) *comparables,* de façon à s'assurer que la distribution des choix n'est pas due aux caractéristiques intrinsèques des réponses. Ces deux réponses se distinguent soit par la quantité du renforçateur à laquelle elles donnent accès, soit par le délai de renforcement qu'elles engendrent, soit par la fréquence de renforcement qui a été programmée pour chacune d'elles. Pour analyser le comportement de choix chez des sujets exposés à des renforçateurs quantitativement différents, l'expérimentateur prépare, par exemple, deux leviers qui sont régis par le même programme IV-2 minutes, mais qui donnent accès à des renforcements de durées distinctes: le renforçateur est disponible pendant 6 secondes dans un cas, et pendant 3 secondes dans l'autre (Catania, 1963a). Par contre, si le but de l'expérience consiste à étudier le choix entre deux réponses qui diffèrent par leur taux de renforcement, les deux leviers donneront accès au même renforçateur, et seront contrôlés par deux programmes différents, par exemple IV-1,8 minutes et IV-9 minutes ou IV-4,5 minutes et IV-2,25 minutes (Herrnstein, 1961).

La mesure du comportement n'est évidemment pas la même dans les situations de choix et dans les situations à réponse unique. Deux indices peuvent être calculés: le taux relatif et le taux absolu de réponses. Le taux relatif est le nombre de fois où une réponse est choisie, sur le nombre total de réponses. Par exemple, si les réponses A, B et C sont choisies respectivement 30, 20 et 50 fois, le taux relatif de A sera de 0,30 (30/30 + 20 + 50). Quant au taux absolu de réponses, il se calcule en divisant le nombre de fois où la réponse a été choisie par la durée totale pendant laquelle l'animal pouvait exécuter les diverses réponses. Si dans l'exemple précédent, la session expérimentale durait 10 minutes, les taux relatifs de A, B et C seraient respectivement de 3 réponses/ minute, 2 réponses/minute et 5 réponses/minute.

Les recherches sur le comportement de choix ont démontré que le taux relatif de réponses correspond à la fréquence relative du renforcement (Herrnstein, 1970), c'est-à-dire que *l'animal répartit ses activités en fonction de la probabilité qu'elles ont d'être renforcées.* Cette relation empirique, connue maintenant sous le nom de *Loi de l'appariement*[1], s'exprime mathé-mathématiquement sous la forme suivante:

$$\frac{R_A}{R_A + R_B} = \frac{r_a}{r_a + r_b} \quad (7.1).$$

où R_A et R_B désigne la fréquence des réponses A et B et où r_a et r_b représentent la fréquence avec laquelle A et B sont renforcées.

Cette loi peut être appliquée non seulement à la fréquence de renforcement, mais aussi à la quantité et au délai de renforcement. Elle constitue donc une bonne approximation du comportement de choix, et s'est avérée valide pour une grande variété de situations et d'espèces animales: picorement chez le pigeon (Catania, 1963b; Silberberg et Fantino, 1970); pression du levier chez le rat (Graft, Lea et Whitworth, 1977); choix dans une boîte d'évitement (Baum et Rachlin, 1969); tâche de vigilance chez l'humain (Baum, 1975); et plusieurs autres cas (Catania, 1966; de Villiers, 1974, 1977; Myers et Myers, 1977).

Comme le rappelle Schwartz (1978), l'appariement des choix tel que l'équation 7.1 le décrit peut, en principe, être atteint selon deux modalités. Pour illustrer cela de façon concrète, supposons qu'un pigeon soit soumis pendant une heure à un programme de renforcement concomitant IV-2 minutes — IV-4 minutes. Puisque l'une des modalités (IV-2 minutes) rend le renforçateur disponible deux fois plus vite que l'autre (IV-4 minutes), le pigeon réussira à apparier ses réponses aux renforcements, si la répartition de ses activités tient compte de cette donnée. Une première modalité de répartition consiste à consacrer la moitié du temps à chacune des deux réponses, mais en picorant à un taux deux fois plus élevé sur le disque IV-2 minutes que sur le disque IV-4 minutes. Il exécutera, par exemple, 40 picorements/minute sur le premier, et 20 picorements/minute sur le second. Ainsi pour l'ensemble de la session expérimentale, cela donnera 1200 réponses (30 minutes x 40 réponses /minute) sur le disque IV-2 minutes, et 600 réponses (30 minutes x 20 réponses/minute) sur le disque IV-4 minutes. En appliquant l'équation 7.1, on obtient effectivement un appariement des choix:

$$\frac{R_A}{R_A + R_B} = \frac{1\,200}{1\,200 + 600} = \frac{r_a}{r_a + r_b} = \frac{30}{30 + 15} = 0,67$$

$$\frac{R_B}{R_A + R_B} = \frac{600}{1\,200 + 600} = \frac{r_a}{r_a + r_b} = \frac{15}{30 + 15} = 0,33$$

---

1 *Matching law* en anglais.

La seconde modalité de répartition des activités, qui permet un appariement des choix, consiste pour le pigeon à picorer chaque disque au même taux, en consacrant deux fois plus de temps au programme IV-2 minutes qu'au programme IV-4 minutes. Ainsi, à un taux de 30 réponses/minute, cela donnerait 1200 réponses (40 minutes x 30 réponses/minute) sur le disque IV-2 minutes, et 600 réponses (20 minutes x 30 réponses/minute) sur le disque IV-4 minutes, c'est-à-dire le même résultat que celui fourni par la première modalité.

En somme, les deux stratégies de comportement permettent en principe de réaliser un appariement des choix et des renforçateurs, et le problème consiste à savoir laquelle est en fait utilisée par les animaux. Les recherches démontrent que, quand un animal réussit l'appariement, il a recours à la deuxième modalité de répartition de ses activités (Catania, 1966; Baum et Rachlin, 1969; Findley, 1958): il exécute chacune des réponses selon le même taux, et apparie le temps consacré aux réponses à la fréquence de renforcement qui régit ces dernières. Ce résultat est particulièrement intéressant, car le temps consacré à une activité est un indice qui correspond mieux que le taux de réponses, aux situations en milieu naturel (Schwartz, 1978).

Bien que la loi d'appariement demeure valide dans son principe général, elle a récemment fait l'objet d'améliorations et d'interprétations diverses. Elle a été notamment modifiée de façon à prédire le taux *absolu* de réponses dans les situations de choix, et à rendre compte du comportement du sujet dans les situations à réponse unique (de Villiers, 1977; de Villiers et Herrnstein, 1976; Fantino et Logan, 1979; Herrnstein, 1970). De plus, comme l'équation 7.1 peut difficilement rendre compte de la répartition des activités dans les programmes de renforcement concomitant, autres que les programmes IV-IV (Bacotti, 1977; de Villiers, 1977), certains auteurs (Catania, 1973; Shimp, 1969, 1974; Williams, 1976) ont proposé d'autres formulations et d'autres interprétations du principe de base. Quelques-unes font appel aux propriétés excitatrices et inhibitrices du renforcement (Catania, 1973; Williams, 1976).

En plus de mettre en évidence une relation empirique fondamentale, les études du comportement de choix donnent plus de crédibilité à l'idée selon laquelle la contiguïté temporelle n'est pas une condition suffisante, et que la présence d'une corrélation positive ou négative entre le comportement et son effet constitue aussi une condition nécessaire à l'apprentissage instrumental. De plus, elles ont donné lieu à des expériences qui se sont avérées très importantes dans la mise au point de nouvelles techniques thérapeutiques chez l'humain (Fantino et Logan, 1979; Fantino et Navarick, 1974; Ladouceur, Bouchard et Granger, 1977).

LE RENFORCEMENT POSITIF

Les paramètres

Quand un animal est mis en présence d'une corrélation positive entre son comportement et un renforçateur positif, il y a en principe apprentissage instrumental, et ce dernier se manifeste par une augmentation de la probabilité de réapparition de ce comportement particulier. Toutefois, la force de la réponse apprise peut être plus ou moins grande, selon les paramètres qui définissent la situation.

À part les programmes de renforcement dont nous avons déjà discuté, trois paramètres du renforcement positif ont surtout retenu l'attention des chercheurs: la valeur quantitative et qualitative du renforçateur, le délai de renforcement et la motivation de l'animal.

Les propriétés intrinsèques du renforçateur. La force ou la probabilité de réapparition du comportement, dans une situation d'apprentissage instrumental, augmente avec la *quantité du renforçateur,* tout comme la force de la RC, en conditionnement classique, est proportionnelle à l'intensité du SI. Cette relation est connue depuis longtemps (Crespi, 1942; Grindley, 1929), et elle a été confirmée dans plusieurs types d'appareils et avec diverses espèces animales (Kintsch, 1962; Meltzer et Brahlek, 1968; Pubols, 1960). Cependant, l'une des difficultés reliées à ce paramètre est que le terme «quantité» peut désigner différentes dimensions du renforçateur: son poids, son volume, la durée de sa disponibilité, etc. (Flaherty, et coll., 1977; Mackintosh, 1974; Pubols, 1960). De plus, il semble que la quantité du renforçateur ne puisse être définie uniquement par ses propriétés physiques. Par exemple, des poulets, renforcés avec des grains de maïs coupés en quatre, courent plus vite dans un couloir menant à ce renforçateur que des poulets recevant des grains comparables, mais entiers (Wolfe et Kaplon, 1941). La quantité se définit donc aussi par des propriétés psychologiques.

La *qualité du renforçateur*, bien que moins étudiée que le paramètre précédent, influence aussi l'efficacité du renforcement positif. En effet, plusieurs expériences ont démontré que la vitesse de course dans un couloir (Goodrich, 1960; Kraeling, 1961), ou le taux de pressions sur un levier (Guttman, 1954) augmentent avec la concentration de sucrose ou de glucose dans la solution aqueuse qui sert d'agent de renforcement.

Dans la plupart des situations d'apprentissage instrumental, l'expérimentateur fournit le renforçateur aussitôt que l'animal exécute la réponse appropriée. Cependant, s'il interpose un délai entre l'exécution de la réponse et l'apparition du renforçateur, il observera une diminution dans la performance de ses sujets. Ce fait est aujourd'hui bien établi (Logan, 1960; Renner, 1964), et le *délai de renforcement* constitue un paramètre important puisque, tout comme l'intervalle SC — SI en conditionnement classique, il définit le degré de contiguïté temporelle entre les événements. Cependant, pour bien comprendre le rôle du délai de renforcement, ainsi que celui de la quantité du renforçateur, il faut examiner un quatrième paramètre du renforcement positif: la motivation de l'animal.

La dimension «motivationnelle». Depuis la formulation de la théorie de Hull, et suite aux discussions qui l'ont entourée (voir chapitre 3), deux construits motivationnels sont généralement reconnus: la tendance (*drive*) et l'incitateur (*incentive*) (Bolles, 1967). La tendance est conçue comme une source primaire de motivation, c'est-à-dire non apprise, et constitue, dans le modèle hullien, l'expression psychologique d'un besoin physiologique de l'organisme. Elle se définit en pratique par le nombre d'heures de privation de nourriture, d'eau, etc. L'incitateur réfère aux propriétés motivationnelles du renforçateur. Il s'agit d'une motivation secondaire ou apprise, puisqu'elle dépend de l'expérience que l'animal a eue dans le passé avec le renforçateur. L'incitateur est donc défini par des caractéristiques telles que la quantité de renforçateur ou le délai de renforcement.

De très nombreuses recherches démontrent que plus le *niveau de la tendance* est élevé, plus la vitesse ou la probabilité d'apparition d'une réponse est élevée (Mackintosh, 1974; Tarpy, 1975; Tarpy et Maier, 1978). Par exemple, un rat se déplace d'autant plus vite dans un couloir de course qu'il a été privé longtemps de nourriture ou d'eau. Bien que ces résultats soient très clairs, qu'ils aient été confirmés à plusieurs reprises et qu'ils fassent l'objet d'un fort consensus, leur interprétation n'en a pas moins suscité des controverses. Selon l'hypothèse la plus couramment acceptée dans le passé (Hebb, 1955; Hull, 1943), la tendance n'affecte pas l'apprentissage, et fournit simplement l'énergie nécessaire à l'exécution de réponses déjà apprises. Autrement dit, un rat plus affamé court plus vite, non pas parce qu'il a mieux appris la tâche, mais parce qu'il y consacre une plus forte proportion de son énergie. Cette hypothèse a été périodiquement contestée (ex: Estes, 1958), et des expériences récentes (Capaldi et Hovancik, 1973; Eisenberg, Myers et Kaplan, 1973; Zaretsky, 1966) indiquent que la tendance agit, non seulement sur la performance, mais aussi sur l'apprentissage de l'animal.

Dans le cas de l'incitateur, les recherches arrivent à la conclusion opposée. La quantité ou la qualité du renforçateur et le délai de renforcement influencent le comportement en agisssant non sur le processus d'apprentissage, mais sur le processus «motivationnel». Les expériences sur les effets de contraste ont particulièrement contribué à la formulation de cette conclusion.

Les *effets de contraste* apparaissent dans les situations où les conditions de renforcement sont modifiées en cours d'expérience. Ces situations prennent généralement la forme suivante. Deux groupes de sujets apprennent à exécuter une réponse faiblement renforcée (petite quantité de renforçateur ou long délai de renforcement), tandis que deux autres groupes de sujets sont entraînés à exécuter la même réponse qui, dans leur cas, est fortement renforcée (grande quantité ou court délai). Quand le taux de réponses est stabilisé, la deuxième phase de l'expérience débute. Deux groupes sont soumis aux mêmes conditions de renforcement qu'à la première phase, et deux groupes sont soumis à la condition inverse. Ainsi, au terme de l'expérience, quatre séquences de renforcement ont été créées: faible-faible, faible-fort, fort-fort et fort-faible. Les résultats indiquent, comme il fallait s'y attendre, que les sujets toujours fortement renforcés ont un taux de réponses plus élevé que les sujets toujours faiblement renforcés, et que les séquences homogènes «faible-faible» et «fort-fort» produisent, à la deuxième phase, un comportement similaire à celui qu'elles produisaient à la fin de la première phase. Les données sont plus étonnantes dans le cas des séquences hétérogènes. Lors de la deuxième phase, les sujets de la séquence «fort-faible» ont un taux de réponses qui est inférieur, non seulement à leur propre performance à la première phase, mais aussi à celle des sujets de la séquence «faible-faible». C'est ce qu'on appelle le *contraste négatif* (fig. 7.9). Inversement, le taux de réponses des sujets de la séquence «faible-fort» est plus élevé à la deuxième phase que celui des sujets de la séquence homogène «fort-fort» et il y a donc, dans leur cas, *contraste positif* (fig. 7.9).

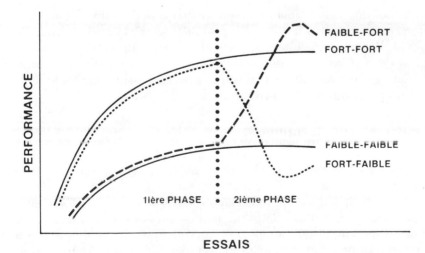

Figure 7.9 Courbes théoriques décrivant les effets de contraste positif et négatif.

Les effets de contraste sont connus depuis plusieurs années (Crespi, 1942, 1944; Zeaman, 1949), mais leur nature asymétrique représentait, jusqu'à récemment, une énigme difficile à résoudre et à interpréter. En effet, de nombreuses expériences, tout en obtenant très facilement un contraste négatif, ne réussissaient pas à mettre en évidence le contraste positif (Black, 1968; Di Lollo, 1964; Dunham, 1968; Spear et Spitzner, 1966). Toutefois, des améliorations méthodologiques ont permis de corriger cette asymétrie, et de produire les deux types de contraste (Flaherty et Largen, 1975; Marx, 1969; Mellgren, 1971, 1972; Shanab, Sanders et Premack, 1969), simplifiant ainsi l'analyse théorique de ce phénomène.

Les données sur les effets de contraste fournissent l'un des principaux arguments en faveur d'une interprétation «motivationnelle» des différences de comportement reliées à la quantité du renforçateur ou au délai de renforcement. Ces différences ne peuvent être attribuées au processus d'apprentissage, puisque le groupe «faible-fort», qui a acquis le comportement avec un renforçateur inférieur à celui du groupe «fort-fort», a une meilleure performance que ce dernier lors de la deuxième phase. De même, le groupe «fort-faible», dont l'apprentissage était sanctionné par un renforçateur fort a, au terme de l'expérience, une moins bonne performance qu'un groupe («*faible*-faible») soumis à un apprentissage faiblement renforcé. De plus, les effets de contraste positif et négatif apparaissent dès le début de la deuxième phase de l'expérience. La modification du comportement est si rapide qu'elle peut difficilement être le résultat d'un apprentissage additionnel (groupe «faible-fort»), ou d'un désapprentissage (groupe «fort-faible»).

En somme, la tendance est un paramètre qui, dans une situation de renforcement positif, affecterait l'apprentissage et la performance de l'animal. Par contre, la quantité et la qualité du renforçateur, ainsi que le délai de renforcement, induiraient des modifications du comportement qui seraient davantage le résultat d'un processus «motivationnel» que d'un processus d'apprentissage.

Les interprétations théoriques

Depuis les premières recherches de Thorndike, il est d'usage de distinguer deux formes de la «Loi de l'effet»: la forme empirique et la forme théorique. La *Loi empirique de l'effet* se limite à décrire les opérations et le résultat d'un apprentissage instrumental par renforcement positif: si l'exécution d'un comportement est suivie de la présentation de stimuli renforçateurs, en présence ou non de stimuli discriminatifs, il y a accroissement de la probabilité de réapparition du comportement renforcé. Cette première forme de la «Loi de l'effet», à cause de son caractère purement descriptif, pose peu de problèmes. Par contre, la *Loi théorique de l'effet* a suscité, depuis le début du siècle, de nombreuses controverses (voir chapitre 3) puisqu'elle vise à expliquer pourquoi un comportement est modifié par l'effet qu'il a sur l'environnement.

Loi théorique de l'effet et transsituationnalité. La première formulation de la loi théorique, celle de Thorndike (1911), spécifie que les renforçateurs positifs augmentent la probabilité des réactions qui les précèdent parce qu'ils renforcent le lien que l'animal établit entre les stimuli de la situation et sa propre réponse. Hull (1943) soutient une interprétation associationniste du même type, mais fournit en plus une explication de la nature renforçante du renforcement (voir chapitre 3). Selon lui, un renforçateur c'est un stimulus qui satisfait une tendance (faim, soif, etc.), cette dernière étant elle-même l'expression psychologique d'un besoin physiologique. Cette formulation théorique de la «Loi de l'effet», qui a eu une grande influence pendant plusieurs années, se résume donc par les trois énoncés suivants: 1) l'apprentissage instrumental est le résultat de la formation d'une association entre une réponse renforcée et les stimuli qui l'ont provoquée; 2) la fonction du renforcement est d'augmenter la force des réponses qui les précèdent; 3) le renforcement augmente la force des réponses parce qu'il satisfait une tendance et donc un besoin physiologique.

La théorie hullienne du renforcement, qui s'appuie fortement sur le concept motivationnel de tendance, se heurta assez rapidement à des données contradictoires (Bolles, 1967, 1979). Plusieurs recherches mirent en effet en évidence des exceptions à la règle voulant que le renforçateur comble un besoin physiologique. Par exemple, des animaux qui ont subi un isolement sensoriel acquièrent un comportement dont le seul renforçateur est la possibilité de regarder à travers une fenêtre pour voir ce qui se passe à l'extérieur de la cage. Ce renforçateur n'est ni primaire, puisqu'il ne correspond à aucun besoin *physiologique* identifiable, ni secondaire, puisqu'il n'a pas été apparié au préalable avec un renforçateur primaire. Pourtant il augmente la probabilité d'un comportement précis. La découverte du «Principe de Premack» (voir page 175) a aussi contribué à la remise en question de la théorie hullienne, cette dernière n'ayant pas prévu qu'une réponse plus fréquente que le comportement-cible puisse aussi servir de renforçateur.

Face à ces contradictions et à plusieurs autres (Mackintosh, 1974), la théorie du renforcement positif devait être remaniée en profondeur ou abandonnée. Influencés notamment par l'approche skinnérienne, de nombreux auteurs optèrent pour la deuxième solution et renoncèrent à toute tentative de formuler une «Loi théorique de l'effet». Ils mirent l'accent sur la loi empirique et se limitèrent donc à la dimension descriptive.

Certains commentateurs ne tardèrent cependant pas à critiquer le caractère non prédictif et même tautologique de cette version de la loi (Chomsky, 1957, 1959, 1975; Doré et Granger, 1973; Postman, 1947). La tautologie est engendrée par la double utilisation du critère de définition (augmentation de la probabilité de réponse): en effet, celui-ci sert à la fois à identifier le renforçateur et à démontrer la validité de la «Loi empirique de l'effet». Ainsi un chercheur qui soumet un rat à une situation instrumentale de pression de levier, peut affirmer que la nourriture est un renforçateur positif si elle augmente la probabilité de cette réponse et il démontre la validité de la loi empirique par la probabilité accrue de la pression du levier. Autrement dit, un stimulus est un renforçateur positif s'il augmente la probabilité de la réponse qui le précède et cette *probabilité augmente* quand la réponse est suivie d'un renforçateur positif, parce que la réponse est suivie d'un stimulus qui en *augmente la probabilité*. Cela équivaut à dire qu'il y a gravitation quand un corps tombe en chute libre vers le sol et *le corps tombe en chute libre vers le sol* parce qu'il y a gravitation, c'est-à-dire parce qu'*un corps tombe en chute libre vers le sol*.

Pour sortir de cette tautologie, Meehl (1950) propose un principe selon lequel la validité de la «Loi empirique de l'effet» ne peut être confirmée que par la *transsituationnalité*. La situation ayant servi à identifier la nature renforçante d'un stimulus ne peut être utilisée pour démontrer la validité de la loi empirique. Si, par exemple, la nourriture a été identifiée comme renforçateur positif dans une cage de Skinner, on ne pourra démontrer qu'un renforçateur positif augmente la probabilité de la réponse qui le précède que si la nourriture joue le même rôle dans une autre situation que la cage de Skinner, par exemple dans un labyrinthe.

Bien qu'il semble constituer une solution adéquate à la tautologie inhérente au concept de renforcement, le principe de transsituationnalité s'est avéré peu fructueux. Il a été rarement, sinon jamais, mis en application par les chercheurs (Ritchie, 1973). De plus, même s'il l'avait été, le problème de la fonction du renforcement ne serait pas pour autant résolu. Staddon et Simmelhag (1971) ont abordé cette question à la suite de leur recherche sur le «comportement superstitieux» (voir page 197) et ont formulé une nouvelle version de la «Loi théorique de l'effet».

La théorie de Staddon et Simmelhag. Dans les théories de Thorndike, de Hull, de Skinner et de la plupart des auteurs contemporains, le renforcement constitue le principe de base de tout apprentissage instrumental. Sa fonction étant d'augmenter la force de l'association qui se crée entre les stimuli de la situation et les réponses qui apparaissent en leur présence, il permet aussi bien l'acquisition de nouvelles coordinations motrices que le maintien des comportements déjà acquis. Selon ces auteurs, la Loi de l'effet détermine donc ce qu'un animal *peut faire* (acquisition de nouvelles réponses) et ce qu'il *fait* effectivement dans une situation donnée (Schwartz, 1978).

Staddon et Simmelhag (1971) ont un point de vue tout à fait différent. Selon eux, la Loi de l'effet, intervient moins dans l'*acquisition* de nouvelles coordinations motrices ou nouveaux comportements, que dans la *sélection* du comportement le plus approprié à la situation. Autrement dit, la fonction du renforcement ne consiste pas à donner plus de force à une association S-R, mais à sélectionner, c'est-à-dire à éliminer, parmi les réponses présentes, celles qui ne sont pas reliées à un stimulus renforçateur. Le renforcement détermine donc ce que l'animal *fait* dans la situation et influence peu ce qu'il *pourrait* faire.

L'analogie qui illustre le mieux cette conception de l'apprentissage instrumental par renforcement, se fonde sur l'évolution par sélection naturelle de phénotypes adaptés. Comment un phénotype adapté est-il apparu chez une espèce ou un groupe taxinomique? Au cours de la phylogénèse de cette espèce ou de ce groupe, différents mécanismes (mutation, isolation géographique, recombinaison génique ou chromosomique, hétérozygotie, etc.) ont généré une variété de phénotypes. Certains de ces phénotypes correspondaient aux conditions de l'écosystème, d'autres non. Ces derniers ont donc été éliminés, c'est-à-dire que les individus porteurs des phénotypes inadéquats ont moins survécu et se sont moins reproduits que ceux dotés des phénotypes appropriés. Dans une population, l'apparition d'un *pool* génétique et de phénotypes adaptés est donc le résultat d'un processus de production de variabilité phénotypique et de la sélection ou de l'élimination de certains des phénotypes produits. De la même manière, la prédominance du comportement relié au renforcement serait le résultat d'un double processus: un processus qui génère les comportements et que Staddon et Simmelhag appellent les *principes d'organisation du comportement*[1] et un processus qui, par sélection et donc par élimination, transforme les comportements préalablement générés en un comportement dominant. Les *principes de renforcement* dérivent de ce processus de sélection.

Les *principes d'organisation du comportement,* analogues à la production de la variabilité phénotypique dans l'évolution biologique, comprennent essentiellement cinq mécanismes: 1) les processus de transfert qui incluent notamment le rôle de l'expérience passée avec ses interférences proactives ou rétroactives, la généralisation du stimulus et de la réponse, le transfert conditionnel, c'est-à-dire la combinaison de plusieurs expériences antérieures générant un nouveau comportement (ex: l'*insight*); 2) le conditionnement pavlovien; 3) les contraintes syntaxiques, c'est-à-dire les séquences de comportements où un comportement donné est défini par une propriété des comportements antérieurs (ex: le phénomène d'alternance spontané chez des rats placés dans un labyrinthe en T); 4) l'exploration et le jeu; 5) les comportements spécifiques à l'espèce (réflexes et patrons moteurs fixes).

Voici les quatre *principes de renforcement,* analogues au processus de sélection naturelle dans l'évolution biologique: 1) le renforcement n'agit

---

1 En anglais, *principles of behavioral variation,* le terme «variation» ne signifiant pas ici «variabilité» mais plutôt «production organisée de nouveauté».

directement que sur le *comportement terminal,* c'est-à-dire sur les réponses qui le précèdent immédiatement. Les réponses qui surviennent en d'autres temps, les *activités intérimaires,* sont gérées par d'autres principes. 2) Le renforcement élimine simplement les comportements moins correlés avec lui. 3) La localisation spatiale et temporelle de la réponse renforcée est déterminée par le taux relatif (programmes de renforcement) et la proximité (délai de renforcement) du renforcement. 4) La nature de renforcement d'un stimulus est définie par un *état* correspondant à chaque classe de renforçateurs et dans la plupart des cas, l'intensité de l'état est fonction de la privation par rapport à une classe donnée de renforçateurs. Par exemple, la nourriture est un renforçateur pour l'état de faim et cet état est d'autant plus intense que la privation de nourriture a été longue.

Comment cette théorie de Staddon et Simmelhag se traduit-elle concrètement dans une situation d'apprentissage instrumental? Supposons que des pigeons affamés sont introduits dans une cage de Skinner où ils doivent acquérir le comportement de picorer sur une plage lumineuse. Le grain tombant dans une mangeoire constitue le renforçateur. Avant le premier renforçateur, ces pigeons sont dans un *état de faim* puisqu'ils ont été au préalable privés de nourriture et ils n'ont pas encore découvert le moyen de changer cet état. Avant le premier renforçateur, leur comportement est déterminé par les principes d'organisation de celui-ci. Ils explorent, par exemple, le nouvel environnement en déambulant dans la cage, en examinant tous les recoins et en picorant de temps à autres ici et là. Au bout d'un certain temps, ils picorent une première fois sur la plage lumineuse. À ce moment-là, des grains apparaissent dans la mangeoire. Les pigeons se trouvent toujours en état de privation mais ils ont maintenant la possibilité de changer cet état en mangeant la nourriture à leur disposition. Après avoir picoré plusieurs fois sur la plage lumineuse, ils deviennent sensibles à la corrélation positive entre le fait de picorer et le stimulus alimentaire. Ils s'élabore ainsi un patron de comportement. Dans la période qui suit immédiatement le renforcement, c'est-à-dire celle où la probabilité d'un autre renforcement est la plus faible, les pigeons se livrent à des activités intérimaires qui ressemblent aux comportements d'appétence, tels que définis par les éthologistes (voir page 14): ils ont des réponses reliées au répertoire alimentaire mais différentes de l'acte de consommation. A ce moment, les principes d'organisation du comportement sont en action. Puis, à l'approche du renforçateur, la variété des réponses diminue et le répertoire se restreint à l'acte de consommation, picorer. Les principes de renforcement sont entrés en action, à leur tour. Le renforcement, au fil des répétitions, a exercé sa fonction de sélection: il a éliminé, dans la période qui le précède immédiatement, les autres réponses de sorte que la réponse prédominante était à ce moment précis de picorer sur la plage lumineuse.

Dans cet exemple, la *distribution de la réponse terminale* variera si les pigeons sont soumis à un programme de renforcement continu, à proportion ou à intervalle fixe ou variable. Elle variera également si le renforcement est immédiat ou différé et selon la position temporelle des stimuli (S^D). Cependant, la *nature de la réponse terminale* est déterminée, quant à elle, par l'interaction des principes d'organisation du comportement, qui régissent les comportements avant le renforcement, et des principes de renforcement qui détermineront l'élimination ou le maintien de ces comportements.

La théorie de Staddon et Simmelhag, en plus de définir la «Loi de l'effet» et de circonscrire sa portée, en la limitant à la sélection des réactions, tient compte des conditions nécessaires et suffisantes de l'apprentissage instrumental (voir page 198) et permet d'interpréter la plupart des phénomènes. Ainsi le façonnement d'une réponse (voir page 184) est une technique qui correspond exactement aux deux catégories de processus fondamentales. L'expérimentateur utilise habilement les principes d'organisation du comportement et de sélection, pour amener graduellement l'animal à produire la réponse terminale dans un délai plus court que celui qu'engendrerait le fonctionnement spontané de ces principes. De même, l'extinction d'un comportement, acquis par apprentissage instrumental, devient assez facile à expliquer. Dès que le renforcement n'apparaît plus, à la suite de la réponse terminale, rien ne limite plus la variabilité du comportement. Aucun renforçateur n'étant relié à cette réponse, la sélection n'opère plus. Les autres comportements, éliminés durant la phase d'acquisition, refont surface.

De façon assez paradoxale, le phénomène qui demeure à première vue le plus difficile à expliquer est celui que Staddon et Simmelhag (1971) ont eux-mêmes mis en évidence dans leur recherche sur le «comportement superstitieux». Nous avons vu en effet (voir page 197) que même lorsque le renforcement positif ne dépend pas du comportement de l'animal, des pigeons acquièrent tout de même la réponse de picorer. Cette action n'a pas nécessairement lieu au bon endroit (sur le disque de plastique), mais apparaît régulièrement quelques secondes avant le prochain renforcement. Puisque la corrélation entre la réponse et le renforçateur est nulle, le renforcement ne peut exercer sa fonction de sélection. Comment expliquer alors l'apparition de l'acte de picorer dans cette situation?

Selon Staddon et Simmelhag, si les principes de renforcement ne peuvent être invoqués dans ce cas de corrélation nulle, le comportement ne peut être dicté que par les principes qui gèrent son organisation. Le fait de picorer serait en réalité le résultat d'un *conditionnement pavlovien temporel*. Les pigeons, par suite de la privation alimentaire à laquelle ils ont été soumis, ont faim et donc tendance à présenter les comportements de leur répertoire alimentaire. Aucun stimulus nominal ne leur permet d'anticiper l'arrivée imminente de la nourriture (SI). Cependant, l'invervalle entre les renforçateurs étant fixe, il peut servir d'indice précurseur et donc de SC. Grâce aux principes d'organisation du comportement, les pigeons acquièrent une RC temporelle de picorer. Cette RC est d'une certaine façon sans but parce que les principes de renforcement n'ont pu éliminer, comme dans le cas d'une corrélation positive, les réactions inadéquates, c'est-à-dire le fait de picorer dans les coins ou sur le plancher de la cage. En somme, l'apparition de l'acte de picorer, chez des pigeons soumis à une expérience de «comportement superstitieux», n'est que le cas particulier d'une loi plus générale, valable pour toutes les situations instrumentales où picorer est le comportement opérant à acquérir. Les principes d'organisation du comportement, dans ce cas-ci le conditionnement pavlovien, génèrent le comportement de base (picorer). Dans le cas d'une corrélation positive, les principes de renforcement éliminent les réponses qui ne sont pas dirigées vers la bonne cible (disque de plastique fixé au mur).

Cette interprétation de Staddon et Simmelhag est confirmée par un phénomène que Brown et Jenkins (1968) avaient découvert quelques années auparavant: l'*autofaçonnement*. Ces chercheurs ont en effet démontré qu'un pigeon, placé dans une cage de Skinner, munie d'une plage lumineuse fixée sur le mur de la mangeoire, peut s'autofaçonner et acquérir la réaction de picorer sur la cible, sans que l'expérimentateur ait à renforcer des approximations successives de cette réaction.

Dans l'expérience de Brown et Jenkins, la plage était éclairée toutes les 8 secondes. Ensuite, la lumière s'éteignait et la nourriture apparaissait. Après un intervalle de 60 secondes, la plage lumineuse était de nouveau éclairée pendant 8 secondes. On répétait cette opération pendant 160 essais. Cette expérience constitue une situation de conditionnement classique où le SC est l'éclairage de la plage et le SI, la nourriture. Il ne s'agit pas d'une situation d'apprentissage instrumental car le renforcement est indépendant de la réponse du pigeon (corrélation nulle). Les résultats indiquent pourtant que 100 p. cent des sujets finissent par picorer sur la plage lumineuse et que ce comportement apparaît en moyenne au 45e essai. Cette expérience, tout comme celle de Standon et Simmelhag (1971), démontre donc que l'acquisition du comportement de picorer par un pigeon placé dans une cage de Skinner est, au moins en partie, le résultat d'un conditionnement pavlovien. Dans le cas de Brown et Jenkins, même si la corrélation est nulle et que les principes de renforcement ne peuvent exercer leur fonction de sélection, les pigeons picorent sur le disque car celui-ci est un indice précurseur (SC) qui, contrairement à un intervalle temporel, peut être localisé dans l'espace. Or, comme nous l'avons vu au chapitre 6, un animal a souvent tendance à manifester envers le SC un comportement similaire à celui qu'il avait manifesté envers le SI.

Non seulement la théorie de Staddon et Simmelhag réussit à expliquer ce qui semble à première vue la contredire, mais elle présente en plus une pertinence éco-éthologique. Ces auteurs écrivent en effet que:

> Les théories de l'apprentissage décrivent généralement un organisme qui n'est motivé que par une chose à la fois, par exemple, la faim, la soif, la tendance exploratrice, etc. La plupart des expériences d'apprentissage sont par conséquent conçues de façon à assurer la prédominance d'un type de motivation sur tous les autres. En nature, cependant, les animaux doivent répartir leur temps dans une variété d'activités de façon à satisfaire les besoins présents et à anticiper les besoins futurs. Il est donc raisonnable de supposer que de fortes pressions sélectives ont favorisé un équilibre optimal entre ces diverses possibilités (p. 37).

Le meilleur moyen pour qu'un animal ne demeure pas près de la nourriture, lorsqu'il ne peut pas en disposer, est qu'un mécanisme déclenche des tendances autres que la tendance alimentaire. Quand l'état de faim est supprimé, les autres états, correspondant à d'autres renforçateurs, sont activés et produisent des comportements qui, lors d'une expérience, apparaissent comme des activités intérimaires et qui, en nature, permettent à l'animal de rechercher les autres renforçateurs nécessaires à sa survie.

LE CONTRÔLE AVERSIF DU COMPORTEMENT

Comme nous l'avons vu à la figure 7.8, le renforcement positif n'est que l'un des principaux types de corrélation existant entre le comportement de l'animal et l'effet produit sur l'environnement. Il se manifeste dans les situations où l'apparition d'un stimulus est plus probable à la suite d'une réponse qu'en son absence et où la probabilité de réapparition de la réponse augmente. À l'exception des situations où la corrélation réponse-stimulus est nulle ($P(S/R) = P(S/\overline{R})$), les autres types de corrélation décrivent ce qui est traditionnellement désigné par l'expression «contrôle aversif du comportement». Cette expression regroupe en fait des situations d'apprentissage instrumental où l'animal est confronté à un effet désagréable de son comportement sur l'environnement[1].

Le contrôle aversif du comportement comprend quatre grandes catégories de relation. 1) Le *renforcement négatif de l'échappement* où le stimulus aversif apparaît indépendamment du comportement de l'animal, mais où il peut être interrompu ou éliminé, une fois commencé, par une réaction spécifique. Par exemple, les mammifères des pays nordiques ne peuvent rien faire pour empêcher à l'automne les baisses de température. Par contre, ils peuvent *échapper* au froid en se réfugiant dans un ter-

---

1 La suppression conditionnelle (voir chapitre 6) fait aussi partie de cette catégorie. Elle se distingue cependant des autres situations par le fait qu'elle met en jeu un apprentissage pavlovien. L'apparition du stimulus aversif est donc indépendante du comportement de l'animal mais elle est en corrélation positive avec un indice précurseur (SC).

rier ou en se collant les uns aux autres. 2) Le *renforcement négatif de l'évitement* où le stimulus aversif n'apparaît que si l'animal ne répond pas de façon appropriée. Par exemple, une proie sera capturée et attaquée, si elle ne reconnaît pas les indices précurseurs de la présence du prédateur et si elle ne *fuit* pas dès l'apparition de ces indices. 3)La *punition positive* où le stimulus aversif n'apparaît que si l'animal manifeste une réponse donnée. Ainsi, un mammifère ne sera capturé dans le piège à mâchoires d'un trappeur que s'il pose la patte sur le déclencheur central qui porte l'appât. 4) La *punition négative* où l'effet désagréable sur l'environnement n'est pas l'apparition d'un stimulus aversif mais le retrait d'un stimulus appétitif. Par exemple, le prédateur qui manifeste des comportements qui rendent sa présence trop détectable, est puni négativement si ces comportements entraînent la fuite de sa proie.

L'analyse du contrôle aversif a suscité, comme nous le verrons, un débat théorique intéressant. Mais examinons d'abord les paramètres qui l'influencent.

Les paramètres

Le renforcement négatif: l'échappement. Bien qu'il soit généralement observé dans les situations d'évitement (voir page 177), l'apprentissage de l'échappement peut aussi être étudié isolément. Une expérience typique consiste à placer l'animal dans un couloir de course à trois compartiments. Le plancher du compartiment de départ et de la section médiane, contrairement à celui du compartiment d'arrivée, est électrifié. Si le rat court et atteint le compartiment d'arrivée, il échappe au choc électrique qu'il commence à recevoir. Un tel apprentissage est relativement rapide et s'acquiert en quelques essais.

L'un des paramètres les plus importants de l'apprentissage de l'échappement est l'*intensité du stimulus aversif.* De très nombreuses expériences ont démontré que plus le stimulus aversif est intense, plus la modification du comportement est forte ou rapide. Cette observation a été vérifiée avec divers stimuli aversifs dont un choc électrique (Azrin, Hake, Holz et Hutchinson, 1965; Trapold et Fowler, 1960), un bruit intense (Bolles et Seelbach, 1964), une lumière éclatante (Kaplan, Jackson et Sparer, 1965) et un courant d'eau froide (Woods, Davidson et Peters, 1964).

Tout comme dans le renforcement positif, la performance d'échappement s'améliore avec l'augmentation de l'*intensité du renforçateur* (Bower, Fowler et Trapold, 1959; Campbell et Kraeling, 1953; Fantino, 1973; Staveley, 1966) et avec la diminution du *délai de renforcement* (Fowler et Trapold, 1962; Tarpy et Sawabini, 1974). Cependant, pour bien comprendre la signification des relations entre ces deux paramètres et le comportement d'échappement, il faut distinguer les situations de renforcement positif et négatif.

Dans le renforcement positif, la motivation à exécuter le comportement provient de la privation d'un élément qui servira ultérieurement de renforçateur. La tendance peut donc être manipulée indépendamment de l'importance du renforçateur ou du délai de renforcement. Dans le renforcement négatif, motivation et renforcement sont étroitement reliés puisque la première est fournie par l'apparition du stimulus aversif et que le second est concomitant au retrait de ce même stimulus. Pour analyser l'influence sur l'échappement de l'intensité du renforçateur et du délai de renforcement, il faut recourir à des méthodes expérimentales qui séparent l'aspect motivation de l'aspect renforcement du stimulus. La méthode habituelle consiste à électrifier le plancher du compartiment d'arrivée et à délivrer, sur ce site, un choc d'intensité inférieure à celle du compartiment de départ et du milieu du couloir de course. Le stimulus initial devient l'indice de la tendance à l'échappement, tandis que la différence de choc entre le couloir de course et le compartiment d'arrivée définit l'intensité du renforçateur. Plus cette différence est importante, plus le renforçateur est grand et meilleure est la performance. Dans le cas du délai de renforcement, il s'agit simplement de retarder le retrait du stimulus aversif. Plus le choc électrique persiste longtemps dans le compartiment d'arrivée, plus le délai de renforcement est long et moins bonne est la performance de l'animal.

Le renforcement négatif: l'évitement. Pour induire un apprentissage d'évitement, on utilise habituellement deux types d'expériences. Le premier type est l'*évitement signalé* où un stimulus neutre ou discriminatif annonce l'arrivée imminente du stimulus aversif. Si l'animal donne la bonne réponse pendant le stimulus neutre et avant le stimulus aversif, il évite l'apparition de ce dernier. S'il donne la réponse pendant le stimulus aversif, il ne l'évite pas mais il lui échappe simplement. On applique cette méthode dans les situations à essais discrets comme l'évitement unidirectionnel ou bidirectionnel (voir page 179), ainsi que dans les situations opérantes libres comme la pression du levier avec stimulus discriminatif (voir page 185). L'apprentissage dans ces situations suit généralement un schéma assez caractéristique. Au début, l'animal n'évite pas du tout le choc mais il lui échappe. Après plusieurs essais, la réponse d'évitement survient dès le commencement du stimulus précurseur: l'animal n'attend donc pas que le choc soit sur le point d'apparaître.

Par conséquent, l'échappement et l'évitement signalé sont deux réponses très similaires en principe, puisqu'elles sont toutes deux considérées comme le résultat d'un renforcement négatif et qu'elles peuvent apparaître dans les même situations. Le principal critère de distinction c'est que l'un des comportements entraîne le retrait d'un stimulus aversif déjà présent, alors que l'autre prévient ou empêche l'apparition même de ce stimulus. Les paramètres qui les influencent devraient donc être très semblables. On devrait s'attendre, par exemple, à ce que la force du comportement d'évitement soit directement reliée, tout comme la force de l'échappement, à l'intensité du stimulus aversif. Tel n'est pourtant pas le cas.

Les données empiriques démontrent en effet que l'influence de l'intensité du stimulus aversif sur l'évitement est complexe et qu'elle varie en fonction de la situation expérimentale. Ainsi, l'apprentissage d'évitement unidirectionnel est plus facile avec des stimuli aversifs forts qu'avec des stimuli aversifs faibles (Moyer et Korn, 1966; Theios, Lynch et Lowe, 1966), mais l'apprentissage d'évitement bidirectionnel est inversement proportionnel à l'intensité du stimulus aversif (Bauer, 1972; Bintz, 1971; Levins, 1966; Moyer et Korn, 1964; Theiss et coll., 1966). Quant à la pression sur un levier, les résultats sont contradictoires (Biederman, D'Amato et Keller, 1964; D'Amato et Fazzaro, 1966; D'Amato, Fazzaro et Etkin, 1967; Riess et Farrar, 1972) . L'influence de l'intensité du stimulus aversif sur l'évitement varie aussi en fonction de l'espèce animale étudiée. Les relations que nous venons de décrire sont vraies chez le rat mais ne s'appliquent pas tout à fait de la même façon chez le chien, par exemple (Brush, 1957; Solomon et Wynne, 1953).

Les différences entre l'échappement et l'évitement sont encore plus évidentes si on examine la seconde méthode expérimentale, l'*évitement de Sidman*. Dans ce cas, aucun indice n'annonce l'arrivée prochaine du stimulus aversif. Au moment où l'animal est introduit dans la cage, un chronomètre démarre et compte un intervalle fixe, disons 5 secondes. Au terme de cet intervalle, un choc bref, auquel l'animal ne peut *échapper,* est délivré par le plancher de la cage. Le chronomètre revient à zéro. Après chaque intervalle de 5 secondes, un nouveau choc bref apparaît. Si l'animal réagit de façon appropriée (ex: appuyer sur un levier), le premier chonomètre s'arrête et un autre commence à compter un intervalle fixe, de 10 secondes, par exemple. Au terme de ces 10 secondes, si l'animal ne fait rien, le même choc bref apparaît, le chronomètre 2 s'arrête et le chronomètre 1 reprend sa mesure de 5 secondes. Si, par contre, l'animal appuie sur le levier avant la fin des 10 secondes, le chronomètre 2 revient à zéro et mesure un nouvel intervalle de 10 secondes. Chaque fois que l'animal néglige de répondre en moins de 10 secondes, il reçoit un choc; le chronomètre 1 prend la relève et déclenche un choc toutes les 5 secondes jusqu'à ce que l'animal présente une nouvelle réponse.

Autrement dit, l'évitement de Sidman comprend deux facteurs importants: l'intervalle entre les chocs (intervalle S - S) qui est ici de 5 secondes et l'intervalle réponse-choc (intervalle R - S) qui est ici de 10 secondes. Dès qu'une réaction apparaît, elle retarde le choc et permet ainsi de l'éviter pendant une durée équivalente à l'intervalle R - S. La façon dont le nombre de réactions est distribué dans le temps affecte le nombre de chocs reçus. Supposons que l'animal ait *en moyenne* une réponse chaque 10 secondes, soit 6 réponses à la minute. Si chacune de ces réactions est espacée de l'autre par 10 secondes environ, tous les chocs seront évités. Par contre, si les réponses sont groupées par deux ou trois à la fois, le rythme des chocs approchera le maximum de 12 à la minute. En pratique, les animaux obtiennent une performance d'évitement intermédiaire, c'est-à-dire une performance qui se situe entre ces deux extrêmes.

L'analyse des paramètres de l'évitement signalé et la procédure d'évitement de Sidman montrent que même si l'évitement ressemble beaucoup à l'échappement, il ne peut être considéré comme un échappement anticipé. Ce point deviendra plus clair et prendra toute son importance, lorsque nous discuterons les interprétations théoriques du contrôle aversif.

La punition. Jusqu'à maintenant, les analyses paramétriques de la punition ont surtout porté sur la punition positive. Nous nous limiterons donc à ce seul type de situations punitives.

Un premier paramètre, qu'il faut considérer pour des raisons historiques, est la relation entre la réponse et l'effet qu'elle produit. Comme nous l'avons vu précédemment, une telle corrélation semble être une condition nécessaire à tout apprentissage instrumental. Pourtant, dans le passé, plusieurs auteurs ont mis en doute cette affirmation en ce qui concerne la punition. La première version de la «Loi de l'effet» de Thorndike était construite de façon symétrique (voir chapitre 3): la récompense augmentait et la punition affaiblissait la force d'une réponse. Par la suite, Thorndike (1932) modifia sa théorie de la punition car il avait constaté que, contrairement à la récompense, elle n'avait qu'un effet temporaire sur le comportement. Cette observation fut confirmée par d'autres chercheurs (Estes, 1944; Skinner, 1938, 1953) qui poussèrent l'analyse encore plus loin. Selon eux, un stimulus punisseur n'avait pas plus d'effet sur la réponse s'il lui était fortement corrélé, c'est-à-dire s'il la suivait de près dans le temps, que s'il lui était faiblement corrélé. Cependant, des expériences et des analyses plus récentes, (Boe et Church, 1967; Campbell et Church, 1969; Fowler, 1971; Fantino, 1973; Solomon, 1964), ont montré que la punition est un moyen efficace de modifier le comportement et qu'elle diminue plus fortement la probabilité de réapparition de la réponse si elle est reliée à cette dernière que si elle est présentée de façon aléatoire.

De nombreuses recherches ont clairement prouvé que de la diminution de la force ou de la probabilité de réapparition du comportement est directement proportionnelle à l'*intensité* (Azrin, 1960; Camp, Raymond et Church, 1967; Church, Raymond et Beauchamp, 1967) et à la *durée* (Campbell, Smith et Misanin, 1966; Church et coll., 1967) du *stimulus punisseur* mais qu'elle est, comme il fallait s'y attendre, inversement proportionnelle au *délai de punition* (Baron, 1965, Camp et coll., 1967; Kamin, 1959). En somme, la punition produira une diminution de réaction d'autant plus forte que le stimulus punisseur est plus intense, qu'il dure plus longtemps et qu'il apparaît plus rapidement après la réponse. Il faut cependant souligner que l'effet suppressif de la punition est atténué si l'intensité du choc est graduellement augmentée (Miller, 1960) et qu'il est amplifié si elle est réduite (Church, 1969). Autrement dit, un animal réagit moins à un punisseur modéré s'il a été préalablement exposé à des stimuli de plus faible intensité et réagit plus à un punisseur faible s'il a été préalablement exposé à des stimuli plus intenses.

Les interprétations théoriques

L'interprétation théorique du contrôle aversif peut sembler à première vue assez simple. De la même manière qu'il apprend une réponse lui donnant accès à un stimulus appétitif, l'animal peut apprendre une réponse qui prévient l'apparition du stimulus aversif (évitement). Il peut aussi apprendre à ne pas présenter une réponse qui est suivie de ce stimulus (punition). Le renforcement négatif et la punition seraient en quelque sorte la réciproque du renforcement positif. Cependant, une telle interprétation intuitive se heurte à une difficulté de taille. Dans le renforcement positif, la réponse apprise par l'animal est liée à la *présence* d'un événement, le stimulus appétitif. Dans le contrôle aversif, la réponse apprise est liée à l'*absence* d'un événement, le stimulus aversif. Comment l'absence d'un événement peut-elle avoir un effet sur le comportement ultérieur? Là réside tout le problème de l'explication du contrôle aversif qui, depuis plusieurs décennies, a suscité de nombreuses controverses.

L'interprétation pavlovienne. Une interprétation pavlovienne du contrôle aversif suppose, par définition, que l'acquisition de la réponse ne dépend pas de la relation entre le comportement et le renforçateur mais plutôt de la relation entre un indice précurseur et le stimulus inconditionnel (renforçateur). Dans cette perspective, les réponses apprises par un animal, dans les situations d'évitement et de punition, sont conçues comme des réponses conditionnelles (RC) apparaissant à la suite de l'appariement d'un stimulus neutre et d'un SI.

Les premières expériences sur le contrôle aversif ont en effet été réalisées dans un contexte typiquement pavlovien. L'animal, par exemple une chèvre, recevait un choc bref (SI) qui déclenchait une flexion de la patte (RI) et au bout de plusieurs essais, il amorçait la flexion (RC) dès la présentation d'un son (SC) précédant le choc. Dans ces expériences, l'animal ne pouvait ni échapper au choc ni l'éviter et il semblait donc qu'il apprenait à exécuter, lors du SC, la même réponse que celle déclenchée par le choc bref inévitable (Bolles, 1970). Quand des situations instrumentales comme l'évitement bidirectionnel furent mises au point, l'interprétation pavlovienne dut se réajuster et fournir une nouvelle version qui tenait compte de la présence d'une réponse d'échappement. Selon cette nouvelle version (Solomon et Brush, 1956), quand le choc

(SI) a lieu, il déclenche une réponse (RI) qui permet de lui *échapper*. Cette RI consiste en une agitation et en une activité diffuses qui augmentent la probabilité d'échappement ou la rendent plus circonscrite (franchir la clôture dans la cage d'évitement bidirectionnelle; mordre le levier dans la cage de Skinner). À mesure que les essais s'accumulent, la réponse d'échappement, qui est initialement déclenchée par le choc, est déclenchée par les stimuli qui le précèdent (SC), si bien que l'animal en vient à éviter le stimulus aversif. Cette interprétation suppose donc que la réponse d'échappement est un élément essentiel de l'apprentissage d'évitement.

L'explication pavlovienne de la punition obéit à un raisonnement du même type. Quand le SI apparaît, il déclenche chez l'animal une réaction de peur et des comportements variés. Chaque présentation du stimulus aversif est appariée à une série de réponses incluant celle qui est punie. À mesure que les essais s'accumulent, les stimuli proprioceptifs fournis par les mouvements musculaires propres à ces réponses deviennent des indices précurseurs de la peur et constituent donc un SC. Ainsi, quand l'animal amorce une réponse, les premières contractions musculaires génèrent des stimuli proprioceptifs (SC) qui déclenchent une RC de peur (ex: figer, fuir, etc.). Cette RC étant incompatible avec la réponse punie (ex: appuyer sur un levier), l'animal est incapable d'exécuter en même temps la réponse punie et la RC de peur, si bien que la réponse punie a tendance à diminuer et éventuellement à disparaître.

En somme, dans l'interprétation pavlovienne du contrôle aversif, l'apprentissage d'évitement s'explique par l'acquisition d'une RC d'échappement tandis que la suppression consécutive à la punition est la conséquence indirecte de l'acquisition d'une RC incompatible avec l'exécution de la réponse punie. Certaines données permettent de penser que cette explication est incomplète et qu'elle ne rend pas compte de tous les faits observés.

L'analyse des paramètres et des expériences se rapportant à l'apprentissage d'évitement indique que cette réponse ne peut être considérée comme un simple échappement anticipé. 1) Comme nous l'avons vu (page 214), la force de la réponse d'échappement est proportionnelle à l'intensité du stimulus aversif mais, dans le cas de l'évitement, l'influence de ce paramètre varie en fonction de la situation expérimentale et de l'espèce animale étudiée. 2) Dans l'évitement de Sidman et dans les expériences où le choc est très bref (ex: 0,1 seconde), il n'y a aucune possibilité d'échappement et pourtant l'apprentissage de l'évitement a lieu (Bolles, Stokes et Younger, 1966; D'Amato, Keller et DiCara, 1964; Hurwitz, 1964; Sidman, 1953; Turner et Solomon, 1962; Warren et Bolles, 1967). 3) Il a également lieu quand la réponse d'échappement est différente de celle d'évitement (Bolles, 1969, 1970; Mowrer et Lamoreaux, 1946). Un rat, par exemple, est capable d'apprendre à courir (réponse d'évitement) pour empêcher l'apparition d'un choc électrique et à sauter en l'air (réponse d'échappement) pour interrompre un stimulus aversif déjà présent. Il semble donc que l'apprentissage d'évitement soit plus qu'un conditionnement classique de l'échappement, puisque ces deux réponses diffèrent sur au moins un paramètre et que la présence de la réponse d'échappement n'est pas vraiment nécessaire à l'apparition de la réponse d'évitement.

L'interprétation pavlovienne du contrôle aversif ne peut expliquer sans certaines difficultés la persistance de l'évitement et de la suppression consécutive à la punition. Quand un animal a appris à éviter le stimulus aversif ou à ne plus émettre le comportement puni, le SC présumé apparaît mais non pas le SI. À partir de ce moment, chaque essai réussi devient un essai d'extinction puisque le SI n'est plus là. S'il y a extinction, la réponse d'évitement devrait diminuer et le comportement puni devrait réapparaître graduellement. Les appariements entre le SC et le SI devraient alors devenir de plus en plus fréquents, suscitant à nouveau l'apparition de l'évitement et la suppression de la réponse punie. Autrement dit, selon l'interprétation pavlovienne, le contrôle aversif du comportement devrait se caractériser par un cycle conditionnement, extinction, reconditionnement, réextinction, etc. (Schwartz, 1978). Bien qu'un tel cycle ait été observé dans certaines situations d'évitement (Denny, 1971; McAllister et McAllister, 1971), il ne constitue pas un phénomène généralisé. Les chercheurs obtiennent plutôt des résultats contraires. L'apprentissage d'évitement et la punition par un stimulus aversif intense se caractérisent en effet par leur très forte résistance à l'extinction.

Dans cette discussion de l'interprétation pavlovienne, un point qu'il faut absolument considérer est le rôle de la corrélation entre le comportement et le stimulus punisseur. Nous avons vu (page 217) qu'après quelques décennies de tergiversations, les chercheurs et les théoriciens ont conclu que la punition modifie plus efficacement le comportement si elle lui est positivement corrélée que si elle est présentée de façon aléatoire. Cette conclusion constitue à première vue un argument de poids contre une théorie qui soutient que la punition est le résultat d'une association entre des stimuli proprioceptifs (SC) et un SI, plutôt qu'une association entre une réponse et son effet sur l'environnement. Cependant, l'interprétation pavlovienne est en mesure de fournir une explication à ce résultat.

Quand la corrélation réponse — stimulus de punition est positive, les stimuli proprioceptifs du début de la réponse sont de très bon indices précurseurs du stimulus aversif: ce dernier est plus probable si les stimuli proprioceptifs sont présents que s'ils sont absents Par contre, si la corrélation est nulle, la probabilité d'apparition du punisseur est aussi grande en l'absence qu'en présence des stimuli proprioceptifs fournis par l'amorce de réponse. La différence observée entre une punition positivement corrélée et non corrélée à la réponse peut donc s'expliquer à partir de la valeur prédictive de la relation existant entre les stimuli précurseurs et le stimulus aversif, et ne constitue donc pas un obstacle insurmontable pour une interprétation pavlovienne (Mackintosh, 1974; Schwartz, 1978).

Bien qu'elle ne réussisse pas à rendre compte de façon adéquate de tous les faits pertinents, l'interprétation pavlovienne permet, non seulement de répondre à certaines objections, mais aussi d'expliquer des faits qui demeurent difficiles à comprendre. L'un de ces faits concerne la facilité relative avec laquelle une même réponse peut être acquise dans les situations de renforcement négatif et de punition. Plusieurs recherches ont en effet démontré que l'action de picorer sur un disque chez le pigeon ou de presser sur un levier chez le rat son rapidement supprimés par un stimulus punisseur, mais deviennent difficilement une réponse d'évitement lorsqu'ils sont négativement renforcés (Bolles, 1970; Bolles et McGillis, 1968; D'Amato, Fazzaro et Etkin, 1968; Hineline et Rachlin, 1969; Schwartz, 1973). Un tel résultat est parfaitement logique pour une théorie qui explique le contrôle aversif du comportement par le conditionnement classique. Si l'acquisition d'une RC facilite l'évitement et est incompatible avec une réponse punie, il est normal qu'une réponse, qui est rapidement supprimée par un stimulus aversif, soit difficile à acquérir si elle est suivie de ce stimulus. Inversement, une réponse qui devient facilement un comportement d'évitement, devrait être difficile à supprimer par punition. Bien que certaines données indiquent déjà que la punition de l'évitement peut, dans des circonstances particulières, induire une facilitation plutôt qu'une suppression de cette réponse (Brown, 1969; Tarpy, 1975), il faut encore démontrer ce dernier point.

La théorie bifactorielle. L'interprétation, qui a probablement le plus marqué les recherches sur le contrôle aversif du comportement, est la théorie bifactorielle. Formulée initialement par Mowrer (1939, 1947), cette théorie est apparue en différentes versions au cours des années (Miller, 1948; Rescorla et Solomon, 1967; Weisman et Litner, 1972). Comme son nom l'indique, elle suppose que le renforcement négatif et la punition sont le résultat d'un double processus, l'un pavlovien et l'autre instrumental.

Que se passe-t-il, selon cette théorie, quand un animal est confronté à un apprentissage d'évitement? La situation diffère selon qu'il s'agit d'un évitement signalé ou d'un évitement de Sidman. Dans le premier cas, le stimulus aversif (SI) est précédé d'un stimulus neutre (SN) alors que dans le second, le seul indice précurseur du SI est la durée de l'intervalle fixe séparant deux stimuli aversifs. Cependant, dans un cas comme dans l'autre, les conditions de base du conditionnement classique sont réunies: conditionnement classique différé pour l'évitement signalé et conditionnement classique temporel pour l'évitement de Sidman. Au début de l'entraînement, le SI déclenche chez l'animal une réaction d'échappement et de peur (RI). Après plusieurs appariements du SN (nominal ou temporel) et du SI, le SN se transforme en SC et déclenche une RC dont le principal élément est une motivation ou une émotion de peur. L'animal cherche aussi à échapper à ce stimulus conditionnellement aversif et ce faisant, il évite le SI puisque le SC le précède. Le premier processus de la théorie loi factorielle, le conditionnement classique, explique donc comment apparaît l'évitement. Mais une fois cette réponse acquise, qu'est-ce qui la maintient? C'est ici qu'intervient le second processus, l'apprentissage instrumental. La réponse d'évitement est renforcée négativement, non par l'absence du SI, mais par l'interruption du SC qui, par association pavlovienne, a acquis des propriétés aversives. Autrement dit, l'apprentissage d'évitement est le résultat de l'échappement à un SC qui déclenche la peur.

Les versions plus récentes de la théorie bifactorielle (ex: Weisman et Litner, 1972) fournissent une interprétation légèrement différente. L'apparition du SC, c'est-à-dire d'un signal de danger (*warning signal*), produit, par conditionnement classique excitateur, un état de peur. La réponse d'évitement entraîne l'apparition de stimuli (ex: interruption du SC), qui sont des signaux de sécurité (*safety signals*) et qui, en annonçant une période où le stimulus aversif inconditionnel est absent, constituent des *SC inhibiteurs* de la peur. Par apprentissage instrumental, ces stimuli inhibiteurs deviennent des *renforçateurs positifs* pour la réponse d'évitement qui les précède. Cependant, dans ces versions plus récentes comme dans la version originale de Mowrer, le processus pavlovien agit sur la motivation, tandis que le processus instrumental influence la réponse motrice qui correspond à cet état.

L'interprétation bifactorielle de la punition s'appuie sur une logique similaire à la précédente. Quand l'animal reçoit le stimulus aversif (SI), un conditionnement classique a lieu: les stimuli proprioceptifs fournis par les premières contractions musculaires de la réponse punie deviennent des SC déclenchant une RC de peur. L'animal essaie alors d'échapper à ces SC et le meilleur moyen d'atteindre cet objectif est d'exécuter d'autres réponses que celle qui est punie. En somme, la punition a un effet suppressif parce que les *réponses non punies* sont négativement renforcées en entraînant une élimination de la peur.

La théorie bifactorielle a été une interprétation très féconde du contrôle aversif du comportement. Pendant plusieurs décennies et même encore aujourd'hui, elle a stimulé la recherche et inspiré des applications thérapeutiques, notamment dans le domaine des phobies (Ladouceur, Bouchard et Granger, 1977). Conformément à la tradition hullienne, elle fournissait un modèle unifié qui identifiait à la fois l'origine de la motivation et le facteur de maintien du comportement. Cependant, les données recueillies depuis quelques années ont remis en question les postulats de base de cette théorie.

L'un de ces postulats de base est que la peur peut faire l'objet d'un conditionnement classique. De nombreuses recherches, dont celle de Miller (1948), ont en effet démontré qu'un stimulus neutre *peut* acquérir, grâce à l'apprentissage pavlovien, la propriété de déclencher une réaction conditionnelle de peur. Toutefois, cela ne prouve pas pour autant que la peur conditionnelle soit un facteur déterminant dans l'apprentissage d'évitement et dans la punition. Certaines expériences indiquent même le contraire.

1) Nous avons vu que dans les situations d'évitement signalé et d'évitement de Sidman, un SC nominal ou temporel peut être considéré comme le déclencheur d'une RC de peur. Le SC devient par contre plus difficile, sinon impossible, à identifier dans des situations comme celle de Herrnstein et Hineline (1966). Ces chercheurs exposent des rats à des chocs électriques brefs, séparés par un intervalle dont la durée varie (programme A). Aucun signal, stimulus ou indice temporel, ne précède donc le choc de façon régulière. Les sujets ne peuvent échapper au choc ou l'éviter. Toutefois, s'ils appuient sur un levier, le choc suivant est délivré avec un intervalle différent (programme B) après quoi le programme A revient. Ainsi, un rat qui appuie sur le levier de façon régulière reçoit tous les chocs, mais selon le programme B. L'élément critique dans cette expérience est que la fréquence des chocs est plus élevée dans le programme A que dans le programme B. Les résultats montrent que même si aucun indice ne permet d'anticiper le stimulus aversif et si l'échappement est impossible, les rats apprennent à appuyer sur un levier dont le seul effet est de réduire la fréquence des chocs. Or, dans la théorie bifactorielle, l'apprentissage est conçu comme le résultat de l'échappement au SC aversif.

2) Si au cours de l'apprentissage d'évitement, un stimulus neutre devient un SC aversif et qu'il déclenche une RC de peur, cette dernière devrait se manifester d'une manière quelconque dans le comportement. Tel n'est pas le cas. Dans plusieurs situations, il n'apparaît aucune RC révélant un état de peur (Rescorla et Solomon, 1967).

3) Lorsque l'on peut observer des signes évidents de peur comme chez le chien par exemple, les données ne concordent pas avec les précisions de la théorie bifactorielle. Un animal qui a appris la réponse d'évitement devrait, même s'il ne reçoit plus le choc, continuer à avoir peur puisque cet état provenant d'une motivation, est déclenché par le SC. Pourtant, un chien qui évite avec accès des chocs électriques ne manifeste plus aucun signe de peur (Solomon et Wynne, 1954).

4) Le postulat selon lequel le contrôle aversif du comportement implique un conditionnement classique de la peur nous amène à prédire, comme dans le cas de l'interprétation pavlovienne, un cycle conditionnement, extinction, conditionnement, etc. Quand l'animal a acquis la réponse d'évitement, le SC apparaît, l'animal exécute la réponse appro-

priée et le SI n'apparaît pas. Il devrait donc se produire une extinction de la RC de peur et, par conséquent, une diminution de la fréquence d'évitement, accompagnée d'une augmentation de l'échappement. Le stimulus aversif réapparaissant, la RC de peur devrait ensuite être restaurée et donner lieu à de nouveaux évitements. Le comportement de l'animal devrait donc alterner entre des périodes d'échappement et des périodes d'évitement. Nous avons vu (page 220) que loin d'être cyclique, la réponse d'évitement, une fois acquise, est très stable et difficile à éteindre.

Les quatre points que nous venons de mentionner indiquent assez clairement que la peur, même si elle peut influencer le comportement de l'animal, ne joue pas un rôle déterminant dans l'acquisition d'une réponse d'évitement. Un autre postulat de base de la théorie bifactorielle a été aussi remis en question, celui concernant le caractère renforçant de l'interruption du SC.

Selon cette théorie, le processus instrumental intervient dans le maintien de la réponse d'évitement. L'animal exécute la réponse adéquate, non parce qu'elle empêche l'apparition du SI aversif, mais plutôt parce qu'elle interrompt le SC aversif et qu'elle permet d'y échapper. L'apprentissage d'évitement est donc davantage l'acquisition d'une RC d'échappement, négativement renforcé par le retrait du SC, que l'acquisition d'une véritable réponse d'évitement. Si l'interruption du SC joue un rôle aussi important, tout délai interposé entre le moment où l'évitement a lieu et le moment où le SC s'arrête, devrait nuire à la performance de l'animal. C'est ce que Kamin (1957a, 1957b) a démontré. Au cours de ces expériences, des rats étaient soumis à un apprentissage d'évitement bidirectionnel. Selon le groupe auquel ils appartenaient, le SC s'arrêtait dès qu'ils avaient traversé dans l'autre compartiment de la cage ou continuait pendant les 2.5, 5 ou 10 secondes qui suivaient la réponse d'évitement. Les résultats montrent que les sujets, pour lesquels l'interruption du SC était immédiate, réussissent à éviter le choc électrique dans 90 p. cent des cas. Un délai court (2,5 secondes) produit une détérioration significative du comportement (environ 30 p. cent d'évitement à la fin de la session), tandis qu'un délai long (10 secondes) ne permet aucune amélioration de l'apprentissage entre le début et la fin de l'entraînement. À première vue, ces résultats sont donc parfaitement conformes aux prédictions de la théorie bifactorielle. Cependant, si l'interruption du SC joue un rôle important dans le contrôle aversif, il n'est pas aussi évident qu'elle constitue la source de renforcement de l'évitement.

1) Il semble que l'interruption du SC ait davantage une fonction discriminative qu'une fonction de renforcement. Ainsi, Bolles et Grossen (1969) exposent des rats à une situation d'évitement bidirectionnel selon trois conditions. Dans un groupe, le SC (un bruit blanc) s'interrompt dès que l'animal produit la réponse d'évitement. Dans un autre

groupe, le bruit blanc ne cesse pas en même temps que la réponse, mais cette dernière est suivie d'un stimulus de rétroaction, c'est-à-dire que la cage est plongée dans l'obscurité. Enfin, pour le troisième groupe, la réponse d'évitement n'entraîne ni l'interruption du SC ni l'apparition d'un stimulus de rétroaction. Comme il fallait s'y attendre, ce troisième groupe est celui qui a le plus de difficultés à apprendre la tâche. Toutefois, il n'y a aucune différence significative entre les deux premiers groupes. Autrement dit, l'animal apprend la réponse d'évitement non parce qu'elle permet d'échapper à un SC de peur (interruption du bruit blanc), mais parce qu'elle lui fournit une information sur son environnement (apparition de l'obscurité), lui indiquant qu'il est maintenant en sécurité. L'interruption du SC n'est donc pas un renforçateur négatif mais un stimulus discriminatif.

2) Contrairement à ce que soutient la théorie bifactorielle, l'élément déterminant dans l'apprentissage d'évitement n'est pas l'interruption du SC, mais l'élimination du stimulus aversif (SI). Bolles, et coll. (1966) ont en effet démontré que des rats qui peuvent interrompre le SC et éviter le choc, mais qui ne peuvent échapper à un choc déjà commencé, apprennent la réponse d'évitement aussi bien que des rats soumis à une situation normale d'évitement. Par contre, des rats qui ne peuvent éviter le stimulus aversif ont une piètre performance même s'ils sont en mesure d'interrompre le SC. L'interruption du SC ne suffit donc pas à elle seule et la possibilité d'éviter le SI aversif constitue le facteur déterminant de l'apprentissage.

Bien qu'elle se soit avérée très féconde dans le passé, la théorie bifactorielle du contrôle aversif du comportement n'a pas su résister aux assauts des récentes données empiriques. Ses deux principaux postulats de base ont été contredits par différentes recherches démontrant que la peur conditionnelle ne peut être considérée comme source d'apprentissage provenant de la motivation et que l'interruption du SC n'a qu'une valeur discriminative. Une réinterprétation des données s'imposait.

Les interprétations récentes. Au cours des deux dernières décennies, on a suggéré plusieurs interprétations pour expliquer les nouveaux faits relatifs au contrôle aversif du comportement. Nous n'en décrirons ici que deux. Elles ont pour caractéristique commune de fournir une explication dont l'inspiration est la même que pour le renforcement positif.

Comme nous l'avons vu dès le début de cette section, le principal problème posé par le contrôle aversif est de comprendre comment l'*absence* d'un événement peut renforcer une réponse d'évitement ou supprimer un comportement puni. Pour résoudre ce problème, Herrnstein (1969) propose une théorie unifactorielle qui ne fait appel qu'à l'apprentissage instrumental. De la même manière que, dans le renforcement positif, la réaction est maintenue par le stimulus appétitif qui la suit (ex: nourriture), la réponse d'évitement serait maintenue par sa consé-quence, la réduction de la fréquence du stimulus aversif. Quant à la punition, elle induirait une diminution de la fréquence des réponses.

L'expérience décrite à la section précédente (Herrnstein et Hine-line, 1966) donne des résultats qui vont dans le sens d'une telle hypo-thèse. Des rats, exposés à deux programmes de distribution de chocs, apprennent une réaction dont la seule conséquence est de leur donner accès au programme à fréquence plus faible. Il semble donc que la réduc-tion de fréquence du stimulus aversif soit une condition suffisante à l'ap-prentissage. Cependant, l'hypothèse de Herrnstein ne fournit aucune piste permettant d'interpréter plusieurs faits connus dans le domaine du contrôle aversif. Par exemple, l'une des méthodes les plus efficaces pour réussir l'extinction d'une réponse d'évitement est la technique d'immersion[1] (Baum, 1970; Smith, Dickson et Sheppard, 1973; Solo-mon, Kamin et Wynne, 1953). Appliquée dans une situation d'évite-ment bidirectionnel, cette technique consiste à retenir l'animal dans le compartiment où il se trouve, pendant toute la durée du SC et à le forcer ainsi à se rendre compte que le SC n'est plus suivi du SI aversif. Si la réponse d'évitement est maintenue par la réduction de fréquence du sti-mulus aversif, elle devrait continuer à apparaître et ne pas s'éteindre après que l'animal a été soumis à l'immersion. De même si cette réduc-tion de la fréquence du SI est la condition nécessaire et suffisante de l'ap-prentissage d'évitement, pourquoi la réponse d'évitement augmente-t-elle lors de l'introduction d'un stimulus, préalablement transformé en SC de peur dans une autre situation (Rescorla, 1967b)? Ces phénomè-nes, ainsi que plusieurs autres, sont difficiles à expliquer dans le cadre de l'hypothèse de Herrnstein.

Une autre interprétation récente du contrôle aversif du comporte-ment consiste simplement à lui appliquer la théorie que Staddon et Sim-melhag (1971) ont formulée sur le renforcement positif. Comme nous l'avons vu (page 208), cette théorie soutient que les *principes de renforce-ment* n'interviennent que pour opérer une sélection (élimination) parmi les comportements déjà présents. L'acquisition de ces comportements relève d'un autre ensemble de mécanismes, les *principes d'organisation du comportement*.

Les recherches de Bolles (1970) indiquent qu'au moins un principe d'organisation du comportement joue un rôle fondamental dans l'ap-prentissage d'évitement. Il s'agit des comportements spécifiques à l'es-pèce. La comparaison de plusieurs réponses (course dans une roue d'ac-tivité, pression de levier, évitement unidirectionnel, évitement bidirec-tionnel) montre que certaines, qui se rapprochent le plus du répertoire spécifique de l'espèce considérée (ex: évitement unidirectionnel), sont

---

1 *Flooding*, en anglais.

plus faciles à acquérir que d'autres dans la situation d'évitement. Il y aurait donc, selon Bolles, des «*Réactions Défensives Spécifiques à l'Espèce*» [1] et le rôle du renforcement négatif (ou de tout stimulus constituant un signal de sécurité) consisterait à les sélectionner. Quand l'animal est dans l'impossibilité d'exécuter l'un de ces comportements et quand il doit répondre de la manière prévue par un expérimentateur (ex: appuyer sur un levier), il aurait plus de difficultés à faire l'apprentissage car un autre principe d'organisation du comportement doit alors intervenir pour déterminer la nature de la réponse.

La théorie de Staddon et Simmelhag est également confirmée par certaines données sur la punition. Dans cette situation, l'animal continue, au début de l'entraînement, à produire la réponse punie, parce que celle-ci a été, d'une part, préalablement renforcée positivement par de la nourriture et parce qu'il est, d'autre part, dans un état de privation alimentaire. Cependant, si l'animal peut donner, pour se procurer de la nourriture, une réponse différente de celle qui a été punie, on constate que l'effet suppressif du stimulus aversif est grandement amélioré (Herman et Azrin, 1964). Ce phénomène est probablement dû au fait qu'il n'y a plus d'opposition entre les principes d'organisation définis par l'état de faim et ceux définis par l'état de défense. Le stimulus aversif peut donc jouer son rôle de sélection, c'est-à-dire, d'élimination.

La théorie de Staddon et Simmelhag a été conçue et formulée d'abord dans le contexte du renforcement positif. Même si elle devrait être plus rigoureusement adaptée au contrôle aversif du comportement, elle est néanmoins prometteuse et n'a pas été suffisamment exploitée jusqu'à maintenant.

LE CONTRÔLE DU STIMULUS

Depuis le début de ce chapitre, nous avons décrit l'apprentissage instrumental comme l'apprentissage qui apparaît dans les situations où l'animal doit établir une relation entre son comportement et les effets qu'il produit sur l'environnement. Cette description est exacte et correspond aux données empiriques que nous avons citées. Elle souligne également une différence fondamentale entre cette forme d'apprentissage et le conditionnement classique qui met en jeu une relation, non entre une réponse et un stimulus, mais plutôt entre deux stimuli.

Cependant, comme nous venons de le voir au sujet du contrôle aversif, même dans une situation d'apprentissage instrumental, certains stimuli précèdent ou accompagnent le comportement. Sans déclencher la réponse, comme dans le cas d'une situation pavlovienne, ces stimuli ont tout de même sur elle une certaine influence. L'animal apprend dans quelles circonstances son comportement a un effet sur l'environnement et dans quelles circonstances il n'en a pas. Ce contrôle est relativement

---

1 En anglais: *Species-Specific Defense Reactions* (SSDR).

faible si la réponse est exécutée aussi bien en présence de stimuli nouveaux qu'en présence du stimulus avec lequel l'apprentissage a eu lieu à l'origine. Il est plus fort si l'animal répond uniquement en présence d'un stimulus ou d'une catégorie de stimuli spécifiques. Analyser le contrôle d'un stimulus sur le comportement dans un apprentissage instrumental, c'est, par conséquent, approfondir *les processus de généralisation et de discrimination* dont nous avons amorcé l'étude dans les deux chapitres précédents et qui, comme nous l'avons vu, jouent un rôle important dans l'adaptation des animaux.

Généralisation et discrimination

Énoncé du problème. Une expérience sur la généralisation du stimulus comprend habituellement deux étapes. Au cours de la première étape, l'animal est soumis à un apprentissage avec *programme de renforcement intermittent,* l'existence du renforçateur étant indiquée par un stimulus précis (S^D). Au cours de la seconde étape, la réponse ainsi acquise *est mesurée* en présence de stimuli physiquement semblables au S^D original et incluant ce dernier. On obtient ainsi un *gradient de généralisation* dont la pente reflète dans quelle mesure le stimulus original détermine la réponse. Si le gradient est plat, l'animal répond autant en présence des nouveaux stimuli qu'en présence du stimulus original, la généralisation est totale et le stimulus original n'exerce aucun contrôle sur la réponse (figure 7.10a). Par contre, si le gradient a une pente abrupte, l'animal répond davantage en présence du stimulus original qu'en présence des stimuli qui lui ressemblent, la généralisation est faible et le contrôle du stimulus est marquée (figure 7.10b). Deux indices de généralisation peuvent en fait être calculés: le *gradient absolu,* qui exprime le nombre total de réponses émises en présence de chaque stimulus et le *gradient relatif,* qui exprime ce nombre sous forme d'une proportion du nombre de réponses émises en présence du S^D original. Pour comparer des expériences ou des conditions expérimentales différentes, il est préférable de calculer le gradient relatif.

Dans la situation expérimentale que nous venons de décrire, la généralisation est mesurée au cours de l'extinction de la réponse. Ce choix s'explique par l'objectif même du test de généralisation. Ce dernier vise à évaluer dans quelle mesure le renforcement en présence d'un stimulus précis (S^D original) influence la tendance à répondre en présence d'autres stimuli qui, eux, n'ont pas accompagné le renforcement. Il faut donc éviter de renforcer la réponse en présence de ces autres stimuli. Une autre caractéristique de cette situation expérimentale est que l'acquisition du comportement est régie par un programme de renforcement intermittent, qui est, comme nous l'avons vu, plus résistant à l'extinction qu'un renforcement continu et permet ainsi d'obtenir, lors du test de généralisation, un nombre élevé de réponses, nécessaire au calcul du gradient.

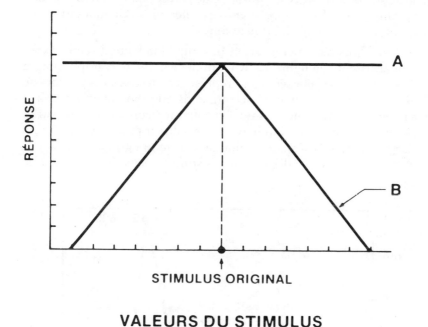

VALEURS DU STIMULUS

Figure 7.10   (a) gradient de généralisation d'un stimulus ayant un contrôle nul sur la réponse; (b) gradient de généralisation d'un stimulus ayant un fort contrôle sur la réponse.

On a récemment suggéré d'autres méthodes pour mesurer la généralisation du stimulus (Blough, 1967; Mackintosh, 1977; Pierrel, 1958). Toutefois, aujourd'hui encore, comme dans le passé, on utilise assez souvent le test de généralisation par extinction d'une réponse, renforcée préalablement de façon intermittente. Il a été notamment employé par Guttman et Kalish (1956) qui ont réalisé l'une des expériences de généralisation les plus citées.

Dans cette expérience, des pigeons affamés apprennent d'abord à picorer sur une plage lumineuse dont la longueur d'onde et, par conséquent, la couleur sont déterminées avec précision grâce à des filtres. On expose en fait, quatre groupes de sujets à une longueur d'onde différente: 530, 550, 580 et 600 nanomètres (1 nm = 1 x 10⁻⁹m) ce qui, pour l'oeil humain, correspond au vert, au jaune-vert, au jaune-orange et à l'orange. Des périodes de 60 secondes, au cours desquelles la plage est éclairée, alternent avec des périodes de 10 secondes sans éclairage; le renforçateur ne peut être obtenu qu'en présence du S^D lumineux (programme IV-1 min). Une fois que les pigeons ont acquis la réaction de picorer, le test de généralisation commence. Les expérimentateurs présentent le S^D original et dix autres stimuli se situant sur le spectre lumineux de part et d'autre de ce S^D. L'ordre des présentations, dont aucune n'est accompagnée du renforcement, est aléatoire. Chaque stimulus dure 30 secondes et est répété douze fois.

Les gradients de généralisation produits à la suite de cette expérience apparaissent à la figure 7.11. Comme le montre ce graphique, la plupart des réponses sont exécutées en présence du stimulus qui, lors de l'acquisition du comportement, accompagnait le renforcement. Ainsi un pigeon entraîné avec un stimulus de 530 nm picore davantage sur la plage lumineuse si elle est éclairée par cette couleur plutôt que par toute autre. Cependant, à l'intérieur de chacun des quatre groupes, les sujets picorent aussi en présence des dix autres stimuli reçus durant le test de

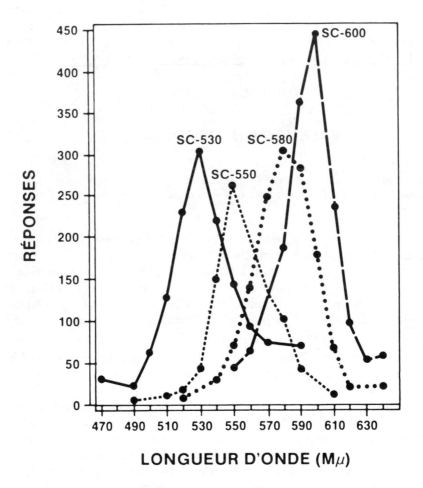

Figure 7.11 Résultats de l'expérience de Guttman et Kalish (1956) sur des pigeons (Reproduits avec la permission des auteurs et de l'American Psychological Association).

généralisation: plus la différence entre ces stimuli et le S^D original est grande, plus la fréquence des réponses en leur présence est faible. Ce gradient de généralisation a une forme relativement symétrique.

Les données recueillies durant l'expérience de Guttman et Kalish montrent que le S^D original détermine d'une certaine façon l'acte de picorer et que la généralisation n'est que partielle. Évidemment, il existe aussi des cas où le gradient est plat et la généralisation totale (Jenkins et Harrison, 1960). Le graphique de la figure 7.10a n'est pas purement théorique et la généralisation est un phénomène empirique bien réel. L'interprétation de ce phénomène a, par contre, opposé dans le passé deux courants de pensée et suscite encore aujourd'hui un débat animé.

Selon Hull (1943) et Spence (1936), qui s'inspiraient notamment des hypothèses de Pavlov sur l'irradiation de l'excitation et de l'inhibition, la généralisation du stimulus apparaît parce que l'excitation conditionnelle, acquise par le stimulus original, se communique aux stimuli qui partagent avec lui certains éléments communs. Par exemple, quand un pigeon est entraîné à picorer sur une plage lumineuse de 531 nm, ce stimulus lumineux active chez lui des processus sensoriels et nerveux, également activés par une longueur d'onde de 520 nm. Ainsi, quand la plage est éclairée par un stimulus de 520 nm, pendant le test de généralisation, l'animal a tendance à picorer dessus même si cette couleur n'a jamais été accompagnée du renforcement. L'interprétation de Hull-Spence prévoit qu'un entraînement intensif produira une voussure moins aplatie du gradient de généralisation, si certains éléments contenus dans le S^D original et dans les autres stimuli constituent des caractéristiques distinctes de l'environnement externe. Par contre, un tel entraînement ne peut induire un contrôle complet du stimulus dans la mesure où les éléments communs sont internes, comme dans le cas des processus sensoriels et nerveux.

Lashley et Wade (1946) ont soutenu un point de vue tout à fait différent de celui de Hull et Spence. La généralisation du stimulus n'est pas, selon eux, le résultat d'une irradiation de l'excitation mais d'un *échec de la discrimination.* Autrement dit, la généralisation est d'autant plus complète et le rôle du stimulus d'autant plus faible que l'animal est incapable de distinguer le S^D original des autres stimuli qui lui sont présentés. Pour que le stimulus puisse avoir un rôle déterminant, l'animal doit porter attention à la dimension du stimulus que l'expérimentateur manipule durant le test de généralisation. Or, cette dimension n'existe pour le sujet que s'il a eu l'occasion de comparer le S^D original à un autre stimulus ayant la même dimension, c'est-à-dire s'il a été soumis à un entraînement à la discrimination. Dans le test de généralisation, tel que nous l'avons décrit précédemment, cette comparaison est impossible puisque l'animal n'est exposé, au moment de l'acquisition de la réponse, qu'à un seul stimulus (S^D). À moins qu'il ne porte attention, par hasard, à la dimension pertinente, la généralisation sera donc complète et le stimulus ne déterminera nullement le comportement.

Suite à cette prise de position de Lashley et Wade, plusieurs recherches ont analysé l'effet d'un entraînement préalable à la discrimination sur la généralisation du stimulus. Dans ces expériences, un *renforcement différentiel* est utilisé en présence de deux ou plusieurs stimuli: au cours d'une tâche de discrimination, l'expérimentateur expose l'animal à un stimulus (S +) en présence duquel le renforçateur est disponible et à un autre stimulus (S-) en présence duquel il ne l'est pas; puis il le soumet à un test de généralisation. On emploie deux méthodes à cette fin: la *discrimination simultanée* (plate-forme de Lashley, programme de renforcement concomitant) et la *discrimination successive* (programme de renforcement multiple), qui consistent à présenter le S + et le S- en même temps ou en alternance. La technique de discrimination simultanée fournit habituellement de meilleurs résultats, surtout si la discrimination doit être subtile (Fantino et Logan, 1979).

Dans une expérience réalisée par Hanson (1959), des pigeons sont d'abord entraînés à picorer sur une plage lumineuse dont la longueur d'onde est de 550 nm (S +). À la seconde étape, ces sujets sont divisés en cinq groupes. Quatre d'entre eux doivent apprendre à discriminer le S + d'un S- dont la valeur est différente pour chacun des groupes (555, 560, 570 et 590 nm). Un cinquième groupe, le groupe témoin, n'est pas soumis à l'apprentissage de la discrimination. La troisième étape de l'expérience consiste en un test de généralisation par extinction: tous les pigeons sont exposés à treize stimuli dont la longueur d'onde varie entre 480 et 600 nm. En somme, cette expérience compare la généralisation du stimulus chez des sujets préalablement entraînés à la discrimination (les quatre groupes expérimentaux) et chez des sujets soumis à la situation de généralisation (le groupe témoin), décrite au début de cette section.

Les résultats du test de généralisation de la troisième étape sont illustrés à la figure 7.12. Ce graphique met en évidence trois différences fondamentales entre le gradient de généralisation du groupe témoin et le gradient post-discrimination des groupes expérimentaux. 1) La voussure du gradient post-discrimination est moins aplatie que celle du gradient de généralisation habituel. 2) Le sommet du gradient post-discrimination est déplacé. Il n'apparaît pas, comme chez le groupe témoin, en présence du S + mais plutôt en un point qui, par rapport au S + , se situe à l'opposé du S-. Ainsi, chez le groupe soumis à une discrimination entre le S + = 550 nm et un S- = 570 nm, le nombre maximal de réponses est fourni en présence d'un stimulus lumineux de 540 nm, ce qui représente une longueur d'onde inférieure au S + . De plus, le déplacement du sommet est inversement proportionnel à la différence entre le S + et le S-: moins cette différence est grande, plus le déplacement est marqué. 3) Le sommet du gradient post-discrimination atteint une

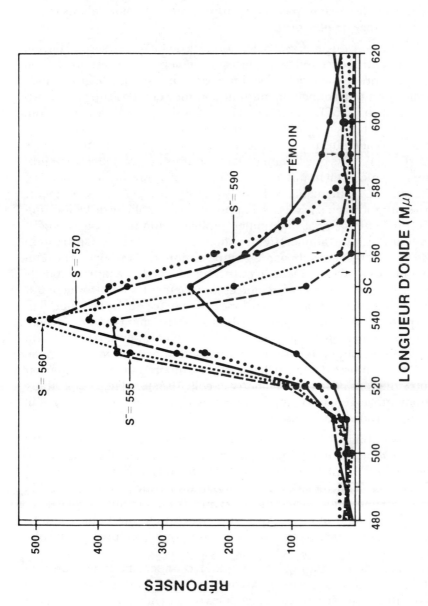

Figure 7.12 Résultats de l'expérience de Hanson (1959) sur des pigeons (Reproduits avec la permission de l'auteur et de l'American Psychological Association).

valeur plus élevée que celui du gradient habituel. Dans le cas du groupe qui est entraîné à distinguer le S + d'un S- = 560 nm, les réponses atteignent une fréquence maximale de 500 alors que chez le groupe témoin, le maximum atteint est de 260. Ces trois différences fondamentales ont été à l'origine de discussions théoriques importantes que nous allons maintenant examiner de plus près.

La voussure du gradient. Si les données de l'expérience de Hanson révèlent des différences selon que le test de généralisation est précédé ou non d'un apprentissage de la discrimination, il reste que le gradient de généralisation du groupe témoin, tout comme celui des sujets de Guttman et Kalish (1956), n'est pas plat et que la généralisation est loin d'être complète. Ce résultat contredit en apparence l'hypothèse de Lashley et Wade puisque le stimulus acquiert un certain contrôle sur le comportement, sans que l'animal ait été soumis au préalable à une procédure de renforcement différentiel. Cependant, comme l'ont confirmé indirectement Heinemann et Rudolph (1963), il peut exister, même dans les situations où il n'y a pas d'apprentissage explicite de la discrimination, un renforcement différentiel implicite, non prévu par l'expérimentateur. Si on examine attentivement l'expérience de Guttman et Kalish et le traitement subi par le groupe témoin de Hanson, par exemple, on ne peut exclure une telle possibilité. Lors de l'acquisition de la réponse, les pigeons étaient renforcés uniquement s'ils picoraient sur une plage lumineuse de longueur d'onde définie, ce qui ne les empêchait pas de picorer sur d'autres parties de la cage. Autrement dit, tout en pensant ne présenter qu'un S^D aux sujets, les expérimentateurs peuvent avoir créé involontairement une situation où la plage lumineuse devenait un S + renforcé différentiellement par rapport à un S- constitué par les autres régions de la cage (Flaherty et coll. 1977). Au lieu de produire un gradient de généralisation simple, ces chercheurs auraient en fait obtenu un gradient post-discrimination.

La possibilité d'un renforcement différentiel implicite est d'autant plus réelle que de nombreuses expériences, (Eck et Thomas, 1970; Honig, 1969; Rheinhold et Perkins, 1955; Switalski, Lyons et Thomas, 1966; Thomas, Burr et Eck, 1970) ont démontré que le test de généralisation est même influencé par une discrimination mettant en jeu des stimuli appartenant à un aspect différent de celui qui fait l'objet du test. Des pigeons, entraînés par renforcement différentiel en présence de plages lumineuses verte et bleue, par exemple, et testés sur un autre aspect (orientation d'une ligne) que la longueur d'onde, obtiennent un gradient de généralisation moins aplati que des sujets entraînés sans renforcement différentiel du vert et du bleu. Ces recherches permettent de penser que l'expérience antérieure de l'animal peut être une source de renforcement différentiel implicite et produire un gradient de généralisation non aplati. Dans une expérience antérieure bien contrôlée où la possibilité de renforcement différentiel implicite est réduite au minimum, le gradient est plat et le stimulus n'a aucun contrôle sur la réponse (Ganz et Riesen, 1962; Jenkins et Harrison, 1960; Peterson, 1962).

En somme, le fait que le stimulus exerce un certain contrôle, sans apprentissage préalable de la discrimination, n'infirme pas nécessairement l'hypothèse de Lashley et Wade, et n'est même pas incompatible avec cette dernière. La voussure du gradient de généralisation, sans être plate, serait plus aplatie que celle du gradient post-discrimination parce que l'apprentissage de la discrimination a été moins systématique.

Déplacement du sommet et transposition. Plusieurs expériences qui ont étudié des modalités sensorielles et des espèces animales variées, (Bloomfield, 1967; Ellis, 1970; Pierrel et Sherman, 1960; Purtle, 1973), ont confirmé le déplacement du sommet, observé par Hanson (1959) dans un test de généralisation consécutif à un entraînement à la discrimination. L'interprétation de Hull et Spence permet d'expliquer ce déplacement.

Selon Spence (1936, 1937, 1942), l'acquisition d'une réponse discriminative est en fait le résultat de l'influence d'une tendance excitatrice, acquise par le S + et induite par le renforcement, et d'une tendance inhibitrice[1], acquise par le S- et induite par le non renforcement. Ces tendances opposées se généralisent toutes deux de sorte que les gradients d'excitation et d'inhibition, en s'additionnant algébriquement, définissent la tendance nette de l'animal à réagir en présence de tout stimulus appartenant à l'aspect sensoriel étudié (figure 7.13). Cette hypothèse permet donc de prédire que des animaux, entraînés à distinguer un S + d'un S- appartenant au même aspect, auront tendance, lors du test de généralisation, à répondre davantage à un stimulus nouveau qu'à celui (S +) qui a servi à leur entraînement, et que ce nouveau stimulus se situera sur le continuum, à l'opposé du S-. Cette prédiction est parfaitement conforme au déplacement du sommet observé par Hanson et les autres chercheurs. De plus, la généralisation de l'excitation étant déjà connue et démontrée, l'existence d'une généralisation de l'inhibition a été confirmée (Hearst, Besley et Farthing, 1970; Honig, Boneau, Burstein et Pennypacker, 1963; Terrace, 1972).

Bien que l'hypothèse de Spence repose sur des postulats solides et qu'elle permette de rendre compte adéquatement du déplacement du sommet, elle a fait l'objet de sérieuses critiques. Il est en effet possible d'expliquer ce déplacement sans faire appel à la sommation algébrique des tendances excitatrice et inhibitrice. Cette interprétation s'appuie sur le phénomène de *transposition* étudié par le gestaltiste Köhler (1939) en 1918.

Le phénomène de transposition a été mis en évidence dans des expériences au cours desquelles des poulets et des chimpanzés devaient

---

1 Plusieurs auteurs contemporains préfèrent utiliser l'expression «tendance à la non-réponse».

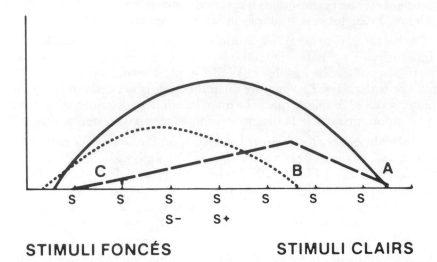

STIMULI FONCÉS   STIMULI CLAIRS

Figure 7.13 Représentation de l'interprétation théorique du Hull et Spence sur le déplacement de l'apogée. (a) tendance excitatrice; (b) tendance inhibitrice; (c) résultante.

apprendre à distinguer deux stimuli de couleur grise. Dans une première étape, les sujets étaient renforcés lorsqu'ils choisissaient le stimulus du gris le plus clair (S +). Une fois cette discrimination apprise, ils étaient exposés au stimulus antérieurement renforcé (S +) et à un autre stimulus d'un gris encore plus clair (S_2), l'écart entre ces deux stimuli étant identique à celui séparant les stimuli originaux de la première étape. Les résultats indiquent que l'animal choisit le nouveau stimulus (S_2) et non le S +. Selon Köhler, cette expérience démontre que les animaux réagissent, non pas aux propriétés intrinsèques ou *absolues* des stimuli, mais à la *relation* qu'ils entretiennent. Les poulets et les chimpanzés choisissaient, en effet, le stimulus «de la teinte la plus claire», plutôt que celui accompagnant le renforcement. Il a appelé ce phénomène «transposition», par analogie à la musique où, la relation entre les notes d'une mélodie ne change pas si cette mélodie est transposée dans une autre clé.

Les expériences de transposition et de généralisation sont méthodologiquement différentes: la première expose le sujet à deux stimuli simultanément (discrimination simultanée) et observe son choix, tandis que la seconde calcule le nombre de réponses émises en présence de stimuli qui apparaissent l'un après l'autre. Il reste cependant que l'hypothèse «relativiste» de Köhler réussit à prédire le déplacement du sommet aussi bien que l'hypothèse «absolutiste» de Spence.

Ces deux interprétations formulent par contre des prédictions différentes quant à l'effet de l'écart entre les stimuli sur la transposition ou sur le déplacement du sommet. Selon l'hypothèse relativiste, la transposition n'est pas influencée par l'écart entre les stimuli: si l'animal a été entraîné à distinguer deux stimuli séparés par une différence de 10 et à choisir le plus intense, il continuera à faire ce choix au moment du test, que l'écart soit de 10, 20 ou 50. L'hypothèse absolutiste prédit un tout autre résultat (figure 7.13). Supposons qu'un animal a été entraîné à discriminer deux stimuli (S- et S +) et à réagir au stimulus le plus clair (S_4). Conformément au principe de transposition, il aura tendance à réagir davantage au stimulus clair si on lui présente par la suite différentes teintes: ainsi le nombre de réponses en présence de S_3 sera plus élevé qu'en présence de S_2, même si S_3 constituait le S- lors de l'entraînement. Cependant, contrairement à Köhler, Spence prédit qu'en un point précis, *la transposition s'inversera*. Comme le montre en effet la figure 7.13, le gradient d'inhibition ne contribue plus au gradient de généralisation net une fois un point situé entre S_5 et S_6 dépassé. L'excitation nette devient alors d'autant plus grande que le stimulus présenté est semblable au S + : ainsi, le nombre de réponses en présence de S_6, c'est-à-dire d'un stimulus plus foncé, est plus élevé qu'en présence de S_7. Selon l'hypothèse absolutiste, la transposition dépend donc de l'écart entre le S + original et le stimulus présenté au moment du test de généralisation.

Cette prédiction, formulée à partir de la résultante des tendances inhibitrice et excitatrice, n'a été que partiellement confirmée (Kendler, 1950; Spence, 1937): à mesure que l'écart se creuse entre le S + et le stimulus-test, la probabilité de la transposition diminue. Cependant, après un certain point, il n'y a plus vraiment d'inversion de la transposition: les sujets semblent plutôt répondre de façon aléatoire aux stimuli, en choisissant tantôt le plus intense, tantôt le moins intense (Riley, 1968). Bien que l'hypothèse relativiste ne permette pas de mieux prédire cet effet lié à l'écart entre les stimuli, de nombreuses données expérimentales (Campbell et Krael, 1958; Gonzalez, Gentry et Bitterman, 1954; Lawrence et De Rivera, 1954; Marsh, 1967; Riley, 1958) indiquent que, dans l'ensemble, elle constitue une meilleure interprétation de la transposition que l'hypothèse absolutiste de Spence.

Schwartz (1978) affirme que les expériences sur la transposition tendent à confirmer l'hypothèse relativiste, tandis que celles sur la généralisation confirment le point de vue de Spence. Il est possible, selon lui, que les deux interprétations soient exactes. Dans une expérience de transposition, les sujets doivent choisir entre deux stimuli et il n'est peut-être pas étonnant, dans ces circonstances, qu'ils réagissent en fonction de la relation qui existe entre eux. Dans une expérience de généralisation par contre, les sujets sont exposés à un seul stimulus à la fois et il n'est pas non plus étonnant que la relation joue un rôle moins grand. Schwartz conclut par conséquent que la transposition et le déplacement du sommet seraient en fait des phénomènes différents, le premier résultant de la perception de relations entre des stimuli et le second, de l'interaction des gradients d'excitation et d'inhibition. Il serait même possible que, de façon générale, les animaux réagissent aux propriétés relationnelles mais qu'un entraînement à la discrimination produise des gradients d'excitation et d'inhibition.

Gradient post-discrimination et contraste de comportement. Outre le déplacement du sommet et l'accentuation de la voussure, le gradient post-discrimination se distingue du simple gradient de généralisation par un taux de réponses plus élevé (figure 7.12). Les interprétations traditionnelles de la discrimination ne permettent pas de rendre compte de cette caractéristique observée dans la plupart des recherches. L'hypothèse relativiste de Köhler ne formule aucune prédiction à ce sujet tandis que l'hypothèse absolutiste de Spence prévoit une diminution plutôt qu'une augmentation du taux de réponses. Comme l'indique en effet la figure 7.13, le gradient post-discrimination résultant de la somme algébrique des généralisations excitatrice et inhibitrice (C), devrait fournir un sommet moins élevé que celui du gradient de généralisation de l'excitation (A). L'une des interprétations les plus plausibles du taux élevé de réponses, consécutif à un entraînement à la discrimination, s'appuie sur le phénomène de *contraste de comportement.*

Ce phénomène est souvent mis en évidence dans des situations de discrimination successive, ayant recours à un programme de renforcement multiple (voir page 192). Dans une expérience maintenant devenue classique (Reynolds, 1961), des pigeons sont d'abord entraînés à picorer sur une plage lumineuse selon deux programmes IV-3 min égaux qui alternent et fonctionnent en présence de deux couleurs différentes (rouge et verte). Au début, en présence de ces deux couleurs il n'y a pas de différence dans le renforcement de ces deux réponses. Cependant, une fois la fréquence de l'acte de picorer stabilisée, les pigeons sont soumis à un programme multiple IV-3 min — EXT: le programme IV-3 min se poursuit lorsque la plage lumineuse est éclairée par l'une des couleurs mais, lorsqu'elle est éclairée par l'autre couleur, il n'y a plus de renforcement et l'animal subit une extinction. Comme il fallait s'y attendre, le taux de réponses dans le cas du S- (couleur en présence de laquelle le renforçateur est absent) diminue rapidement à la suite de cette modification. Par contre, le taux de réponses en présence du S + (la couleur en présence de laquelle le programme IV-3 min se poursuit) augmente de façon substantielle, alors qu'avant la mise sur pied du programme multiple, il était stable. Cette augmentation des réponses par rapport au niveau de base constitue un contraste de comportement qui, dans ce cas, est positif. Le taux inférieur obtenu dans la composante soumise à l'extinction ne se généralise pas à la composante qui demeure identique; cette dernière est plutôt influencée dans le sens contraire.

Les conditions dans lesquelles se produisent le déplacement et l'élévation du sommet sont très semblables à celles qui prévalent dans l'apparition du contraste de comportement. Lors d'un apprentissage de la discrimination, la fréquence des réponses diminue en présence du S-

puisque ce stimulus n'est pas accompagné d'un renforcement. Cette diminution est peut-être suffisante pour créer un contraste, c'est-à-dire un accroissement ultérieur du sommet. Quant à l'explication théorique du contraste de comportement proprement dit, elle demeure encore très spéculative malgré les efforts soutenus dans ce sens (Fantino et Logan, 1979; Flaherty et coll. 1977).

Continuité et discontinuité

Le débat sur le contrôle du stimulus, dont nous avons amorcé l'exposé en comparant les gradients de généralisation et de post-discrimination, oppose en fait deux conceptions radicalement différentes: d'une part, les théories de la continuité, pendant longtemps soutenues par Hull (1949, 1952) et Spence (1936, 1956) et, d'autre part, les théories de la discontinuité provenant du gestaltisme et qui ont eu des adeptes comme Lashley (Lashley et Wade, 1942) ou Krechevsky (1937, 1938). Ces deux groupes de théories se distinguent sur au moins quatre points.

1) Selon Hull et Spence, l'*apprentissage est un processus continu* qui consiste dans l'élaboration graduelle et cumulative de deux tendances antagonistes: une tendance à approcher les stimuli qui accompagnent le renforcement et une tendance à éviter les stimuli qui signalent le non renforcement. La somme algébrique de ces deux tendances définit une résultante, un potentiel net de réaction, qui permet à l'animal de choisir adéquatement l'indice prédicteur du renforcement. Selon Lashley et Krechevsky, l'*apprentissage est un processus discontinu*. Confronté à un problème qui surgit dans leur environnement, les animaux formulent des hypothèses de solution qu'ils conservent ou rejettent selon qu'elles s'avèrent fructueuses ou non. Le recours à des hypothèses se manifeste notamment dans la période qui précède la solution du problème. Si, par exemple, un animal doit choisir entre deux stimuli de couleur différente, il ne choisit pas nécessairement la bonne hypothèse, dès le départ. Au lieu de répondre en fonction de la couleur, il peut fonder son choix sur la position spatiale du stimulus et se diriger vers sa droite. Au cours de cette période qui précède la solution, il ne reçoit pas le renforçateur et n'apprend rien. Seule l'adoption d'une nouvelle hypothèse (la couleur), c'est-à-dire un changement brusque, discontinu par rapport à son comportement antérieur, lui permettra de résoudre le problème.

2) La théorie de la continuité soutient que lors d'une réponse suivie d'un renforcement, l'animal acquiert des informations sur tous les aspects du stimulus présent, (couleur ou brillance, taille, forme, position, etc.) qui parviennent aux récepteurs sensoriels et qui accompagnent le renforcement (*hypothèse absolutiste*). La théorie de la discontinuité affirme au contraire que, dans ces circonstances, l'animal choisit plutôt l'un des aspects du stimulus et ignore les autres (*hypothèse relativiste*).

3) Évidemment, dans les deux théories on interprète la *discrimination* selon la conception générale de l'apprentissage. L'animal réussit le problème de discrimination et identifie le stimulus qui accompagne le renforçateur parce que la tendance à approcher ce stimulus est plus forte que la tendance à l'éviter (théorie de la continuité) ou parce qu'il a finalement formulé la bonne hypothèse (théorie de la discontinuité). Selon cette dernière interprétation, la discrimination peut donc apparaître très rapidement, même en un seul essai; elle est en quelque sorte le résultat d'un *insight* (voir page 44).

4) Selon la théorie de la continuité, le renforcement différentiel constitue le mécanisme de base par lequel s'opère la discrimination et, par conséquent, le contrôle du stimulus. En augmentant ou en diminuant la tendance à répondre à un stimulus plutôt qu'à un autre, il détermine quel indice de l'environnement influencera le comportement. Selon la théorie de la discontinuité, l'apprentissage discriminatif est un processus en deux étapes: l'animal apprend d'abord à porter attention à l'aspect pertinent du stimulus et ensuite à exécuter des actions spécifiques en présence de stimuli spécifiques, c'est-à-dire à discriminer. L'attention joue donc un rôle fondamental dans ce type d'interprétation.

Ces deux points de vue opposés ont évidemment stimulé la recherche et favorisé la réflexion théorique. Le débat, déjà alimenté par l'effet du renforcement différentiel sur la généralisation, s'est accentué lorsqu'on a mis en évidence les phénomènes expérimentaux, que nous allons maintenant étudier, et lorsqu'on a précisé les questions sur le rôle du processus d'attention.

Le transfert de discrimination. Le transfert de discrimination est l'une des situations expérimentales les plus utilisées pour mettre à l'épreuve les hypothèses de base de la théorie de la discontinuité. Dans ces expériences, un sujet, entraîné à résoudre un premier problème de discrimination, est confronté à un second problème, différent du premier. Si l'apprentissage discriminatif proprement dit exige que l'animal porte d'abord attention à l'aspect pertinent du stimulus, il ne devrait y avoir transfert de l'apprentissage du premier au second problème que lorsque cet aspect est le même dans les deux cas.

L'une des premières expériences de transfert, visant à analyser les processus sous-jacents à l'apprentissage discriminatif, a été mise au point par Lawrence (1949, 1950). On entraîne d'abord trois groupes de rats à résoudre une *discrimination simultanée:* pour l'un de ces groupes, l'aspect pertinent du stimulus est la brillance (noir ou blanc) des couloirs d'arrivée d'un labyrinthe en T alors que pour les deux autres, les indices à discriminer sont la largeur des couloirs et la texture du plancher. Une fois la discrimination bien apprise, les trois groupes sont soumis à une *discrimination successive.* Ils doivent apprendre à tourner dans le couloir de droite si les deux couloirs sont noirs et à tourner dans le couloir de gauche s'ils sont blancs, la largeur des couloirs et la texture du plancher n'étant pas des indices appropriés. Contrairement à la première étape de l'expérience, les sujets ne sont donc pas renforcés s'ils s'approchent du stimulus pertinent ou s'ils l'évitent: le stimulus est simplement un indice et le choix de la réponse est déterminé par un autre processus que l'approche ou l'évitement directs. De plus, la dimension pertinente du stimulus n'est la même, dans les deux étapes de l'expérience, que pour un seul groupe, celui qui a été entraîné à la discrimination simultanée de brillance. Les résultats montrent que ce groupe de sujets apprend plus vite la discrimination successive que les deux groupes soumis préalablement à une discrimination simultanée quant à la largeur des couloirs et à la texture du plancher. Cet effet de transfert positif a, par la suite, été confirmé à plusieurs reprises (Mackintosh, 1974; Mackintosh et Sutherland, 1971; Mumma et Warren, 1968; Winefield et Jeeves, 1971).

Selon Lawrence, le transfert positif de la discrimination ne peut être expliqué par la théorie de la continuité. Cette dernière, comme nous l'avons vu, affirme que des tendances d'approche et d'évitement sont associées respectivement au S + et au S-. Or, le stimulus qui, dans la discrimination simultanée, servait à diriger les réponses d'approche (ex: le couloir noir), ne peut plus jouer ce rôle dans la discrimination successive puisque les deux couloirs ont la même brillance. En fait, le transfert serait dû au fait que l'animal apprend à porter attention à l'aspect pertinent (la brillance) dès la première étape de l'expérience, de sorte qu'au moment de la discrimination successive, il dispose déjà d'une partie de la solution au problème.

Une autre situation expérimentale, notamment employée dans plusieurs recherches sur des sujets humains et en particulier sur de jeunes enfants, compare l'effet de changements *intradimensionnel* et *extradimensionnel* sur le transfert de discrimination. Les sujets sont soumis successivement à deux discriminations simultanées. Lors de la première étape, tous les sujets sont exposés aux mêmes stimuli, par exemple un cercle et un carré dont la couleur peut être rouge ou verte. Pour un groupe de sujets (changement intradimensionnel, ID), l'aspect pertinent est la couleur du stimulus: le renforçateur apparaît quand le sujet choisit la couleur rouge et n'apparaît pas quand il choisit la couleur verte, peu importe la forme du stimulus (figure 7.14). Pour l'autre groupe (changement extradimensionnel, ED), l'aspect pertinent est la forme du stimulus: peu importe sa couleur, le S + est le carré et le S- est le cercle. Lors de la deuxième discrimination simultanée, les sujets sont exposés à un losange et à un triangle dont la couleur est jaune ou bleue; l'aspect pertinent est la couleur (S + = jaune, S- = bleu). Le groupe ID subit un changement intradimensionnel puisque, même si les couleurs des stimuli ne sont pas celles de la première étape, l'aspect pertinent (couleur) est le même. Par contre, le groupe ED subit un changement

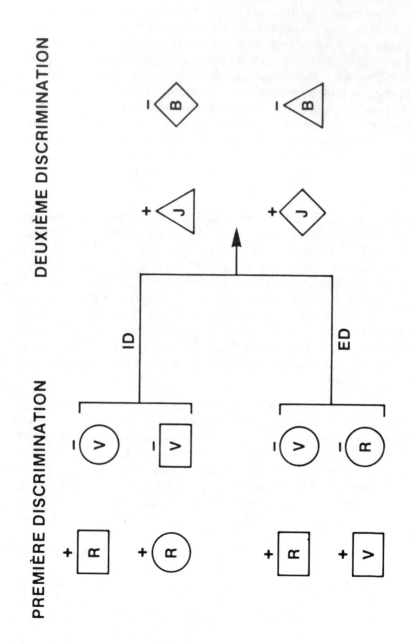

Figure 7.14 Schéma d'une expérience d'apprentissage discriminatif avec changements intradimensionnel (ID) et extradimensionnel (ED).

extradimensionnel car l'aspect selon lequel il doit distinguer les stimuli n'est plus la forme mais la couleur.

Les résultats d'une telle expérience montrent que le changement intradimensionnel est appris beaucoup plus rapidement que le changement extradimensionnel. Cette donnée a été confirmée chez le pigeon (Mackintosh et Little, 1969), le rat (Mackintosh, 1964; Shepp et Eimas, 1964; Schwartz, Schwartz et Tees, 1971), les singes (Rothblat et Wilson, 1968; Shapp et Schrier, 1968) et chez des sujets humains (Kemler et Shapp, 1971; Wolff, 1967). Comme les autres cas de transfert positif de la discrimination, elle peut être facilement interprétée dans le cadre de la théorie de la discontinuité en faisant appel au processus d'attention. Par contre, la théorie de la continuité de Hull et Spence peut difficilement rendre compte de ces données.

Inversion et effet de surapprentissage. Dans une situation expérimentale d'inversion, on inverse les conditions de renforcement qui prévalaient au cours d'un entraînement préalable à la discrimination. Si un animal a appris à discriminer des stimuli en fonction de leur brillance, par exemple, le S + étant noir et le S- blanc, la deuxième étape consiste à faire du stimulus noir un S- et du stimulus blanc, un S + . Cette situation a notamment permis la mise en évidence de l'effet de surapprentissage qui constitue un argument de poids dans le débat sur le rôle de l'attention dans l'apprentissage discriminatif.

On entraîne d'abord des rats à distinguer les deux couloirs d'un labyrinthe en Y en fonction de leur brillance (noir-blanc). Une fois qu'ils ont réussi 9 bonnes réponses en 10 essais, ils sont divisés en trois groupes et les conditions de renforcement sont inversées (Reid, 1953). L'inversion est immédiate pour un groupe, tandis que pour les deux autres, elle ne survient qu'après 50 et 150 essais supplémentaires ayant à la base le problème original de discrimination. Une telle expérience montre que la vitesse avec laquelle l'animal apprend la discrimination inversée est directement reliée au surapprentissage. Plus précisément, le groupe soumis à un surapprentissage en 150 essais apprend plus vite la nouvelle discrimination que les deux autres groupes.

Cet effet de surapprentissage, confirmé par plusieurs auteurs (Sperling, 1965a, 1965b), va à l'encontre de la théorie de Hull-Spence. En effet, des essais supplémentaires devraient augmenter les tendances excitatrices et inhibitrices liées à la première discrimination et rendre plus difficile l'apprentisage de l'inversion, ce qui n'est pas le cas. Par contre, une théorie de l'attention permet de rendre compte de ce phénomène (Lovejoy, 1966; Mackintosh, 1969). Selon cette dernière, le sujet, ayant atteint le critère d'apprentissage de la première discrimination, ne porte pas attention uniquement à l'aspect pertinent du stimulus. De ce fait, grâce aux essais supplémentaires, la concentration de son attention s'accentue. Lorsque l'inversion survient, les sujets ayant subi un surapprentissage maintiennent l'attention qu'ils portent à l'aspect pertinent pendant que leur réponse originale s'éteint: cette attention soutenue favorise l'apprentissage de la seconde tâche qui est en fait fondée sur le même aspect. Les sujets qui ont été entraînés sans surapprentissage, ne portent pas encore, au moment de l'inversion, toute leur attention à l'aspect approprié, de sorte qu'ils ont plus de difficultés à acquérir la nouvelle réponse.

Bien qu'il ait été confirmé par plusieurs auteurs, l'effet de surapprentissage n'apparaissait pas dans toutes les expériences et pendant quelques années on a même contesté la validité de ce phénomène. Toutefois, des travaux récents ont démontré que le surapprentissage facilite l'acquisition de l'inversion quand la discrimination est relativement difficile à faire ou quand la bonne réponse est fortement renforcée (Hooper, 1967; Mackintosh, 1969; Sperling, 1965b; Theios et Blosser, 1965). Cette influence de la difficulté de la tâche ne constitue pas un obstacle pour une théorie qui accorde un rôle fondamental à l'attention dans l'apprentissage discriminatif. Quand une discrimination est facile, l'attention de l'animal atteint son niveau maximal en quelques essais et il est peu utile d'ajouter d'autres essais à l'entraînement. Par contre, plus la tâche devient difficile, plus le sujet met du temps à concentrer son attention sur l'aspect pertinent et plus le surapprentissage a de l'impact sur l'acquisition de l'inversion.

Les stratégies d'apprentissage[1]. Comme nous l'avons vu jusqu'ici, l'apprentissage de la discrimination, effectué dans une situation donnée, peut être appliqué dans une autre situation où l'aspect pertinent du stimulus est modifié et même inversé. Ce transfert de la discrimination peut apparaître dans un cas plus complexe encore, à savoir quand l'aspect qui fait l'objet de la discrimination change d'un problème à l'autre. Chez certaines espèces animales, l'exposition à plusieurs problèmes différents produit en effet une amélioration sensible de l'apprentissage discriminatif de nouveaux problèmes. Autrement dit, l'animal développe des stratégies d'apprentissage, il *apprend à apprendre.*

Bien que certains chercheurs aient observé ce phénomène dans le passé (Bunch, 1944; Melton et Von Lackum, 1941; Ward, 1937), l'analyse systématique des stratégies d'apprentissage a vraiment commencé avec les travaux de Harlow (1949, 1959) sur des singes rhésus. Au cours de ces expériences, des tâches de discrimination simultanée sont présentées à l'aide d'un appareil simple, le *Wisconsin General Test Apparatus* (WGTA). Il s'agit essentiellement d'un plateau, percé de deux mangeoires au-dessus desquelles on dépose des objets de formes géométriques et de couleurs variées. Les stimuli apparaissent donc par paires, chaque paire étant présentée à l'animal pendant 6 à 50 essais. D'autre part, la position des objets est régulièrement modifiée. La tâche de l'ani-

---

1   En anglais, *learning sets.*

mal consiste à choisir l'un des deux objets. S'il choisit le bon, il a accès à la nourriture qui a été préalablement cachée dans la mangeoire que recouvrait cet objet. S'il fait le mauvais choix, l'expérimentateur passe à l'essai suivant. Une telle expérience se compose généralement d'un nombre élevé de problèmes différents, c'est-à-dire de paires de stimuli à discriminer.

La figure 7.15 illustre les résultats obtenus au cours des six premiers essais de chacune des 344 discriminations différentes, soumises aux sujets par Harlow (1949). Au premier essai, le comportement des singes est aléatoire: ils choisissent chacun des deux stimuli dans 50 p.

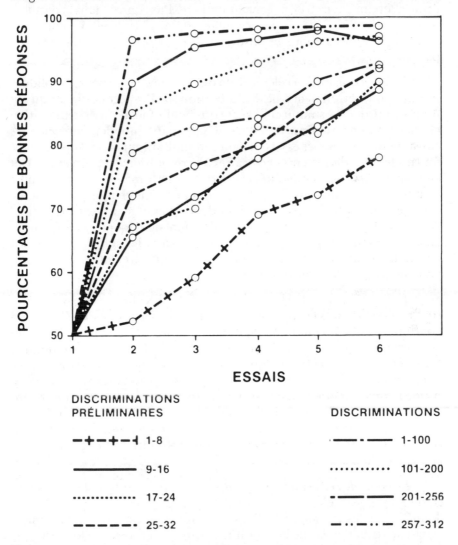

Figure 7.15 Résultats de l'expérience de Harlow (1949) sur les stratégies d'apprentissage chez des singes rhésus.

cent des cas. Cette performance est tout à fait normale car, lorsqu'un problème est présenté pour la première fois, l'animal ne dispose d'aucun moyen lui permettant de prédire le stimulus qui sera renforcé. Si on compare les premiers et les derniers groupes de problèmes, on constate que le profil des courbes d'apprentissage se transforme beaucoup au fur et à mesure que les sujets acquièrent de l'expérience dans la résolution des différents problèmes de discrimination. L'apprentissage, qui se caractérise au début par une amélioration graduelle, devient plus tard très soudain. Ainsi, durant la première série de problèmes (courbe 1 à 8), le pourcentage de bonnes réponses dépasse à peine 50 p. cent au deuxième essai et atteint environ 80 p. cent au sixième. Par contre, dans la dernière série (courbe 257-312), ce pourcentage atteint plus de 90 p. cent dès le deuxième essai et s'approche ensuite d'une performance parfaite de 100 p. cent.

Cette acquisition accélérée de la discrimination ne peut s'expliquer par une concentration accrue de l'attention sur l'aspect pertinent du stimulus, puisque les stimuli et l'aspect qui fait l'objet de la discrimination changent d'un problème à l'autre. Cependant, un élément demeure constant lors de tous les essais. Il peut retenir l'attention des sujets et leur fournir les renseignements nécessaires à la résolution des problèmes. Cet élément ne fait pas partie intégrante des stimuli mais peut en être abstrait le stimulus, présent lorsque le premier essai de chaque problème est renforcé, est également présent lors du renforcement des cinq autres. Autrement dit, pour réussir la tâche, l'animal doit adopter et apprendre la stratégie suivante: si le stimulus choisi procure le renforçateur, il faut continuer à faire le même choix; dans le cas contraire, lors de l'essai suivant, il faut choisir l'autre stimulus.

Les expériences de Harlow, ainsi que celles effectuées par la suite, sont très révélatrices et apportent un nouvel éclairage dans le débat sur la continuité ou la discontinuité de l'apprentissage. D'une part, ces expériences indiquent, comme le soutient la théorie de la discontinuité, que l'apprentissage peut être brusque et discontinu et qu'il peut sembler provenir d'un *insight*. D'autre part, cet *insight* ne peut surgir qu'à la suite d'une longue expérience de la situation de discrimination, ce qui rejoint en partie le point de vue de la théorie de la continuité. En quelque sorte, l'animal *apprend à apprendre*. En tentant de trouver chaque solution, il développe une *stratégie d'apprentissage* qui lui permet de résoudre une classe de problèmes.

Le point de vue actuel. Les points de vue différents de Hull-Spence et de Lashley-Wade sont encore débattus aujourd'hui, mais ils ont donné lieu à des versions modifiées. Comme nous l'avons vu, la version originale de la théorie de la continuité, qui avait au moins le mérite de formuler très explicitement ses prédictions, a subi de nombreuses attaques et n'a pas toujours su résister à l'épreuve des faits empiriques. Son interprétation générale du contrôle du stimulus s'est avérée lacunaire et a été en partie invalidée par des phénomènes comme le transfert de discrimination et l'effet de surapprentissage. La théorie de la discontinuité, en attribuant un rôle central au processus d'attention, a mieux rendu compte des faits observés mais a fourni peu de détails sur le fonctionnement même de l'attention. De plus, elle ne permet pas d'expliquer complètement tous les cas où intervient l'effet de surapprentissage et ne peut, à elle seule, décrire les stratégies d'apprentissage.

Nous connaissons déjà les versions modifiées des théories de la continuité et de la discontinuité puisque nous les avons rencontrées au chapitre 6. Il y a, d'une part, les théories comme celles de Rescorla et Wagner (1972) qui, tout en concevant l'apprentissage comme une accumulation graduelle et continue de nature associative, reconnaissent que l'animal n'est sensible qu'à certains aspects du stimulus. Il y a, d'autre part, les théories, comme celles de Mackintosh (1975b) qui définissent la discontinuité moins par la formulation d'hypothèses et l'*insight* que par la différence d'attention accordée à chaque stimulus et, par conséquent, par la différence d'apprentissage. Comme nous l'avons vu, ces versions modifiées s'appuient sur les mêmes phénomènes (ex: masquage et blocage) et les mêmes équations de base. Elles sont très proches l'une de l'autre. Elles se distinguent essentiellement par le fait que les premières font appel à un processus d'association alors que les secondes se réfèrent à un processus d'attention.

CHAPITRE 8

FORMES ET PROCESSUS D'APPRENTISSAGE

Dans les trois derniers chapitres, nous avons analysé trois formes d'apprentissage animal: l'habituation, le conditionnement classique et l'apprentissage instrumental. Comme nous l'avons vu au chapitre 5, l'habituation a été pendant longtemps considérée comme un phénomène marginal, ne relevant pas vraiment du domaine de l'apprentissage. Quant aux deux autres formes, elles ont donné lieu à des points de vue divergents. Pour certains auteurs, comme Guthrie (1935), Hull (1929) et Estes (1950), le conditionnement classique et l'apprentissage instrumental relèvent d'un seul et même processus et ne se distinguent en fait que par la manipulation expérimentale qui caractérise chacun d'entre eux. Dans un cas, l'expérimentateur organise une relation entre un stimulus (SC) et un renforçateur (SI) et dans l'autre, il organise une relation entre une réponse de l'animal et un renforçateur. D'autres théoriciens, (Konorski, 1948; Miller, 1948; Mowrer, 1947, 1950; Rescorla et Solomon, 1967; Schlosberg, 1937; Skinner, 1938), ont soutenu l'idée contraire. Selon eux, les conséquences des deux manipulations expérimentales sont fondamentalement différentes et impliquent l'existence de deux processus d'apprentissage distincts.

LES CRITÈRES DE DISTINCTION

Les deux points de vue ne peuvent être rejetés ou acceptés *a priori*. Le fait que l'expérimentateur organise différemment les situations pavlovienne et instrumentale n'influence en rien le processus d'apprentissage auquel l'animal a recours. Même s'il n'a planifié, dans la situation pavlovienne, aucune relation entre la réponse et le renforçateur, cela ne signifie pas pour autant que la RC n'est pas influencée par la relation instrumentale avec le renforçateur. Inversement, dans une situation ins-

trumentale, l'organistion d'une relation entre la réponse et le renforçateur n'élimine pas, comme le montrent les phénomènes de comportement superstitieux et d'autofaçonnement (page 212), la possibilité d'une
influence pavlovienne implicite. Pour conclure à un double processus
d'apprentissage, il faudrait donc identifier des critères de distinction
indépendants de la manipulation expérimentale proprement dite. Les
critères jusqu'à maintenant proposés se fondent essentiellement sur la
distinction entre les classes de réponses auxquelles correspondent le conditionnement classique et l'apprentissage instrumental.

Réponses autonomes et réponses somatiques

Ce premier critère a été d'abord formulé par Miller et Konorski
(1928) et, ensuite, adopté par Skinner (1938, 1953) et Mowrer (1947).
Selon ces deux derniers auteurs, les deux formes d'apprentissage agi-
raient sur des réponses propres à deux parties différentes du système nerveux. D'une part, les réponses acquises par conditionnement classique
seraient celles qui relèvent du système nerveux autonome, système qui
contrôle l'activité des glandes et des muscles des organes internes (ex:
variations du rythme cardiaque; sécrétions des glandes digestives; cons-
triction et dilatation des vaisseaux sanguins; etc.). D'autre part, les
réponses apprises de façon instrumentale dépendraient du système nerveux somatique qui contrôle les mouvements de la musculature squelettique et donc la motricité.

À première vue, cette distinction semble très claire et s'appuie sur
des éléments objectifs. Cependant, les données expérimentales ne correspondent pas exactement à une telle distinction. Il est vrai que, dans
les situations pavloviennes, on utilise généralement des réponses autonomes comme la salivation, la fréquence cardiaque et la réponse électrodermale et qu'inversement, dans les situations instrumentales, on met
en jeu des actions motrices comme le fait de déambuler dans un labyrinthe, de presser sur un levier ou de picorer sur une plage lumineuse. Par
contre, plusieurs réponses somatiques peuvent, comme nous l'avons vu,
être acquises par conditionnement pavlovien. C'est notamment le cas de
la flexion conditionnelle chez les animaux et du réflexe rotulien chez
l'humain, du réflexe palpébral, etc. De même, plusieurs chercheurs ont
montré, au cours des deux dernières décennies, que les réponses autonomes pouvaient être conditionnées par voie instrumentale (Black, 1971;
Katkin et Murray, 1968; Kimmel, 1967; Miller, 1969; Shearn, 1962).

Toutefois, le conditionnement instrumental de réponses autonomes présente d'une part des difficultés particulières. D'autre part, il
prête à l'interprétation. Il peut être le résultat de l'action directe de la
corrélation réponse-renforcement, mais également le sous-produit du
conditionnement d'une réaction somatique. Par exemple, le chercheur
qui crée une situation instrumentale visant à modifier la pression san-

guine, peut parvenir à ce résultat, non pas en influençant directement cette réponse, mais en augmentant involontairement l'activité générale du sujet. Ce phénomène, à son tour, induit indirectement une augmentation de la pression sanguine. Pour contrecarrer cet effet indirect, on utilise deux stratégies. L'une consiste à immobiliser le sujet, en paralysant sa musculature, à l'aide de substances comme le curare. L'autre, moins fréquente, consiste à créer des situations instrumentales où l'on peut mesurer les deux types de réponses (ex: enregistrement de la salivation et de la pression du levier) et à vérifier si les réponses somatiques sont acquises plus rapidement que les réponses autonomes (Terrace, 1973). Les données recueillies grâce à la première stratégie font l'objet de nombreuses controverses car les effets obtenus sont difficiles à reproduire. Quant aux données obtenues grâce à la seconde stratégie, elles ne permettent pas de dégager un ordre cohérent et systématique dans l'apparition des deux types de réponses.

Bien qu'il soit assez évident que la plupart des réponses autonomes sont plus faciles à conditionner dans une situation instrumentale, les recherches effectuées jusqu'à présent n'indiquent pas clairement si la distinction entre les réponses autonomes et somatiques peut servir de base à la distinction entre les conditionnements classique et instrumental. Il est possible que les réponses autonomes soient plus difficiles à acquérir par voie instrumentale, non pas parce qu'elles ne peuvent l'être, mais parce qu'elles obéissent à des facteurs internes. De ce fait, elles sont plus difficilement influencées par des stimuli externes. Les réponses somatiques, qui n'exercent aucune fonction dans l'économie interne de l'organisme, ne présentent pas ce problème (Staddon et Simmelhag, 1971).

Réponses volontaires et involontaires

Plusieurs auteurs, dont Skinner (1938) et Turner et Solomon (1962) ont employé un deuxième critère de distinction entre les conditionnements classique et instrumental. Ce critère spécifie que les réponses conditionnées de manière classique sont de type réflexe ou involontaire: elles sont déclenchées par le stimulus renforçant (SI), de façon régulière et uniforme, avec une courte latence et une forte probabilité. À l'opposé, les réponses apprises instrumentalement sont volontaires et peuvent être choisies arbitrairement: elles sont émises et non déclenchées par le renforçateur. Cette distinction, tout comme la précédente, n'est pas sans présenter quelques difficultés.

La nature réflexe ou involontaire d'une réponse n'est pas une de ses caractérisiques intrinsèques, mais plutôt une caractéristique de la relation qu'elle a avec un stimulus. Or, un comportement considéré comme typiquement volontaire peut, même s'il n'est pas déclenché par un stimulus, être contrôlé par celui-ci (page 227). Il faudrait donc essayer d'établir une différence entre une réponse «déclenchée par un stimulus» et une réponse «contrôlée par un stimulus». Si on connaissait le moyen de faire cette différence, le problème n'existerait plus et on saurait déjà comment classer les réponses en volontaires et involontaires (Schwartz, 1978).

Dans certaines situations, un observateur qui ignorerait quelle forme d'apprentissage a été utilisée pour établir un comportement, aurait beaucoup de difficultés à déduire, à partir des résultats, la nature volontaire ou involontaire de la réponse. Ainsi, Hintzman (1978) résume l'expérience de conditionnement classique temporel suivante réalisée par Dmitriev et Kochigina (1959). Des chiens sont soumis à un conditionnement de flexion de la patte. Un choc électrique est administré toutes les cinq minutes. Au début, toutes les flexions apparaissent durant l'intervalle qui sépare deux chocs. Plus tard, elles ont lieu à la fin de l'intervalle, juste avant le choc suivant. L'allure des résultats ressemble beaucoup à celle produite par un apprentissage instrumental avec programme à intervalle fixe (IF). Dans les deux cas, le taux des réponses est faible dans la période qui suit immédiatement le renforcement et augmente quand celui-ci devient imminent. Un observateur non averti ne pourrait donc pas savoir si la réponse est émise ou déclenchée, c'est-à-dire si elle est le fruit d'un conditionnement pavlovien ou d'un apprentissage instrumental.

La distinction entre réponses volontaires et involontaires s'avère aussi difficile quand on examine la nature des comportements impliqués dans les situations pavlovienne et instrumentale d'apprentissage. Ainsi, le fait de picorer sur un disque par un pigeon, toujours considéré comme une réponse volontaire et arbitraire typique dans des situations instrumentales, est apparu, avec la découverte de l'autofaçonnement, comme une réponse aussi involontaire que la salivation et sujette aux conditions pavloviennes. Inversement, des réponses clairement involontaires, comme le rythme de formation de l'urine et le taux de flux sanguin dans les oreilles chez le rat, ont pu être acquises par une méthode instrumentale (Miller, 1969). Les expériences qui portaient sur la punition négative ou sur l'omission ont également été très révélatrices à ce sujet. Un chien est soumis, par exemple, à un conditionnement classique modifié au cours duquel la nourriture ne lui est donnée que *s'il ne salive pas* (Sheffield, 1965). Les résultats montrent que l'animal est incapable d'apprendre cette tâche. La conclusion logique serait que la réaction salivaire est involontaire, qu'elle n'est pas sensible à l'effet qu'elle produit sur l'environnement et que, conformément au critère, elle ne peut faire l'objet d'un apprentissage instrumental. Pourtant, si l'on emploie la même méthode, avec de l'eau comme renforçateur, les chiens apprennent aussi bien à saliver qu'à ne pas saliver (Miller et Carmona, 1967). Il est donc très difficile de conclure que la salivation est volontaire ou involontaire. Tout dépend du stimulus qui la renforce.

Autres critères

On a proposé d'autres critères, qui recoupent généralement les deux précédents, pour établir une distinction nette entre le conditionnement classique et l'apprentissage instrumental. Ainsi, Schlosberg (1937) suggère que l'apprentissage pavlovien permet l'acquisition de réponses diffuses ou préparatoires tandis que l'apprentissage instrumental façonne des réponses adaptatives précises. Mais un tel critère est loin de résoudre le problème car il est pratiquement impossible de définir de façon rigoureuse la différence entre une réponse préparatoire et une réponse adaptative. D'autres auteurs, (Estes, 1969a, 1969b; Konorski et Miller, 1937; Mowrer, 1960a), affirment que les réponses sont sensibles aux conditions instrumentales dans la mesure où elles impliquent une certaine rétroaction alors que les RC pavloviennes n'auraient pas cette propriété. Toutefois, aucune preuve directe ne permet de démontrer l'importance primordiale de la rétroaction produite par la réponse sur l'apprentissage instrumental. De plus, il n'y a pas de distinction stricte entre les réponses qui produisent et celles qui ne produisent pas la rétroaction. Il s'agit davantage d'une différence de degré que d'une différence de nature (Mackintosh, 1974).

L'analyse des différents critères que nous avons mentionnés démontre assez clairement qu'à part la différence dans la manipulation expérimentale, il n'y a pas de distinction facile et tranchée entre les conditionnements classique et instrumental. Il serait par conséquent illogique et inadéquat d'affirmer que ces deux formes d'apprentissage relèvent de processus distincts. En fait, comme le souligne Schwartz (1978), lorsqu'on compare ces deux formes, ce sont leurs similitudes plutôt que leurs différences qui apparaissent.

LES SIMILITUDES

Les conditions d'acquisition

Comme nous l'avons vu aux chapitres 6 et 7, les conditions d'acquisition dans le conditionnement pavlovien et dans l'apprentissage instrumental sont très similaires, même si les événements à mettre en relation (deux stimuli ou une réponse et un stimulus) sont différents. Dans les deux cas, une certaine contiguïté temporelle entre les événements semble nécessaire, mais elle ne constitue pas une condition suffisante. L'animal doit également être sensible à la nature de la corrélation entre ces événements. Une corrélation positive peut donner lieu à un conditionnement pavlovien excitateur, aversif ou appétitif, si un indice précurseur accompagne régulièrement un événement biologiquement significatif, et à un renforcement positif ou à une punition positive, si la réponse a pour effet de faire apparaître le stimulus significatif. Inversement, le conditionnement pavlovien inhibiteur aversif ou appétitif et le renforcement négatif ou la punition négative apparaissent quand il y a corrélation négative entre les événements. Enfin, dans les deux types de situations, les données empiriques démontrent qu'un animal est capable de détecter le manque de lien entre les événements. Cet apprentissage de la corrélation nulle se manifeste clairement dans le comportement par la difficulté de l'animal à reconnaître ultérieurement l'existence d'une corrélation positive ou négative ce qui, dans le cas de l'apprentissage instrumental, se traduit par le phénomène de la résignation apprise.

Les phénomènes de base

Les similitudes entre le conditionnement pavlovien et l'apprentissage instrumental ne se limitent pas aux conditions nécessaires et suffisantes à l'*acquisition* du comportement. Elles apparaissent aussi dans les caractéristiques des phénomènes de base.

Une réponse conditionnelle et un comportement instrumental s'atténuent et disparaissent éventuellement du répertoire de l'animal, dès que les conditions de l'environnement ne sont plus appropriées. L'élément de base de cette *extinction* est le même dans les deux cas. Elle survient à la suite du retrait du renforçateur, c'est-à-dire du stimulus ou de l'événement qui, à un moment précis, a pour l'animal une importance particulière. Mais l'expérience passée ne disparaît pas si facilement. L'animal n'oublie pas aussi vite la relation entre les événements qu'il a apprise. Si la même situation se présente de nouveau dans un délai raisonnable, il y a *récupération spontanée* de la RC ou du comportement instrumental. Cette réapparition de la réponse constitue, du point de vue adaptatif, une économie de temps et d'énergie.

L'économie de temps et d'énergie, si essentielle à la survie, est également réalisée grâce aux phénomènes de *généralisation* et de *discrimination*. Que les stimuli de l'environnement soient les indices précurseurs de l'événement significatif (conditionnement pavlovien) ou qu'ils servent simplement à souligner les circonstances dans lesquelles le comportement produira l'effet recherché (apprentissage instrumental), l'animal doit être sensible à leurs variations. Il doit être en mesure d'ignorer ceux qui ont peu de conséquences (généralisation) et d'identifier ceux qui exigent des modifications de son comportement (discrimination).

Le *conditionnement pavlovien d'ordre supérieur* trouve son équivalent dans un phénomène dont nous avons peu discuté et qui se manifeste fréquemment dans le cas du comportement humain: l'*apprentissage instrumental secondaire*. Dans cette situation, on utilise un stimulus (S^D), en présence duquel le renforcateur ou le punisseur a été antérieurement donné, pour renforcer ou punir une nouvelle réponse instrumentale. En programmant convenablement les renforçateurs ou les punisseurs secondaires, il est possible de façonner et de maintenir des chaînes élaborées de comportements, qui aboutissent finalement à la présentation d'un renforçateur primaire. Par exemple, si on donne à des chimpanzés des jetons qu'ils peuvent échanger contre des raisins, ces jetons deviennent des renforçateurs secondaires (ou conditionnels) qui, par la suite, pourront servir à renforcer une autre réponse (Cowles, 1937). Ainsi, les chimpanzés apprendront à tirer sur une manette pour obtenir un jeton qu'ils pourront plus tard échanger contre des raisins. Le jeton a alors une double fonction: il est à la fois renforçateur secondaire (S^R) pour la réponse qui sert à l'obtenir (tirer sur la manette) et stimulus discriminatif (S^D) pour la réponse renforcée par les raisins (l'échange). De même, dans un conditionnement pavlovien d'ordre supérieur (voir figure 6.2), le SC_1 est à la fois renforçateur par rapport au SC_2 et indice précurseur du SI.

Le *préconditionnement sensoriel* pavlovien offre aussi beaucoup de similitudes avec *l'apprentissage latent* (page 51), mis en évidence dans les situations instrumentales de labyrinthe. Ces deux phénomènes sont en quelque sorte l'inverse du conditionnement d'ordre supérieur et de l'apprentissage instrumental. Dans une première étape, on n'emploie aucun renforcement primaire (SI ou renforçateur); l'animal est simplement confronté à deux stimuli neutres, systématiquement appariés (préconditionnement sensoriel) ou à une succession de stimuli, engendrés par ses déplacements dans le labyrinthe. Au cours de cette étape, on ne peut observer aucun apprentissage dans le comportement. Au cours d'une deuxième étape, lorsqu'on présente le renforçateur, le comportement de l'animal révèle l'appentissage acquis antérieurement. La seule différence entre le préconditionnement sensoriel et l'apprentissage latent est que l'association sensori-sensorielle de la première étape est subie passivement dans le premier cas, alors qu'elle est activement produite dans le second.

Enfin, Mackintosh (1974) cite des travaux démontrant que l'association qui se crée entre la réponse et le punisseur et qui mène à la suppression de la réponse par punition positive peut, comme l'association entre un SN et un SI, faire l'objet d'un *masquage* ou d'un *blocage* par la présentation simultanée d'autres signaux de renforcement, plus détectables ou plus valides que la réponse elle-même.

Les paramètres

Certains paramètres du conditionnement pavlovien et de l'apprentissage instrumental présentent des analogies, dont nous ne mentionnerons ici que quelques exemples. Nous avons vu que le stimulus inconditionnel (SI) produit une réponse inconditionnelle (RI), mais aussi une réponse conditionnelle (RC), d'autant plus forte qu'il est lui-même intense. De la même manière, la force ou la probabilité de réapparition d'un comportement, dans une situation d'apprentissage instrumental, augmente avec la quantité du renforçateur. Nous avons vu aussi que la relation temporelle entre le SC et le SI joue un rôle important dans l'acquisition de la RC; un délai entre la fin du SC et le début du SI (conditionnement de trace) n'empêche pas la formation de la RC, mais diminue la force et la rapidité de l'acquisition, comparativement à une relation temporelle où un tel délai n'existe pas (conditionnement différé). De la même manière, l'apprentissage instrumental est plus rapide dans le cas d'un renforcement immédiat que dans celui d'un délai interposé entre la réponse et le renforçateur. En apprentissage instrumental, on considère, bien sûr l'intensité du renforcement et son délai d'apparition, comme des variables qui influencent davantage la motivation que l'apprentissage proprement dit. Cette nuance a été moins discutée dans le cas du conditionnement classique. Il reste cependant que ces deux paramètres agissent de façon analogue sur le comportement, dans les deux types de situations.

DICHOTOMIE ET INTERACTION

Les similitudes que nous venons de décrire entre le conditionnement pavlovien et l'apprentissage instrumental ne doivent pas nous inciter à une conclusion hâtive. Grâce aux études biologiques des analogies et des homologies structurales et comportementales, qu'il fallait traiter avec beaucoup de prudence, on a depuis longtemps démontré les similitudes apparentes. Les structures morphologiques ou les comportements de deux espèces animales peuvent présenter plusieurs caractères communs, sans pour autant avoir la même origine ou être le résultat du même processus de base. Cependant, il faut bien reconnaître que jusqu'à maintenant toutes les tentatives pour établir une dichotomie très nette entre les deux formes d'apprentissage ont échoué. Face à cet échec, la conclusion qui s'impose généralement est qu'il n'y a pas deux processus distincts mais un seul, soit pavlovien, soit instrumental. Une telle conclusion est compréhensible dans la mesure où le débat sur cette question a toujours été fortement polarisé et limité à ces deux termes. Mais elle n'est pas la seule possible.

Une autre conclusion, suggérée en partie par Staddon et Simmelhag (1971), mériterait une plus grande attention. Au lieu de formuler le problème dans un langage dichotomique, il s'agit de le considérer dans la perspective d'une interaction. De la même manière que le phénotype du comportement est le résultat de l'interaction entre les influences de l'hérédité et de l'environnement, l'apprentissage associatif serait le processus qui ne peut survenir sans l'existence de l'élément pavlovien et instrumental et sans leur interaction. Ces deux éléments ne seraient pas plus dissociables et leur apport respectif ne seraient pas plus quantifiable ou mesurable que dans le cas de l'interaction hérédité-environnement. De façon encore plus précise, l'élément pavlovien accompagné d'autres principes d'organisation du comportement, comme les réponses innées, définirait la nature et la forme brute de l'action que l'élément instrumental (les principes de renforcement) viendrait adapter aux circonstances particulières de l'environnement, en opérant une sélection, c'est-à-dire une élimination,des composantes non essentielles. Mais il ne peut y avoir sélection des composantes sans comportement préalable, pas plus qu'il ne peut y avoir une forme adaptée de comportement sans élimination des composantes non conformes à la situation.

Dans la perspective de l'interaction, que devient l'habituation? Toute réflexion sur cette question ne peut être que spéculative car, comme nous l'avons déjà mentionné, cette autre forme d'apprentissage a été traditionnellement éliminée du débat sur la nature unique ou double du processus d'apprentissage. Il semble toutefois qu'elle puisse y être intégrée, si nous modifions légèrement notre conception de l'habituation.

Nous avons vu au chapitre 6 que le stimulus neutre (SN), qui peut devenir SC s'il est apparié avec un SI, n'est neutre que par rapport au comportement à apprendre. En fait, il déclenche à l'origine une réaction innée que l'on appelle réaction d'orientation (RO). Au début d'un conditionnement classique, il y a donc deux réactions présentes: la réaction d'orientation SN →RO et la réaction inconditionnelle SI →RI. Il y a conditionnement quand la réaction SC →RC (où RC est semblable à RI) se substitue à la réaction SN →RO. Mais, puisque la RO est suivie du renforçateur (SI), pourquoi n'y a-t-il pas apprentissage instrumental et augmentation de la probabilité de RO (Hintzman, 1978)? Selon Razran (1971), il y a *habituation* dans la plupart des RO qui voient donc leur intensité diminuer rapidement de sorte que la relation instrumentale a peu de prise sur elle. En poussant un peu plus loin cette hypothèse et en la situant dans notre perspective de l'interaction, nous pourrions conclure que les réactions d'orientation font partie des principes d'organisation du comportement, mais qu'elles ne pourront être soumises aux principes de renforcement que si un autre principe d'organisation du comportement, l'habituation, n'est pas intervenu entre temps pour les éliminer et pour modifier l'état de l'organisme.

TROISIÈME PARTIE

DES FORMES SOCIALES D'APPRENTISSAGE

Nous avons vu que les animaux apprennent à anticiper les événements biologiquement significatifs (chapitre 6 et 7) et à ne plus réagir aux stimulations récurrentes ou inoffensives (chapitre 5), que ces événements appartiennent à l'environnement physique ou à l'environnement social. Les deux formes d'apprentissage que nous allons maintenant étudier se distinguent de l'habituation, du conditionnement classique ou de l'apprentissage instrumental de plusieurs façons. Premièrement, bien qu'elles aient donné lieu à de nombreux travaux, elles ont moins retenu l'attention des chercheurs et des théoriciens et font plus rarement partie des manuels d'introduction à l'apprentissage. Deuxièmement, leur nature associative ou non associative est moins clairement établie. Troisièmement, elles sont plus spécifiques à certains groupes: l'empreinte apparaît surtout chez les oiseaux appartenant aux gallinacés ou aux anatidés, alors que l'apprentissage par observation a été mis en évidence chez les oiseaux et les mammifères. Quatrièmement, et c'est là le point le plus important, ces deux formes d'apprentissage impliquent la présence d'une relation sociale quelconque.

CHAPITRE 9

L'EMPREINTE

Toute personne, qui a eu l'occasion d'observer une poule, une cane ou une oie accompagnée de ses petits, a pu constater que les oisillons suivent leur mère de façon assidue et qu'ils émettent des cris de détresse dès que la distance ou un obstacle les sépare d'elle. Cette réponse de poursuite est la manifestation dans le comportement d'une forme particulière d'apprentissage, l'empreinte. En effet, chez plusieurs espèces d'oiseaux, quelques heures après sa sortie de l'oeuf, le petit apprend à identifier et à reconnaître sa mère, ce qui lui permet ainsi de la suivre dans ses déplacements. Pour être plus précis, l'oisillon apprend à émettre une réponse sociale et développe une préférence envers un objet qui, dans les heures qui suivent l'éclosion, se trouve dans son environnement immédiat. En milieu naturel, cet objet est généralement la mère biologique, de sorte que l'oisillon s'imprègne de son image. Mais en laboratoire, il est possible de remplacer la mère par n'importe quel objet (coussin, ballon, boîte, appeau, humain, etc.) Dans ce cas, l'empreinte a tout de même lieu, produisant ainsi une réaction de poursuite à un stimulus qui peut n'avoir aucun caractère commun avec une poule, une cane ou une oie. Comme Bateson (1966) l'a résumé de façon succincte, l'empreinte est donc «ce processus qui restreint les préférences sociales à une classe spécifique d'objets» (p. 177).

L'empreinte est un phénomène connu depuis l'Antiquité (Hess, 1973). Cependant, sa description est demeurée anecdotique et partielle jusqu'au XIXe siècle, lorsque Spalding (1873) en fit les premières tentatives d'étude. Par la suite, des auteurs comme James (1890) ou Craig (1908) s'y intéressèrent et formulèrent quelques hypothèses pour en expliquer la nature. Lorenz (1935, 1937), l'un des fondateurs de l'éthologie moderne, est, par contre, le principal chercheur ayant fait de l'empreinte un objet important d'étude dans les sciences du comportement animal. Il l'a décrite de façon détaillée, a identifié ses principales caractéristiques et énoncé les principes théoriques qui la régissent. Les premiers articles de Lorenz suscitèrent de fortes réactions dans les milieux de la psychologie expérimentale car ils remettaient en question l'idée reçue qui voulait que l'apprentissage se limite au conditionnement classique de Pavlov et à l'apprentissage par essai et erreur de Thorndike. Toutefois, le débat sur la nature innée ou apprise des réactions d'empreinte se transforma, avec les années, en un dialogue fécond entre l'éthologie et la psychologie expérimentale, contribuant ainsi au rapprochement de ces deux disciplines et à l'analyse systématique de l'empreinte.

LES POINTS DE VUE DE LORENZ ET HESS

Bien qu'il ait modifié par la suite sa position, Lorenz conclut, dès ses premiers travaux, que l'empreinte est un processus spécifique d'acquisition, qui a très peu de points communs avec les autres formes connues d'apprentissage comme le conditionnement ou l'apprentissage associatif. Selon lui, la simple exposition de l'animal à une classe de stimuli, à un moment précis de son développement, suffit à induire le contrôle que cette classe de stimuli exercera ultérieurement sur son comportement. Il identifie quatre caractéristiques fondamentales de l'empreinte (Bateson, 1966; Burghardt, 1973; Hess, 1973; Lorenz, 1935).

1) L'empreinte ne peut avoir lieu que si l'oiseau est exposé à l'objet au cours d'une brève période suivant l'éclosion, appelée *période critique* (expression empruntée à l'embryologie). Cette dernière correspond à un état de maturation physiologique spécifique. Si la préférence envers un objet ne s'établit pas durant ce moment privilégié, elle ne pourra jamais être acquise.

2) L'empreinte sociale que subit l'animal en très bas âge et qui détermine son comportement filial, a aussi *une influence sur* les comportements à l'âge adulte, notamment sur *les préférences sexuelles.*

3) Les effets de l'empreinte sont *irréversibles,* c'est-à-dire que les caractéristiques de l'objet ne peuvent être oubliées. Une fois imprégné d'un objet, l'animal ne pourra exécuter ses réponses filiales ou sexuelles vers des objets différents. Ainsi, un canard imprégné d'un être humain plutôt que de sa mère biologique, sera, à l'âge adulte, incapable de s'accoupler avec ses congénères et dirigera ses comportements de cour vers des humains.

4) Avec l'empreinte, le jeune animal acquiert une connaissance des caractéristiques générales de la classe à laquelle appartient l'objet et non des caractéristiques individuelles de cet objet. Il s'agit donc d'une acquisition qui se situe à un niveau *supra-individuel* et qui, en milieu naturel, permet à l'animal de reconnaître l'espèce à laquelle il appartient. Ainsi,

plus tard, il essaiera de s'accoupler avec ses congénères et non pas nécessairement avec ses parents.

Dans les années qui ont suivi les premiers travaux et énoncés de Lorenz, certains auteurs comme Lack (1941) et Thorpe (1944, 1951) nuancèrent les positions théoriques initiales et tentèrent d'élargir le champ d'application de l'empreinte à d'autres domaines que le comportement filial, notamment à l'acquisition du chant chez les oiseaux et à l'émergence des préférences d'habitat. Des observations (Alley et Boyd, 1950; Collias, 1950a, b, c) et des expériences en laboratoire (Howells et Vine, 1940; Pattie, 1936) permirent de confirmer empiriquement le phénomène et les travaux fondamentaux de Fabricius (1951 a, b) et de Ramsay (1951) fournirent une analyse méticuleuse des différents facteurs qui, dans l'empreinte, influencent la formation du lien filial.

En 1955, Lorenz modifie de façon significative sa position à la lumière de ces nouvelles données empiriques. Alors que, jusque là, il avait insisté sur les différences entre l'apprentissage associatif d'une part et l'empreinte d'autre part, il admit à ce moment là le point de vue de Fabricius, selon lequel ces deux formes d'acquisition appartiennent à un même continuum dont l'habituation fait aussi partie. Hess sera, par la suite, pratiquement le seul à maintenir plusieurs des positions initiales de Lorenz.

Selon Hess (1973), l'empreinte est un processus particulier d'apprentissage dans lequel, au cours d'une période critique, un patron de comportement inné se relie rapidement à des objets spécifiques qui, plus tard, le déclencheront. L'empreinte peut intervenir dans la formation des liens filial, parental ou sexuel, dans le choix d'un habitat, dans les préférences alimentaires et dans toute situation impliquant une forme quelconque de relation entre un objet et une réponse. La période critique est, chez l'animal, un élément sans lequel l'empreinte ne saurait exister. Elle correspond à un moment génétiquement programmé dans l'ontogénèse de l'animal, pendant lequel il apprend à diriger vers des objets certaines classes de comportements, déjà présentes et complètes, et surtout des patrons moteurs fixes. «Le but du processus d'empreinte est l'acquisition d'objets en tant que déclencheurs de ces patrons moteurs fixes que sont les actes consommatoires terminant une séquence appétitive».

CARACTÉRISTIQUES DE BASE

Malgré le nombre imposant de recherches, consacrées à l'étude systématique de l'empreinte, au cours des trente dernières années, un désaccord profond persiste quant à l'interprétation des données empiriques, colligées jusqu'à maintenant. Ce désaccord provient autant de la divergence des points de vue théoriques que de l'absence d'uniformité dans les méthodologies employées. La méthode d'induction et la mesure de l'empreinte, le traitement des animaux avant, pendant et après l'exposition à l'objet d'empreinte ainsi que les espèces étudiées varient en effet beaucoup d'une recherche à l'autre (Burghardt, 1973). Les résultats diffèrent aussi selon que les données soient recueillies en laboratoire ou dans des conditions semi-naturelles (Hess, 1972, 1973). Il est donc difficile de tracer un portrait cohérent et définitif de ce phénomène. Cependant, les données obtenues avec les poulets et les canards, qui représentent les espèces les plus courantes dans ces travaux, permettent de dégager quelques points généraux.

La période critique

Le concept de période critique a un très fort contenu théorique. Elle désigne une période très courte de développement pendant laquelle l'animal doit vivre certaines expériences, dont les effets sont permanents. En leur absence, son comportement sera anormal pour le restant de sa vie. Ainsi, selon Hess (1957), la période critique de l'attachement filial des poussins et des canetons surviendrait 13 à 16 heures après l'éclosion. Tout attachement qui apparaît après cette période de quelques heures ne serait plus dû à l'empreinte au sens strict, mais à une forme quelconque d'apprentissage associatif.

La notion de période critique a été souvent contestée et plusieurs auteurs (Bateson, 1966; Sluckin, 1964) mettent en doute l'extrême rigidité temporelle que Lorenz et Hess ont attribuée à l'empreinte. Ces auteurs préfèrent plutôt parler de *période sensible* ou *optimale,* c'est-à-dire un moment du développement où, tout simplement, l'empreinte s'établit plus facilement qu'en tout autre temps. Pour que l'oiseau soit capable d'apprendre les caractéristiques de l'objet d'empreinte, il doit avoir atteint un certain stade de développement et ne pas avoir eu l'occasion d'acquérir une préférence pour un autre objet. Quant à la durée de cette période, on peut seulement dire que, suite à l'exposition à l'objet d'empreinte, le nombre de poussins ou de canetons qui développent envers lui une préférence filiale augmente au début puis diminue avec l'âge (Bateson, 1966).

Les premières interprétations théoriques de Lorenz (1935, 1937) et de Hess (1959a) affirmaient que les limites de la période sensible sont déterminées par des processus ayant à la base la maturation. Autrement dit, l'établissement de la préférence filiale et l'apparition de la réponse de poursuite, au cours de la période sensible, de même que la difficulté croissante à induire l'empreinte, passé cette période, correspondraient à des changements normaux liés à l'évolution de l'animal vers la maturité. Quels sont ces changements successifs? On a proposé plusieurs hypothèses dans le cas de l'apparition de la période sensible proprement dite. Lorsqu'ils atteignent un certain âge, les poussins et les canetons auraient une tendance plus forte à poursuivre l'objet d'empreinte soit parce que leurs aptitudes motrices ont atteint un niveau de perfectionnement suffisant pour leur permettre de suivre l'objet (Hess, 1959a); soit parce que la durée accrue des périodes d'activité et d'éveil les rend plus attentifs à leur environnement (Tolman, 1963); soit parce que le développement de la rétine rend possible cette forme d'apprentissage (Sackett, 1963). On a émis deux hypothèses pour tenter d'identifier le changement qui intervient au cours du processus de maturation pour mettre fin à la période sensible, période après laquelle certains individus seulement développent une présence filiale. Leur nombre diminue d'ailleurs avec l'âge.

Selon l'une de ces hypothèses (Fabricius, 1951b), la fin de la période sensible serait due à un affaiblissement endogène de la motivation à poursuivre un objet. Cette interprétation, bien que plausible, ne spécifie aucun mécanisme qui pourrait déterminer le fait que l'animal a moins tendance à poursuivre l'objet. De plus, elle ne permet pas d'expliquer, comme nous le verrons plus loin, pourquoi la durée de la période sensible est influencée par l'expérience post-natale de l'oiseau. L'autre hypothèse, dont plusieurs versions ont été proposées, (Bindra, 1959; Guiton, 1959; Hebb, 1946; Verplanck, 1955), relie la fin de la période sensible au développement de la peur des nouveaux objets. À mesure que les poussins et les canetons vieillissent, ils deviennent plus craintifs et évitent les objets de leur environnement qui ne leur sont pas familiers. Ainsi, passé un certain âge, la tendance à s'approcher et à suivre le stimulus d'empreinte entre en conflit avec la peur des nouveaux objets et la tendance à les éviter. Dans la mesure où le développement de la peur est une modification endogène, cette interprétation ne fournit pas plus d'explication que la précédente quant à l'influence de l'expérience post-natale sur la durée de la période sensible. Elle suggère toutefois un mécanisme médiateur, le conflit entre deux tendances incompatibles, conflit ayant une motivation à la base.

Récemment, Hess (1973) abandonnait l'interprétation qui se basait sur le processus de maturation et formulait l'hypothèse que les limites de la période sensible sont génétiquement programmées. Plusieurs raisons l'ont amené à reviser sa première théorie, notamment le rôle de certaines expériences post-natales sur le début et la fin de la période sensible. Par exemple, des poussins ou des canetons âgés de 6 heures, chez qui les frères et soeurs deviennent objets d'empreinte, ne manifestent pas ultérieurement d'empreinte filiale optimale envers un objet parental, alors que face à ce même objet, des sujets isolés, âgés de 13 à 16 heures, ont une réponse de poursuite très forte (Hess, 1964; Polt et Hess, 1964, 1966). Inversement des oisillons, soumis depuis l'éclosion à une expérience visuelle limitée, manifestent une plus forte réaction dans la situation d'empreinte que des sujets du même âge ayant eu une expérience visuelle normale (Moltz et Stettner, 1961). Autrement dit, si les limites de la période sensible étaient déterminées par des facteurs reliés à la maturation, elles devraient être les mêmes, peu importe l'environnement préalable de l'animal. Comme le montrent ces exemples, tel n'est pas le cas.

Si on peut sérieusement mettre en doute l'interprétation fondée sur le processus de maturation, l'hypothèse d'un déterminisme génétique des limites de la période sensible soulève tous les problèmes relatifs à l'influence de l'hérédité et de l'environnement sur le phénotype de comportement, problèmes que nous avons déjà exposés au premier chapitre. Si cette hypothèse n'est pas nuancée de façon appliquée et accompagnée de toutes les données empiriques indispensables, elle risque de ranimer le débat stérile de l'inné et de l'acquis.

L'objet d'empreinte

Les premières recherches sur l'empreinte concluaient que la réponse de poursuite peut être déclenchée par une grande variété d'objets et que le modèle des parents naturels n'est pas plus efficace que tout autre objet (Hess, 1959b). Les chercheurs tentèrent par la suite d'identifier les caractéristiques nécessaires et suffisantes de l'objet d'empreinte. Selon Lorenz (1935), deux éléments jouaient un rôle déterminant dans le déclenchement de la poursuite: l'un visuel, la mobilité, et l'autre auditif, le cri de la mère. Les données recueillies par la suite fournirent des conclusions plus nuancées.

Les objets mobiles ne sont pas nécessairement plus efficaces que les objets statiques. Par exemple, Hess (1959c) imprègne des canards en les plaçant dans un environnement faiblement éclairé et en les exposant à deux modèles identiques qu'il éclaire alternativement. Une lumière clignotante immobile constitue aussi un stimulus d'empreinte efficace (James, 1959). Bien que dans ces deux cas, il puisse y avoir mouvement apparent, la mobilité ne constitue pas une condition nécessaire puisqu'il peut y avoir empreinte par rapport à un objet statique si l'exposition dure assez longtemps et si l'environnement ne contient aucun objet plus attrayant (Bateson, 1966). Il semble que le contraste de la forme sur le fond ou le simple changement dans le champ visuel soient des facteurs importants. On a également étudié d'autres paramètres visuels comme la couleur (Gray, 1961; Jaynes, 1956; Schaeffer et Hess, 1959), la taille (Hinde, Thorpe et Vince, 1956), la forme (Hess, 1959b) et la structure (Klopfer, 1965). Plusieurs auteurs, (Bateson, 1966; Burghardt, 1973), concluent qu'il n'est pas facile d'identifier les caractéristiques visuelles nécessaires et suffisantes et que plusieurs de ces caractéristiques semblent influencer l'apparition de l'empreinte sociale.

Bien que des sons intermittents réussissent à attirer les poussins et les canetons (Collias et Collias, 1956; Fabricius, 1951b; Nice, 1953; Ramsay, 1951), la réaction aux stimuli auditifs semble plus sélective que celle aux stimuli visuels. Gottlieb (1965) a en effet démontré que, dès le premier jour, les oisillons préfèrent de loin les cris de leur propre espèce à celui des autres espèces et Hess (1972, 1973) a mis en évidence le rôle fondamental de l'interaction vocale entre la mère et ses rejetons durant la période prénatale.

La présence simultanée des indices visuels et auditifs semble donner lieu, comme dans le cas de l'apprentissage associatif, à un effet de masquage. Des canetons, exposés à un modèle mobile et sonore, tendent à réagir ensuite soit au son seul, soit à la mobilité (Klopfer et Gottlieb, 1962a). Il y aurait donc peu d'interaction entre ces deux catégories de stimuli (Bateson, 1966).

L'effet sur les préférences sexuelles

D'après Lorenz (1935, 1937), l'une des propriétés importantes de l'empreinte, c'est que grâce à elle l'animal apprend à reconnaître les stimuli déclencheurs de patrons de comportement qu'il est incapable d'exécuter au moment où il subit cette expérience. Plus spécifiquement, l'empreinte filiale déterminerait les préférences sexuelles à l'âge adulte. Plusieurs données anecdotiques tendent à confirmer ce point de vue (Goodwin, 1948; Hess, 1959c; Kear, 1960; Lorenz, 1955). Toutefois, ces données doivent être considérées avec beaucoup de circonspection car, comme toutes les anecdotes, elles présentent d'importants défauts méthodologiques. Pour s'assurer que les premières expériences sociales de l'oisillon déterminent effectivement la préférence sexuelle ultérieure, il aurait fallu dissocier ces premières expériences de celles qui ont suivi. Or, tel n'est pas le cas. Dans ces exemples, l'oiseau, qui en très bas âge a subi l'empreinte d'un humain ou d'un autre animal, vit en compagnie des humains ou de l'autre animal, non seulement durant la période sensible, mais aussi pendant toute la partie de sa vie qui précède la maturité sexuelle.

Si on analyse, dans des situations méthodologiquement plus adéquates, la relation entre les préférences filiales précoces et le choix d'un partenaire sexuel, les conclusions deviennent plus difficiles à dégager et n'ont pas la même limpidité que celles de Lorenz ou de ses successeurs. Il semble, par exemple, que l'effet de l'empreinte filiale sur les préférences sexuelles peut varier en fonction de l'âge de l'animal. Ainsi, à l'âge juvénile, les coqs Leghorn dirigent leurs comportements agonistiques et de cour vers l'objet dont ils ont subi l'empreinte dans les heures suivant l'éclosion. Par contre, quand ils atteignent la maturité sexuelle, ces comportements sont plutôt dirigés vers des membres de leur propre espèce (Guiton, 1961, 1962). L'expérience précoce d'empreinte n'a pas non plus toujours le même effet sur le choix sexuel ultérieur selon qu'il s'agit d'un mâle ou d'une femelle. Ce phénomène a été démontré chez le pigeon (Warriner, Lemon et Ray, 1963), mais la recherche la plus poussée sur ce sujet est celle de Schutz (1963a, 1963b, 1964, 1965, citée par Bateson, 1966, Burghardt, 1973 et Hess, 1973) sur le canard malard.

Avant de parler de cette recherche, il convient de rappeler que chez les oiseaux, il peut y avoir ou non dimorphisme sexuel. L'influence de l'empreinte filiale sur la préférence sexuelle pose relativement peu de problèmes dans le cas des espèces sans dimorphisme, c'est-à-dire dans le cas où le mâle et la femelle ont la même apparence. La situation devient plus complexe dans le cas contraire. Chez le canard malard, par exemple, le mâle a la tête verte, la poitrine rouille et un collier blanc tandis que la femelle est couverte d'un plumage brun, tacheté. Il est donc tout à fait normal que les mâles de cette espèce apprennent à reconnaître les femelles congénères par l'empreinte filiale. Par contre, il serait injustifiable pour les femelles de choisir leur partenaire sexuel en se référant à l'apparence externe de leur mère.

En élevant différents groupes de canetons avec leur mère biologique, avec leurs frères et soeurs, avec une mère d'une autre espèce ou avec des canetons d'une autre espèce, Schutz a constaté que chez les femelles du canard malard, l'empreinte filiale est dissociée du choix sexuel à l'âge adulte. Même si elles subissent l'empreinte d'individus étrangers, avec lesquels elles sont élevées, elles s'accouplent toujours avec un mâle de leur propre espèce. Par contre, les mâles s'associaient souvent, mais pas toujours, avec un membre de l'espèce étrangère dont ils avaient subi l'empreinte. Ce résultat concorde avec ceux de Hess (1959a) qui avait constaté la formation de liens homosexuels chez les malards qui avaient subi l'empreinte d'un mâle. Il faut cependant souligner que les mâles qui, dans la recherche de Schutz, ne s'accouplaient pas avec l'espèce d'empreinte, choisissaient toujours une femelle de leur propre espèce.

Selon Schutz, chez la femelle de ces canards, le partenaire sexuel serait choisi de façon innée, grâce à la reconnaissance de certains caractères alors que, chez le mâle, l'expérience postnatale et l'apprentissage joueraient un rôle fondamental. Toutefois, cette conclusion n'est pas la seule possible car la préférence sexuelle peut être déterminée, non seulement par les stimuli visuels, mais aussi par les stimuli auditifs. Une femelle pourrait apprendre, par exemple, à reconnaître ses propres cris et préférer un partenaire qui émet les mêmes (Bateson, 1966). Quant à savoir comment, parmi ces individus qui émettent ces cris, elle réussit à choisir un mâle plutôt qu'une femelle, cela revient à poser le même problème que dans le cas des espèces sans dimorphisme.

Permanence et irréversibilité

Selon Lorenz et Hess, la permanence ou l'irréversibilité de la préférence constitue une condition nécessaire de l'empreinte sociale. De nombreuses données empiriques, recueillies chez différentes espèces, montrent que l'empreinte filiale n'est pas irréversible si le terme «irréversible» signifie l'impossibilité pour l'animal de diriger ses réponses filiales ou sexuelles vers un autre objet que le modèle d'empreinte

(Fabricius et Boyd, 1954; Hinde et coll., 1956; Jaynes, 1956; Moltz, 1960; Steven, 1955). Par contre, aucune donnée n'indique clairement que l'empreinte n'est pas irréversible dans le sens où l'oiseau, tout en dirigeant à l'occasion ses réponses filiales et sexuelles vers d'autres objets, maintient sa préférence pour l'objet original d'empreinte. Pour vérifier si ce type d'irréversibilité existe, il faudrait voir dans quelle mesure une préférence peut être influencée par les événements consécutifs à l'empreinte et analyser la durée d'entraînement nécessaire pour induire une préférence stable et permanente (Bateson, 1966).

Récemment, Hess (1973) expliquait la réversibilité de l'empreinte observée dans plusieurs recherches de laboratoire. Selon lui, les expériences en laboratoire ne réussissent pas à produire une empreinte absolument irréversible parce qu'elles ont recours à des objets biologiquement inadéquats. Quand des canetons ont subi l'empreinte de leurs parents biologiques dans des conditions naturelles, elle est complète et irréversible parce que l'objet est optimal et biologiquement approprié. Bien que ce point de vue mérite d'être pris en considération et qu'il s'appuie sur des données (Hess, 1972, 1973), il reformule simplement la question à laquelle les travaux en laboratoire essaient de répondre, à savoir quelles sont les conditions optimales de l'empreinte sociale?

EMPREINTE ET APPRENTISSAGE

Nous avons vu que Hess et, dans une certaine mesure, Lorenz considèrent l'empreinte sociale comme une forme d'apprentissage radicalement différente de l'habituation ou de l'apprentissage associatif. Cependant, tous les auteurs ne partagent pas le même avis. Certains voient dans ce phénomène un processus assez semblable à celui qui détermine le conditionnement classique ou l'apprentissage instrumental; d'autres le rattachent davantage à un processus perceptuel.

L'interprétation associationniste

Bien que partagée par plusieurs auteurs, (Steven, 1955; Verplanck, 1955), l'interprétation associationniste de l'empreinte sociale a surtout été articulée et défendue avec vigueur par Howard Moltz (1960, 1963).

Moltz (1963) met en doute plusieurs des caractéristiques fondamentales de l'empreinte, particulièrement son irréversibilité, et rejette l'idée d'un déterminisme génétique spécifique pour cette forme d'apprentissage. Il adopte plutôt un point de vue épigénétique, c'est-à-dire qu'il considère que l'empreinte se structure, au cours de l'ontogénèse, par l'interaction entre l'organisme et son environnement sensoriel. Autrement dit, ce phénomène, comme les autres patrons de réponses spécifiques à l'espèce, serait le résultat d'une intégration progressive de processus intra-organiques et de conditions externes de stimulation au cours du développement. Les processus de maturation jouent un rôle important mais ne constituent que l'une des composantes de l'organisation du comportement, l'autre regroupant les conditions de stimulation.

À partir de ce point de vue épigénétique, Moltz (1960) explique l'apparition de la réponse de poursuite à l'aide d'une interprétation similaire à celle de Mowrer (1939, 1947) pour expliquer les conditionnements d'évitement et de punition. Cette interprétation fait donc appel à un état interne d'anxiété.

Durant les heures qui suivent l'éclosion, c'est-à-dire durant la période sensible, le niveau d'anxiété des oisillons en présence d'un nouvel objet est faible. Ce phénomène se manifeste notamment par l'absence de cris de détresse, de sursaut, d'évitement ou de défécation et est relié à des réponses autonomes, telles que la fréquence cardiaque. À ce moment, l'animal possède aussi une certaine sensibilité au mouvement. Il y a donc conjonction ou appariement d'un objet suscitant l'attention et d'une faible tendance (*drive*) à l'anxiété. Cet appariement crée une situation de conditionnement classique où l'objet d'empreinte, qui est à l'origine un stimulus neutre (SN), devient un stimulus conditionnel (SC) et acquiert la capacité de déclencher les réponses viscérales concomitantes à une faible tendance à l'anxiété. Suite à ce conditionnement classique, l'objet peut servir de renforçateur pour de nouveaux apprentissages. Ainsi, chez l'animal qui se trouve dans une situation anxiogène, toute réponse instrumentale lui permettant d'entrer en contact avec l'objet familier est suivie d'une baisse d'anxiété. Elle vient du fait que l'objet a acquis la capacité de déclencher des réponses incompatibles avec l'anxiété. Autrement dit, selon Moltz, la réponse de poursuite est renforcée par voie instrumentale grâce à la présence de l'objet, qui a acquis ses propriétés renforçantes par conditionnement pavlovien.

Cette première version de la théorie de Moltz laissait sans explication un aspect important de l'empreinte filiale. En effet, quand un oiseau est exposé à l'objet dans la seconde moitié de la période sensible (13 à 20 heures après l'éclosion), il commence à suivre l'objet après 60 secondes seulement, alors que dans le cas d'une exposition durant la première moitié de la période sensible, l'apparition de la réaction est beaucoup plus lente. Le fait que la poursuite surgisse très rapidement ne peut s'expliquer uniquement par la séquence de conditionnements pavlovien et instrumental proposée initialement. En 1963, Moltz complète donc sa théorie en lui ajoutant l'hypothèse sur le développement de l'organisation rétinienne.

L'hypothèse de Moltz repose sur une observation, selon laquelle, l'oisillon dirige toujours ses premiers mouvements d'approche sur un objet qui s'éloigne et jamais vers un objet qui s'approche de lui. Cette spécificité des réactions initiales de poursuite serait reliée à la différence dans le type de stimulations rétiniennes produit par un objet, selon qu'il s'éloigne ou qu'il se rapproche du sujet. Pour un animal stationnaire, comme dans le cas d'un oisillon à peine sorti de l'oeuf, un stimulus visuel qui s'éloigne exciterait de moins en moins d'éléments rétiniens tandis que s'il se rapproche, il en exciterait de plus en plus. D'après Moltz, la valence initiale de l'objet d'empreinte est fonction de ses effets quantitatifs, plus précisément de l'affaiblissement de l'innervation rétinienne. À son avis, cet affaiblissement de l'innervation induit, non seulement les mouvements initiaux d'approche, mais aussi une constellation particulière d'événements viscéraux et cardiaques typiques d'un faible niveau d'anxiété. Les mouvements initiaux d'approche, déclenchés par un objet qui s'éloigne, se transforment rapidement en une réponse de poursuite dont la fonction est probablement de maintenir l'objet dans le champ visuel, à une distance relativement fixe, de façon à régulariser l'intensité de la stimulation. Plus le développement de la motricité et de l'attention de l'oiseau est avancé, plus ce mécanisme de régulation est perfectionné et plus la transformation des mouvements d'approche en réponse de poursuite est rapide.

L'interprétation perceptuelle

L'interprétation perceptuelle est soutenue par un grand nombre d'auteurs, (Bateson, 1966; Ewer, 1956; Fabricius, 1951a, 1951b; Gottlieb, 1963; Hinde, 1963; Klopfer, 1959; Salzen, 1966; Sluckin, 1965) Elle apparaît donc sous différentes versions. Cependant, malgré les nuances qui distinguent leurs points de vue respectifs, ces auteurs partagent au moins deux idées théoriques fondamentales.

Une première idée c'est que l'empreinte sociale n'est pas une forme d'apprentissage fondamentalement différentes des autres. Certains (Fabricius, 1951b) ne voient pas de distinction claire entre l'empreinte et l'apprentissage associatif, tandis que d'autres, (Sluckin, 1965), considèrent l'empreinte comme une forme non associative d'apprentissage mais sur laquelle peuvent se superposer des éléments de conditionnement. Certains, (Gottlieb, 1963; Klopfer, 1961a), identifient la période sensible comme la seule caractéristique distinctive tandis que d'autres (Hinde, 1963) affirment que toute réponse, reliée ou non à l'empreinte, a sa période sensible, c'est-à-dire qu'elle est apprise à un moment particulier. Cependant, dans l'ensemble, tous ces auteurs s'accordent pour réfuter les arguments de Hess voulant que l'empreinte appartienne à une catégorie à part.

Les tenants de cette interprétation s'entendent aussi pour situer l'empreinte sociale dans la cadre d'une analyse du fonctionnement sensoriel. Ainsi, selon Bateson (1966) et Hinde (1961), l'oisillon, à sa sortie de l'oeuf, se caractérise par son inexpérience sensorielle. Il n'a pas encore acquis la constance des formes et des dimensions et il est adapté à pouvoir réagir à une grande variété de stimulations; ses préférences et ses réponses se fondent donc sur des dimensions relativement simples des objets. Ce qu'il y a de particulier dans le cas de l'empreinte c'est le contexte dans lequel elle survient plutôt que la nature du processus d'apprentissage lui-même. Sluckin (1965), pour sa part, affirme que l'attachement à l'objet d'empreinte ne peut survenir que si l'animal a acquis la capacité de reconnaître cet objet, c'est-à-dire de le distinguer de tous les autres. Cette acquisition se fait par un apprentissage perceptuel, plus précisément par exposition à la stimulation. L'animal enregistre par la perception l'environnement auquel il est exposé et se familiarise à ses principales caractéristiques, ce qui lui permet ensuite de distinguer le familier de l'étranger. D'autres auteurs, comme Salzen (1966), complètent cette hypothèse en supposant qu'une fois l'empreinte établie, les objets étrangers déclenchent les processus neuronaux propres aux comportements émotionnels et donnent lieu à des réponses de peur et d'évitement.

En somme, l'interprétation perceptuelle, tout en niant la spécificité de l'empreinte en tant que forme d'apprentissage, situe les acquisitions auxquelles elle donne lieu dans le domaine perceptif plutôt que dans celui de l'apprentissage associatif.

CONCLUSION

Comme nous venons de le voir, l'empreinte est aujourd'hui reconnue comme forme d'apprentissage par tous les théoriciens, y compris ceux qui, comme Hess, lui accordent un statut particulier. Si nous nous référons à une définition générale, comme celle que nous formulions dès le premier chapitre de ce livre, l'empreinte peut en effet être facilement conçue comme le résultat d'un processus cognitif qui permet l'assimilation par l'animal, sur la base de son expérience passée, de l'organisation de son environnement et des conséquences de ses propres actions et atteindre une autorégulation de ses comportements en fonction de cette assimilation. Bien sûr, dans le cas de l'empreinte, l'expérience passée est brève puisque l'oisillon vient à peine de sortir de l'oeuf. Elle n'est cependant pas négligeable et les données de Hess (1972, 1973), en milieu semi-naturel, tendent à montrer que cette expérience débute même avant l'éclosion.

L'interprétation théorique de ce phénomène demeure encore assez problématique aujourd'hui. Le point de vue de Hess est partagé par un nombre de plus en plus restreint d'auteurs. L'interprétation associative de Moltz, en plus de faire appel à des mécanismes très hypothétiques, est soumise aux mêmes critiques que la théorie de Mowrer. L'interprétation perceptuelle, quant à elle, demeure assez vague pour ce qui est des principes exacts qui régissent l'empreinte. Un réexamen de ce phénomène, à la lumière des nouvelles données et des nouvelles approches apparues au cours de la dernière décennie, contribuerait peut-être à la formulation d'une théorie plus satisfaisante.

CHAPITRE 10

L'APPRENTISSAGE PAR OBSERVATION

Dès le premier chapitre de ce livre, (page 20), nous avons décrit un cas d'apprentissage par observation et par imitation. Il s'agit de ces jeunes chimpanzés qui, en observant les adultes de leur troupe, apprennent graduellement à construire un outil à partir de petites branches ou de tiges et à se servir de cet outil comme d'une sonde pour capturer dans les termitières, les insectes qui s'y trouvent et dont ils se nourrissent. Un groupe de chercheurs qui, depuis de nombreuses années, étudie le comportement de singes macaques (*Macaca fuscata*) en liberté dans une île du Japon, a mis en évidence un autre cas tout aussi saisissant d'apprentissage par observation (Kawamura, 1959). Le point de départ de cet apprentissage a été l'introduction, par les chercheurs eux-mêmes, de nouveaux aliments comme des pommes de terre et du blé, dans l'environnement. Quelques temps après, les jeunes adultes de la troupe avaient acquis de nouvelles habitudes alimentaires. Ils s'avançaient dans la mer en marchant debout ou en nageant et trempaient les pommes de terre dans l'eau, ce qui avait pour effet de les laver et de les saler. Quant au blé, ils avaient découvert qu'en laissant flotter le mélange de sable et de céréales sur l'eau, le sable coulait au fond et laissait à la surface la nourriture qu'il leur suffisait de ramasser. Ces deux démarches furent d'abord découvertes par un seul individu grâce à des activités ludiques. Cependant, ses compagnons du même âge qui avaient observé ce jeu inhabituel ne tardèrent pas à l'imiter. Petit à petit, ces comportements se transmirent à d'autres membres plus âgés de la troupe par la voie parentale (mère, frères et soeurs aînés). Ainsi, l'observation et l'imitation du «découvreur» avaient instauré dans cette troupe une nouvelle «tradition» alimentaire.

Les deux exemples que nous venons de décrire et que la littérature et le cinéma de vulgarisation ont fait connaître au grand public, sont fascinants. Ils ont soulevé de nombreuses questions chez les psychologues, les biologistes et les anthropologues quant à la dichotomie entre les animaux et l'espèce humaine. Le rôle de l'observation et de l'imitation dans l'acquisition de ces comportements est l'une de ces questions. Cependant, les recherches sur l'apprentissage par observation ne peuvent fournir qu'une réponse très partielle, car ce domaine, malgré les récents efforts de clarification, demeure l'un de ceux où règne la plus grande confusion dans les concepts. Au cours des dernières années, les travaux en laboratoire ont permis d'identifier des paramètres pertinents et de formuler des hypothèses valables, mais ils souffrent souvent d'un problème de validité externe, c'est-à-dire que leurs conclusions s'appliquent difficilement aux situations en milieu naturel.

LA NOTION D'APPRENTISSAGE PAR OBSERVATION

Une certaine confusion conceptuelle règne dans le domaine de l'apprentissage par observation parce que plusieurs phénomènes sociaux, tout en étant différents, ont avec celui-ci des caractéristiques communes. C'est notamment le cas de la facilitation sociale ou contagion du comportement et du comportement allélomimétique. De plus, l'apprentissage par observation est lui-même désigné par plusieurs appellations: apprentissage vicariant ou sans essai (Bandura, 1965a); apprentissage par démonstration (May, 1946); apprentissage par empathie (Klopfer, 1957); apprentissage à partir de l'expérience d'autrui (Zajonc, 1967). Cette confusion tient en partie à des raisons historiques.

Origines historiques

Par sa théorie de l'évolution, Charles Darwin soulevait une question philosophique et scientifique fondamentale, celle de la continuité ou de la similitude entre l'expérience mentale des animaux et de l'humain (voir chapitre 2). Certains de ses disciples, dont Romanes (1885), tentèrent de répondre à cette question. En se fondant sur des anecdotes et des observations de la nature, ils affirmèrent que les animaux apprenaient, soit par une forme de raisonnement analogue à celle de l'humain, soit en imitant les actions des autres.

Les expériences de Thorndike sur l'apprentissage par essai et erreur mirent en doute l'hypothèse d'une intelligence animale similaire à l'intelligence humaine et lui substituèrent le principe associationniste des connexions S-R (voir chapitre 3). Restait donc l'hypothèse de l'apprentissage par imitation, couramment acceptée depuis Aristote. Thorndike (1898, 1901) soumit aussi cette hypothèse à l'épreuve expérimentale. Il enferma dans une cage-problème, un chat déjà bien entraîné et ayant appris à s'en échapper. Dans une cage adjacente, il plaça un autre chat qui, lui, ne connaissait pas la solution du problème mais qui pouvait observer son voisin pour l'acquérir. Thorndike constata alors que pour apprendre à s'échapper, ce deuxième chat devait passer par la même série d'essais et d'erreurs qu'un chat sans modèle. De ce fait, l'observation d'un congénère expérimenté n'accélérait en rien l'acquisition du comportement approprié. Il obtint des résultats similaires chez le poulet, le chien et le singe. Confirmés par Small (1900) chez les rats et par Watson (1908) chez des singes, ces résultats rendirent les chercheurs très sceptiques à propos de la capacité des animaux à apprendre par observation et à imiter le comportement d'un modèle. Ils donnèrent aussi plus d'importance aux modèles S-R, selon lesquels il ne peut y avoir d'apprentissage sans exécution d'une réponse. Le renforcement de l'association S-R par une récompense était, semble-t-il, un mécanisme suffisant pour expliquer l'acquisition d'un comportement. De ce fait, le recours à des processus cognitifs complexes devenait inutile (Mackintosh, 1974).

Dans les décennies qui suivirent, quelques expériences, (Warden, Fjeld et Koch, 1940; Warden et Jackson, 1935), démontrèrent de façon assez adéquate que les singes, au moins, sont capables d'apprendre en observant leurs congénères, mais ces données furent vite interprétées et récupérées dans le cadre d'un modèle S-R (Miller et Dollard, 1941). Il faudra attendre les années 60 pour que l'étude de l'apprentissage par observation suscite de nouveau l'intérêt des chercheurs. Ce regain d'intérêt est apparu avec certains travaux sur la socialisation des enfants (Bandura et Walters, 1963) et avec des études éthologiques sur le comportement alimentaire des oiseaux (Alcock, 1969a, 1969b; Klopfer, 1958, 1961a; Turner, 1964). Ce fait n'est sûrement pas étranger à la remise en question des modèles S-R qui, à cette époque, se concrétisaient notamment par l'émergence du courant néo-évolutionniste (Pallaud, 1977; voir aussi le chapitre 4). Toutefois, les recherches des deux dernières décennies, contrairement à celles du début du siècle, mettent moins l'accent sur l'imitation du comportement observé que sur l'observation proprement dite. Comme nous le verrons, dans certains cas, comme le chant des oiseaux, il peut-être approprié que l'animal imite ce qu'il observe. Dans d'autres cas, par contre, il est préférable que l'apprentissage par observation donne lieu, chez l'observateur, à une réponse différente de celle du modèle. Ainsi, le raton laveur qui voit son congénère suivre un sentier et être capturé dans un piège, devrait éviter ce sentier plutôt que de s'y engager.

Définitions

S'inspirant de la définition de Charms et Rosenbaum (1960), Robert (1970) suggère qu'il y a apprentissage par observation ou apprentissage vicariant:

> lorsque, après observation d'une certaine séquence d'événements (apparition de stimuli dans le champ sensoriel et perceptuel de M, exécution de

réponses par M et distribution d'agents de renforcement en fonction des réponses produites), il y a modification du système de réponses ou de comportements de O, comme si O lui-même avait été directement impliqué dans cette séquence d'événements (p. 506).

Pour rendre cette définition encore plus précise, Robert ajoute trois critères fondamentaux: 1) le modèle M est soumis directement à l'influence des stimuli mais l'observateur O ne doit que les observer; 2) O observe les comportements de M qui réagit aux indices de l'environnement, sans exécuter aucune activité manifeste en réponse à ces indices. Si des agents de renforcement sont distribués à M, O en est témoin sans en bénéficier; 3) il y a modification relativement permanente du comportement de O, modification similaire à celle opérée chez M; O doit pouvoir exécuter le comportement même en l'absence de M.

Cette définition et ces critères diminuent la confusion conceptuelle que nous avons déjà soulignée et permettent de concevoir des expériences de laboratoire claires et pertinentes. Ils s'avèrent particulièrement utiles pour exclure du domaine de l'apprentissage par observation, plusieurs phénomènnes qui n'en font pas partie.

Parmi les phénomènes qui font partie du domaine de l'imitation mais non de celui de l'apprentissage par observation, il faut citer les comportements allélomimétiques. Il s'agit de postures ou d'actions qui s'accompagnent souvent de modifications morphologiques, qui ont une fonction de camouflage et dont le résultat d'ensemble est d'imiter une autre espèce animale ou un objet de l'environnement physique.

La facilitation sociale ou contagion du comportement est un autre phénomène qui ne peut être considéré comme un cas d'apprentissage par observation. Un exemple bien connu est celui des poulets qui, en présence de congénères, picorent davantage de grains que lorsqu'ils se nourrissent isolément (Tolman, 1964, 1967). On a également démontré la facilitation sociale dans un grand nombre de comportements comme la construction du nid chez les fourmis (Chen, 1937), l'éclosion chez les cailles (Vince, 1969), le nettoyage chez les mouches (Connolly, 1968), les rythmes circadiens chez les souris (Kavanau, 1969), etc. Ce phénomène doit être éliminé du domaine de l'apprentissage par observation car les comportements exécutés par l'animal font déjà partie de son répertoire et ne sont pas acquis au cours de l'interaction sociale. Ils ne sont donc le résultat ni d'un apprentissage ni d'une observation.

Un troisième phénomène qu'il faut éliminer est l'apprentissage coactif au cours duquel deux ou plusieurs individus acquièrent simultanément, et en présence les uns des autres, un comportement donné (Zajonc, 1967). Cette forme d'apprentissage doit être éliminée car il n'y a aucune période d'observation au cours de laquelle l'un des participants prend ses informations exclusivement à partir du comportement de l'autre.

Robert (1970) élimine aussi du domaine de l'apprentissage par observation les deux types d'apprentissage imitatif identifiés par Miller et Dollard (1941), le comportement apparié (*matched dependent*) et le comportement de copie (*copying*). Dans ces deux types d'apprentissage, O apprend à réagir à la réponse de M et non aux stimuli qui contrôlent cette réponse, ce qui contredit le premier critère. Il faut cependant souligner que la plupart des auteurs, (Bandura, 1965a; Chance, 1979; Davis, 1973; Mackintosh, 1974), considèrent que apprentissage par observation et apprentissage imitatif appartiennent au même ordre de phénomènes. Il est important de souligner que l'apprentissage imitatif implique toujours une observation préalable mais que l'apprentissage par observation ne se traduit pas toujours par un comportement imitatif.

Si la définition et les critères formulés par Robert (1970) permettent d'atténuer en partie la confusion conceptuelle, ils ne facilitent pas nécessairement la tâche du chercheur qui doit identifier et étudier en milieu naturel, des cas d'apprentissage par observation. L'exemple de la construction et de l'utilisation d'un outil par des jeunes chimpanzés ne se conforme pas parfaitement aux trois critères que Robert considère comme essentiels à la définition. Les jeunes chimpanzés (O) observent les conditions de stimulation auxquelles les adultes (M) sont directement soumis mais ils en subissent, au moins à l'occasion, l'influence. Ils exécutent, ou en tous les cas essaient d'exécuter, une activité face aux indices qui suscitent le comportement des adultes puisqu'ils essaient eux-mêmes de se construire une sonde et de l'insérer dans la termitière. De plus, ils sont soumis à l'action des agents de renforcement car même si leurs tentatives sont infructueuses, ils reçoivent des adultes quelques termites. Enfin, la modification de leur comportement est très graduelle et après quelques années seulement, devient-il similaire à celui des adultes. Il serait exagéré de nier dans ce cas la présence d'un apprentissage par observation simplement parce que la situation ne correspond pas parfaitement à des critères essentiellement conçus pour l'expérimentation en laboratoire. Les situations qui apparaissent spontanément en milieu naturel ne sont probablement jamais des cas purs d'apprentissage par observation mais cette forme d'apprentissage n'en existe pas moins dans l'environnement normal des animaux.

Les types d'apprentissage par observation

Une différence importante entre l'apprentissage par observation et les autres formes d'apprentissage que nous avons vues jusqu'ici, c'est que l'animal n'a pas nécessairement besoin d'être directement soumis aux conditions qui permettent l'acquisition, la modification ou l'extinction du comportement. Il lui suffit de les observer. On peut donc se demander si les apprentissages pavlovien et instrumental sont possibles par simple observation d'un modèle. Il faut remarquer qu'on a employé deux approches différentes pour étudier ce qui est appris par observation (Bitterman, 1962; Davis, 1973). Certaines recherches mettent l'accent sur le rythme d'acquisition du comportement: elles examinent dans quelle mesure l'observation d'un modèle réduit chez l'observateur le nombre d'essais ou le temps nécessaires à l'acquisition. D'autres recherches mettent plutôt l'accent sur le choix de la réponse, c'est-à-dire sur la nature du comportement que l'observateur exécute après avoir été confronté au modèle.

L'exposé qui suit n'est pas une revue exhaustive des types d'apprentissage par observation. Nous ne parlerons pas, par exemple, du chant des oiseaux et du mimétisme vocal que manifestent certaines espèces comme le perroquet. Ces comportements impliquent l'observation et l'imitation mais constituent un phénomène très complexe qui demeure encore difficile à cerner du point de vue de l'apprentissage (Davis, 1973).

Le conditionnement classique vicariant

On n'a rapporté jusqu'à présent qu'un seul cas de conditionnement classique *appétitif vicariant*: (Kriazhev, 1934, voir Brogden, 1942). Il s'agit d'un conditionnement salivaire son-nourriture au cours duquel un chien O observe un chien M et entend le stimulus sonore, mais ne reçoit pas la nourriture. Les résultats de cette expérience indiquent que, non seulement M, mais aussi O, salivent au son de la cloche ou du métronome. Cependant, étant donné que l'expérience n'est décrite que très brièvement, on ne dispose pas de certaines données de base. Il est donc difficile de savoir s'il y a vraiment eu apprentissage par observation. Il est possible, par exemple, que le chien O ait appris à saliver, non au stimulus sonore, mais à la vue de la nourriture. Il s'agirait alors d'un conditionnement classique d'ordre supérieur où le son déclenche la salivation par suite des appariements répétés avec la nourriture (Chance, 1979).

Kriazhev (1934) a aussi tenté de réaliser un conditionnement classique *aversif vicariant* mais le résultat de ses efforts est encore plus douteux que dans la situation appétitive. Les tentatives en ce sens ont été plus fructueuses avec des sujets humains, (Bandura et Rosenthal, 1966; Bandura 1965a; Barnett et Benedetti, 1960; Haner et Whitney, 1960). Toutes ces expériences utilisent un schème similaire. Un complice de l'expérimentateur, M, semble recevoir un choc électrique précédé d'un SC sonore ou visuel et on mesure chez O la RC par la réponse psychogalvanique. Après quelques essais, des modifications de cette réponse apparaissent chez O même s'il n'a pas été soumis directement à la situation aversive de conditionnement. Des conditionnements classiques aversifs vicariants ont aussi été obtenus chez l'humain dans des situations plus complexes (Berger, 1962; Bernal et Berger, 1976; Craig et Weinstein, 1965; Kobasigawa, 1965).

L'apprentissage instrumental vicariant

Comme nous l'avons vu au chapitre 7, on utilise en apprentissage instrumental quatre méthodes de base: le renforcement positif, le renforcement négatif, la punition positive et la punition négative. Ces quatre méthodes n'ont pas toutes été étudiées de façon équivalente dans le contexte de l'apprentissage par observation. Les effets de la punition vicariante, par exemple, n'ont été étudiés que chez l'humain (Bandura, Ross et Ross, 1963; Donnerstein et Donnerstein, 1978; Martin et Haroldson, 1977; Rosekrans et Hartup, 1967) et jamais chez l'animal. Dans l'exposé qui suit, nous nous limiterons aux recherches utilisant le renforcement positif et le renforcement négatif ainsi que les problèmes de discrimination.

Le renforcement positif vicariant. Entre 1908 et 1960 les recherches qui réussissent à mettre en évidence un apprentissage par observation dans une situation de renforcement positif vicariant, portent exclusivement sur le chat et diverses espèces de singes (Pallaud, 1977).

Warden et Jackson (1935) placent un macaque rhésus dans chaque compartiment d'une cage-problème double. L'un des singes (M) a déjà appris la tâche qui consiste à tirer sur une chaîne et à ouvrir ainsi une porte donnant accès au renforçateur (du raisin). L'autre singe (O) n'est pas libre et ne peut manipuler le dispositif d'ouverture de la porte. Une fois que M a réussi à produire cinq fois la bonne réponse, l'expérimentateur libère O qui peut alors utiliser le dispositif dans sa propre cage. Les résultats indiquent que l'observation du modèle semble faciliter l'acquisition du comportement chez O. Ces auteurs soumettent les singes à diverses tâches instrumentales du même type et obtiennent aussi des résultats positifs. Plus tard, Warden et coll. (1940) reprennent les mêmes expériences et démontrent de façon claire la supériorité de l'apprentissage vicariant sur l'apprentissage direct: les singes O atteignent en effet plus rapidement le critère de performance que les singes M. Les résultats des expériences sur le chat sont moins clairs. Herbert et Harsh (1944) ainsi que Adler (1955) mettent en évidence l'acquisition de différentes réponses instrumentales chez cet animal, mais leurs travaux souffrent de défauts méthodologiques et statistiques sérieux qui font douter de la validité de leurs conclusions (Davis, 1973; Robert, 1970).

Pendant les deux dernières décennies les recherches sur des sujets humains se sont intensifiées. Les comportements acquis par renforcement positif vicariant sont variés. Ils mettent en jeu des renforçateurs sociaux autant que matériels et apparaissent chez l'enfant autant que chez l'adulte (ex: Bandura, 1965b, 1977; Bandura et Harris, 1966). Au cours des deux dernières décennies, on a également assisté à une certaine diversification des espèces étudiées. Bien que les primates aient tendance à être délaissés, l'apprentissage par renforcement positif est mis en évidence chez de nouvelles espèces comme l'hirondelle et le gobe-mouche

(Alcock, 1969a, 1969b), la perruche (Dawson et Foss, 1965), le pigeon (Neuringer, 1973), la souris (Pallaud, 1977) et le hamster doré (Mainardi, Mainardi et Pasquali, 1972, cité par Pallaud, 1977). De nombreux travaux étudient l'acquisition vicariante de la pression de levier chez différentes souches de rats (Corson, 1967; Gardner et Engel, 1971; Grinberg-Zylberbaum, Carranza, Cepeda, Vale et Steinberg, 1974; Jacoby et Dawson, 1969; Powell, 1968; Powell, Saunders et Thompson, 1968; Russo, 1971). Dans quelques expériences ayant encore recours au chat, on obtient également des résultats positifs (Chesler, 1969; John, Chesler, Bartlett et Victor, 1968).

L'étude de Dawson et Foss (1965) sur la perruche (*Melopsittacus undulatus*) est particulièrement intéressante car elle démontre que le renforcement positif peut influencer le choix ou la topographie de la réponse sans nécessairement modifier son rythme d'acquisition. Dans cette expérience, un oiseau M apprend à soulever le couvercle d'un récipient contenant de la nourriture. Lorsqu'il est bien entraîné, les auteurs introduisent dans un compartiment adjacent à la cage de M et séparé de celui-ci par une cloison vitrée, un oiseau O. Une fois par jour, pendant huit jours, O a l'occasion d'observer M en train de soulever le couvercle de la mangeoire. Les résultats indiquent que les oiseaux O prennent autant de temps que les oiseaux M pour réussir leur premier essai (24 heures après la dernière démonstration) et effectuent autant d'essais pour atteindre le critère de performance. Toutefois, dès le premier essai, ils utilisent pour soulever le couvercle la même technique que le modèle apparié. Ainsi, ceux qui ont vu un modèle utiliser son bec, soulèvent le couvercle avec leur bec et ceux qui ont vu un modèle utiliser sa patte, utilisent également leur patte. Cet apprentissage est très stable puisque les perruches O continuent à employer la même technique quand elles se retrouvent dans la même situation, 3 mois et 6 mois plus tard.

Il est donc clair que le renforcement positif donne lieu à l'acquisition de nouveaux comportements chez l'observateur, du moins chez les oiseaux et les mammifères. Cet apprentissage par observation ne se traduit pas toujours par une supériorité du rythme d'acquisition sur l'apprentissage direct mais peut cependant influencer le choix de réponse, en donnant ainsi lieu à une imitation du comportement.

Le renforcement négatif vicariant. Chez le chat (John et coll., 1968) et le macaque rhésus (Presley et Riopelle, 1959), le renforcement négatif semble produire, dans une situation d'évitement bidirectionnel, une performance supérieure à celle induite par renforcement négatif direct. Ces résultats demeurent cependant ambigus et difficiles à interpréter puisque le stimulus aversif utilisé, le choc électrique, n'est pas visible pour l'observateur. Selon Robert (1970), il se peut que l'apprentissage dans ces deux cas n'ait lieu qu'au moment où O subit directement la stimulation aversive, l'observation n'ayant servi qu'à inciter l'animal à émettre la réponse d'évitement du danger, mais avec une fréquence accrue.

Deux études ont réussi à contourner les obstacles méthodologiques des deux recherches précédentes. Dans ces expériences, (Bunch et Zentall, 1980; Lore, Blanc et Suedfeld, 1971), des rats O observent un congénère pendant qu'il apprend à éviter tout contact physique avec la flamme d'une bougie. Quand ils sont eux-mêmes placés dans cette situation, les observateurs s'approchent moins de la bougie et apprennent plus vite à éviter la flamme que les rats M ou ceux du groupe témoin (qui ont observé pour leur part un congénère qui ne pouvait entrer en contact avec la bougie).

L'apprentissage discriminatif vicariant. Un certain nombre de travaux ont souligné l'apprentissage discriminatif vicariant lors d'une expérience de discrimination spatiale (labyrinthe en T ou en Y) chez le rat (Church, 1957a, 1957b; Groesbeck et Duerfeldt, 1971; Kohn et Dennis, 1972; Miller et Dollard, 1941). Cependant, la plupart des recherches dans ce domaine utilisent plutôt des discriminations d'objets. Des canards, par exemple, observent un congénère qui a appris à s'approcher d'une mageoire et à en éviter une autre entourée d'une grille électrique (Klopfer, 1957). Ils montrent, dès le premier essai, qu'ils ont aussi acquis ce comportement. On a également observé des apprentissages discriminatifs vicariants chez le verdier et la mésange (Klopfer, 1961b), chez des singes lémuriens (Klopfer et Feldman, 1972) et chez des macaques (Darby et Riopelle, 1959; Riopelle, 1960; Strayer, 1976).

LES INTERPRÉTATIONS THÉORIQUES

Les chercheurs qui étudient l'apprentissage par observation chez les animaux se sont moins intéressés aux facteurs qui l'influencent, que ceux qui ont étudié les autres formes d'apprentissage. Il semble, cependant, que des facteurs comme l'intervalle inter-essais, la force du renforçateur ou l'intensité de la tendance affectent cet apprentissage de manière similaire à l'apprentissage direct (Chance, 1979). De plus, la capacité d'apprendre par observation semble être limitée à un nombre relativement restreint d'espèces, notamment aux oiseaux et aux mammifères. On a fait des efforts plus substantiels chez l'humain pour identifier les variables qui influencent l'apprentissage vicariant. Plusieurs travaux, (Bandura, 1977; Chance, 1979; Robert, 1970), ont analysé l'effet des consignes données aux sujets, des caractéristiques du renforçateur, du niveau d'activation psychologique des sujets, des caractéristiques du modèle et de l'observateur.

On retrouve aussi une dichotomie entre les animaux et l'humain dans les interprétations théoriques. Alors que les interprétations plus anciennes (ex: Miller et Dollard, 1941; Spence, 1937; Thorpe, 1956) tentaient d'expliquer le comportement des animaux, les plus récentes (ex: Bandura, 1977; Gewirtz, 1977) font appel à des processus plus spécifiquement humains.

Les interprétations de type S-R

Confrontés aux données empiriques démontrant l'existence de l'apprentissage par observation et de l'imitation, plusieurs auteurs, influencés par la relation S-R, ont tout simplement eu tendance à nier la spécificité de ces phénomènes. Sans récuser la validité des résultats positifs obtenus, ils affirment qu'il n'est pas nécessaire d'inférer des processus cognitifs complexes pour les expliquer et qu'il s'agit en fait de variantes un peu spéciales de l'apprentissage instrumental direct.

L'une des premières interprétations de ce type est celle de l'*accentuation locale*. Déjà présente chez Watson (1914), elle a été ensuite reprise par Zuckerman (1932) Warden et Jackson (1935), Spence (1937b) ainsi que par Thorpe (1963) qui, paradoxalement, est un éthologiste n'adhérant pas au behaviorisme S-R. Selon cette hypothèse, l'observateur O apprend par observation un comportement donné, parce que l'activité du modèle M contribue à diriger son attention vers certaines régions stratégiques de l'environnement. Cette interprétation est infirmée expérimentalement par Adler (1955) qui montre que le chat acquiert par observation un comportement qu'il exécute ensuite dans une région de l'environnement autre que celle où il a vu le modèle l'apprendre. De plus, une telle interprétation ne fait que reporter plus loin le problème. Pourquoi, en effet, l'observateur dirige-t-il plus facilement son attention vers un congénère que vers les autres événements auxquels il assiste? Pourquoi cette concentration de l'attention produit-elle un apprentissage sans que l'animal soit directement exposé aux stimuli et sans qu'il exécute une réponse manifeste, alors que ce sont là deux facteurs importants de l'apprentissage instrumental direct?

S'inspirant de la théorie de l'apprentissage de Hull (voir chapitre 3), Miller et Dollard (1941) proposent une interprétation plus élaborée que l'hypothèse de l'accentuation locale. Selon ces auteurs, quand un animal observe un congénère qui est en train de résoudre un problème ou d'exécuter une tâche, le comportement du modèle devient pour lui un stimulus discriminatif (S^D). Au début, il émet en présence de ce S^D des réponses aléatoires. Graduellement, l'une d'elles est régulièrement renforcée, de sorte que la relation entre le stimulus (S^D) et cette réponse devient plus forte, augmentant ainsi sa probabilité d'apparition. Autrement dit, l'observateur acquiert un comportement imitatif par une sorte d'appariement (*matched-dependent behavior*): quand il voit le modèle exécuter une réponse donnée (S^D), il manifeste lui-même le comportement qui est suivi du renforçateur.

Miller et Dollard formulent cette interprétation à partir d'une série d'expériences au cours desquelles des rats apprennent à tourner à gauche ou à droite dans un labyrinthe en T, selon la réponse du modèle apparié. Ils constatent dans ces expériences que les sujets n'ont pas tendance à imiter au début le modèle et que l'imitation n'apparaît que s'il y a eu renforcement. Les animaux n'apprennent pas vraiment en observant le modèle. En fait, leurs propres réponses, qui correspondent à celle d'un autre individu, sont récompensées et surviennent en présence du S^D que constitue la réponse de cet autre individu. Plusieurs expériences ont, par la suite, obtenu des résultats similaires à ceux de Miller et Dollard, (Bayroff et Lard, 1944; Solomon et Coles, 1954; Church, 1957a, 1957b).

Bien qu'elle ait fait douter, pendant plusieurs années, de la possibilité d'un véritable apprentissage par observation, la théorie de Miller et Dollard s'appuie sur des expériences peu convaincantes puisque, la diversité des réponses possibles dans un labyrinthe en T étant très limitée, les sujets n'avaient pas beaucoup d'autres choix que d'agir comme le modèle (Davis, 1973). De plus, cette théorie ne peut s'appliquer qu'aux situations où l'observateur est soumis, tout comme le modèle, à l'action de l'agent de renforcement. Elle ne peut donc expliquer les nombreux cas qui se conforment aux trois critères énoncés par Robert (1970). Récemment, Gewirtz et Stingle (1968) ont tenté de répondre à cette dernière objection en faisant appel à une hypothèse d'imitation généralisée. Selon eux, un observateur qui, dans le passé, a été renforcé pour l'imitation d'un modèle, imitera de nouveau ce modèle dans une autre situation et n'en imitera pas un autre dans la situation initiale. Cette hypothèse demeure toutefois insatisfaisante car elle fait souvent appel à un passé dont on ignore totalement le contenu.

On a soulevé d'autres objections importantes quant à l'interprétation de Miller et Dollard. Si le comportement imitatif est acquis, non par observation, mais par apprentissage instrumental direct, les animaux qui sont confrontés à un modèle devraient subir autant d'essais et commettre autant d'erreurs que ceux qui sont directement soumis aux conditions de l'environnement (Bandura, 1971). Or, comme le montrent certaines expériences, (John et coll., 1968; Klopfer, 1957), l'observateur présente souvent la bonne réponse dès le premier essai où il est placé dans la situation du modèle. De même, si le congénère auquel l'observateur est exposé constitue un stimulus discriminatif (S^D), il ne devrait y avoir de comportement imitatif qu'en présence du modèle (Bandura, 1969). C'est ce qui se produit chez le rat dans la situation du labyrinthe en T mais chez l'humain et chez certaines espèces animales, la performance de l'observateur est souvent mesurée en l'absence du modèle. Ce critère fait même partie de ceux de Robert (1970).

Les interprétations de type S-R ont aujourd'hui beaucoup moins d'influence qu'elles n'en ont eue dans le passé et le domaine de l'apprentissage par observation n'échappe pas à cette règle générale (voir chapitre 4). Cependant, la théorie de Miller et Dollard, bien que fortement critiquée, survit dans des versions mieux articulées et plus nuancées (Gewirtz, 1971).

Les interprétations cognitivistes

Les deux dernières décennies, par suite de l'intensification des recherches sur des sujets humains, ont vu apparaître diverses interprétations cognitivistes de l'apprentissage par observation. La plus connue est sûrement celle d'Albert Bandura (1965a, 1965b, 1969, 1971, 1977).

Alors que les interprétations de type S-R affirment que l'apprentissage ne peut avoir lieu qu'au moment où des réponses sont exécutées et leurs effets ressentis, Bandura soutient qu'il peut avoir lieu pendant l'observation du modèle et en l'absence de toute activité manifeste chez l'observateur. Quatre processus de base permettent à l'observateur d'acquérir des informations à partir des activités du modèle et de les utiliser par la suite pour guider son propre comportement: l'attention, la mémoire, la reproduction motrice et la motivation.

Pour apprendre par observation, il faut bien percevoir les attributs pertinents et significatifs du comportement du modèle. Les *processus de l'attention* permettent d'effectuer une sélection dans la multitude d'informations fournies par l'observation. Parmi les variables qui agissent sur ces processus, le statut social du congénère observé, la difficulté à détecter les actions qu'il exécute et leur complexité, les stratégies perceptuelles acquises dans le passé et les exigences de la situation jouent un rôle déterminant. Mais l'apprentissage par observation n'est pleinement avantageux que si l'animal peut exécuter le comportement en l'absence du modèle et, par conséquent, si les informations acquises sont emmagasinées en mémoire. Les *processus mnésiques* sont particulièrement développés chez l'humain et comprennent deux systèmes d'encodage symbolique, l'un verbal et l'autre iconique. Chez les animaux, ces processus sont plus limités de sorte que les séquences d'actions apprises par observation sont, d'une part, moins complexes et d'autre part, conservées en général moins longtemps en mémoire. Les informations sélectionnées par l'attention et emmagasinées en mémoire sont traduites en actions appropriées grâce aux *processus de reproduction motrice,* qui permettent une organisation spatiale et temporelle des réponses conforme au patron fourni par le modèle. Enfin les *processus de motivation* déterminent, parmi les réponses acquises par observation, celles qui seront exécutées.

Dans la théorie de Bandura, le renforcement ne joue qu'un rôle facilitateur. Il contribue avec d'autres facteurs à influencer ce qui est observé et ce qui ne l'est pas, mais ne constitue pas une condition nécessaire à l'apprentissage et à l'acquisition de nouveaux comportements. C'est par l'entremise de l'observation et des processus cognitifs sous-jacents que l'organisme acquiert les données nécessaires à la synthèse de ses actions en nouvelles séquences.

Bien qu'elle offre une interprétation plus près du courant actuel de pensée que les modèles S-R, la théorie de Bandura, surtout dans sa version la plus récente (1977), ne peut que difficilement être appliquée directement au comportement des animaux. Elle fait appel, en effet, à une capacité de représentation symbolique, spécifiquement humaine. Il faudrait faire des efforts importants pour l'adapter à l'univers cognitif des animaux.

CONCLUSION

L'apprentissage par observation joue sûrement un rôle fondamental chez l'humain. Il contribue de toute évidence au processus de transmission culturelle et fait partie de nos pratiques éducatives. Il suffit d'évoquer le développement du jeune enfant, l'acquisition du langage, ou l'impact des média de communication pour se rendre compte jusqu'à quel point cette forme d'apprentissage contribue à la transmission des valeurs et des normes culturelles ainsi qu'à la diffusion de nouvelles idées et de nouveaux comportements sociaux.

L'apprentissage par observation semble aussi jouer un rôle important dans l'émergence et la diffusion de l'utilisation d'outils et de proto-traditions chez les primates. Les données empiriques, les concepts de base et les interprétations théoriques sont cependant plus confus dans les recherches sur les animaux que dans celles qui portent sur des sujets humains. Un travail considérable reste à accomplir dans ce domaine fascinant et doit l'être pour que nous puissions mieux comprendre ce mode puissant d'adaptation que représente l'apprentissage par observation.

QUATRIÈME PARTIE

SYNTHÈSE ET CONCLUSIONS

Le lecteur qui a lu attentivement les dix chapitres précédents ressent peut-être un certain vertige ou découragement face à la masse impressionnante de données empiriques, à la subtilité des problèmes méthodologiques et à la nature très controversée des théories auxquelles il a été confronté. Ce sentiment peut être d'autant plus aigu que tout au long du texte, nous avons mis l'accent sur l'apprentissage des animaux et qu'il est dès lors assez facile de s'imaginer le niveau de complexité que l'apprentissage peut atteindre chez l'humain. Cependant, les incertitudes et les difficultés que nous avons identifiées, loin d'être signes d'un profond malaise, sont au contraire signes de vitalité. La recherche scientifique pose d'abord des questions et, comme Beaugrand (1982) le rappelait récemment, elle «apporte des solutions qui ne sont que partiellement vraies; elles ne sont jamais considérées comme complètes et finales» (p. 3). Si une science n'avait que des réponses définitives à offrir, elle se figerait rapidement, tomberait dans le piège du dogmatisme et perdrait cette capacité d'autocorrection qui la distingue des autres formes de connaissance.

Malgré la très grande diversité des points de vue théoriques qui a toujours existé et qui existe encore dans le domaine de l'apprentissage, au cours des deux dernières décennies ont commencé à se dégager quelques éléments consensuels. Ils sont apparus au niveau métathéorique, c'est-à-dire au niveau des approches conceptuelles du problème de l'apprentissage chez les animaux et chez l'humain.

La plupart des auteurs sont maintenant conscients du rôle important que l'apprentissage joue dans l'adaptation biologique des animaux à leur environnement physique et social. Cette idée existait déjà chez Pavlov et dans le fonctionnalisme de Thorndike, mais elle s'était estompée avec le behaviorisme watsonnien et plus tard, avec le néobehaviorisme skinnérien qui ont adopté une perspective anthropocentriste et une approche pragmatique. Le retour à une conception qui met en évidence le rôle adaptatif de l'apprentissage a eu plusieurs conséquences importantes. Premièrement, elle a forcé les chercheurs à mieux identifier les contraintes de l'environnement auxquelles les animaux doivent faire face et à percevoir la complexité des échanges entre les organismes et leur environnement. Deuxièmement, le postulat du behaviorisme connexionniste, selon lequel l'animal est à la naissance une *tabula rasa*, est définitivement révolu et des concepts éthologiques, comme les pressions sélectives, le stimulus déclencheur inné ou le patron moteur fixe, commencent à être intégrés dans l'arsenal conceptuel des théoriciens. Troisièmement, certains auteurs ont abandonné le point de vue strictement anthropocentriste pour tenir compte davantage de la spécificité biologique de chaque espèce animale et de l'écosystème dans lequel elle vit. Ce phénomène les a rendus notamment plus modestes quant à la représentativité des espèces traditionnellement étudiées: pigeon, rat, chat et chien. Enfin, bien que la majorité des chercheurs poursuivent des expériences en laboratoire, ils s'inspirent davantage des situations aux-quelles les animaux sont confrontés en milieu naturel et ils s'interrogent, plus que dans le passé, sur la validité externe et éthologique de leurs tra-vaux. Les remarques de Jenkins (1970) sur les programmes de renforce-ment et de punition (voir page 193) sont un exemple de ce nouvel état d'esprit.

La conception d'un organisme très passif qui subit son environne-ment, longtemps véhiculée par le behaviorisme connexionniste, a de moins en moins d'adeptes. Si, à une certaine époque, il semblait plus économique de définir l'organisme comme une sorte de relais entre les stimuli et les réponses, de nombreux auteurs partagent aujourd'hui le point de vue de Griffin (1976, 1979) selon qui l'économie consiste au contraire à supposer, chez l'animal comme chez l'humain, la présence d'une activité mentale, certes différente de la nôtre, mais néanmoins plus complexe que la simple reproduction isomorphe, dans le cerveau, des stimuli externes et des réponses émises. La contiguïté temporelle des événements, l'association purement mécanique des stimuli et des répon-ses, le renforcement hullien ou skinnérien ne suffisent plus à expliquer l'acquisition, la modification ou l'élimination des comportements. Les données récentes montrent que c'est en détectant et en apprenant la nature des corrélations (positive, négative ou nulle) existant entre les événements que les animaux deviennent sensibles à la texture et à la structure causale de leur environnement physique et social. Ils font donc plus que réagir aux stimulations et, de ce fait, l'apprentissage, comme le dit Piaget à propos de l'intelligence, est plus qu'une simple copie du réel. Les animaux construisent intérieurement leur environnement et ajus-tent leurs comportements en fonction de cette construction psychologi-que. Comme nous l'avons vu en exposant les interprétations récentes du conditionnement classique (page 160), il faut supposer qu'une forme quelconque de «représentation interne» est nécessaire à l'apprentissage.

Ce consensus relatif à la nature de l'apprentissage en tant que pro-cessus d'adaptation et processus cognitif ne résout cependant pas tous les problèmes, loin de là. En prenant conscience de la spécificité et de la diversité des comportements des animaux, plusieurs chercheurs et théo-riciens ont fait preuve de scepticisme quant à la possibilité de formuler une théorie générale de l'apprentissage, c'est-à-dire d'identifier et de décrire un processus unique qui s'applique à toutes les situations et à toutes les espèces. Il faut plutôt, selon eux, limiter les conclusions aux cas particuliers étudiés et renoncer à un modèle qui unifie toutes les formes d'apprentissage (voir chapitre 4). Les chapitres 5 à 10 peuvent, aux yeux du lecteur, confirmer ce scepticisme. Nous y avons en effet analysé pas moins de six formes différentes d'apprentissage, sans épuiser tout le répertoire possible, puisque nous aurions pu aussi discuter de l'appren-tissage perceptif, de l'exploration et du jeu. Nous avons vu aussi que cer-taines formes, comme l'habituation, apparaissent chez presque toutes les espèces animales, alors que d'autres, comme l'empreinte ou l'apprentissage par observation, semblent être limitées à quelques groupes taxonomiques.

Il est vrai que la formulation d'une théorie générale de l'apprentissage, basée sur un processus unique, commun aux différentes espèces et aux diverses situations, est maintenant plus difficile que dans le passé. Les données empiriques recueillies au cours des deux dernières décennies nous ont amenés à une vision plus nuancée des phénomènes et nous incitent à une plus grande prudence dans l'interprétation. Toutefois, même si la tâche est difficile, il ne faut pas y renoncer pour autant. L'idée ne viendrait à personne de remettre en question la théorie de la sélection naturelle simplement parce qu'elle s'applique différemment selon les espèces et les situations. Les théories se caractérisent justement par le fait qu'elles constituent des énoncés abstraits «qui résument et organisent de façon rationnelle et cohérente plusieurs relations mises en évidence empiriquement» (Beaugrand, 1982, p. 10). On peut les rejeter parce qu'à la lumière des données, elles s'avèrent fausses mais on ne peut y renoncer seulement parce qu'elles tentent de simplifier le réel. C'est là leur fonction.

La difficulté à laquelle se heurtent les chercheurs et les théoriciens contemporains n'est pas nouvelle. Nous avons vu au chapitre 8 que depuis plusieurs décennies, une vive controverse oppose les tenants des interprétations unifactorielles et bifactorielles de l'apprentissage associatif. Selon certains, le conditionnement classique et l'apprentissage instrumental constituent deux processus distincts d'acquisition de comportements alors que selon d'autres, il s'agit de deux formes différentes qu'emprunte un processus unique. Ce n'est que récemment qu'on a pu envisager une hypothèse interactionniste, suggérée par le modèle de Staddon et Simmelhag (1971), qui intègre l'habituation. Un problème similaire est soulevé par l'empreinte filiale, interprétée ou non dans un cadre associationniste. De même, l'apprentissage par observation peut apparaître comme un cas particulier d'apprentissage instrumental ou, au contraire, être défini comme un processus distinct.

Ce problème de la diversité et de la variabilité de l'apprentissage, selon les espèces et les situations, demeurera probablement insoluble, tant que l'on concentrera les efforts théoriques sur la recherche d'une structure unique, que celle-ci soit de nature associative ou cognitive. Il faut peut-être s'inspirer de l'approche piagétienne (voir page 71) et tenter d'identifier dans la variabilité des structures cognitives, les invariants fonctionnels qui sont communs, non seulement aux espèces et aux situations, mais aussi aux étapes successives du développement ontogénétique. En effet, les chercheurs qui étudient l'apprentissage se sont très peu interrogés sur l'ontogénèse de ce processus. Il y a bien eu quelques tentatives en ce sens et nous en avons donné un exemple dans le cas de l'habituation (page 117). Toutefois, ces tentatives se limitent généralement à la constatation de la présence ou de l'absence d'une forme particulière d'apprentissage à un âge donné, ainsi qu'à l'évaluation de l'effet des paramètres caractéristiques de cette forme. On s'interroge rarement sur l'origine de la forme étudiée et sur les transformations qu'elle subit au cours de l'ontégénèse.

Bien sûr pour être utile et heuristique, la méthodologie piagétienne, qui a été conçue pour l'expérimentation avec des sujets humains, doit être modifiée et adaptée au travail des animaux. L'absence chez la plupart des espèces de préhension manuelle et de langage naturel constitue en effet un obstacle à surmonter. De plus, l'inspiration que peut fournir la théorie de Piaget doit être recherchée dans son approche générale des conduites acquises et dans son traitement de la période sensorimotrice à laquelle tous les animaux peuvent être rattachés.

En plus de défendre un point de vue nettement cognitiviste et d'adopter une perspective biologique proche de celle de l'éthologie, (voir page 72), une approche piagétienne, adaptée aux animaux, offre plusieurs avantages. Elle fournit en premier lieu un cadre conceptuel élaboré et cohérent qui correspond aux besoins actuels des théoriciens de l'apprentissage. Les invariants fonctionnels qu'elle identifie, l'adaptation et l'organisation, permettent de dépasser la variabilité apparente des structures cognitives et de résoudre ainsi l'une des principales difficultés des théories contemporaines. La définition de l'adaptation, comme un équilibre des processus d'assimilation et d'accommodation, est à la fois suffisamment générale et précise pour permettre les liens qui s'imposent avec les autres dimensions biologiques de l'organisme. Le schème d'action est un concept bien articulé, qu'on peut facilement appliquer au comportement animal et qui peut jouer le rôle unificateur tant recherché. Il constitue, en quelque sorte, la représentation interne au niveau sensori-moteur. Un deuxième avantage important de l'approche piagétienne est qu'elle insiste, contrairement aux théories traditionnelles, sur la dimension diachronique des structures sous-jacentes aux conduites acquises. Ces structures se transforment au cours du développement, mais toujours à partir des structures présentes à l'étape antérieure. Ainsi, les premières conduites acquises sont issues des comportements innés (réflexes et instincts) présents à la naissance et elles donnent lieu ensuite à des schèmes d'actions plus complexes. Enfin, l'approche piagétienne pourrait peut-être contribuer à établir ce lien si difficile à déceler entre l'apprentissage des animaux et celui de l'humain. En effet, même si la plupart des formes d'apprentissage étudiées chez l'animal existent aussi chez l'humain, la présence du langage et de la fonction symbolique chez cette espèce modifie considérablement les données de base du problème. La théorie de Piaget fournit des éléments de réponse à cette difficile question des similitudes et des différences entre les apprentissages animal et humain.

Références

ADLER, H.E.: Some factors of observational learning in cats, *Journal of genetic psychology*, **86**: 159-177, 1955.

AINSLIE, G.W.: Impulse control in pigeons, *Journal of the experimental analysis of behavior*, **21**: 485-489, 1974.

ALCOCK, J.: Observational learning in three species of birds, *Ibis*, **III**: 308-321, 1969a.

ALCOCK, J.: Observational learning by fork-tailed flycatchers *(Muscivora tyrannus)*, *Animal behaviour*, **17**: 652-658, 1969b.

ALCOCK, J.: *Animal behavior. An evolutionary approach*, Sinauer, Sunderland, Mass., 2ᵉ édition 1979.

ALLEY, R. et H. BOYD: Parent-young recognition in the coot *Fulica atra*, *Ibis*, **92**: 46-51, 1950.

AMSEL, A.: The role of frustrative non-reward in noncontinous reward situation, *Psychological bulletin*, **55**: 102-119, 1958.

AMSEL, A.: Frustrative non-reward in partial reinforcement and discriminative learning, *Psychological review*, **69**: 306-328, 1962.

AMSEL, A.: Partial reinforcement effects on vigor and persistence, in: Spence, K.W. et J.T. Spence (Éds), *The Psychology of learning and motivation*, **volume 1**, Academic Press, New York, 1967.

AMSEL, A.: Inhibition and mediation in classical and instrumental learning, in: Beakes, R.A. et M.S. Halliday (Éds), *Inhibition and learning*, Academic Press, New York, 1972.

AMSEL, A., J.J. HUG et C.T. SURRIDGE: Number of food pellets, goal approaches, and partial reinforcement effect after minimal acquisition, *Journal of experimental psychology*, **77**: 530-534, 1968.

ANDERSON, D.C., D. WOLF et P. SULLIVAN: Preconditioning exposure to the CS: Variation in place of testing, *Psychonomic science*, **14**: 233-235, 1969.

ANGELL, J.R.: *Psychology. An introductory study of the structure and function of human consciousness,* Henry Holt, New York, 1904.

ANNAU, Z. et L.J. KAMIN: The conditioned emotional response as a function of the intensity of the US, *Journal of comparative and physiological psychology,* **54:** 428-432, 1961.

APPLEWHITE, P.B.: Similarities in protozoan and flatworm habituation behaviour, *Nature (Londres), New Biology,* **230:** 284-285, 1971.

AYRES, J.J., J.O. BENEDICT et E.S. WITCHER: Systematic manipulation of individual events in a truly random control in rats, *Journal of comparative and physiological psychology,* **88:** 97-103, 1975.

AZRIN, N.H.: Sequential effects of punishment, *Science,* **131:** 605-606, 1960.

AZRIN, N.H., D.F. HAKE, W.C. HOLZ et R.R. HUTCHINSON: Motivational aspects of escape from punishment, *Journal of the experimental analysis of behavior,* **8:** 31-44, 1965.

BACOTTI, A.U.: Matching under concurrent fixed-ratio variable-interval schedules of food presentation, *Journal of the experimental analysis of behavior,* **25:** 171-182, 1977.

BAKER, A.G. et N.J. MACKINTOSH: Excitatory and inhibitory conditioning following uncorrelated presentations of the CS and US, *Animal learning and behavior,* **5:** 315-319, 1977.

BAKER, T.W.: Properties of coumpound conditioned stimuli and their components, *Psychological bulletin,* **70:** 611-625, 1968.

BALDERRAMA, N. et H. MALDONADO: Habituation of the deimatic response in the mantid *(Stagmatoptera biocellata), Journal of comparative and physiological psychology,* **75:** 98-106, 1971.

BALDWIN, J.D. et J.I. BALDWIN: *Beyond sociobiology,* Elsevier, New York, 1981.

BANDURA, A.: Vicarious processes: a case of no-trial learning, **in:** Berkowitz, L. (Éd.), *Advances in experimental social psychology,* **volume 2,** Academic Press, New York, 1965a.

BANDURA, A.: Behavioral modifications through modeling processes, **in:** Krasner, L. et L.P. Ullman, (Éds), *Research in behavior modification,* Holt, New York, 1965b.

BANDURA, A.: *Principles of behavior modification,* Holt, Rinehart and Winston, New Yord, 1969.

BANDURA, A.: Analysis of modeling processes, **in:** Bandura, A. (Ed.), *Psychological modeling. Conflicting theories,* Aldine-Atherton, Chicago, 1971.

BANDURA, A.: *Social learning theory,* Prentice-Hall, Englewood Cliffs, N.J., 1977.

BANDURA, A. et M.B. HARRIS: Modification or syntactic rule, *Journal of experimental child psychology,* **4:** 341-352, 1966.

BANDURA, A. et T.L. ROSENTHAL: Vicarious classical conditioning as a function of arousal level, *Journal of personality and social psychology,* **3:** 54-62, 1966.

BANDURA, A., D. ROSS et S.A. ROSS: Vicarious reinforcement and imitative learning, *Journal of abnormal and social psychology,* **67:** 601-607, 1963.

BANDURA, A. et R.H. WALTERS: *Social learning and personality development,* Holt, New York, 1963.

BARASH, D.P.: *Sociobiology and behavior,* Elsevier, New York, 1977.

BARLOW, G.W.: Ethological units of behavior, **in:** Ingle, D. (Éd.), *The central nervous system and fish behavior,* University of Chicago Press, 1968.

BARLOW, G.W.: Modal action patterns, in: Sebeok, T.A. (Éd.), *How animals communicate,* Indiana University Press, Bloomington, 1977.

BARNES, G.W.: Conditioned stimulus intensity and temporal factors in spaced-trial conditioning, *Journal of experimental psychology,* **51:** 192-198, 1956.

BARNETT, P.E. et D.T. BENEDETTI: A study in «vicarious conditioning», Communication présentée au congrès annuel du *Rocky Mountain Psychological Association,* Glenwood Springs, Colorado, mai 1960.

BARNETT, S.A.: *The rat: a study in behavior,* University of Chicago Press, Chicago, 2ᵉ édition 1975.

BARNETT, S.A.: *Modern ethology. The science of animal behavior,* Oxford University Press, New York, 1981.

BARON, A.: Delayed punishment of a runway response, *Journal of comparative and physiological psychology,* **60:** 131-134, 1965.

BATESON, P.P.G.: The characteristics and context of imprinting, *Biological review,* **41:** 177-220, 1966.

BAUER, R.H.: The effects of CS and UCS intensity on shuttle box avoidance, *Psychonomic science,* **27:** 266-268, 1972.

BAUM, M.: Rapid extinction of an avoidance response following a period of response prevention in the avoidance apparatus, *Psychological reports,* **18:** 59-64, 1966.

BAUM, M.: Extinction of avoidance responding through response prevention (flooding), *Psychological bulletin,* **74:** 276-284, 1970.

BAUM, W.M.: Time allocation in human vigilance, *Journal of the experimental analysis of behavior,* **23:** 45-53, 1975.

BAUM, W.M. et H.C. RACHLIN: Choice as time allocation, *Journal of the experimental analysis of behavior,* **12:** 861-874, 1969.

BAYROFF, A.G. et K.E. LARD: Experimental social behavior of mammals. III. Imitational learning of white rats, *Journal of comparative and physiological psychology,* **37:** 165-171, 1944.

BEACH, F.A.: The snark was a boojum, *American psychologist,* **5:** 115-124, 1950.

BEACH, F.A.: The descent of instinct, *Psychological review,* **62:** 401-410, 1955.

BEAUGRAND, J.P.: Démarche scientifique et cycle de la recherche, in: Robert, M. (Ed.), *Fondements et étapes de la recherche scientifique en psychologie,* Chenelière et Stanké, Montréal, 1982.

BECK, S.B.: Eyelid conditioning as a function of CS intensity, UCS intensity, and manifest anxiety scale score, *Journal of experimental psychology,* **66:** 429-438, 1963.

BELANGER, J.: Images et réalités du behaviorisme, *Philosophiques,* **5:** 3-110, 1978.

BERGER, S.M.: Conditioning through vicarious instigation, *Psychological review,* **69:** 450-466, 1962.

BERLYNE, D.E.: *Stucture and direction in thinking,* Wiley, New York, 1965.

BERLYNE, D.E. et J. PIAGET: *Théorie du comportement et opérations,* Presses Universitaires de France, Paris, 1960.

BERNAL, G. et S.M. BERGER: Vicarious eyelid conditioning, *Journal of personality and social psychology,* **34:** 62-68, 1976.

BERNSTEIN, A.L.: Temporal factors in the formation of conditionel eyelid reactions in human subjects, *Journal of general psychology,* **10:** 173-197, 1934.

BEST, M.R.: Conditioned and latent inhibition in taste aversion learning: clarifying the role of learned safety, *Journal of experimental psychology*, **104**: 77-112, 1975.

BIEDERMAN, G.B., M.R. D'AMATO et D.M. KELLER: Facilitation of discriminated avoidance learning by dissociation of CS and manipulandum, *Psychonomic science*, **1**: 229-230, 1964.

BIEL, W.C. et D.D. WICKENS: The effects of Vitamin B deficiency on the conditioning of eyelid responses in the rat, *Journal of comparative and physiological psychology*, **32**: 329-340, 1941.

BINDRA, D.: *Motivation: a systematic reinterpretation*, Ronald Press, New York, 1959.

BINDRA, D.: A motivational view of learning, performance, and behavior modification, *Psychological review*, **81**: 199-213, 1974.

BINDRA, D.: How adaptive behavior is produced: a perceptual-motivational alternative to response-reinforcement, *Behavioral and brain sciences*, **1**: 41-91, 1978.

BINTZ, J.: Effect of shock intensity on the retention of an avoidance response, *Psychonomic science*, **22**: 17-18, 1971.

BITTERMAN, M.E.: Techniques for the study of learning in animals: analysis and classification, *Psychological bulletin*, **59**: 81-93, 1962.

BITTERMAN, M.E. et W.T. WOODARD: Vertebrate learning: common processes, **in:** Masterton, R.B., M.E. Bitterman, C.B.G. Campbell et N. Hotten (Éds), *The evolution of brain and behavior in vertebrates*, Erlbaum, Potomac, Md., 1975.

BLACK, A.H.: Autonomic aversive conditioning in infrahuman subjects, **in:** Brush, F.R. (Éd.), *Aversive conditioning and learning*, Academic Press, New York, 1971.

BLACK, A.H., N.J. CARLSON et R.L. SOLOMON: Exploratory studies of the conditioning of autonomic responses in curarized dogs, *Psychological monographs*, **76**: n° 548, 1962.

BLACK, A.H. et L. TOLEDO: The relationship among classically conditioned responses: heart rate and skeletal behavior, **in:** Black, A.H. et W.F. Prokasy (Éds), *Classical conditioning II: current research and theory*, Appleton-Century-Crofts, New York, 1972.

BLACK, R.W.: Shifts in magnitude of reward and effects in instrumental and selective learning: a reinterpretation, *Psychological review*, **75**: 114-126, 1968.

BLANCHARD, R.J. et D.C. BLANCHARD: Passive and active reactions to fear-eliciting stimuli, *Journal of comparative and physiological psychology*, **68**: 129-135, 1969.

BLANCHARD, R.J. et D.C. BLANCHARD: Dual mechanisms in passive avoidance: I, *Psychonomic science*, **19**: 1-2, 1970.

BLOOMFIELD, T.M.: A peak shift on a line-tilt continuum, *Journal of the experimental analysis of behavior*, **10**: 361-366, 1967.

BLOUGH, D.S.: Stimulus generalization as signal detection in pigeons, *Science*, **158**: 940-941, 1967.

BOAKES, R.A. et M.S. HALLIDAY: *Inhibition and learning*, Academic Press, New Yord, 1972.

BOE, E.E. et R.M. CHURCH: Permanent effects of punishment during extinction, *Journal of comparative and physiological psychology*, **63**: 486-492, 1967.

BOLLES, R.C.: *Theory of motivation*, Harper and Row, New york, 1967.

BOLLES, R.C.: Avoidance and escape learning: simultaneous acquisition of different responses, *Journal of comparative and physiological psychology*, **68**: 355-358, 1969.

BOLLES, R.C.: Species-specific defense reactions and avoidance learning, *Psychological review,* **77:** 32-48, 1970.

BOLLES, R.C.: Reinforcement expectancy and learning, *Psychological review,* **79:** 394-409, 1972.

BOLLES, R.C.: The comparative psychology of learning: the selective association principle and some problems with «general» laws of learning, **in:** Bermant, G. (Éd.), *Perspectives on animal behavior,* Scott, Foresman, Glenview, 111., 1973.

BOLLES, R.C.: Learnig, motivation and cognition, **in:** Estes, W.K. (Éd.), *Handbook of learning and cognitive processes,* **volume 1,** Lawrence Erlbaum, Hillsdale, N.J., 1975.

BOLLES, R.C.: *Learning theory, (2ᵉ édition),* Holt, Rinehart and Winston, New York, 1979.

BOLLES, R.C. et N.E. GROSSEN: Effects of an informational stimulus on the acquisition of avoidance behavior in rats, *Journal of comparative and physiological psychology,* **68:** 90-99, 1969.

BOLLES, R.C. et D.B. McGILLIS: The non-operant nature of the bar-press escape, *Psychonomic science,* **11:** 261-262, 1968.

BOLLES, R.C. et S. SEELBACH: Punishing and reinforcing effects of noise onset and termination for different responses, *Journal of comparative and physiological psychology,* **58:** 127-132, 1964.

BOLLES, R.C., L.W. STROKES et M.S. YOUNGER: Does CS termination reinforce avoidance behavior?, *Journal of comparative and physiological psychology,* **62:** 201-207, 1966.

BORGEALT, A.J., J.W. DONAHOE et A. WEINSTEIN: Effects of delayed and trace components of a compound CS on conditioned suppression and heart rate, *Psychonomic science,* **26:** 13-15, 1972.

BORING, E.G.: *A history of experimental psychology,* Appleton-Century-Crofts, New York, 2ᵉ édition, 1957.

BOUCHARD, C.: *Effets de la rétroaction binaire positive et négative sur la régulation du rythme cardiaque,* Thèse de doctorat inédite, Université McGill, Montréal, 1974.

BOUCHARD, M.A.: *Information, motivation et apprentissage du contrôle volontaire du rythme cardiaque chez l'homme,* Thèse de doctorat inédite, Université de Montréal, Montréal, 1977.

BOUCHARD, M.A., R. LADOUCEUR et L. GRANGER: Analyse behaviorale, **in:** Ladouceur, R., M.A. Bouchard et L. Granger (Eds), *Principes et applications des thérapies behaviorales,* Edisem, Saint-Hyacinthe, 1977.

BOUCHARD, M.A. et M. MATHIEU: Analyse critique de la réponse différée en fonction de la notion d'objet chez Piaget, *Psychologie canadienne,* **17:** 22-28, 1976.

BOWER, G.H., H. FOWLER et M.A. TRAPOLD: Escape learning as a function of amount of shock reduction, *Journal of experimental psychology,* **58:** 482-484, 1959.

BRAVEMAN, N.S.: Formation of taste aversions in rats following prior exposure to sickness, *Learning and motivation,* **6:** 512-534, 1975.

BRELAND, K. et M. BRELAND: The misbehavior of organisms, *American psychologist,* **61:** 681-684, 1961.

BRELAND, K. et M. BRELAND: *Animal behavior,* Norton, New York, 1966.

BRIMER, C.J. et F.J. DOCKRILL: Partial reinforcement and the CER, *Psychonomic science,* **5:** 185-186, 1966.

BROGDEN, W.J.: Sensory preconditioning, *Journal of experimental psychology,* **25**: 323-332, 1939.

BROGDEN, W.J.: Imitation and social facilitation in the social conditioning of the forelimb-flexion in dogs, *American journal of psychology,* **55**: 77-83, 1942.

BROWN, J.S.: Factors affecting self-locomotor behavior, **in**: Campbell, B.A. et R.M. Church (Éds), *Punishment and aversive behavior,* Appleton-Century-Crofts, New York, 1969.

BROWN, P.L. et H.M. JENKINS: Auto-shaping of the pigeon's key-peck, *Journal ot the experimental analysis of behavior,* **11**: 1-8, 1968.

BRUNER, J.S., A. JOLLY et S. SYLVA: *Play. Its role in development and evolution,* Basic books, New York, 1976.

BRUSH, F.R.: The effects of shock intensity on the acquisition and extinction of an avoidance response in dogs, *Journal of comparative and physiological psychology,* **50**: 547-552, 1957.

BUNCH, G.B. et T.R. ZENTALL: Imitation of a passive avoidance response in the rat, *Bulletin of the psychonomic society,* **15**: 73-75, 1980.

BUNCH, M.E.: Cumulative transfer of training under different temporal conditions, *Journal of comparative psychology,* **37**: 265-272, 1944.

BURGHARDT, G.M.: Instinct and innate behavior: toward an ethological psychology, **in**: Nevin, J.A. et G.S. Reynolds (Éds), *The study of behavior. Learning, motivation, emotion and instinct,* Scott, Foresman, Glenview, 111., 1973.

BUSH, R.R. et F. MOSTELLER: *Stochastic models for learning,* Wiley, New York, 1955.

CAMP, D.S., G.A. RAYMOND et R.M. CHURCH: Temporal relationship between response and punishment, *Journal of experimental psychology,* **45**: 97-101, 1967.

CAMPBELL, B.A. et R.M. CHURCH: *Punishment and aversive behavior,* Appleton-Century-Crofts, New York, 1969.

CAMPBELL, B.A. et D. KRAELING: Response strength as a function of drive level and amount of drive reduction, *Journal of experimental psychology,* **45**: 97-101, 1953.

CAMPBELL, B.A., N.F. SMITH et J.R. MISANIN: Effects of punishment on extinction of avoidance behavior: avoidance-avoidance conflict or vicious circle behavior, *Journal of comparative and physiological psychology,* **62**: 495-498, 1966.

CAMPBELL, B.A. et D.J. STEHOUWER: Ontogeny of habituation and sensitization in the rat, **in**: Spear, N.E. et B.A. Campbell (Éds), *Ontogeny of learning and memory,* Lawrence Erlbaum, Hillsdale, N.J., 1979.

CAMPBELL, D.T. et T.P. KRAEL: Transposition away from a rewarded stimulus card to a non-rewarded one as a function of a shift in background, *Journal of comparative and physiological psychology,* **51**: 592-595, 1958.

CAPALDI, E.D. et J.R. HOVANCIK: Effects of previous body weights level on rats' straight-alley performance, *Journal of experimental psychology,* **97**: 93-97, 1973.

CAPALDI, E.J.: Partial reinforcement: a hypothesis of sequential effects, *Psychological review,* **73**: 459-477, 1966.

CAPALDI, E.J.: A sequential hypothesis of instrumental learning, **in**: Spence, K.W. et J.T. Spence (Eds), *The psychology of learning and motivation,* **volume 1**, Academic Press, New York, 1967.

CAPALDI, E.J.: Memory and learning: a sequential viewpoint, **in**: Honig, W.K. et P.H.R. James (Éds), *Animal memory,* Academic Press, New York, 1971.

CARLTON, P.L.: Brain acetylcholine and habituation, **in:** Bradley, P.B. et M. Fink (Éds), *Progress in brain research,* **volume 28:** *Anticho linergic drugs and brain functions in animals and man,* Elsevier, New York, 1968.

CARLTON, P.L. et J.R. VOGEL: Habituation and conditioning, *Journal of comparative and physiological psychology,* **63:** 348-351, 1967.

CATANIA, A.C.: Concurrent performances: a baseline for the study of reinforcement magnitude, *Journal of the experimental analysis of behavior,* **6:** 299-300, 1963a.

CATANIA, A.C.: Concurrent performances: reinforcement interaction and response independence, *Journal of the experimental analysis of behavior,* **6:** 253-263, 1963b.

CATANIA, A.C.: Concurrent operants, **in:** Honig, W.K. (Éd.), *Operant behavior: areas of research and application,* Appleton-Century-Crofts, New York, 1966.

CATANIA, A.C.: Self-inhibiting effects of reinforcement, *Journal of the experimental analysis of behavior,* **19:** 517-526, 1973.

CATANIA, A.C.: *Learning,* Prentice-Hall, Englewood Cliffs, N.J., 1979.

CAUL, W.F., R.E. MILLER et J.H. BANKS: Effect of US intensity on heart rate in delay conditioning and pseudoconditionnig, *Psychonomic science,* **19:** 15-17, 1970.

CAUTELA, J.R.: The problem of backward conditioning, *Journal of psychology,* **60:** 135-144, 1965.

CHANCE, P.: *Learning and behavior,* Wadsworth, Belmont, Calif., 1979.

CHAPLIN, J.P. et T.S. KRAWIEC: *Systems and theories of psychology,* Holt, Rinehart and Winston, New York, 2ᵉ édition, 1968.

CHEN, S.C.: Social modification of the activity of ants in nest-building, *Physiological zoology,* **10:** 420-437, 1937.

CHESLER, P.: Maternal influence in learning by observation in kittens, *Science,* **166:** 901-903, 1969.

CHEVALIER-SKOLNIKOFF, S.: Piagetian model for describing and comparing socialization in monkey, ape and human infants, **in:** Chevalier-Skolnikoff, S. et F.E. Poirier (Éds), *Primate bio-social development: biological, social and ecological determinants,* Garland Publishing, New York, 1977.

CHOMSKY, N.: Review of Skinner verbal behavior, **in:** Jakobowits, L.A. et M.S. Miron (Éds), *Readings in the psychology of language,* Prentice-Hall, Englewood Cliffs, N.J., 1957.

CHOMSKY, N.: Review of Skinner's verbal behavior, *Language,* **35:** 26-58, 1959.

CHOMSKY, N.: *Relfections on language,* Pantheon, New York, 1975.

CHURCH, R.M.: Two procedures for the establishment of «imitative behavior», *Journal of comparative and physiological psychology,* **50:** 315-318, 1957a.

CHURCH, R.M.: Transmission of learned behavior between rats, *Journal of abnormal and social psychology,* **54:** 163-165, 1957b.

CHURCH, R.M.: Response suppression, **in:** Campbell, B.A. et R.M. Church (Éds), *Punishment and aversive behavior,* Appleton-Century-Crofts, New York, 1969.

CHURCH, R.M., G.A. RAYMOND et R.D. BEAUCHAMP: Response suppression as a function of intensity and duration of punishment, *Journal of comparative and physiological psychology,* **63:** 39-44, 1967.

CLARK, R.B.: Habituation of the polychaete *Nereis* to sudden stimuli. *I.* General properties of the habituation process, *Animal behaviour,* **8:** 82-91, 1960a.

CLARK, R.B.: Habituation of the polychaete *Nereis* to sudden stimuli. *II*. Biological significance of habituation, *Animal behaviour*, **8**: 92-103, 1960b.

CLAYTON, F.L. et R.A. HINDE: The habituation and recovery of aggressive display in *Betta splendens*, *Behaviour*, **30**: 95-106, 1968.

COLLIAS, N.E.: Some basic psychological and neural mechanisms of social behavior in chicks, *Anatomical record*, **108**: 552, 1950a.

COLLIAS, N.E.: The socialization of chicks, *Anatomical record*, **108**: 553, 1950b.

COLLIAS, N.E.: Social life and the individual among vertebrate animals, *Annals of the New York academy of sciences*, **51**: 1074-1092, 1950c.

COLLIAS, N.E. ET E.C. COLLIAS: Some mechanisms of family integration in birds, *Auk*, **73**: 378-400, 1956.

CONNOLLY, K.: The social facilitation of preening behaviour in *Drosophila melanogaster*, *Animal behaviour*, **16**: 385-391, 1968.

COPPOCK, H.W. et R.M. CHAMBERS: GSR conditioning: an illustration of useless distinctions between «type» of conditioning, *Psychological reports*, **6**: 171-177, 1959.

CORSON, J.A.: Observational learning of a lever pressing response, *Psychonomic science*, **7**: 197-198, 1967.

COTE, R. et J. PLANTE: *Analyse et modification du comportement*, Beauchemin, Montréal, 1976.

COWLES, J.T.: Food-tokens as incentive for learning by chimpanzees, *Comparative psychology monographs*, **14**: 1-96, 1937.

CRAIG, K.D. et M.S. WEINSTEIN: Conditioning vicarous affective arousal, *Psychological reports*, **17**: 955-963, 1965.

CRAIG, W.: The voices of pigeons as a means of social control, *American journal of sociology*, **14**: 86-100, 1908.

CRAIG, W.: Appetitives and aversions as constituents of instincts, *Biological bulletin*, **34**: 91-107, 1918.

CRESPI, L.: Quantitative variation of incentive and performance in the white rat, *American journal of psychology*, **55**: 467-517, 1942.

CRESPI, L.: Amount of reinforcement and level of performance, *Psychological review*, **51**: 341-357, 1944.

CULLER, E.A.: Recent advances in some concepts of conditioning, *Psychological review*, **45**: 134-153, 1938.

CULLER, E., G. FINCH, G. GIRDEN et W.J. BROGDEN: Measurements of acuity by the conditioned-response technique, *Journal of general psychology*, **12**: 223-227, 1935.

DALLENBACH, K.M.: Twitmyer and the conditioned response, *American journal of psychology*, **72**: 633-638, 1959.

D'AMATO, M.R. et J. FAZZARO: Discriminated lever-press avoidance learning as a function of type and intensity of shock, *Journal of comparative and physiological psychology*, **61**: 313-315, 1966.

D'AMATO, M.R., J. FAZZARO et M. ETKIN: Discriminated bar-press avoidance maintenance and extinction in rats as a function of shock intensity, *Journal of comparative and physiological psychology*, **63**: 351-354, 1967.

D'AMATO, M.R., J. FAZZARO et M. ETKIN: Anticipatory responding and avoidance discrimination as factors in avoidance conditioning, *Journal of experimental psychology*, **77**: 41-47, 1968.

D'AMATO, M.R., D. KELLER et L. DiCARA: Facilitation of discriminated avoidance learning by discontinuous shock, *Journal of comparative and physiological psychology,* **58:** 344-349, 1964.

DARBY, C.L. et A.J. RIOPELLE: Observational learning in the rhesus monkey, *Journal of comparative and physiological psychology,* **52:** 94-98, 1959.

DAVIS, J.M.: Imitation: a review and critique, **in:** Bateson, P.P.G. et P.H. Klopfer (Éds), *Perspectives in ethology,* Plenum Press, New York, 1973.

DAVIS, M.: Differential retention of sensitization and habituation of the startle response in the rat, *Journal of comparative and physiological psychology,* **78:** 260-267, 1972.

DAVIS, M.: Signal-to-noise ratio as a predictor of startle amplitude and habituation in the rat, *Journal of comparative and physiological psychology,* **86:** 812-825, 1974a.

DAVIS, M.: Sensitization of the rat startle response by noise, *Journal of comparative and physiological psychology,* **87:** 571-581, 1974b.

DAWKINS, R.: *The selfish gene,* Oxford University Press, New York, 1976.

DAWSON, B.V. et B.M. FOSS: Observational learning in budgerigars, *Animal behaviour,* **13:** 470-474, 1965.

DEANE, G.E.: Cardiac conditioning in the albino rabbit using three CS-UCS intervals, *Psychonomic science,* **3:** 119-120m 1865.

DeBOLD, R.D., N.E. MILLER et D.D. JENSEN: Effect of strength of drive determined by a new technique for appetitive classical conditioning of rats, *Journal of comparative and physiological psychology,* **59:** 102-108. 1965.

deCHARMS, R. et M.E. ROSENBAUM: The problem of vicarious experience, **in:** Willner, D. (Éd.), *Decisions, values and groups,* **volume 1,** Pergamon, New York, 1960.

deVILLIERS, P.A.: The law of effect and avoidance: a quantitative relation between rate and shock frequency reduction, *Journal of the experimental analysis of behavior,* **21:** 233-235, 1974.

deVILLIERS, P.A.: Choice in concurrent schedules and a quantitative formulation of the law of effect, **in:** Honig, W.K. et J.E.R. Staddon (Éds), *Handbook of operant behavior,* Prentice-Hall, Englewood Cliffs, N.J., 1977.

deVILLIERS, P.A. et R.J. HERRNSTEIN: Toward a law of response strength, *Psychological bulletin,* **83:** 1131-1153, 1976.

DICKINSON, A.: *Contemporary animal learning theory,* Cambridge University Press, Cambridge, 1980.

DICKINSON, A., G. HALL et N.J. MACKINTOSH: Surprise and the attenuation of blocking, *Journal of experimental psychology, Animal behavior processes,* **2:** 313-322, 1976.

DiLOLLO, V.: Runway performance in relation to runway-goal-box similarity and changes in incentive amount, *Journal of comparative and physiological psychology,* **58:** 327-329, 1964.

DOBRZECKA, C. et J. KONORSKI: Qualitative versus directional cues in differential conditioning, *Acta biologiae experimentale,* **27:** 163-168, 1967.

DOLLE, J.M.: *Pour comprendre Jean Piaget,* Privat, Toulouse, 1974.

DOMJAM, M. et S. SIEGEL: Conditioned suppression following CS preexposure, *Psychonomic science,* **25:** 11-12, 1971.

DONAHOE, J.W. et M.G. WESSELS: *Learning, language and memory,* Harper and Row, New York, 1980.

DONNERSTEIN, M. et E. DONNERSTEIN: Direct and vicarious censure in the control of interracial aggression, *Journal of personality*, **46**: 162-175, 1978.

DORÉ, F.: *Inhibition phéromonale et agression intraspécifique chez Betta splendens*, Thèse de maîtrise inédite, Université de Montréal, Montréal, 1973.

DORÉ, F.: *Éthogramme et périodicité des comportements utilitaires du Junco ardoisé (Junco hyemalis)*, Thèse de doctorat inédite, Université de Montréal, Montréal, 1977.

DORÉ, F.: L'éthologie: une analyse biologique du comportement, *Sociologie et sociétés*, **10**: 25-41, 1978.

DORÉ, F.Y.: La définition des unités de comportement: une analyse du comportement alimentaire du Junco ardoisé *(Junco hyemalis)*, *Biology of behaviour*, **5**: 179-189, 1980.

DORÉ, F.Y.: Quelques données sur l'évolution de la psychologie de l'apprentissage, *Psychologie canadienne*, **22**: 346-347, 1981a.

DORÉ, F.Y.: Habituation du comportement agonistique chez le Combattant du Siam *(Betta splendens)*, *Rapports de recherche du Laboratoire de psychologie expérimentale (Université Laval)*, **4**: 1-19, 1981b.

DORÉ, F.Y.: L'effet de la préexposition au SC dans les apprentisages d'évitement unidirectionnel et bidirectionnel, *L'année psychologique*, **81**: 23-32, 1981c.

DORÉ, F.Y. et L. GRANGER: Étude critique de deux rejets méthodologiques chez B.F. Skinner, *Psychologie canadienne*, **14**: 339-349, 1973.

DORÉ, F., L. LEFÈBVRE et R. DUCHARME: Threat display in *Betta splendens*: the effects of water condition and type of stimulation, *Animal behviour*, **26**: 738-745, 1978.

DUKES, W.F.: The snark revisited, *American psychologist*, **15**: 157, 1960.

DUMAS, C. et F.Y. DORÉ: Étude, dand un contexte sensori-moteur piagétien, des notions de permanence de l'objet, d'espace et de causalité chez le chat domestique, *Rapports de recherche du Laboratoire de psychologie expérimentale (Université Laval)*, **2**: 1-56, 1981.

DUNHAM, P.J.: Contrasted conditions of reinforcement: a selected critique, *Psychological bulletin*, **69**: 295-315, 1968.

DUNLAP, K.: Are there any instincts?, *Journal of abnormal psychology*, **14**: 35-50, 1919.

EATON, S.W.: Northern slate-colored junco, in: Austin, O. L. (Éd.), *Life histories of North American cardinals, grosbeaks, buntings, towhees, finches, sparrows and allies*, **tome 2**: Dover, New York, 1968.

ECK, K.O. et D.R. THOMAS: Discrimination learning as a function of prior discrimination and nondifferential training: a replication, *Journal of experimental psychology*, **83**: 511-513, 1970.

EIBL-EIBESFELDT, I.: *Éthologie, biologie du comportement*, Naturalia et Biologie, Paris, 1972.

EISENBERG, R., A.K. MYERS et R.M. KAPLAN: Persistent deprivation-shift effect opposite in direction to incentive contrast, *Journal of experimental psychology*, **99**: 400-404, 1973.

ELLIS, W.R.: Role of stimulus sequences in stimulus discrimination and stimulus generalization, *Journal of experimental psychology*, **83**: 155-163, 1970.

ENGELS, W.L. et C.E. JENNER: The effect of temperature on testicular recrudescence in juncos at different photoperiods, *Biological bulletin*, **110**: 129-137, 1956.

ESTES, W.K.: An experimental study of punishment, *Psychological monographs, 57:* n° 263, 1944.

ESTES, W.K.: Toward a statistical theory of learning, *Psychological review, 57:* 94-107, 1950.

ESTES, W.K.: Stimulus-response theory of drive, in: Jones, M.R. (Éd.), *Nebraska symposium on motivation,* **volume 6,** University of Nebraska Press, Lincoln, 1958.

ESTES, W.K.: New perspectives on some old issues in association theory, in: Mackintosh, N.J. (Éd.), *Fundamental issues in associative learning,* Dalhousie University Press, Halifax. 1969a.

ESTES, W.K.: Outlines of a theory of punishment, in: Campbell, B.A. et R.M. Church (Éds), *Punishment and aversive behavior,* Appleton-Century-Crofts, New York, 1969b.

EWER, R.F.: Imprinting in animal behaviour, *Nature (Londres), 177:* 227-228, 1958.

FABRICIUS, E.: Some experiments on imprinting phenomena in ducks, *Proceedings of the tenth international ornithological congress,* Uppsala, 1951a.

FABRICIUS, E.: Zur ethologie junger Anatiden, *Acta zoologica fermica,* **68:** 1951b.

FAGEN, R.: *Animal play behavior,* Oxford University Press, New York, 1981.

FANTINO, E.: Immediate reward followed by extinction vs later reward without extinction, *Psychonomic science,* **6:** 233-234, 1966.

FANTINO, E.: Aversive control, in: Nevin, J.A. et S. Reynolds (Éds), *The study of behavior: learning, motivation, emotion and instinct,* Scott, Foresman, Glenview, III., 1973.

FANTINO, E. et C.A. LOGAN: *The experimental analysis of behavior. A biological perspective,* W.H. Freeman, San Francisco, 1979.

FANTINO, E. et D. NAVARICK: Recent development in choice, in: Bower, G.H. (Éd.), **volume 8:** *The psychology of learning and motivation,* Academic Press, New York, 1974.

FIGLER, M.H.: The relation between eliciting stimulus strength and habituation of the threat display in male Siamese fighting fish, *Betta splendens, Behaviour,* **42:** 63-96, 1972.

FILE, S.E. et H.C. PLOTKIN: Habituation in the neonatal rat, *Developmental psychobiology,* **7:** 121-127, 1974.

FILE, S.E. et S.M. SCOTT: Acquisition and retention of habituation in the preweanlingrat, *Developmental psychobiology,* **9:** 97-107, 1976.

FINCH, G.: Hunger as a determinant of conditional and unconditional salivary response magnitude, *American journal of physiology,* **123:** 379-382, 1938.

FINDLEY, J.D.: Preference and switching under concurrent scheduling, *Journal of the experimental analysis of behavior,* **1:** 123-144, 1958.

FITZGERALD, R.D.: Effects of partial reinforcement with acid on the classically conditioned salivary response in dogs, *Journal of comparative and physiological psychology,* **56:** 1056-1060, 1963.

FITZGERALD, R.D. et J. HOFFMAN: Classically conditioned heart rate in rats following preconditioning exposure to the CS, *Animal learning and behavior,* **4:** 58-60, 1976.

FITZGERALD, R.D. et G.K. MARTIN: Heart-rate conditioning in rats as a function of interstimulus interval, *Psychological reports,* **29:** 1103-1110, 1971.

FITZGERALD, R.D. et T.J. TEYLER: Trace and delayed heart-rate conditioning in rats as a function of US intensity, *Journal of comparative and physiological psychology,* **70:** 242-253, 1970.

FLAHERTY, C.F., L.W. HAMILTON, R.J. GANDELMAN et N.E. SPEAR: *Learning and memory,* Appleton-Century-Crofts, New York, 1977.

FLAHERTY, C.F. et J. LARGEN: Within-subjects positive and negative contrast effects in rats, *Journal of comparative and physiological psychology,* **88:** 653-664, 1975.

FOWLER, H.: Suppression and facilitation by response contingent shock, in: Brush, F.R. (Éd.), *Aversive conditioning and learning,* Academic Press, New York, 1971.

FOWLER, H. et M.A. TRAPOLD: Escape performance as a function of delay of reinforcement, *Journal of experimental psychology,* **63:** 464-467, 1962.

FRAISSE, P.: L'évolution de la psychologie expérimentale, in: Fraisse P. et J. Piaget (Éds), *Traité de psychologie expérimentale. I. Histoire et méthode,* Presses Universitaires de France, Paris, (*2e édition*), 1967.

FRAISSE, P. et J. PIAGET: *Traité de psychologie expérimentale. IV. Apprentissage et mémoire,* Presses Universitaires de France, Paris, 1964.

FREY, P.W. et C.S. BUTLER: Rabbit eyelid conditioning as a function of unconditioned stimulus duration, *Journal of comparative and physiological psychology,* **85:** 289-294, 1973.

GAGNÉ, R.M.: *The conditions of learning,* Holt, Rinehart and Winston, New York, (*3e édition*), 1977.

GANTT, W.H.: The nervous secretion of saliva: the relation of the conditioned reflex to the intensity of the unconditioned stimulus, *American journal of physiology,* **123:** 74, 1938.

GANZ, L. et A.H. RIESEN: Stimulus generalization to hue in the dark-reared macaque, *Journal of comparative and physiological psychology,* **55:** 92-99, 1962.

GARCIA, J., F.R. ERVIN et R.A. KOELLING: Learning with prolonged delay of reinforcement, *Psychonomic science,* **5:** 121-122, 1966.

GARCIA, J. et W.G. HANKINS: On the origin of food aversion paradigms, in: Barker, L.M., M.R. Best et M. Domjam (Éds), *Learning mechanisms in food selection,* Baylor University Press, Waco, Texas, 1977.

GARCIA, J., W.G. HANKINS et K.W. RUSINIAK: Food aversion studies, *Science,* **192:** 265-266, 1976.

GARCIA, J. et R.A. KOELLING: Relation of cue to consequence in avoidance learning, *Psychonomic science,* **4:** 123-124, 1966.

GARCIA, J., B.K. McGOWAN, F.R. ERVIN et R.A. KOELLING: Cues-their relative effectiveness as a function of the reinforcer, *Science,* **160:** 794-795, 1968.

GARCIA, J., K.W. RUSINIAK et L.P. BRETT: Conditioning food-illness aversions in wild animals: caveant canonici, in: Davis, H. et H.M.B. Hurwitz (Éds), *Operant-pavlovian interactions,* Lawrence Erlbaum, Hillsdale, N.J., 1977.

GARDNER, E.L. et D.R. ENGEL: Imitational and social facilitatory aspects of observational learning in the laboratory rat, *Psychonomic science,* **25:** 5-6, 1971.

GARDNER, L.E.: Retention and over-habituation of a dual-component response in *Lumbricus terrestris, Journal of comparative and physiological psychology,* **66;** 315-318, 1968.

GAZDA, G.M. et R.J. CORSINI: *Theories of learning. A comparative approach,* F.E. Peacock, Itasca, Ill., 1980.

GEWIRTZ, J.L.: The roles of overt responding and extrinsic reinforcement in «self» and «vicarious reinforcement» phenomena and in «observational learning» and imitation, in: Glaser, R. (Éd.), *The nature of reinforcement,* Academic Press, New York, 1971.

GEWIRTZ, J.L. et K.G. STINGLE: Learning of generalized imitation as a basis for identification, *Psychological review,* **75**: 374-397, 1968.

GIBSON, K.R.: Brain structure and intelligence in macaques and human infants from a Piagetian perspective, in: Chevalier-Skolnikoff, S. et F.E. Poirier (Éds), *Primate bio-social development: biological, social and ecological determinants,* Garland Publishing, New York, 1977.

GILLAN, D.J. et M. DOMJAM: Taste-aversion conditioning with expected vs unexpected drug treatment, *Journal of experimental psychology. Animal behavior processes,* **3**: 297-309, 1977.

GINTON, A., G. URCA et R.E. LUBOW: The effects of preexposure to a non-attended stimulus on subsequent learning: latent inhibition in adults, *Bulletin of the psychonomic society,* **5**: 5-8, 1975.

GONZALEZ, R.C., G.V. GENTRY et M.E. BITTERMAN: Relational discrimination of intermediate size in the chimpanzee, *Journal of comparative and physiological psychology,* **47**: 385-388, 1954.

GOODRICH, K.P.: Running speed and drinking as functions of sucrose concentrations and amount of consummatory activity, *Journal of comparative and physiological psychology,* **53**: 245-250, 1960.

GOODWIN, D.: Some abnormal sexual fixations in birds, *Ibis,* **90**: 45-48, 1948.

GORMEZANO, I.: Classical conditioning, in: Sidowski, J.B. (Éd.), *Experimental methods and instrumentation in psychology,* McGraw-Hill, New York, 1966.

GORMEZANO, I.: Investigations of defense and reward conditioning in the rabbit, in: Black, A.H. et W.F. Prokasy (Éds), *Classical conditioning II: curent research and theory,* Appleton-Century-Crofts, New York, 1972.

GOTTLIEB, G.: A naturalistic study of imprinting in wood ducklings (*Aix sponsa*), *Journal of comparative and physiological psychology,* **56**: 86-91, 1963.

GOTTLIEB, G.: The question of imprinting in relation to parental and species identification by avian neonates, *Journal of comparative and physiological psychology,* **59**: 345-356, 1965.

GOULD, S.J.: *Ever since Darwin,* W.W. Norton, New York, 1977.

GRAFT, D.A., S.E.A. LEA et T.L. WHITWORTH: The matching law in and within groups of rats, *Journal of the experimental analysis of behavior,* **25**: 183-194, 1977.

GRANT, D.A., H.W. HAKE, A.J. RIOPELLE et A. KOSTLAN: Effects of repeated testing with conditioned stimulus upon extinction of the eyelid response to light, *American journal of psychology,* **54**; 247-252, 1951.

GRANT, D.A., H.W. HAKE et D.E. SCHNEIDER: Effects of pretesting with conditioned stimulus upon extinction of the conditioned eyelid response, *American journal of psychology,* **61**: 74-78, 1948.

GRANT, D.A. et L.M. SCHIPPER: The acquisition and extinction of conditioned eyelid response as a function of the percentage of fixed ratio random reinforcement, *Journal of experimental psychology,* **43**: 313-320, 1952.

GRANT, D.A. et D.E. SCHNEIDER: Intensity of the conditioned stimulus and strength of conditioning. II. The conditioned galvanic skin response to an auditory stimulus, *Journal of experimental psychology,* **39**: 35-40, 1949.

GRAY, J.A.: Stimulus intensity dynamism, *Psychological bulletin,* **63:** 180-196, 1965.

GRAY, P.H.: The releasers of imprinting: differential reactions to colour as a function of maturation, *Journal of comparative and physiological psychology,* **54:** 507-601, 1961.

GRAY, T.: Blocking in the CER: trace and delay procedures, *Revue canadienne de psychologie,* **32:** 40-42, 1978.

GRAY, T. et A.A. APPIGNANESI: Compound conditioning: elimination of the blocking effect, *Learning and motivation,* **4:** 374-380, 1973.

GRETHER, W.F.: Pseudoconditioning without paired stimulation in attempted backward conditioning, *Journal of comparative psychology,* **25:** 91-96, 1938.

GRICE, G.R. et J.J. HUNTER: Stimulus intensity effects depend upon the type of experimental design, *Psychological review,* **71:** 247-256, 1964.

GRIFFIN, D.R.: *The question of animal awareness. Evolutionary continuity of mental experience,* Rockfeller University Press, New York, 1976.

GRIFFIN, D.R.: Prospects for a cognitive ethology, *Behavioral and brain sciences,* **1:** 527-538, 1979.

GRINBERG-ZYLBERBAUM, J., M.B. CARRANZA, S.V. CEPEDA, T.C. VALE et N.M. STEINBERG: Caudate nucleus stimulation impairs the processes of perceptual integration, *Physiology and behavior,* **12:** 913-918, 1974.

GRINDLEY, G.C. Experiments on the influence of amount of reward on learning in young chickens, *British journal of psychology,* **20:** 173-180, 1929.

GROESBECK, R.W. et P.H. DUERFELDT: Some relevant variables in observational learning of the rat, *Psychonomic science,* **22:** 41-43, 1971.

GROVES, P.M. et R.F. THOMPSON: Habituation: a dual-process theory, *Psychological review,* **77:** 419-450, 1970.

GRUBER, H.E., J.S. GIRCUS et I. BANUAZINI: The development of object permanence in the cat, *Developmental psychology,* **14:** 9-15, 1971.

GUITON, P.: Socialization and imprinting in Brown Leghorn chicks, *Animal behaviour,* **7:** 26-34, 1959.

GUITON, P.: The influence of imprinting on the agonistic and courtship responses of the Brown Leghorn cock, *Animal behaviour,* **9,** 167-177, 1961.

GUITON, P.: The development of sexual responses in the domestic fowl in relation to the concept of imprinting, *Symposium of the zoological society of London,* **8:** 227-234, 1962.

GUSTAVSON, C.R., J. GARCIA, W.G. HANKINS et K.W. RUSINIAK: Coyote predation control by aversive conditioning, *Science,* **184:** 581-583, 1974.

GUTHRIE, E.R.: *The psychology of learning,* Harper, New York, 1935.

GUTHRIE, E.R.: Conditioning: a theory of learning in terms of stimulus, response and association, **in:** Henry, N.B. (Éd.), *The forty-first yearbook of the national society for the study of education,* 2ᵉ partie, University of Chicago Press, Chicago, 1942.

GUTHRIE, E.R.: *The psychology of learning, (2ᵉ édition),* New York, Harper and Row, 1952.

GUTTMAN, N.: Equal reinforcement values for sucrose and glucose solutions as compared with equal sweetness values, *Journal of experimental psychology,* **47:** 358-361, 1954.

GUTTMAN, N. et H.I. KALISH: Discriminability and stimulus generalization, *Journal of experimental psychology,* **51:** 79-88, 1956.

HAILMAN, J.P.: The ontogeny of an instinct, *Behaviour, supplément* **15**, 1967.

HALL, J.F.: *Classical conditioning and instrumental learning: a contemporary approach*, J.B. Lippincott, New York, 1976.

HANER, C.F. et E.R. WHITNEY: Empathic conditioning and its relation to anxiety level, *American psychologist,* **15**: 493 (*résumé*), 1960.

HANSON, H.M.: Effects of discrimination training on stimulus generalization, *Journal of experimental psychology,* **58**: 321-324, 1959.

HARLOW, H.F.: The formation of learning sets, *Psychological review,* **56**: 51-65, 1949.

HARLOW, H.F.: The development of learning in rhesus monkey, *American scientist,* **47**: 459-479, 1959.

HARRIS, J.D.: Habituatory response decrement in the intact organism, *Psychological bulletin,* **40**: 385-422, 1943.

HASTINGS, S.E. et P.A. OBRIST: Heart rate during conditioning in humans: effect of varying interstimulus (CS-UCS) interval, *Journal of experimental psychology,* **74**: 431-432, 1967.

HEARST, E., S. BESLEY et G.W. FARTHING: Inhibition and the stimulus control of operant behavior. *Journal of the experimental analysis of behavior,* **14**: 373-409, 1970.

HEBB, D.O.: On the nature of fear, *Psychological review,* **52**: 259-276, 1946.

HEBB, D.O.: Heredity and environment in mammalian behaviour, *British journal of animal behaviour,* **1**: 43-47, 1953.

HEBB, D.O.: Drives and the C.N.S. (conceptual nervous system), *Psychological review,* **62**: 243, 254, 1955.

HEINEMANN, E.G. et R.L. RUDOLPH: The effect of discriminative training on the gradient of generalization, *American journal of psychology,* **76**: 653-658, 1963.

HERBERT, J.J. et C.M. HARSH: Observational learning by rats, *Journal of comparative and physiological psychology,* **37**: 81-95, 1944.

HERGENHAHN, B.R.: *An introduction to the theories of learning,* Prentice-Hall, Englewood Cliffs, N.J., 1976.

HERMAN, R.L. et N.H. AZRIN: Punishment by noise in an alternative response, *Journal of the experimental analysis of behavior,* **7**: 185-188, 1964.

HERNÁNDEZ-PEÓN, R.: Neurophysiological correlates of habituation and other manifestations of plastic inhibition (internal inhibition), *Electroencephalography and clinical neurophysiology, (supplément 13),* 101-114, 1960.

HERRNSTEIN, R.J.: Relative and absolute strength of response as a function of frequency of reinforcement, *Journal of the experimental analysis of behavior,* **4**: 267-272, 1961.

HERRNSTEIN, R.J.: Method and theory in the study of avoidance, *Psychological review,* **76**: 46-69, 1969.

HERRNSTEIN, R.J.: On the law of effect, *Journal of the experimental analysis of behavior,* **13**: 243-266, 1970.

HERRNSTEIN, R.J.: The evolution of behaviorism, *American psychologist,* **32**: 593-603, 1977.

HERRNSTEIN, R.J. et P.N. HINELINE: Negative reinforcement as shock frequency reduction, *Journal of the experimental analysis of behavior,* **9**: 421-430, 1966.

HESS, E.H.: Effects of meprobamate on imprinting in waterfowl, *Annals of the New York academy of sciences,* **67**: 724-732, 1957.

HESS, E.H.: Imprinting, *Science,* **130:** 133-141, 1959a.

HESS, E.H.: The relationship between imprinting and motivation, **in:** Jones, M.R. (Éd,) *Nebraska symposium on motivation,* University of Nebraska Press, Lincoln, 1959b.

HESS, E.H.: Two conditions limiting critical age for imprinting, *Journal of comparative and physiological psychology,* **52:** 515-518, 1959c.

HESS, E.H.: Imprinting in birds, *Science,* **146:** 1128-1139, 1964.

HESS, E.H.: The natural history of imprinting, *Annals of the New York academy of sciences,* **193:** 124-136, 1972.

HESS, E.H.: *Imprinting,* D. Van Nostrand, New York, 1973.

HETH, D.C. et R.A. RESCORLA: Simultaneous and backward fear conditioning in the rat, *Journal of comparative and physiological psychology,* **82:** 434-443, 1973.

HILGARD, E.R.: The nature of the conditioned response. **I.** The case for and against stimulus substitution, *Psychological review,* **43:** 366-385, 1936.

HILGARD, E.R. et G.H. BOWER: *Theories of learning,* Prentice-Hall, Englewood Cliffs, N.J., 4e édition, 1975.

HILGARD, E.R. et D.G. MARQUIS: Acquisition, extinction and retention of conditioned lid responses to light in dogs, *Journal of comparative and physiological psychology,* **19:** 29-58, 1935.

HILGARD, E.R. et D.G. MARQUIS: Conditioned eyelid responses in monkeys, with a comparison of dog, monkey and man, *Psychological monographs,* **47:** n° 212, 1936.

HILGARD, E.R. et D.G. MARQUIS: *Conditioning and learning,* Appleton-Century-Crofts, New York, 1940.

HILL, W.F.: *Learning. A survey of psychological interpretations,* Thomas V. Crowell, New York, 1977.

HILLIX, W.A.: Theories of learning, **in:** Marx, M.H. et M.E. Bunch (Éds), *Fundamentals and applications of learning,* MacMillan, New York, 1977.

HINDE, R.A.: Factors governing the changes in strenght of a partially inborn response, as shown by the mobbing behaviour of the chaffinch (*Fringilla coelebs*). **I.** The nature of the response, and an examination of its course, *Proceedings of the royal society B,* **142:** 306-331, 1954a.

HINDE, R.A.: Factors governing the changes in strength of a partially inborn response, as shown by the mobbing behaviour of the chaffinch (*Fringilla coelebs*). **II.** The waning of the response, *Proceedings of the royal society B,* **142:** 331-358, 1954b.

HINDE, R.A.: Factors governing the changes in strength of a partially inborn response, as shown by the mobbing behaviour of the chaffinch (*Fringilla coelebs*). **III.** The interaction of short term and long term incremental and decremental effects, *Proceedings of the royal society B,* **153:** 398-420, 1961a.

HINDE, R.A.: The establishment of parent-offspring relation in birds, with some mammalian analogies, **in:** Thorpe, W.H. et O.L. Zangwill (Éds), *Current problems in animal behaviour,* Cambridge University Press, Cambridge, 1961b.

HINDE, R.A.: The nature of imprinting, **in:** Foss, B.M. (Éd.), *Determinants of infant behaviour. II. Second Tavistock seminar on mother-infant interaction,* Wiley, New York, 1963.

HINDE, R.A.: Behavioural habituation, **in:** Horn, G. et R.A. Hinde (Éds), *Short-term changes in neural activity and behaviour,* Cambridge University Press, New York, 1970.

HINDE, R.A.: *Le comportement animal. Une synthèse de l'éthologie et de la psychologie comparée* (**2 tomes**), Presses Universitaires de France, Paris, 1975.

HINDE, R.A. et J.G. STEVENSON-HINDE: *Constraints on learning. Limitations and predispositions,* Academic Press, New York, 1973.

HINDE, R.A., W.H. THORPE et M.A. VINCE: The following response of young coots and moorhens, *Behaviour,* **9:** 214-242, 1956.

HINELINE, P.N. et H. RACHLIN: Escape and avoidance of shock by pigeons pecking a key, *Journal of the experimental analysis of behavior,* **12:** 533-538, 1969.

HINTZMAN, D.L.: *The psychology of learning and memory,* W.H. Freeman, San Francisco, 1978.

HONIG, W.K.: Attention and the modulation of stimulus control, **in:** Mostofsky, D. (Éd.), *Stimulus generalization,* Stanford University Press, Stanford, 1969.

HONIG, W.K., C.A. BONEAU, K.R. BURSTEIN et H.S. PENNYPACKER: Positive and negative generalization gradients obtained after equivalent training conditions, *Journal of comparative and physiological psychology,* **56:** 111-116, 1963.

HOOPER, R.: Variables controlling the overlearning reversal effect (ORE), *Journal of experimental psychology,* **73:** 612-619, 1967.

HOUSTON, J.P.: *Fundamentals of learning,* (2e édition), Academic Press, New York, 1979.

HOWELLS, T.H. et D.O. VINE: The innate differential in social learning, *Journal of abnormal and social psychology,* **35:** 537-548, 1940.

HSIA, D.Y.-Y.: The hereditary metabolic diseases, **in:** Hirsch, J. (Éd.), *Behavior-genetic analysis,* McGraw-Hill, New York, 1967.

HUGHES B. et H. SCHLOSBERG: Conditioning in the white rat. **IV.** The conditioned lid reflex, *Journal of experimental psychology,* **23:** 641-650, 1938.

HULL, C.L.: *Aptitude testing,* World Books, Yonkers-on-Hudson, New York, 1928.

HULL, C.L.: A functional interpretation of the conditioned reflex, *Psychological review,* **36:** 498-511, 1929.

HULL, C.L.: Knowledge and purpose as habit mechanisms, *Psychological review,* **37:** 511-525, 1930.

HULL, C.L.: *Hypnosis and suggestibility. An experimental approach,* Naiburg, New York, 1933.

HULL, C.L.: *Principles of behavior,* Prentice-Hall, Englewood Cliffs, N.J., 1943.

HULL, C.L.: Stimulus intensity dynamism (V) and stimulus generalization, *Psychological review,* **56:** 67-76, 1949.

HULL, C.L.: *A behavior system. An introduction to behavior theory concerning the individual organism,* Yale University Press, New Haven, 1952.

HULL, C.L., C.I. HOVLAND, R.T. ROSS, M. HALL, D.T. PERKINS et F.B. FITCH: *Mathematico-deductive theory of rote learning,* Yale University Press, New Haven, 1940.

HULSE, S.H., J. DEESE et H. EGETH: *The psychology of learning,* Mc Graw-Hill, New York, 1975.

HULSTIJN, W.: The orienting reaction during human eyelid conditioning following preconditioning exposures to CS, *Psychological research,* **40:** 77-88, 1978.

HUMPHREY, G.: *The nature of learning and its relation to the living system,* Harcourt, New York, 1933.

HUMPHREYS, L.G.: Acquisition and extinction of verbal expectations in a situation analogous to conditioning, *Journal of experimental psychology,* **25**: 294-301, 1939a.

HUMPHREYS, L.G.: The effect of random alternation of reinforcement on the acquisition and extinction of conditioned eyelid reactions, *Journal of experimental psychology,* **25**: 141-158, 1939b.

HURWITZ, H.M.B.: Method for discriminative avoidance training, *Science,* **145**: 1070-1071, 1964.

JACOBY, K.E. et M.E. DAWSON: Observation and shaping learning: a comparison using Long Evans rats, *Psychonomic science,* **16**: 257-258, 1969.

JACQUARD, A.: *Éloge de la différence. La génétique des hommes,* Seuil, Paris, 1978.

JAMES, H.: Flicker: an unconditioned stimulus for imprinting, *Canadian journal of psychology,* **14**: 13-20, 1959.

JAMES, W.: *Principles of psychology,* **volume 2**, Holt, New York, 1890.

JAYNES, J.: Imprinting: the interaction of learned and innate behaviour. I. Development and generalization, *Journal of comparative and physiological psychology,* **49**: 201-206, 1956.

JENKINS, H.M.: Sequential organization in schedules of reinforcement, **in:** Schoenfeld, W.N. (Éd.), *The theory of reinforcement schedules,* Appleton-Century Crofts, New York, 1970.

JENKINS, H.M. et R.H. HARRISON: Effect of discrimination training on auditory generalization, *Journal of experimental psychology,* **59**: 246-253, 1960.

JENNINGS, H.S.: *Behavior of the lower organisms,* MacMillan, New York, 1906.

JOHN, E.R., P. CHESLER, F. BARTLETT et I. VICTOR: Observation learning in cats, *Science,* **159**: 1489-1491, 1968.

JOHNSTON, T.D.: Contrasting approaches to a theory of learning, *Behavioral and brain sciences,* **4**: 125-173, 1981.

KALAT, J.W.: Biological significance of food aversion learning, **in:** Milgram, N.W., L. Krames et T.M. Alloway (Éds), *Food aversion learning,* Plenum Press, New York, 1977.

KAMIN, L.J.: The gradient of delay of secondary reward in avoidance learning, *Journal of comparative and physiological psychology,* **50**: 445-449, 1957a.

KAMIN, L.J.: The gradient of delay of secondary reward in avoidance learning tested on avoidance trials only, *Journal of comparative and physiological psychology,* **50**: 450-456, 1957b.

KAMIN, L.J.: Temporal and intensity characteristics of the conditioned stimulus, **in:** Prokasy, W.F. (Éd.), *Classical conditioning: a symposium,* Appleton-Century Crofts, New York, 1965.

KAMIN, L.J.: «Attention-like» processes in classical conditioning, **in:** Jones, M.R. (Éd.), *Miami symposium on the prediction of behavior: aversive stimulation,* University of Miami Press, Miami, 1968.

KAMIN, L.J.: Predictability, surprise, attention and conditioning, **in:** Campbell, B.A. et R.M. Church (Éds), *Punishment and aversive behavior,* Appleton-Century-Crofts, New York, 1969.

KAMIN, L.J. et C.J. BRIMER: The effects of intensity of conditioned and unconditioned stimuli on a conditioned emotional response, *Revue canadienne de psychologie,* **17**: 194-198, 1963.

KAPLAN, M., B. JACKSON et R. SPARER: Escape behavior under continuous rein-forcement as a function of aversive light intensity, *Journal of the experimental analysis of behavior,* **8:** 321-323, 1965.

KATKIN, E.S. et E.N. MURRAY: Instrumental conditioning of autonomically mediated behavior: theoretical and methodological issues, *Psychological bulletin,* **70:** 52-68, 1968.

KAVANAU, J.L.: Behavior of captive white-footed mice, **in:** Willems, E.P. et H.L. Raush (Éds), *Naturalistic viewpoints in psychological research,* Holt, Rinehart and Winston, New York, 1969.

KAWAMURA, S.: The process of sub-culture propagation among Japanese maca-ques, *Primates,* **3:** 43-60, 1959.

KEAR, J.: Abnormal sexual behavior of a hawfinch, *Coccothraustes; coccothraustes, Ibis,* **102:** 614-616, 1960.

KEITH-LUCAS, T. et N. GUTTMAN: Robust single-trial delayed backward condi-tioning, *Journal of comparative and physiological psychology,* **88:** 468-476, 1975.

KELLOGG, W.N.: Evidence for both stimulus-substitution and original anticipatory responses in the conditioning of dogs, *Journal of experimental psychology,* **22:** 186-192, 1938.

KEMLER, D.G. et B.E. SHEPP: Learning and transfer of dimensional relevance and irrelevance in children, *Journal of experimental psychology,* **90:** 120-127, 1971.

KENDLER, T.S.: An experimental investigation of transposition as a function of the difference between training and test stimuli, *Journal of experimental psychology,* **40:** 552-562, 1950.

KENDLER, T.S.: Continuity theory and cue-dominance, **in:** Kendler, H.H. et J.T. Spence (Éds), *Essays in neobehaviorism: a memorial volume to Kenneth W. Spence,* Appleton-Century-Crofts, New York, 1971.

KENNEDY, J.S.: Is modern ethology objective?, *British journal of animal behaviour,* **2:** 12-19, 1954.

KIMBLE, G.A.: *Hilgard and Marquis' conditioning and learning,* Appleton-Century-Crofts, New York, 1961.

KIMBLE, G.A. et B. REYNOLDS: Eyelid conditioning as a function of the interval between conditioned and unconditioned stimuli, **in:** Kimble, G.A. (Éd.), *Founda-tions of conditioning and learning,* Appleton-Century-Crofts, New York, 1967.

KIMMEL, H.D.: Instrumental conditioning of autonomically mediated behavior, *Psychological bulletin,* **67:** 337-345, 1967.

KINTSCH, W.: Runway performance as a function of drive strenght and magnitude of reinforcement, *Journal of comparative and physiological psychology,* **55:** 882-887, 1962.

KLOPFER, P.H.: An experiment on empathic learning, *American naturalist,* **91:** 61-63, 1957.

KLOPFER, P.H.: Influence of social interactions on learning rates in birds, *Science,* **128:** 903, 1958.

KLOPFER, P.H.: An analysis of learning in young Anatidae, *Ecology,* **40:** 90-102, 1959.

KLOPFER, P.H.: Lettre, *Science,* **133:** 923-924, 1961a.

KLOPFER, P.H.: Observational learning in birds: the establishment of behavioural modes, *Behaviour,* **17:** 71-80, 1961b.

KLOPFER, P.H.: Imprinting: a reassessment, *Science,* **147:** 302-303, 1965.

KLOPFER, P.H. et D.W. FELDMAN: A study of observational learning in Lemurs, *Zeitschrift für Tierpsychologie*, **30:** 297-304, 1972.

KLOPFER, P.H. et G. GOTTLIEB: The relation of developmental age to auditory and visual imprinting, *Journal of comparative and physiological psychology*, **55:** 821-826, 1962.

KLOPFER, P.H. et J.P. HAILMAN: *An introduction to animal behavior: ethology's first century,* Prentice-Hall, Englewood Cliffs, N.J., 1967.

KOBASIGAWA, A.: Observation of failure in another person as a determinant of amplitude and speed of a simple motor response, *Journal of personality and social psychology*, **1:** 626-630, 1965.

KÖHLER, W.: *L'intelligence des singes supérieurs,* CEPL, Paris, 1925.

KÖHLER, W.: Simple structural functions in the chimpanzee and in the chicken, **in:** Ellis, W.D. (Éd.), *A source book of gestalt psychology*, Harcourt Brace Jovanovich, New York, 1939.

KÖHLER, W.: *Psychologie de la forme, (édition 1964)*, Gallimard, Paris 1929.

KOHN, B. et M. DENNIS: Observation and discrimination learning in the rat: specific and nonspecific effects, *Journal of comparative and physiological psychology*, **78:** 292-296, 1972.

KONISHI, M.: The role of auditory feedback in the control of vocalization in the white-crowned sparrow, *Zeitschrift für Tierpsychologie*, **22:** 770-783, 1965.

KONORSKI, J.: *Conditioned reflexes and neuron organization,* Cambridge University Press, Cambridge, 1948.

KONORSKI, J.: *Integrative activity of the brain,* University of Chicago Press, Chicago, 1967.

KONORSKI, J. et S. MILLER: On two types of conditioned reflex, *Journal of general psychology*, **16:** 264-272, 1937.

KOTESKEY, R.L.: A stimulus-sampling model of partial reinforcement effect, *Psychological review*, **79:** 161-171, 1972.

KRAELING, D.: Analysis of amount of reward as a variable in learning, *Journal of comparative and physiological psychology*, **54:** 560-565, 1961.

KRECHEVSKY, I.: A note concerning the nature of discrimination learning in animals, *Psychological review*, **44:** 97-104, 1937.

KRECHEVSKY, I.: A study of the continuity of the problem-solving process, *Psychological review*, **45:** 107-133, 1938.

KREMER, E.F.: Truly random and traditional control procedures in CER conditioning in the rat, *Journal of comparative and physiological psychology*, **76:** 441-448, 1971.

KREMER, E.F. et L.J. KAMIN: The truly random control procedures: associative or nonassociative effects in rats. *Journal of comparative and physiological psychology*, **74,** 203-210, 1971.

KRIAZHEV, V.I.: The objective investigation of the higher nervous activity in a collective experiment, *Psychological abstracts*, **8:** 2532, 1934.

KUHN, T.S. *The structure of scientific revolutions, (2ᵉ édition),* University of Chicago Press, Chicago, 1970.

KUMMER, H.: *Primate societies,* Aldine, Chicago, 1971.

KUO, Z.Y.: Giving up instincts in psychology, *Journal of psychology*, **17:** 645-664, 1921.

KUO, Z.Y.: A psychology without heredity, *Psychological review*, **31:** 427-451, 1924.

LACK, D.: Some aspects of instinctive behaviour and display in birds, *Ibis*, **5**: 407-441, 1941.

LADOUCEUR, R., M.A. BOUCHARD et L. GRANGER: *Principes et applications des thérapies behaviorales*, Edisem, Saint-Hyacinthe, 1977.

LAMOUREUX, G., J. JOLY et M.A. BOUCHARD: Rétroaction biologique, **in**: Ladouceur, R., M.A. Bouchard et L. Granger (Éds), *Principes et applications des thérapies behaviorales*, Edisem, Saint-Hyacinthe, 1977.

LASHLEY, K.S. et M. WADE: The Pavlovian theory of generalization, *Psychological review*, **53**: 72-87, 1946.

LAWICKA, W.: The role of stimuli modality in successive discrimination and differentiation learning, *Bulletin of the Polish academy of sciences*, **12**: 35-58, 1964.

LAWRENCE, D.H.: Acquired distinctiveness of cues: **I.** Transfer between discriminations on the basis of familiarity with the stimulus, *Journal of experimental psychology*, **39**: 770-784, 1949.

LAWRENCE, D.H.: Acquired distinctiveness of cues: **II.** Selective association in a constant stimulus situation, *Journal of experimental psychology*, **40**: 175-188, 1950.

LAWRENCE, D.H. et J. DeRIVERA: Evidence for relational transposition, *Journal of comparative and physiological psychology*, **47**: 465-471, 1954.

LEHRMAN, D.S.: A critique of Konrad Lorenz's theory of instinctive behaviour, *Quaterly review of biology*, **28**: 337-363, 1953.

LEIBRECHT, B.C. et W.S. KEMMERER: Varieties of habituation in the chinchilla (*Chinchilla lanigera*), *Journal of comparative and physiological psychology*, **86**: 124-132, 1974.

LeNY, J.F.: *Apprentissage et activités psychologiques*, Presses Universitaires de France, Paris, 1967.

LeNY, J.F.: *Le conditionnement et l'apprentissage*, Presse Universitaires de France, Paris, 1972.

LEONARD, D.W. et J. THEIOS: Classical eyelid conditioning in rabbits under prolonged single alternation conditions of reinforcement, *Journal of comparative and physiological psychology*, **64**: 273-276, 1967.

LEVINE, S.: UCS intensity and avoidance learning, *Journal of experimental psychology*, **71**: 163-164, 1966.

LEWONTIN, R.C.: Adaptation, *Scientific american*, **239**: 213-230, 1978.

LOGAN, C.A.: Topographic changes in responding during habituation to water-stream stimulation in sea anemones (*Anthopleura elegantissima*), *Journal of comparative and physiological psychology*, **89**: 105-117, 1975.

LOGAN, F.A.: A note on stimulus intensity dynamism **(V)**, *Psychological review*, **61**: 77-80, 1954.

LOGAN, F.A.: *Incentive*, Yale University Press, New Haven, 1960.

LOGUE, A.W.: Taste aversion and the generality of the laws of learning, *Psychological bulletin*, **86**: 276-296, 1979.

LORE, R., A. BLANC et P. SUEDFELD: Empathic learning of a passive-avoidance response in domesticated *Rattus norvegicus*, *Animal behaviour*, **19**: 112-114, 1971.

LORENZ, K.: Le compagnon dans l'environnement propre de l'oiseau, **in**: *Essais sur le comportement animal et humain*, Seuil, Paris, 1970 (1935).

LORENZ, K.: Sur la formation du concept d'instinct, in *Essais sur le comportement animal et humain,* Seuil, Paris, 1970 (1937).

LORENZ, K.: Taxie et action instinctive dans le mouvement de roulage de l'oeuf chez l'oie grise, in: *Essais sur le comportement animal et humain,* Seuil, Paris, 1970 (1938).

LORENZ, K.: Inductive and teleological psychology, in: *Studies in animal and human behaviour,* volume 1, Harvard University Press, Cambridge, 1970 (1942).

LORENZ, K.: Le tout et la partie dans la société animale et humaine, in: *Essais sur le comportement animal et humain,* Seuil, Paris, 1970 (1950).

LORENZ, K.: *King Solomon's ring,* Signet, Chicago, 1952.

LORENZ, K.: Psychologie et phylogénèse, in: *Essais sur le comportement animal et humain,* Seuil, Paris, 1970 (1954).

LORENZ, K.: Morphology and behavior patterns in closely allied species, in: Schaffner, B. (Éd.), *Group processes,* Josiah Marcy Jr. Foundation, New York, 1955.

LORENZ, K.: Methods of approach to the problems of behaviour, in: *Studies in animal and human behavior,* volume 1, Harvard University Press, Cambridge, 1970 (1958).

LORENZ, K.: Innate bases of learning, in: Pribram, K. (Éd.), *On the biology of learning,* Harcourt Brace Jovanovich, New York, 1969.

LORENZ, K.: *Evolution et modification du comportement,* Payot, Paris, 1970 (1965).

LOVEJOY, E.: Analysis of overlearning reversal effect, *Psychological review,* **73:** 87-103, 1966.

LOVEJOY, E.: *Attention in discrimination learning,* Holden-Day, San Francisco, 1968.

LUBOW, R.E.: Latent inhibition: effects of frequency of nonreinforced preexposure to the CS, *Journal of comparative and physiological psychology,* **60:** 454-455, 1965.

LUBOW, R.E. et A.V. MOORE: Latent inhibition: the effect of nonreinforced preexposure of the conditioned stimulus, *Journal of comparative and physiological psychology,* **52:** 415-419, 1959.

LUONGO, A.F.: Stimulus selection in discriminative taste-aversion learning in the rat, *Animal learning and behavior,* **4:** 225-230, 1976.

MACFARLANE, D.A.: The role of kinesthesis in maze learning, *University of California publications in psychology,* **4:** 277-305, 1930.

MACKINTOSH, N.J.: Overtraining and transfer within and between dimensions in the rat, *Quaterly journal of experimental psychology,* **16:** 250-256, 1964.

MACKINTOSH, N.J.: Further analysis of the overtraining reversal effect, *Journal of comparative and physiological psychology,* **67:** 1-18, 1969.

MACKINTOSH, N.J.: An analysis of overshadowing and blocking, *Quaterly journal of experimental psychology,* **23:** 118-125, 1971.

MACKINTOSH, N.J.: Stimulus selection: learning to ignore stimuli that predict no change in reinforcement, in: Hinde, R.A. et J. Stevenson-Hinde (Éds), *Constraints on learning,* Academic Press, New York, 1973.

MACKINTOSH, N.J.: *The psychology of animal learning,* Academic Press, New York, 1974.

MACKINTOSH, N.J.: Blocking of conditioned suppression: role of the compound trial, *Journal of experimental psychology. Animal behavior processes,* **1:** 335-345, 1975a.

MACKINTOSH, N.J.: A theory of attention: variations in the association of stimuli with reinforcement, *Psychological review,* **82:** 276-298, 1975b.

MACKINTOSH, N.J.: Overshadowing and stimulus intensity, *Animal learning and behavior,* **4:** 186-192, 1976.

MACKINTOSH, N.J.: Stimulus control: attentional factors, **in:** Honig, W.K. et J.E.R. Staddon (Éds), *Handbook of operant behavior,* Prentice-Hall, Englewood Cliffs, N.J., 1977.

MACKINTOSH, N.J. et L. LITTLE: Intradimensional and extradimensional shift learning by pigeons, *Psychonomic science,* **14:** 5-6, 1969.

MACKINTOSH, N.J. et N.S. SUTHERLAND: *Mechanisms of animal discrimination learning,* Academic Press, New York, 1971.

MADSEN, K.B.: *Theories of motivation,* Murksgaard, Copenhague, 4ᵉ édition 1968.

MAHONEY, W.J. et J.J.B. AYRES: One-trial simultaneous and backward fear conditioning as reflected in conditioned suppression of licking in rats, *Animal learning and behavior,* **4:** 357-362, 1976.

MAIER, S.F.: Failure to escape traumatic shock: incompatible skeletal motor response or learned helplessness, *Learning and motivation,* **1:** 157-170, 1970.

MAIER, S.F. et M.E.P. SELIGMAN: Learned helplessness: theory and evidence, *Journal of experimental psychology. General,* **105:** 3-46, 1976.

MALCUIT, G. et A. POMERLEAU: *Terminologie en conditionnement et en apprentissage,* Les Presses de l'Université du Québec, Montréal, 1977.

MARCHANT, R.G., F.W. MIS et J.W. MOORE: Conditioned inhibition of the rabbit's nictitating membrane response, *Journal of experimental psychology,* **95:** 108-111, 1972.

MARLER, P.: Bird song and speech development: could there be parallels?, *American scientist,* **58:** 669-673, 1970.

MARLER, P. et M. TAMURA: Culturally transmitted patterns of vocal behavior in sparrows, *Science,* **146:** 1483-1486, 1964.

MARSH, G.: Relational learning in the pigeon, *Journal of comparative and physiological psychology,* **64:** 519-521, 1967.

MARTIN, G. et J. PEAR: *Behavior modification. What it is and how to do it,* Prentice-Hall, Englewood Cliffs, N.J., 1978.

MARTIN, R. et S. HAROLDSON: Effect of vicarious punishment on stuttering frequency, *Journal of speech and hearing research,* **20:** 21-26, 1977.

MARX, M.H.: Positive contrast in instrumental learning from quantitive shift in incentive, *Psychonomic science,* **16:** 254-255, 1969.

MARX, M.H.: Theory construction and evaluation, **in:** Marx, M.H. (Éd.), *Learning: theories,* MacMillan, New York, 1970.

MARX, M.H. et M.E. BUNCH: *Fundamentals and applications of learning,* MacMillan, New York, 1977.

MATHIEU, M.: *Intelligence sans langage: le développement sensori-moteur du jeune chimpanzé,* Éditions universitaires internationales Chenelière et Stanké, Montréal, sous presse.

MATHIEU, M., M.A. BOUCHARD, L. GRANGER et J. HERSCOVITCH: Piagetian object permanence in *Cebus capucinus, Lagothrica flavicauda* and *Pan troglodytes, Animal behaviour,* **24:** 585-588, 1976.

MATHIEU, M., N. DAUDELIN, Y. DAGENAIS et T. GOUIN-DÉCARIE: Piagetian causality in two house-reared chimpanzees, *Canadian journal of psychology,* **34:** 179-186, 1980.

MAY, M.A.: The psychology of learning from demonstration, *Journal of educational psychology*, **37**: 1-12, 1946.

McDOUGALL, W.: *An introduction to social psychology*, Methuen, Londres, 1908.

MEEHL, P.E.: On the circularity of the law of effect, *Psychological bulletin*, **47**: 52-75, 1950.

MELLGREN, R.L.: Positive contrast in the rat as a function of number of preshift trials in the runway, *Journal of comparative and physiological psychology*, **77**: 329-336, 1971.

MELLGREN, R.L.: Positive and negative contrast effects using delayed reinforcement, *Learning and motivation*, **3**: 185-193, 1972.

MELTON, A.W. et W.J. VON LACKUM: Retroactive and proactive inhibition in retention: evidence for a two-factor theory of retroactive inhibition, *American journal of psychology*, **54**: 157-173, 1941.

MELTZER, D. et J.A. BRAHLEK: Quantity of reinforcement and fixed-interval performance, *Psychonomic Science*, **12**: 207-208, 1968.

MERTL, A.S.: Discrimination of individuals by scent in a Primate, *Behavioral biology*, **14**: 505-509, 1975.

MERTL, A.S.: Habituation to territorial scent marks in the field by *Lemur catta*, *Behavioral biology*, **21**: 500-507, 1977.

MILES, C.G.: A demonstration of overshadowing in operant conditioning, *Psychonomic science*, **16**: 139-140, 1969.

MILES, C.G.: Blocking the acquisition of control by an auditory stimulus with pretraining on brightness, *Psychonomic science*, **19**: 133-134, 1970.

MILES, C.G. et H.M. JENKINS: Overshadowing in operant conditioning as a function of discriminability, *Learning and motivation*, **4**: 11-27, 1973.

MILLER, G.A., E. GALANTER et K.H. PRIBRAM: *Plans and structure of behavior*, Holt, New York, 1960.

MILLER, N.E.: Studies of fear as an acquirable drive, *Journal of experimental psychology*, **38**: 89-101, 1948.

MILLER, N.E.: Learning resistance to pain and fear: effects of overlearning, exposure, and rewarded exposure in context, *Journal of experimental psychology*, **60**: 137-145, 1960.

MILLER, N.E.: Learning of visceral and glandular responses, *Science*, **163**: 434-435, 1969.

MILLER, N.E. et A. CARMONA: Modification of a visceral response, salivation in thirsty dogs, by instrumental training with water reward, *Journal of comparative and physiological psychology*, **63**: 1-6, 1967.

MILLER, N.E. et J. DOLLARD: *Social learning and imitation*, Yale University Press, New Haven, 1941.

MILLER, S. et J. KONORSKI: Sur une forme particulière des réflexes conditionnels, *Compte rendu des séances de la société de biologie*, **99**: 1115-1157, 1928.

MOLTZ, H.: Imprinting: empirical basis and theoretical significance, *Psychological bulletin*, **57**: 291-314, 1960.

MOLTZ, H.: Imprinting: an epigenetic approach, *Psychological review*, **70**: 123-138, 1963.

MOLTZ, H. et L.J. STETTNER: The influence of patterned-light deprivation on the critical period for imprinting, *Journal of comparative and physiological psychology,* **54:** 279-283, 1961.

MOORE, B.R.: The role of directed Pavlovian reactions in simple instrumental learning in the pigeon, **in:** Hinde, R.A. et J. Stevenson-Hinde (Éds), *Constraints on learning,* Academic Press, New York, 1973.

MOSCOVITCH, A. et V.M. LOLORDO: Role of safety in the Pavlovian fear conditioning procedure, *Journal of comparative and physiological psychology,* **66:** 673-678, 1968.

MOWRER, O.H.: A stimulus-response analyses of anxiety and its role as a reinforcing agent, *Psychological review,* **46:** 553-565, 1939.

MOWRER, O.H.: On the dual nature of learning — A reinterpretation of «conditioning» and «problem-solving», *Harvard educative review,* **17:** 102-148, 1947.

MOWRER, O.H.: *Learning theory and personality dynamics,* Ronald Press, New York, 1950.

MOWRER, O.H.: *Learning theory and behavior,* Wiley, New York, 1960a.

MOWRER, O.H.: *Learning theory and the symbolic behavior,* Wiley, New York, 1960b.

MOWRER, O.H. et R.R. LAMOREAUX: Fear as an intervening variable in avoidance conditioning, *Journal of comparative psychology,* **39:** 29-50, 1946.

MOYER, K.E. et J.H. KORN: Effect of UCS intensity on the acquisition and extinction of an avoidance response, *Journal of experimental psychology,* **67:** 352-359, 1964.

MOYER, K.E. et J.H. KORN: Effect of UCS intensity on the acquisition and extinction of a one-way avoidance response, *Psychonomic science,* **4:** 121-122, 1966.

MUMMA, R. et J.M. WARREN: Two-cue discriminatory learning by cats, *Journal of comparative and physiological psychology,* **66:** 116-122, 1968.

MYERS, D.L. et L.E. MYERS: Undermatching: a reappraisal of performance on concurrent variable-interval schedules of reinforcement, *Journal of the experimental analysis of behavior,* **27:** 203-214, 1977.

NEURINGER, A.: Learning by following a food source, *Science,* **184:** 1005-1008, 1973.

NEVE, P.: Apprentissage et technologie comportementale, **in:** *Discours biologique et ordre social,* Seuil, Paris, 1977.

NICE, M.M.: Some experience in imprinting ducklings, *Condor,* **55:** 33-37, 1953.

NOTTEBOHM, F. Ontogeny of bird song, *Science,* **167:** 950-956, 1970.

ODLING-SMEE, F.J.: The overshadowing of background stimuli by an informative CS in aversive Pavlovian conditioning with rats, *Animal learning and behavior,* **6:** 43-51, 1978.

OST, J.W.P. et D.W. LAUER: Some investigations of classical salivary conditioning in the dog, **in:** Prokasy, W.F. (Éd.), *Classical conditioning: a symposium,* Appleton-Century-Crofts, New York, 1965.

OVERMIER, J.B.: Instrumental and cardiac indices of Pavlovian fear conditioning as a function of US duration, *Journal of comparative and physiological psychology,* **62:** 15-20, 1966.

PALLAUD, B.: *L'apprentissage par observation chez la souris et le rat,* Thèse de doctorat inédite, Université Louis Pasteur, Strasbourg, 1977.

PARENT, A.: *Effet Lubow: apprentissage du caractère surprenant d'un événement,* Thèse de maîtrise inédite, Université Laval, Québec, 1982.

PARKER, S.: Piaget's sensori-motor period series in an infant macaque: a model for comparing unstereotyped behavior and intelligence in human and nonhuman primates, in: Chevalier-Skolnikoff, S. et F.E. Poirier (Éds), *Primate bio-social development: biological, social and ecological determinants,* Garland Publishing, New York, 1977.

PATTERSON, T.L. et L. PETRINOVICH: Field studies of habituation: **II**. The effect of massed stimulus presentation, *Journal of comparative and physiological psychology,* **93**: 351-359, 1979.

PATTIE, F.A.: The gregarious behavior of normal chicks and chicks hatched in isolation, *Journal of comparative psychology,* **21**: 161-178, 1936.

PAVLOV, I.P.: *Conditioned reflexes, (édition Dover, a960).* Oxford University Press, Londres, 1927.

PAVLOV, I.P.: Le réflexe conditionnel, **in:** *Réflexes conditionnels et inhibitions,* Gonthier, Genève, 1934.

PAVLOV, I.P.: *Oeuvres choisies,* Éditions en langues étrangères, Moscou, 1965.

PEARCE, J.M. et G. HALL: A model for Pavlovian learning: variations in the effectiveness of conditioned but not of unconditioned stimuli, *Psychological review,* **87**: 532-552, 1980.

PEEKE, H.V.S. et M.J. HERZ: *Habituation. I. Behavioural studies,* Academic Press, New York, 1973a.

PEEKE, H.V.S. et M.J. HERZ: *Habituation. II. Physiological studies,* Academic Press, New York, 1973b.

PEEKE, H.V.S., M.J. HERZ et J. GALLAGHER: Changes in aggressive behavior in adjacently territorial convict cichlids (*Cichlasoma nigrofasciatum*): the role of habituation, *Behaviour,* **40**: 43-54, 1971.

PEEKE, H.V.S. et S.C. PEEKE: Habituation of conspecific aggressive responses in the Siamese fighting fish (*Betta splendens*), *Behaviour,* **36**: 232-245, 1970.

PEEKE, H.V.S. et S.C. PEEKE: Habituation, reinstatement and recovery of predatory responses in two species of Teleosts, *Carassius auratus* and *Macropodus opercularis,* *Animal behaviour,* **20**: 268-273, 1972.

PEEKE, H.V.S. et A.R. ZEINER: Habituation to environment and specific acoustic stimuli in the rat, *Communications in behavioral biology,* **5**: 23-29, 1970.

PERKINS, C.C.: The relation between conditioned stimulus intensity and response strenght, *Journal of experimental psychology,* **46**: 225-231, 1953.

PERRUCHET, P.: Conditionnement classique chez l'homme et facteurs cognitifs: **I.** Le conditionnement végétatif, *L'année psychologique,* **79**: 527-557, 1979.

PETERSON, N.: Effect of monochromatic rearing on the control of responding by wavelenght, *Science,* **136**: 774-775, 1962.

PETRINOVICH, L. et T.L. PATTERSON: Field studies of habituation: **I.** The effect of reproductive condition, number of trials, and different delay intervals on the response of the white-crowned sparrow, *Journal of comparative and physiological psychology,* **93**: 337-350, 1979.

PETRINOVICH, L. et T.L. PATTERSON: Field studies of habituation: **III.** Playback contingent on the response of the white-crowned sparrow, *Animal behaviour,* **28**: 742-751, 1980.

PIAGET, J.: *La représentation du monde chez l'enfant,* Alcan, Paris, 1926 (réédité aux Presses Universitaires de France en 1947 et 1972).

PIAGET, J.: *La causalité physique chez l'enfant,* Alcan, Paris, 1927.

PIAGET, J.: *La naissance de l'intelligence chez l'enfant,* (6ᵉ édition 1968. Delachaux et Niestlé, Neuchâtel, 1936.

PIAGET, J.: *La construction du réel chez l'enfant,* (4ᵉ édition 1967). Delachaux et Niestlé,

PIAGET, J.: *La formation du symbole chez l'enfant,* Delachaux et Niestlé, Neuchâtel, 1945.

PIAGET, J.: *La psychologie de l'intelligence,* (3ᵉ édition, 1967a). Armand Colin, Paris, 1947.

PIAGET, J.: *Introduction à l'épistémologie génétique,* Presses Universitaires de France, Paris, 1950.

PIAGET, J.: *Biologie et connaissance,* Gallimard, Paris, 1967b.

PIAGET, J.: *Logique et connaissance scientifique,* La Pléiade, Paris, 1967c.

PIAGET, J.: *L'épistémologie génétique,* Presses Universitaires de France, Paris, 1970a.

PIAGET, J.: *Psychologie et épistémologie,* Médiations, Paris, 1970b.

PIAGET, J.: *Épistémologie des sciences de l'homme,* Gallimard, Paris, 1970c.

PIAGET, J.: *Le comportement, moteur de l'évolution,* Gallimard, Paris, 1976.

PIAGET, J.: *Les formes élémentaires de la dialectique,* Gallimard, Paris, 1980.

PIERREL, R.: A generalization gradient for auditory intensity in the rat, *Journal of the experimental analysis of behavior,* **1**: 303-313, 1958.

PIERREL, R. et J.G. SHERMAN: Generalization of auditory intensity following discrimination training, *Journal of the experimental analysis of behavior,* **3**: 313-322, 1960.

PIETREWICZ, A.T. et A.C. KAMIL: Search images and the detection of cryptic prey: an operant approach, **in:** Kamil, A.C. et T.D. Sargent (Éds), *Foraging behavior. Ecological, ethological and psychological approaches,* Garland STPM Press, New York, 1981.

PINEL, J.P.J. et D. TREIT: Burying as a defensive response in rats, *Journal of comparative and physiological psychology,* **92**: 708-712, 1978.

POLT, J.M. et E.H. HESS: Following and imprinting: effects of light and social experience, *Science,* **143**: 1185-1187, 1964.

POLT, J.M. et E.H. HESS: Effects of social experience on the following response in chicks, *Journal of comparative and physiological psychology,* **61**: 268-270, 1966.

POPPER, K.R.: *The logic of scientific discovery,* Harper Torchbooks, New York, 1959.

POPPER, K.R.: *Objective Knowledge. An evolutionary approach,* Oxford University Press, Londres, 1972.

PORTER, J.M.: Backward conditioning of the eyelid response, *Journal of experimental psychology,* **23**: 403-410, 1938.

POSTMAN, L.: The history and present status of the law of effect, *Psychological bulletin,* **44**: 489-563, 1947.

POWELL, R.W.: Observational learning vs shaping: a replication, *Psychonomic science,* **10**: 263-264, 1968.

POWELL, R.W., D. SAUNDERS et W. THOMPSON: Shaping, autoshaping, and observational learning with rats, *Psychonomic science,* **13**: 167-168, 1968.

PREMACK, D.: Reinforcement theory, **in:** Levine, D. (Éd.), *Nebraska symposium on motivation,* University of Nebraska Press, Lincoln, 1965.

PRESLEY, W.J. et A.J. RIOPELLE: Observational learning of an avoidance response, *Journal of genetic psychology,* **95,** 251-254, 1959.

PROKASY, W.F.: Classical eyelid conditioning: experimenter operations, task demands, and response shaping, **in:** Prokasy, W.F. (Éd.), *Classical conditioning: a symposium,* Appleton-Century-Crofts, New York, 1965.

PROKASY, W.F., J.F. HALL et J.T. FAWCETT: Adaptation, sensitization, forward and backward conditioning, and pseudoconditioning of the GSR, *Psychological reports,* **10:** 103-106, 1962.

PROKASY, W.F. et M.A. HARSANYI: Two-phase model for human classical conditioning, *Journal of experimental psychology,* **78:** 359-368, 1968.

PUBOLS, B.H.: Incentive magnitude, learning and performance in animals, *Psychological bulletin,* **51:** 89-115, 1960.

PURTLE, R.B.: Peak shift: a review, *Psychological bulletin,* **80:** 408-421, 1963.

RACHLIN, H. et L. GREEN: Commitment, choice and self-control, *Journal of the experimental analysis of behavior,* **17:** 15-22, 1972.

RAMSAY, A.O.: Familial recognition in domestic birds, *Auk,* **68:** 1-16, 1951.

RANDICH, A. et V.M. LOLORDO: Associative and nonassociative theories of the UCS preexposure phenomenon: implications for Pavlovian conditioning, *Psychological bulletin,* **86:** 523-548, 1979.

RATNER, S.C.: Habituation and retention of habituation in the leech (*Macrobdella decora*), *Journal of comparative and physiological psychology,* **81:** 115-121, 1972.

RAZRAN, G.: Backward conditioning, *Psychological bulletin,* **53:** 55-69, 1956.

RAZRAN, G.: *Mind in evolution: an east-west synthesis of learned behavior cognition,* Houghton Mifflin, Boston, 1971.

REDSHAW, M.: Cognitive development in human and gorilla infants, *Journal of human evolution,* **7:** 133-141, 1978.

REID, L.S.: The development of noncontinuity behavior through continuity learning, *Journal of experimental psychology,* **46:** 107-112, 1953.

REINHOLD, D.B. et C.C. PERKINS: Stimulus generalization following different methods of training, *Journal of experimental psychology,* **49:** 423-427, 1955.

REISS, S. et A.R. WAGNER: CS habituation produces a «latent inhibition effect» but no active «conditioned inhibition», *Learning and motivation,* **3:** 235-237, 1972.

RENNER, K.E.: Delay of reinforcement: a historical review, *Psychological bulletin,* **61:** 341-361, 1964.

RESCORLA, R.A.: Predictability and number of pairings in Pavlovian fear conditioning, *Psychonomic science,* **4:** 383-384, 1966.

RESCORLA, R.A.: Pavlovian conditioning and its proper control procedures, *Psychological review,* **74:** 71-80, 1967a.

RESCORLA, R.A.: Inhibition of delay in Pavlovian fear conditioning, *Journal of comparative and physiological psychology,* **64:** 114-120, 1967b.

in:RESCORLA, R.A.: Probability of shock in the presence or absence of CS in fear conditioning, *Journal of comparative and physiological psychology,* **66:** 1-5, 1968.

RESCORLA, R.A.: Pavlovian conditioned inhibition, *Psychological bulletin,* **72:** 77-94, 1969a.

RESCORLA, R.A.: Conditioned inhibition of fear resulting from negative CS-UCS contingencies, *Journal of comparative and physiological psychology,* **67**: 504-509, 1969b.

RESCORLA, R.A.: Summation and retardation tests of latent inhibition, *Journal of comparative and physiological psychology,* **75**: 77-81, 1971.

RESCORLA, R.A.: Pavlovian excitatory and inhibitory conditioning, in: Estes, W.K. (Éd.), *Handbook of learning and cognitive processes. Volume 2: conditioning and behavior theory,* Lawrence Erlbaum, Hillsdale, N.J., 1975.

RESCORLA, R.A. et C.L. CUNNINGHAM: Spatial contiguity facilitates Pavlovian second-order conditioning, *Journal of experimental psychology. Animal behavior processes,* **5**: 152-161, 1979.

RESCORLA, R.A. et D.R. FURROW: Stimulus similarity as a determinant of Pavlovian conditioning, *Journal of experimental psychology. Animal behavior processes,* **3**: 203-215, 1977.

RESCORLA, R.A. et R.L. SOLOMON: Two-process learning theory: relations between Pavlovian conditioning and instrumental learning, *Psychological review,* **74**: 151-182, 1967.

RESCORLA, R.A. et A.R. WAGNER: A theory of Pavlovian conditioning: variations in the effectiveness of reinforcement and nonreinforcement, in: Black, A.H. et W.F. Prokasy (Éds), *Classical conditioning II: current theory and research,* Appleton-Century-Crofts, New York, 1972.

REVUSKY, S.: Learning as a general process with an emphasis on data from feeding experiments, in: Milgram, N.W., L. Krames et T.M. Alloway (Éds), *Food aversion learning,* Plenum Press, New York, 1977.

REYNOLDS, G.S.: Behavioral contrast, *Journal of the experimental analysis of behavior,* **4**: 57-71, 1961.

REYNOLDS, G.S.: *A primer of operant conditioning,* Scott, Foresman, Glenview, Ill., 1968.

RICHARD, J.F. *Généralisation du signal et de la réponse,* Presses Universitaires de France, Paris, 1966.

RICHELLE, M.: *Le conditionnement opérant,* Delachaux et Niestlé, Neuchâtel, 1966.

RICHELLE, M.: Contribution à l'analyse des régulations temporelles du comportement à l'aide des techniques du conditionnement opérant, in: Chauvin, R. et J. Médioni (Éds), *La distribution temporelle des activités animales et humaines,* Masson, Paris, 1967.

RICHELLE, M.: Notions modernes de rythmes biologiques et régulations temporelles acquises, in: Ajuriaguerra, J. (Éd.), *Cycles biologiques et psychiatrie,* Masson, Paris, 1968.

RICHELLE, M.: Temporal regulation of behaviour and inhibition, in: Bookes, R.A. et M.S. Halliday (Éds), *Inhibition and learning,* Academic Press, New York, 1972.

RIESS, D. et C.H. FARRAR: Shock intensity, shock duration, Sidman avoidance acquisition and the «all or nothing» principle in rats, *Journal of comparative and physiological psychology,* **81**: 347-355, 1972.

RIESS, D. et C.H. FARRAR: UCS duration and conditioned suppression: acquisition and extinction between-groups and terminal performance within-subjects, *Learning and motivation,* **4**: 366-373, 1973.

RILEY, A.L. et L.L. BARIL: Conditioned taste aversions: a bibliography, *Animal learning and behavior,* **4**: 13-155, 1976.

RILEY, A.L. et C.M. CLARK: Conditioned taste aversions: a bibliography, in: Baker, L.M., M.R. Best et M. Domjam (Éds), *Learning mechanisms in food selection*, Baylor University Press, Waco, Texas, 1977.

RILEY, D.A.: The nature of the effective stimulus in animal discrimination learning, *Psychological review*, **65**: 1-7, 1958.

RILEY, D.A.: *Discrimination learning*, Allyn and Bacon, Boston, 1968.

RIOPELLE, A.J.: Complex processes, in: Walters, R.H. et D.A. Rethlingshafer (Éds), *Principles of comparative psychology*, McGraw-Hill, New York, 1960.

RITCHIE, B.F.: Theories of learning: a consumer report, in: Wolman, B.B. (Éd.), *Handbook of general psychology*, Prentice-Hall Englewood Cliffs, N.J., 1973.

RIZLEY, R.C. et R.A. RESCORLA: Associations in second-order conditioning and sensory preconditioning, *Journal of comparative and physiological psychology*, **81**: 1-11, 1972.

ROBERT, M.: Apprentissage vicariant chez l'animal et chez l'humain, *L'année psychologique*, **70**: 505-542, 1970.

ROSEKRANS, M.A. et W.W. HARTUP: Imitative influences of consistent and inconsistent response consequences to a model on aggressive behavior in children, *Journal of personality and social psychology*, **7**: 429-434, 1967.

ROSS, L.E. et T.F. HARTMAN: Human eyelid conditioning: the recent experimental litterature, *Genetic psychology monographs*, **71**: 177-220, 1965.

ROTHBLAT, L.A. et W.A. WILSON: Intradimensional and extradimensional shifts in the monkey within and across modalities, *Journal of comparative and physiological psychology*, **66**: 549-553, 1968.

ROZIN, P. et J.W. KALAT: Specific hungers and poison avoidance as adaptive specializations of learning, *Psychological review*, **78**: 459-486, 1971.

RUNQUIST, W.N. et K.W. SPENCE: Performance in eyelid conditioning as a function of UCS direction, *Journal of experimental psychology*, **57**: 249-252, 1959.

RUSHFORT, N.B.: Behavioural studies of the coelenterate *Hydra pirardi* Brien, *Animal behaviour*, **13 (Supplément 1)**: 30-42, 1965.

RUSHFORT, N.B.: Chemical and physical factors affecting behavior in *Hydra:* interactions among factors affecting behavior, in: Corning, W.C. et S.C. Ratner (Éds), *Chemistry of learning*, Plenum Press, New York 1967.

RUSSO, J.D.: Observational learning in hooded rats, *Psychonomic science*, **24**: 37-38, 1971.

SACKETT, G.P.: A neural mechanism underlying unlearned, critical period, and developmental aspects of visually controlled behavior, *Psychological review*, **70**: 40-50, 1963.

SALZEN, E.A.: The interaction of experience, stimulus characteristics, and exogenous androgen in the behaviour of domestic chicks, *Behaviour*, **26**: 286-322, 1966.

SCHAEFFER, H.H. et E.H. HESS: Color preferences in imprinted objects, *Zeitschrift für Tierpsychologie*, **16**: 161-172, 1959.

SCHLOSBERG, H.: The relationship between success and the laws of conditioning, *Psychological review*, **44**: 379-394, 1937.

SCHNEIDERMAN, N.: Interstimulus interval function of nictitating membrane response of the rabbit under delay versus trace conditioning, *Journal of comparative and physiological psychology*, **62**: 397-402, 1966.

SCHNEIDERMAN, N., I. FUENTES et I. GORMEZANO: Acquisition and extinction of the classically conditioned eyelid response in the albino rabbit, *Science,* **136:** 650-652, 1962.

SCHNEIDERMAN, N. et I. GORMEZANO: Conditioning of the nictitating membrane of the rabbit as a function of CS-UCS interval, *Journal of comparative and physiological psychology,* **57:** 188-195, 1964.

SCHNEIRLA, T.C.: Interrelationships of the «innate» and the «acquired» in instinctive behavior, **in:** *L'instinct dans le comportement des animaux et de l'homme,* Masson, Paris, 1956.

SCHNUR, P.: Selective attention: effect of element preexposure on compound conditioning in rats, *Journal of comparative and physiological psychology,* **76:** 123-130, 1971.

SCHWARTZ, B.: Maintenance of keypecking in pigeons by a food avoidance but not a shock avoidance contingency, *Animal learning and behavior,* **1:** 164-166, 1973.

SCHWARTZ, B.: *Psychology of learning and behavior,* W.W. Norton, New York, 1978.

SCHWARTZ, B. et E. GAMZU: Pavlovian control of operant behavior. An analysis of autoshaping and its implications for operant conditioning, **in:** Honig, W.K. et J.E.R. Staddon (Éds), *Handbook of operant behavior,* Prentice-Hall, Englewood Cliffs, N.J., 1977.

SCHWARTZ, R.M., M. SCHWARTZ, et R.C. TEES: Optional intradimensional and extradimensional shifts in the rats, *Journal of Comparative and physiological psychology,* **77:** 470-475, 1971.

SEIDEL, R.J.: A review of sensory preconditioning, *Psychological bulletin,* **56:** 58-73, 1959.

SELIGMAN, M.E.P.: Chronic fear produced by inescapable shock, *Journal of comparative and physiological psychology,* **66:** 402-411, 1968.

SELIGMAN, M.E.P.: Control group and conditioning: a comment on operationalism, *Psychological review,* **76:** 484-491, 1969.

SELIGMAN, M.E.P.: On the generality of the laws of learning, *Psychological review,* **77:** 406-418, 1970.

SELIGMAN, M.E.P.: *Helplessness,* W.H. Freeman, San Francisco, 1975.

SELIGMAN, M.E.P. et J.L. HAGER: *Biological boundaries of learning,* Appleton-Century-Crofts, New York, 1972.

SHANAB, M.E., R. SANDERS et D. PREMACK: Positive contrast in the runway obtained with delay of reward, *Science,* **164:** 724-725, 1969.

SHEARN, D.W.: Operant conditioning of heart rate, *Science,* **137:** 530-531, 1962.

SHEFFIELD, F.D.: Theoretical considerations in the learning of complex sequential tasks from demonstration and practice, **in:** Lumsdaine, A.A. (Éd.), *Student response in programmed instruction,* National academy of sciences-National research council, publication 943, Washington, D.C., 1961.

SHEFFIELD, F.D.: Relation between classical conditioning and instrumental learning, **in:** Prokasy, W.F. (Éd.): *Classical conditioning: a symposium,* Appleton-Century-Crofts, New York, 1965.

SHEFFIELD, V.F.: Extinction as a function of partial reinforcement and distribution of practice, *Journal of experimental psychology,* **39:** 511-526, 1949.

SHEPP, B.E. et P.D. EIMAS: Intradimensional and extradimensional shifts in the rat, *Journal of comparative and physiological psychology*, **57**: 357-361, 1964.

SHEPP, B.E. et A.M. SCHRIER: Consecutive intradimensional and extradimensional shifts in monkeys, *Journal of comparative and physiological psychology*, **67**: 199-203, 1968.

SHETTLEWORTH, S.J.: Constraints on learning, **in**: Lehrman, D.S., R.A. Hinde et E. Shaw (Éds), *Advances in the study of behavior*, **volume 5**, Academic Press, New York, 1972a.

SHETTLEWORTH, S.J.: Conditioning of domestic chicks to visual and auditory stimuli: control of drinking by visual stimuli and control of conditioned fear by sound, **in**: Seligman, M.E.P. et J.L. Hager (Éds), *Biological boundaries of learning*, Appleton-Century-Crofts, New York, 1972b.

SHETTLEWORTH, S.J.: Reinforcement and the organization of behavior in golden hamsters: punishment of three action patterns, *Learning and motivation*, **9**: 99-123, 1978.

SHIMP, C.P.: Optimum behavior in free-operant experiments, *Psychological review*, **76**: 97-112, 1969.

SHIMP, C.P.: Time allocation and response rates, *Journal of the experimental analysis of behavior*, **21**: 491-499, 1974.

SHURTLEFF, D. et J.J.B. AYRES: One-trial backward excitation fear conditioning in rats: acquisition, retention, extinction, and spontaneous recovery, *Animal learning and behavior*, **9**: 65-74, 1981.

SIDMAN, M.: Two temporal parameters of the maintenance of avoidance behavior by the white rat, *Journal of comparative and physiological psychology*, **46**: 253-261, 1953.

SIEGEL, S. et M. DOMJAM: Backward conditioning as an inhibitory procedure, *Learning and motivation*, **2**: 1-11, 1971.

SILBERBERG, A. et E. FANTINO: Choice, rate of reinforcement and the changeover delay, *Journal of the experimental analysis of behavior*, **13**: 187-197, 1970.

SIMPSON, M.J.A.: The display of the Siamese fighting fish, *Betta splendens, Animal behaviour monographs*, **1**, 1968.

SKINNER, B.F.: *The behavior of organisms, (édition revisée 1966)*. Appleton-Century-Crofts, New York, 1938.

SKINNER, B.F.: *Walden two*, MacMillan, New York, 1948a.

SKINNER, B.F.: «Superstition» in the pigeon, *Journal of experimental psychology*, **38**: 168-172, 1948b.

SKINNER, B.F.: Are theories of learning necessary?, *Psychological review*, **57**: 193-206, 1950.

SKINNER, B.F.: *Science and human behavior*, Free Press, New York, 1953.

SKINNER, B.F.: *Par-delà la liberté et la dignité*, Laffont, Paris, 1971a.

SKINNER, B.F.: *L'analyse expérimentale du comportement*, Charles Dessart, Bruxelles, 1971b.

SKINNER, B.F.: Herrnstein and the evolution of behaviorism, *American Psychologist*, **32**: 1006-1012, 1971c.

SLUCKIN, W.: *Imprinting and early learning*, Aldine, Chicago, 1965.

SLUCKIN, W.: *Early learning in man and animal*, Schenkman, Cambridge, Mass., 1972.

SMALL, W.S.: An experimental study of the mental processes of the rat, *American journal of psychology*, **11**: 133-165, 1900.

SMITH, M.C.: CS-UCS interval and US intensity in classical conditioning of the rabbit's nictitating membrane responses, *Journal of comparative and physiological psychology*, **66**: 679-687, 1968.

SMITH, R.D., A.L. DICKSON et L. SHEPPARD: Review of flooding procedures (implosion) in animals and man, *Perceptual and motor skills*, **37**: 351-374, 1973.

SOCIAL SCIENCES CITATION INDEX: Institute for scientific information, Philadelphie, Pa.

SOKOLOV, Y.N.: *Perception and the conditioned reflex*, Pergamon Press, Oxford, 1963.

SOLOMON, R.L.: Punishment, *American psychologist*, **19**: 239-253, 1964.

SOLOMON, R.L. et E.S. BRUSH: Experimentally derived conceptions of anxiety and aversion, **in:** Jones, M.R. (Éd.), *Nebraska symposium on motivation*, **4**: 212-305, 1956.

SOLOMON, R.L. et M.A. COLES: A case of failure of generalization of imitation across drives and across situations, *Journal of abnormal and social psychology*, **49**: 7-13, 1954.

SOLOMON, R.L., L.J. KAMIN et L.C. WYNNE: Traumatic avoidance learning: the outcomes of several extinction procedures with dogs, *Journal of abnormal and social psychology*, **48**: 291-302, 1953.

SOLOMON, R.L. et L.C. WYNNE: Traumatic avoidance learning: acquisition in normal dogs, *Psychological monographs*, **67**: n° 354, 1953.

SOLOMON, R.L. et L.C. WYNNE: Traumatic avoidance learning: the principles of anxiety conservation and partial irreversibility, *Psychological review*, **61**: 353-385, 1954.

SOLTYSIK, S.: The effect of satiation upon conditioned and unconditioned salivary responses, *Acta biologica experimentalis*, **31**: 59-63, 1971.

SPALDING, D.A.: Instinct with original observations on young animals (1873), reproduit dans *British journal of animal behavior*, **2**: 2-11, 1954.

SPEAR, N.E. et J.H. SPITZNER: Simultaneous and successive contrast effects of reward magnitude in selective learning, *Psychological monographs*, **80**: n° 618, 1966.

SPENCE, K.W.: The nature of discrimination learning in animals, *Psychological review*, **43**: 427-449, 1936.

SPENCE, K.W.: The differential response in animals to stimuli varying within a single dimension, *Psychological review*, **44**: 430-444, 1937a.

SPENCE, K.W.: Experimental studies of learning and the higher mental processes in infrahuman primates, *Psychological bulletin*, **34**: 806-850, 1937b.

SPENCE, K.W.: The basis of solution by chimpanzees of the intermediate size problem, *Journal of experimental psychology*, **31**: 257-271, 1942.

SPENCE, K.W.: Clark Leonard Hull: 1884-1952, *American journal of psychology*, **65**: 639-646, 1952.

SPENCE, K.W.: *Behavior theory and conditioning*, Yale University Press, New Haven, 1956.

SPENCE, K.W.: *Behavior theory and learning*, Prentice-Hall, Englewood Cliffs, N.J., 1960.

SPENCE, K.W., D.F. HAGGARD et L.E. ROSS: UCS intensity and the associative (habit) strength of the eyelid CR, *Journal of experimental psychology,* **55:** 404-411, 1958.

SPENCE, K.W. et J.R. PLATT: UCS intensity and performance in eyelid conditioning *Psychological bulletin,* **65:** 1-10, 1966.

SPERLING S.E.: Reversal learning and resistance to extinction: a review of the rat litterature, *Psychological bulletin,* **63:** 281-297, 1965a.

SPERLING, S.E.: Reversal learning and resistance to extinction: a supplementary report, *Psychological bulletin,* **64:** 310-312, 1965b.

SPETCH, M.L., D.M. WILKIE et J.P.J. PINEL: Backward conditioning: a reevaluation of the empirical evidence, *Psychological bulletin,* **89:** 163-175, 1981.

SPOONER, A. et W.N. KELLOGG: The backward conditioning curve, *American journal of psychology,* **60:** 321-334, 1947.

STAATS, A.W.: *Social behaviorism,* Dorsey Press, Homewood, I11., 1975.

STANDDON, J.E.R. et V.L. SIMMELHAG: The «superstition» experiment: a reexamination of its implications for the principles of adaptive behavior, *Psychological review,* **78:** 3-43, 1971.

STAVELEY, H.E.: Effect of escape duration and shock intensity on the acquisition and extinction of an escape response, *Journal of experimental psychology,* **72** 98-703, 1966.

STEVEN, D.M.: Transference of «imprinting» in a wild goesling, *British journal of animal behaviour,* **3:** 14-16, 1955.

STRAYER, F.F.: Learning and imitation as a function of social status in macaque monkeys (*Macaca nemestrina*), *Animal behaviour,* **24:** 835-848, 1976.

SUTHERLAND, N.S. et L. ANDELMAN: Learning with one and two cues, *Psychonomic science,* **7:** 107-108, 1967.

SUTHERLAND, N.S. et N.J. MACKINTOSH: *Mechanisms of animal discrimination learning,* Academic Press, New York, 1971.

SUTTERER, J.R. et P.A. OBRIST: Heart rate and general activity alterations of dogs during several aversive conditioning procedures, *Journal of comparative and physiological psychology,* **80:** 314-326, 1972.

SWITALSKI, R.W., J. LYONS et D.R. THOMAS: Effects of interdimensional training on stimulus generalization, *Journal of experimental psychology,* **72:** 661-666, 1966.

SWITZER, C.A.: Backward conditioning of the lid reflex, *Journal of experimental psychology,* **13:** 76-97, 1930.

SZLEP, R.: Changes in the response of spiders to repeated web vibrations, *Behaviour,* **23:** 203-238, 1964.

SZWEJKOWSKA, G.: Qualitative versus directional cues in differential conditioning. **II.** Go-no go differentiation to cues of a mixed character, *Acta biologiae experimentale,* **27:** 169-175, 1967.

TARPY, R.M.: *Basic principles of learning,* Scott, Foresman, Glenview, I11., 1975.

TARPY, R.M. et R.E. MAIER: *Foundations of learning and memory,* Scott, Foresman, Glenview, I11., 1978.

TARPY, R.M. et F.L. SAWABINI: Reinforcement delay: a selective review of the last decade, *Psychological bulletin,* **81:** 984-987, 1974.

TENNANT, W.A. et M.E. BITTERMAN: Blocking and overshadowing in two species of fish, *Journal of experimental psychology. Animal behavior processes,* **104:** 22-29, 1975.

TERRACE, H.S.: Conditioned inhibition in successive discrimination learning, **in:** Boakes, R.A. et M.S. Halliday (Éds), *Inhibition and learning,* Academic Press, New York, 1972.

TERRACE, H.S.: Classical conditioning, **in:** Nevin, J.A. et G.S. Reynolds (Éds), *The study of behavior. Learning, motivation, emotion and instincts,* Scott, Foresman, Glenview, Ill., 1973.

TERRY, W.S. et A.R. WAGNER: Short-term memory for «surprising» vs «expected» USs in Pavlovian conditioning, *Journal of experimental psychology, Animal behavior processes,* **1:** 122-133, 1975.

TESTA, T.J.: Causal relationships and the acquisition of avoidance response, *Psychological review,* **81:** 491-505, 1974.

THEIOS, J. et D. BLOSSER: Overlearning reversal effect and magnitude of reward, *Journal of comparative and physiological psychology,* **59:** 252-257, 1965.

THEIOS, J., A.D. LYNCH et W.F. LOWE: Differential effects of shock intensity on one-way and shuttle avoidance conditioning, *Journal of experimental psychology,* **72:** 294-299, 1966.

THINES, G.: *Psychologie des animaux,* Charles Dessart, Bruxelles, 1966.

THINUS-BLANC, C., B. POUCET et N. CHAPUIS: Object permanence in cats: analyses in locomotor space, *Behavioural processes, 7:* 81-86, 1982.

THINUS-BLANC, C. et P. SCARDIGLI: Object permanence in the golden hamster, *Perceptual and motor skills, 53:* 1010, 1981.

THOMAS, D.R., D.E. BURR et K.O. ECK: Stimulus selection in animal discrimination learning: an alternative interpretation, *Journal of experimental psychology,* **86:** 53-62, 1970.

THOMAS, E. et A.R. WAGNER: Partial reinforcement of the classically conditioned eyelid response in the rabbit, *Journal of comparative and physilogical psychology,* **58:** 157-158, 1964.

THOMPSON, N.S.: Toward a falsifiable theory of evolution, **in:** Bateson, P.P.G. et P.H. Klopfer (Éds), *Perspectives in ethology. 4. Advantages of diversity,* Plenum Press, New York, 1981.

THOMPSON, R.F., P.M. GROVES, J.T. TEYLER et R.A. ROEMER: A dual-process theory of habituation: theory and behavior, **in:** Peeke, H.V.S. et M.J. Herz (Éds), *Habituation. I. Behavioural studies,* Academic Press, New York, 1973.

THOMPSON, R. F. et W. A. SPENCER: Habituation. A model phenomenon for the study of neuronal substrates of behavior, *Psychological review,* **73:** 16-43, 1966.

THOMPSON, T. et T. STURM: Classical conditioning of aggressive display in Siamese fighting fish, *Journal of the experimental analysis of behavior,* **8:** 397-403, 1965.

THORNDIKE, E.L.: Animal intelligence: an experimental study of the associative processes in animals, *Psychological review monograph, supplement 2,* 1911 (1898).

THORNDIKE, E.L.: Mental life of the monkeys, *Psychological review monography,* **supplement 3:** 1-57, 1901.

THORNDIKE, E.L.: *Human learning,* Century, New York, 1931.

THORNDIKE, E.L.: *The fundamentals of learning,* Teachers College, New York, 1932.

THORNDIKE, E.L.: Why study animal psychology?, **in:** Moss, F.A. (Éd.), *Comparative psychology,* Prentice-Hall, Englewood Cliffs, N.J., 1964.

THORPE, W.H.: Some problems of animal learning, *Proceedings of the Linnaean society (Londres),* **156:** 70-83, 1944.

THORPE, W.H.: The learning abilities of birds, 2ᵉ partie, *Ibis,* **93:** 252-296, 1951.

THORPE, W.H.: The learning of song patterns by birds, with special reference to the song of the chaffinch, *Ibis,* **100:** 535-570, 1958.

THORPE, W.H.: *Learning and instincts in animals, (2ᵉ édition),* Methuen, Londres, 1963.

TILQUIN, A.: *Le behaviorisme,* Vrin, Paris, 1942.

TINBERGEN, N.: On the orientation of the digger wasp *Philanthus triangulum Fabr.:* I. (1932), **in:** The animal in its world, **volume 1,** Harvard University Press, Cambridge, 1972.

TINBERGEN, N.: On the orientation of the digger wasp *Philanthus triangulum Fabr.:* III. Selective learning of landmarks (1938), **in:** *The animal in its world,* **volume 1,** Harvard University Press, Cambridge, 1972.

TINBERGEN, N.: Comparative studies of the behaviour of gulls (*Laridae*): a progress report, *Behaviour,* **5:** 1-70, 1959.

TINBERGEN, N.: The evolution of behaviour in gulls, *Scientific american,* **203:** 118-130, 1960.

TINBERGEN, N.: Ethology (1969), **in:** *The animal in its world,* **volume 2,** Harvard University Press, Cambridge, 1972.

TINBERGEN, N.: *L'étude de l'instinct,* Payot, Paris, 1971 (*édition originale en anglais, 1951*).

TITCHENER, E.B.: *Manuel de psychologie,* Félix Alcan, Paris, 1932.

TOLMAN, C.W.: A possible relationship between the imprinting critical period and arousal, *Psychological record,* **13:** 181-185, 1963.

TOLMAN, C.W.: Social facilitation of feeding behaviour in the domestic chick, *Animal behaviour,* **12:** 245-251, 1964.

TOLMAN, C.W.: The feeding behaviour of domestic chicks as a function of rate of pecking by a surrogate companion, *Behaviour,* **29:** 57-62, 1967.

TOLMAN, E.C.: A new formula for behaviorism, *Psychological review,* **29:** 44-53, 1922.

TOLMAN, E.C.: The nature of instinct, *Psychological bulletin,* **20:** 200-218, 1923.

TOLMAN, E.C.: *Purposive behavior in animals and men,* Irvington Century Series, New York, 1932.

TOLMAN, E.C. et C.H. HONZIK: Introduction and removal of reward and maze performance in rats, *University of California publications,* **4:** 257-275, 1930.

TOMIE, A.: Interference with autoshaping by prior context conditioning, *Journal of experimental psychology. Animal behavior processes,* **2:** 323-334, 1976.

TRABASSO, T.R. et G.H. BOWER: *Attention in learning: theory and research,* Wiley, New York, 1968.

TRAPOLD, M.A. et H. FOWLER: Instrumental escape performance as a function of the intensity of noxious stimulation, *Journal of experimental psychology,* **60:** 323-326, 1960.

TRAPOLD, M.A. et K.W. SPENCE: Performance changes in eyelid conditioning as related to the motivational and reinforcing properties of the UCS, *Journal of experimental psychology,* **59:** 209-213, 1960.

TRIANA, E. et R. PASNAK: Object permanence in cats and dogs, *Animal learning,* **9:** 135-139, 1981.

TURNER, E.R.A.: Social feeding in birds, *Behaviour,* **24:** 1-46, 1964.

TURNER, L.H. et R.L. SOLOMON: Human traumatic avoidance learning: theory and experiments of the operant-respondent distinction and failures to learn, *Psychological monographs,* **76:** n° 559, 1962.

TWITMYER, E.B.: A study of the knee jerk (1902), réédité dans *Journal of experimental psychology,* **103:** 1047-1066, 1974.

VAN LAWICK-GOODAL, J.: Behaviour of free-living chimpanzees of the Gombe Stream area, *Animal behaviour, monograph 3,* 1968.

VAN LAWICK-GOODAL, J.: *Les chimpanzés et moi,* Stock, Paris, 1971.

VARDARIS, R.M. et R.D. FITZGERALD: Effects of partial reinforcement on a classically conditioned eyeblink response in dogs, *Journal of comparative and physiological psychology,* **67:** 531-534, 1969.

VAUGHTER, R.M., W. SMOLHEMAN et J.M. ORDY: Development of object permanence in the infant squirrel monkey, *Developmental psychology,* **7:** 34-38, 1972.

VERPLANCK, W.S.: An hypothesis on imprinting, *British journal of animal behaviour,* **3:** 123, 1955.

VINCE, M.A.: Embryonic communication, respiration and the synchronization of hatching, in: Hinde, R.A. (Éd.), *Bird vocalizations,* Cambridge University Press, Cambridge, 1969.

VOEKS, V.W.: Formalization and clarification of a theory of learning, *Journal of psychology,* **30:** 341-363, 1950.

VON UEXKULL, J.: *Mondes animaux et monde humain,* Gonthier, Paris, 1934.

WADDINGTON, C.H.: *The evolution of an evolutionist,* Edinburgh University Press, Edimbourg, 1975.

WAGNER, A.R.: Stimulus selection and a «modified continuity theory», in: Bower, G.H. et J.T. SPENCE (Éds), *The psychology of learning and motivation,* **volume 3:** Academic Press, New York, 1969.

WAGNER, A.R.: Elementary associations, in: Kendler, H.H. et J.T. Spence (Éds), *Essays in neobehaviorism. A memorial volume to Kenneth W. Spence,* Appleton-Century-Crofts, New York, 1971.

WAGNER, A.R.: Priming in STM: an information processing mechanism for self-generated or retrieval-generated depression in performance, in: Tighe, T.J. et R.N. Leaton (Éds), *Habituation: perspectives for child development, animal behavior, and neurophysiology,* Lawrence Erlbaum, Hillsdale, N.J., 1976.

WAGNER, A.R.: Expectancies and the priming of STM, in: Hulse, S.H., H. Fowler et W.K. Honig (Éds), *Cognitive processes in animal behavior,* Lawrence Erlbaum, Hillsdale, N.J., 1978.

WAGNER, A.R., J.W. RUDY et J.W. WHITLOW: Rehearsal in animal conditioning, *Journal of experimental psychology,* **97:** 407-426, 1973.

WAGNER, A.R., S. SIEGEL, E. THOMAS et G.D. ELLISON: Reinforcement history and the extinction of a conditioned salivary response, *Journal of comparative and physiological psychology,* **58:** 354-358, 1964.

WAGNER, A.R. et W.S. TERRY: Backward conditioning to a CS following an expected vs a surprising UCS, *Animal learning and behavior,* **3:** 370-374, 1975.

WALKER, E.G.: Eyelid conditioning as a function of intensity of conditioned and unconditioned stimuli, *Journal of experimental psychology,* **59:** 303-311, 1960.

WARD, L.B.: Reminescence and rote learning, *Psychological monographs,* **49:** n° 220, 1931.

WARDEN, C.J., H.A. FJELD et A.M. KOCH: Imitative behavior in cebus and rhesus monkeys, *Journal of genetic psychology,* **56:** 311-322, 1940.

WARDEN, C.J. et T.A. JACKSON: An imitative behavior in the rhesus monkey, *Journal of genetic psychology,* **46:** 103-125, 1935.

WARDEN, J.A. et R.C. BOLLES: A reevaluation of a simple contiguity interpretation of avoidance learning, *Journal of comparative and physiological psychology,* **64:** 179-182, 1967.

WARRINER, C.C., W.B. LEMMON et T.S. RAY: Early experience as a variable in mate selection, *Animal behaviour,* **11:** 221-224, 1963.

WATSON, J.B.: Imitation in monkeys, *Psychological bulletin,* **5:** 169-178, 1908.

WATSON, J.B.: Psychology as the behaviorist views it, *Psychological review,* **20:** 158-177, 1913.

WATSON, J.B.: *Behaviour. An introduction to comparative psychology,* Holt, New York, 1914.

WEISE, C.M.: Nightly unrest in caged migratory sparrows under outdoor conditions, *Ecology,* **37:** 274-287, 1956.

WEISE, C.M.: Migratory and gonadal responses of birds to long-continued-short day-lengths, *Auk,* **79:** 161-172, 1962.

WEISMAN, R.G.: On the role of the reinforcer in associative learning, **in:** Davis, H. et H.M.B. Hurwitz (Éds), *Operant-Pavlovian interactions,* Lawrence Erlbaum, Hillsdale, N.J., 1977.

WEISMAN, R.G. et J.S. LITNER: Positive conditioned reinforcement of Sidman avoidance in rats, *Journal of comparative and physiological psychology,* **68:** 597-603, 1969.

WEISMAN, R.G. et J.S. LITNER: The role of Pavlovian events in avoidance training, **in:** Boakes, R.A. et M.S. Halliday (Éds), *Inhibition and learning,* Academic Press, New York, 1972.

WHALEN, R.E.: Comparative psychology, *American psychologist,* **16:** 84, 1961.

WICKELGREN, W.A.: *Learning and memory,* Prentice-Hall, Englewood Cliffs, N.J., 1977.

WICKENS, D.D. et C.D. WICKENS: Some factors related to pseudo-conditioning, *Journal of experimental psychology,* **31:** 518-526, 1942.

WILCOXON, H.C., W.B. DRABOIN et P.A. KRAL: Illness-induced aversions in rat and quail: relative salience of visual and gustatory cues, *Science,* **171:** 826-828, 1971.

WILKIE, D.M., A.J. MacLENNAN et J.P.J. PINEL: Rat defensive behavior: burying noxious food, *Journal of the experimental analysis of behavior,* **31:** 299-306, 1979.

WILLIAMS, B.A.: Behavioral contrast as a function of the temporal location of reinforcement, *Journal of the experimental analysis of behavior,* **26:** 57-64, 1976.

WILLIAMS, D.R. et H. WILLIAMS: Auto-maintenance in the pigeon: sustained pecking despite contingent non-reinforcement, *Journal of the experimental analysis of behavior,* **12:** 511-520, 1969.

WILSON, E.O.: *Sociobiology, The new synthesis,* Belknap Press, Cambridge, 1975.

WINEFIELD, A.H. et M.A. JEEVES: The effect of overtraining on transfer between tasks involving the same stimulus dimension, *Quaterly journal of experimental psychology,* **23:** 234-242, 1971.

WISE, R.L., L.A. WISE et R.R. ZIMMERMANN: Piagetian object permanence in the rhesus monkey, *Developmental psychology,* **10:** 429-437, 1974.

WOLFE, J.B. et M.D. KAPLAN: Effect of amount of reward and consummative activity on learning in chickens, *Journal of comparative psychology,* **31:** 353-361, 1941.

WOLFF, C. et I. MALTZMAN: Conditioned orienting reflex and amount of preconditioning habituaton, *Proceedings of the American Psychological Association,* **3:** 129-130, 1968.

WOLFF, J.L.: Concept-shift and discrimination reversal learning in humans, *Psychological bulletin,* **69:** 369-408, 1967.

WOLFLE, H.M.: Time factors in conditioning finger withdrawal, *Journal of general psychology,* **4:** 372-378, 1930.

WOLFLE, H.M.: Conditioning as a function of the interval between the conditioned and the original stimulus, *Journal of general psychology,* **7:** 80-103, 1932.

WOLFSON, A.: Regulation of annual periodicity in the migration and reproduction of birds, *Symposia on quantitative biology,* **25:** 507-514, 1960.

WOODS, P.J., E.H. DAVIDSON et R.J. PETERS: Instrumental escape conditioning in a water tank: effect of variations in drive stimulus intensity and reinforcement magnitude, *Journal of comparative and physiological psychology,* **57:** 466-470, 1964.

WYERS, E.J., H.V.S. PEEKE et M.J. HERZ: Behavioral habituation in Invertebrates, in: Peeke, H.V.S. et M.J. Herz (Éds), *Habituation. I. Behavioural studies,* Academic Press, New York, 1973.

ZAJONC, R.B.: *Psychologie sociale expérimentale,* Dunod, Paris, 1967.

ZARETSKY, H.H.: Learning and performance in the runway as a function of the shift in drive and incentive, *Journal of comparative and physiological psychology,* **62:** 218-221, 1966.

ZEAMAN, D.: Response latency as a function of the amount of reinforcement, *Journal of experimental psychology,* **39:** 446-483, 1949.

ZEAMAN, D. et B.J. HOUSE: The role of attention in retardate discrimination learning, in: Ellis, N.R. (Éd.), *Handbook of mental deficiency: psychological theory and research,* McGraw-hill, New York, 1963.

ZEAMAN, D. et R.W. SMITH: Review of some recent findings in human cardiac conditioning, in: Prokasy, W.F. (Éd.), *Classical conditioning: a symposium,* Appleton-Century-Crofts, New York, 1965.

ZEAMAN, D. et N. WEGNER: Strength of cardiac conditioned responses with varying stimulus duration, *Psychological review,* **65:** 238-241, 1958.

ZENER, K.: The significance of behavior accompanying conditioned salivary secretion for theories of the conditioned response, *American journal of psychology,* **50:** 384-403, 1937.

ZUCKERMAN, S.: *The social life of monkeys and apes,* Kegan, Londres, 1932.

INDEX DES AUTEURS[1]

---

1. Cet index ne contient qu'une sélection d'auteurs et n'est pas exhaustif.

INDEX DES SUJETS

B

BEHAVIORISME, 13, 28, 37-38, *41-43, 46-57,* 60-61, 63, 84, 159, 282, 289-290 voir NEOBE-HAVIORISME.

BLOCAGE, 69, *155-156,* 165, 168, 170, 172, 247, 255.

BOITE-PROBLÈME, voir CAGE.

BOITE DE SKINNER, voir CAGE.

C

CAGE,
- • d'évitement, 144, 179, 181, 195-196, 201.
- • problème, 39, 41, 64, 67, 176, 274.
- • de Skinner, *182-186,* 208, 210, 212, 219.

CANON DE MORGAN, 38, 45, voir LOI DE PARCIMONIE.

CARTESIANISME, *27-28,* 29-30, 34, 39.

COGNITIF, COGNITIVE,
- • carte, 50.
- • fonctionnement, 27, 72, 83-84, 164.
- • interprétation, modèle, théorie, voir COGNITIVISME.
- • processus, 23, 44, 64, 73, 76, 78, 83, 122, 171-172, 272, 275, 282, 284, 290.
- • structure, 50, 52, 75-80, 83-84, 291-292.

COGNITIVISME, XIV, 37, *44-46, 48-51,* 54, 57, 70-73, 84, 157, *284-285,* 292.

COMPORTEMENT,
- • définition, XIV, *4-5.*
- • de choix, 192, 199-202.
- • diversité, *5-6,* 8, 290.
- • homogénéité intraspécifique, *6-8,* 9, 15.
- • inné, 13, 15, 19, 62, 69, 74, 78-79, 124, 128, 174, 256, 263, 292.
- • intérimaire, 198, 210, 213.
- • instinctif, 13-16, 67, 128-129.
- • spécificité, *5-6,* 8-9, 14-15, 65, 290.
- • stéréotypie, *6-9,* 14-15.
- • superstitieux, *194-195,* 197-198, 211-212.
- • terminal, 198, 210, 211.

CONDITIONNEMENT CLASSIQUE, XV, 40-42, 44, 47, 56, 59, 69, 85, 90, 112, *121-172,* 173, 194, 198, 203, 209, 212-213, 218-223, 227, *249-257,* 259, 262, 269-270, 277, 290-291.
- • appétitif, 125, 132, 150, 152, 253.
- • aversif, 125, 132, 150, 152, 253.
- • cardiaque, *127,* 143, 156.
- • différé, *138,* 139-140, 142-143, 255.
- • électrodermal, *126-127,* 156, 278.
- • excitateur, *129-130,* 136, 142, 144, 146-148, 151, 153, 156-157, 161-164, 222, 231, 252
- • inhibiteur, 129, *130-131,* 136, 144, 146-148, 160, 163-164, 222, 253
- • d'ordre supérieur, *136-137,* 157, 254-255, 278.
- • palpébral, *126,* 128, 132, 142-143, 150, 156, 173, 250.
- • rétroactif, 138-139, *140-142,* 148.
- • rotulien, 122, 126-128, 132, 250.
- • salivaire, 40-41, 122, *123-124,* 126, 128, 131-132, 135-136, 149-152, 173, 278.
- • simultané, *138,* 139.
- • temporel, 138-139, *140,* 211-212, 221, 252.
- • de trace, *138,* 139-140, 256.

CONDITIONNEMENT INSTRUMENTAL, voir APPRENTISSAGE INSTRUMENTAL.

CONDITIONNEMENT OPÉRANT, voir APPRENTISSAGE INSTRUMENTAL.

CONDITIONNEMENT PAVLOVIEN, voir CONDITIONNEMENT CLASSIQUE.

CONDITIONNEMENT RÉPONDANT, voir CONDITIONNEMENT CLASSIQUE.

CONDITIONNEMENT VICARIANT, voir APPRENTISSAGE PAR OBSERVATION.

CONDUITE, 5, 13-16, 73, 75-76, 78, 83, 292, voir COMPORTEMENT.

CONNEXION, 39, 44-47, 49, 52-53, 83, 159, 166, 274, voir ASSOCIATION.

CONNEXIONNISME, 28, 37, 39-40, *44-48,* 49-52, 55, 57, 70, 137, 157, 159-160, 289-290, voir ASSOCIATIONNISME.

CONTIGUÏTÉ TEMPORELLE, 29, 41, 46-47, 49, 53, *138-143,* 144-145, 147, 149, 154, 161, *194-195,* 197-198, 202, 204, 253, 290.

CONTINUITÉ (THÉORIE DE LA), *235-247.*

CONTRÔLE AVERSIF, *213-237,* voir RENFORCEMENT NÉGATIF et PUNITION.

CONTRÔLE DU STIMULUS, *227-247,* voir DISCRIMINATION et GÉNÉRALISATION.

CORRÉLATION ENTRE LES ÉVÉNEMENTS (SN-SI OU COMPORTEMENT-EFFET), *143-146,* 147, 151, 197-199, 200, 210, 213, 253.
- • négative, 143, *144-145,* 146, 148-149, 151, 154, *198-200,* 202-203, 210, 212, 220, 254, 290.
- • nulle, 143, *145-146, 198-200,* 211, 213, 220, 254, 290.
- • positive, 143, *144-145,* 148-149, 151, 154, 161, *198-200,* 202-203, 210, 212, 220, 253-254, 290.

COULOIR DE COURSE, *176-177,* 203-204, 214-215.

DARWINISME, 4, 9, 13, 16, *31-32,* 33, 35, 125.

DESHABITUATION, *95-97,* 118-119.

DÉTECTABILITÉ DU STIMULUS, 150, *153,* 154, 161-162, 164, 169-170.

DÉTERMINISME,
- • de l'environnement, XIV, 10-17, 23, 57, 62, 266.
- • génétique ou héréditaire, 9-12, 14-17, 62, 266, 269.

• négatif, *174*, 175, 179, 185, 195-196, 199, 213, *214-217*, 218, 220-222, 224, 227, 279.
• positif, *174*, 175, 184, 198-199, *203-213*, *214-215*, 218, 225, 227, 253, 279.
• primaire, 53.
voir PROGRAMME DE RENFORCE-MENT.
RÉPONSE,
• conditionnelle (RC), 41, 123, *124*, 125-130, *132-133*, 134-138, 140, 142-150, 152-164, 175, 198, 203, 212, 218-219, 221-224, 249, 253-257, 278.
• inconditionnelle (RI), 41, 123, *124*, 125-130, *132-133*, 136-138, 143, 149, 153, 157, 159-160, 176, 218-219, 221, 255, 257.
• d'orientation (RO), *123*, 185, 257.
RÉSIGNATION APPRISE, *195-197*, 198, 254.

S

SCHÈME D'ACTION, 75, *78-80*, 172, 292.
SÉLECTION NATURELLE, 9, 18, 32, 67, 209, 291, voir ÉVOLUTION.
SENSIBILISATION, 112, *113-115*, 116, 149.
STIMULUS,
• appétitif, 185, 198, 214, 218, 226.
• aversif, 175, 185, 198, 213-216, 218-227.
• conditionnel (SC), 123, *124*, 125-143, 145, 149-164, 167, 169-171, 175-176, 212-213, 218-220, 222-226, 249, 255, 257, 270, 278.
• contextuel (SX), 102, *105-107*, 117, 135, *151-153*, 154, 162-164, 167, 169.
• déclencheur, 14-16, 40-41, 46, 56, 92, 104-105, 110, 112, 115, 117, 124-125, 263, 267, 289.
• discriminatif (S^D ou S$^\Delta$), *174*, 185, 206, 210, 215, 225, 228-231, 234, 254-255, 282-283.
• d'habituation, 90, 93-95, 97, 102-107, 112, 117-119.

• inconditionnel (SI), 123, *124*, 125-133, 135-171, 175-176, 194, 198, 212, 218-222, 224-226, 249, 251, 255, 257.
• neutre (SN), *123*, 124, 126-140, 142-149, 151-158, 161-162, 167, 194, 198, 218, 221-223, 255, 257, 270.
voir CONTRÔLE DU STIMULUS.
STIMULUS- RÉPONSE (S-R):
• association, connexion, lien, 39, 42, 44-50, 52-53, 83, 115-116, 159, 207-209, 274.
• interprétation, modèle, théorie, 42, 55, 70-72, 84, 117, 157, 159-160, 171, 175, *282-284*, 285, voir ASSOCIATIONNISME et CONNEXIONNISME.
STIMULUS-STIMULUS (S-S),
• association, connexion, lien, 45-47, 49, 157, 159-160.
• interprétation, modèle, théorie, 157, 160.
STRATÉGIE D'APPRENTISSAGE, 244-246.
STRUCTURALISME, 32, *33*, 34-35, 37, 41-42.
SUPPRESSION CONDITIONNELLE, *128-129*, 157, 161, 213.
SURAPPRENTISSAGE, *243-244*, 247.
SYSTÈME MINIATURE, *59-60*, 63, 69, 71-72.

T

TENDANCE, 13, 49, 52-54, *204*, 206-207, 213, 215, 270, 281.
TRANSPOSITION, *235-238*.

U

UMWELT, 5-6, 73, 87.

Z

ZOOCENTRISME, XIV, 61, 84.

INDEX DES ANIMAUX

Achevé d'imprimer
en mai mil neuf cent quatre-vingt-trois
sur les presses de l'Imprimerie Gagné Ltée
Louiseville - Montréal.
Imprimé au Canada